KB085648

HIGHTOP
하이탑
과학 고수들의 필독서

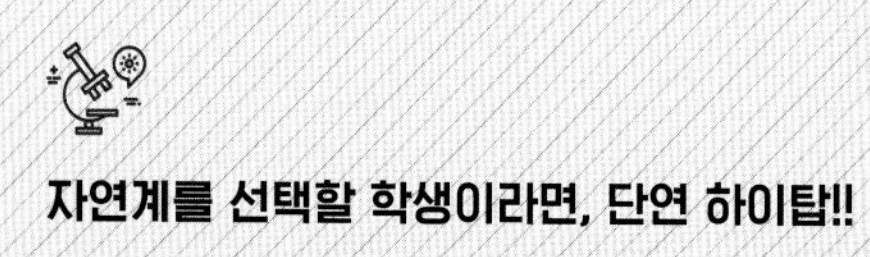
자연계를 선택할 학생이라면, 단연 하이탑!!

HiGHTOP

High Top

2권

화학 Ⅱ

Structure

이 책의 구성과 특징

지금껏 선생님들과 학생들로부터 고등 과학의 바이블로 명성을 이어온 하이탑의 자랑거리는 바로,

- 기초부터 심화까지 이어지는 튼실한 내용 체계
- 백과사전처럼 자세하고 빈틈없는 개념 설명
- 내용의 이해를 돕기 위한 풍부한 자료
- 과학적 사고를 훈련시키는 논리정연한 문장

이었습니다. 이러한 전통과 장점을 이 책에 이어 담았습니다.

개념과 원리를 익히는 단계

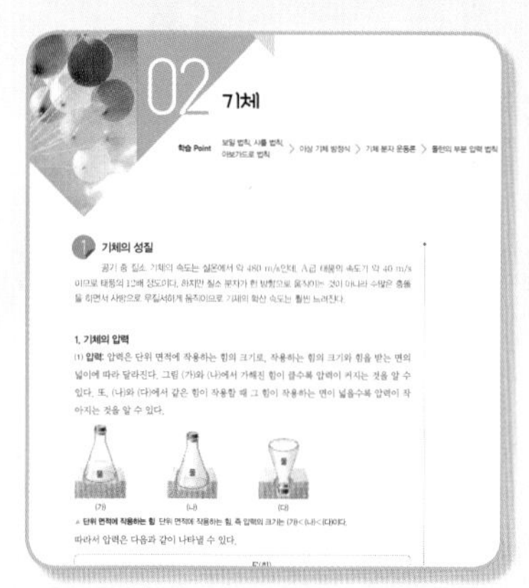

● 개념 정리

여러 출판사의 교과서에서 다루는 개념들을 체계적으로 다시 정리하여 구성하였습니다.

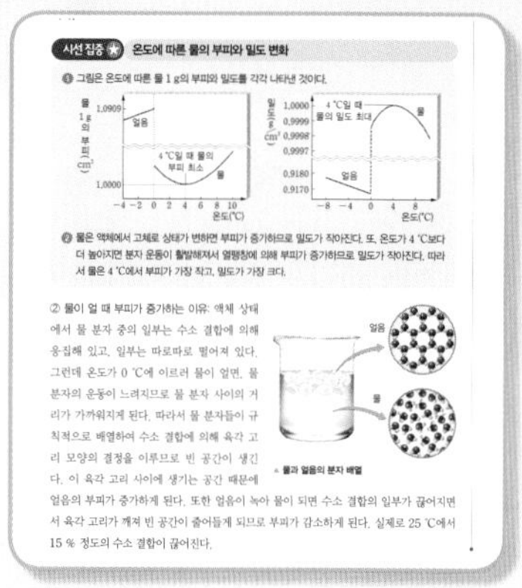

● 시선 집중

중요한 자료를 더 자세히 분석하거나 개념을 더 잘 이해할 수 있도록 추가로 설명하였습니다.

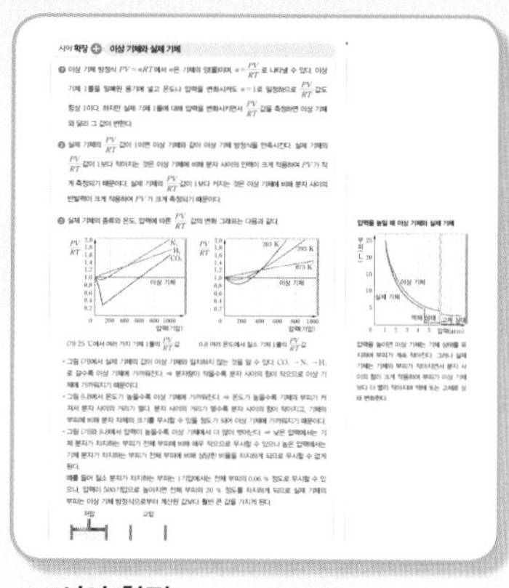

● 시야 확장

심도 깊은 내용을 이해하기 쉽도록 원리나 개념을 자세히 설명하였습니다.

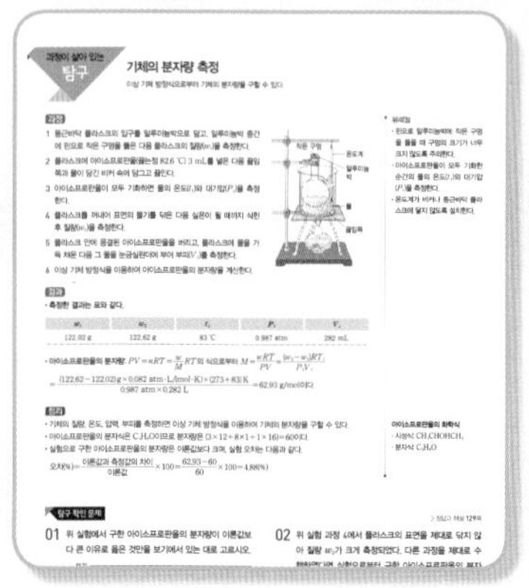

● 탐구

교과서에서 다루는 탐구 활동 중에서 가장 중요한 주제를 선별하여 수록하고, 과정과 결과를 철저히 분석하였습니다.

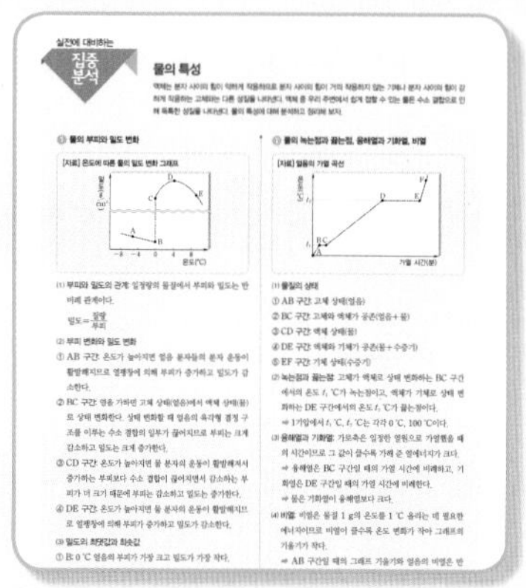

● 집중 분석

출제 빈도가 높은 주요 주제를 집중적으로 분석하고, 유제를 통해 실제 시험에 대비할 수 있도록 하였습니다.

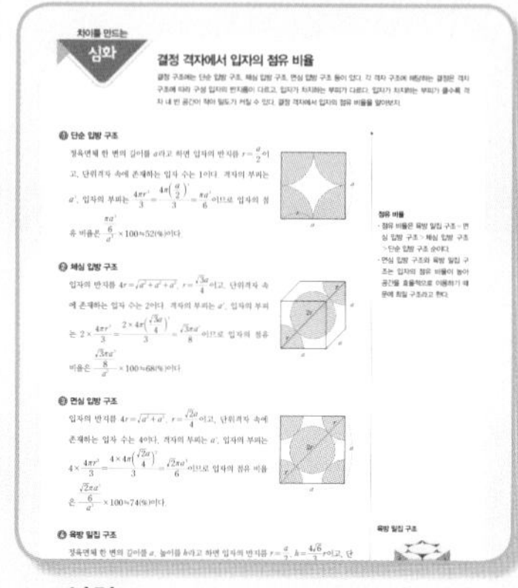

● 심화

깊이 있게 이해할 필요가 있는 개념은 따로 발췌하여 심화 학습할 수 있도록 자세히 설명하고 분석하였습니다.

다양한 유형과 수준별 문제로 실력을 확인하는 단계

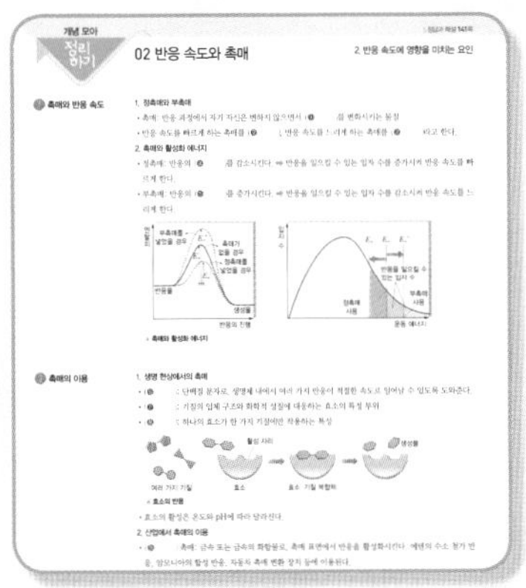

●개념 모아 정리하기

각 단원에서 배운 핵심 내용을 빈칸에 채워 나가면서 스스로 정리하는 코너입니다.

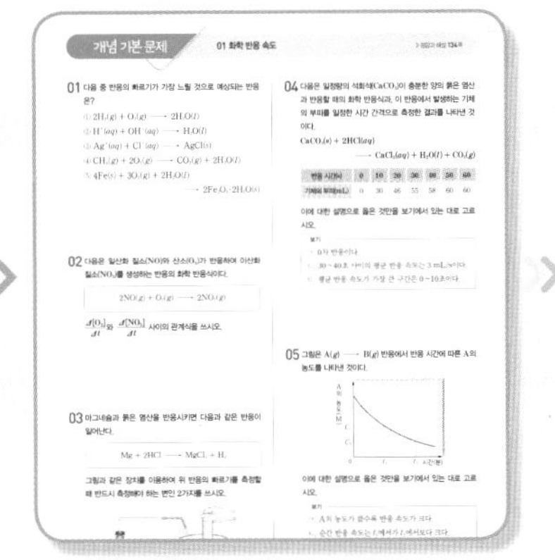

●개념 기본 문제

각 단원의 기본적이고 핵심적인 내용의 이해 여부를 평가하기 위한 코너입니다.

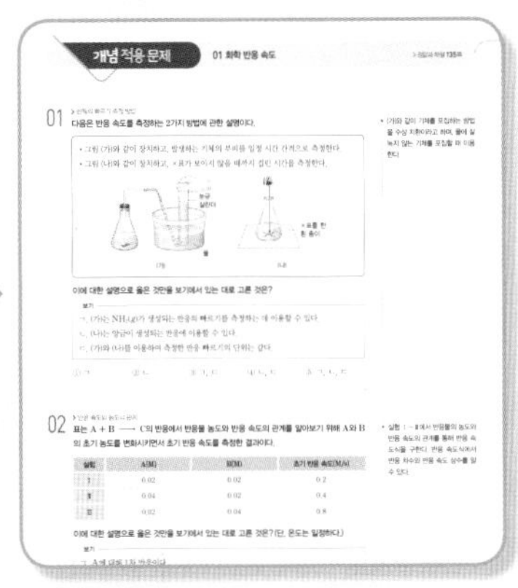

●개념 적용 문제

기출 문제 유형의 문제들로 구성된 코너입니다. '고난도 문제'도 수록하였습니다.

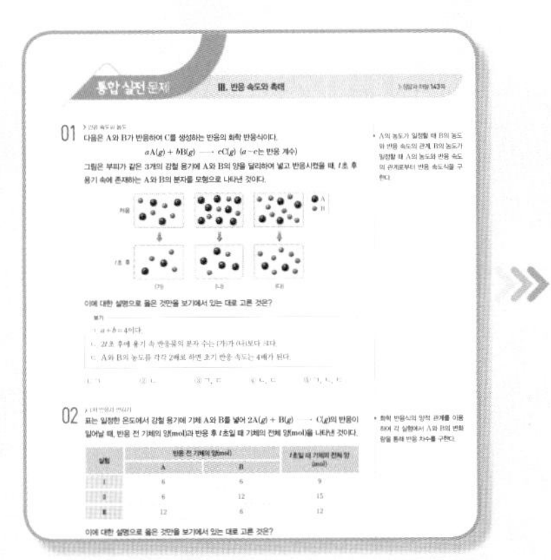

●통합 실전 문제

대단원별로 통합된 개념의 이해 여부를 확인함으로써 실전을 대비할 수 있도록 구성하였습니다.

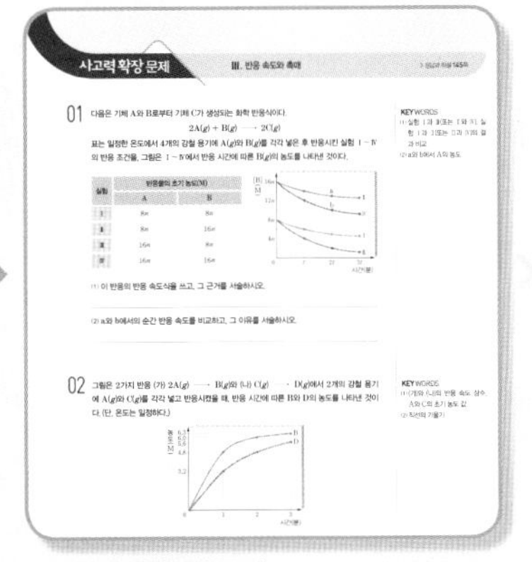

●사고력 확장 문제

창의력, 문제 해결력 등 한층 높은 수준의 사고력을 요하는 서술형 문제들로 구성하였습니다.

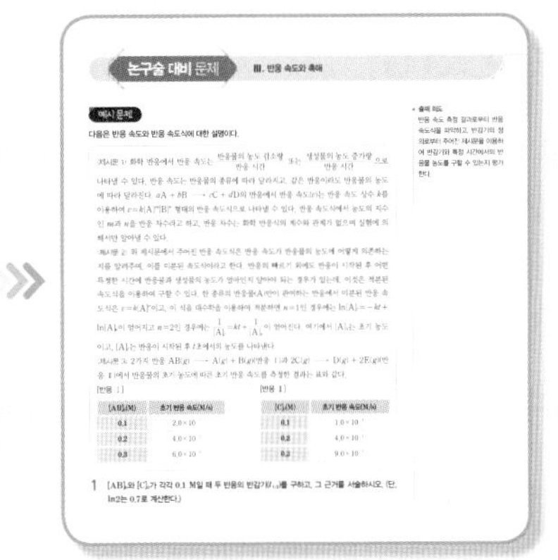

●논구술 대비 문제

논구술 시험에 출제되었거나, 출제 가능성이 높은 예상 문제로서, 답변 요령 및 예시 답안과 함께 제시하였습니다.

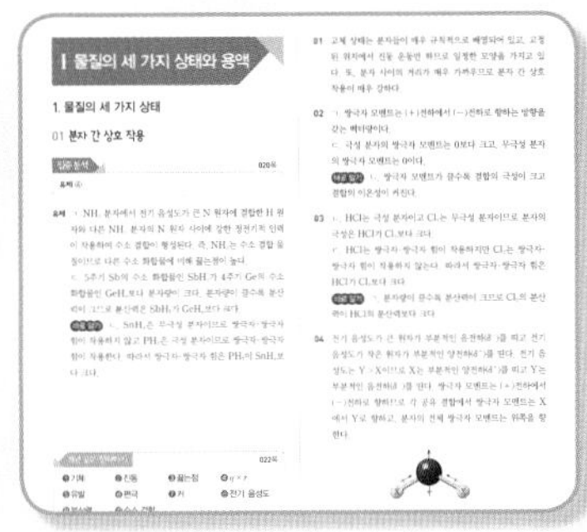

●정답과 해설

정답과 오답의 이유를 쉽게 이해할 수 있도록 자세하고 친절한 해설을 담았습니다.

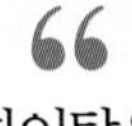

하이탑은
과학에 대한 열정을 지닌 독자님의
실력이 더욱 향상되길 기원합니다.

”

Contents
이 책의 차례 - 화학

"자세하고 짜임새 있는 설명과 수준 높은 문제로 실력의 차이를 만드는 High Top"

물질의 세 가지 상태와 용액

1. 물질의 세 가지 상태
01 분자 간 상호 작용 010
02 기체 026
03 액체와 고체 052

2. 용액
01 용액의 농도 080
02 묽은 용액의 총괄성 096
• 논구술 대비 문제 122

• 정답과 해설 128
• 용어 찾아보기 149

반응 엔탈피와 화학 평형

1. 반응 엔탈피
01 화학 반응과 열의 출입 010
02 헤스 법칙 024

2. 화학 평형과 평형 이동
01 화학 평형 044
02 평형 이동 062

3. 상평형과 산 염기 평형
01 상평형 080
02 산 염기 평형 090
03 완충 용액 112
• 논구술 대비 문제 138

• 정답과 해설 144
• 용어 찾아보기 181

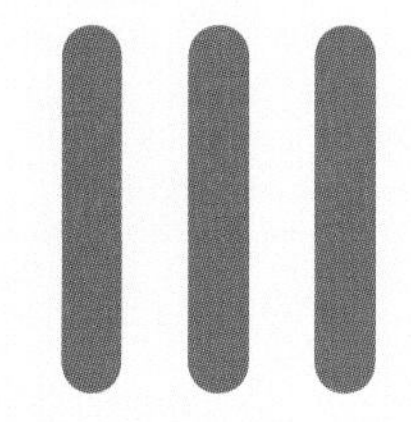

반응 속도와 촉매

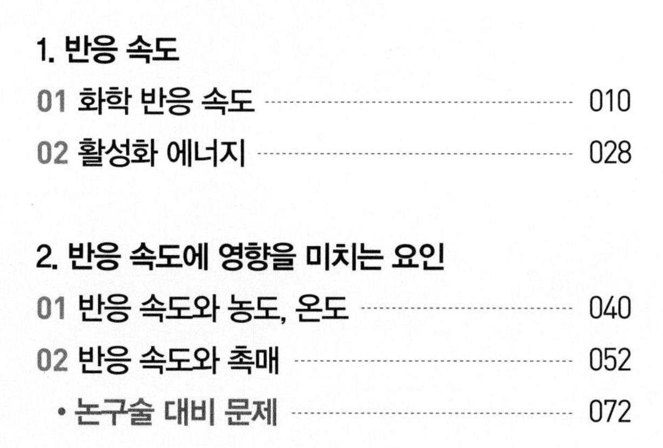

1. 반응 속도

01 화학 반응 속도 010

02 활성화 에너지 028

2. 반응 속도에 영향을 미치는 요인

01 반응 속도와 농도, 온도 040

02 반응 속도와 촉매 052

• 논구술 대비 문제 072

IV

전기 화학과 이용

1. 전기 화학과 이용

01 화학 전지 080

02 전기 분해 106

• 논구술 대비 문제 128

• 정답과 해설 134

• 자료실 162

• 용어 찾아보기 164

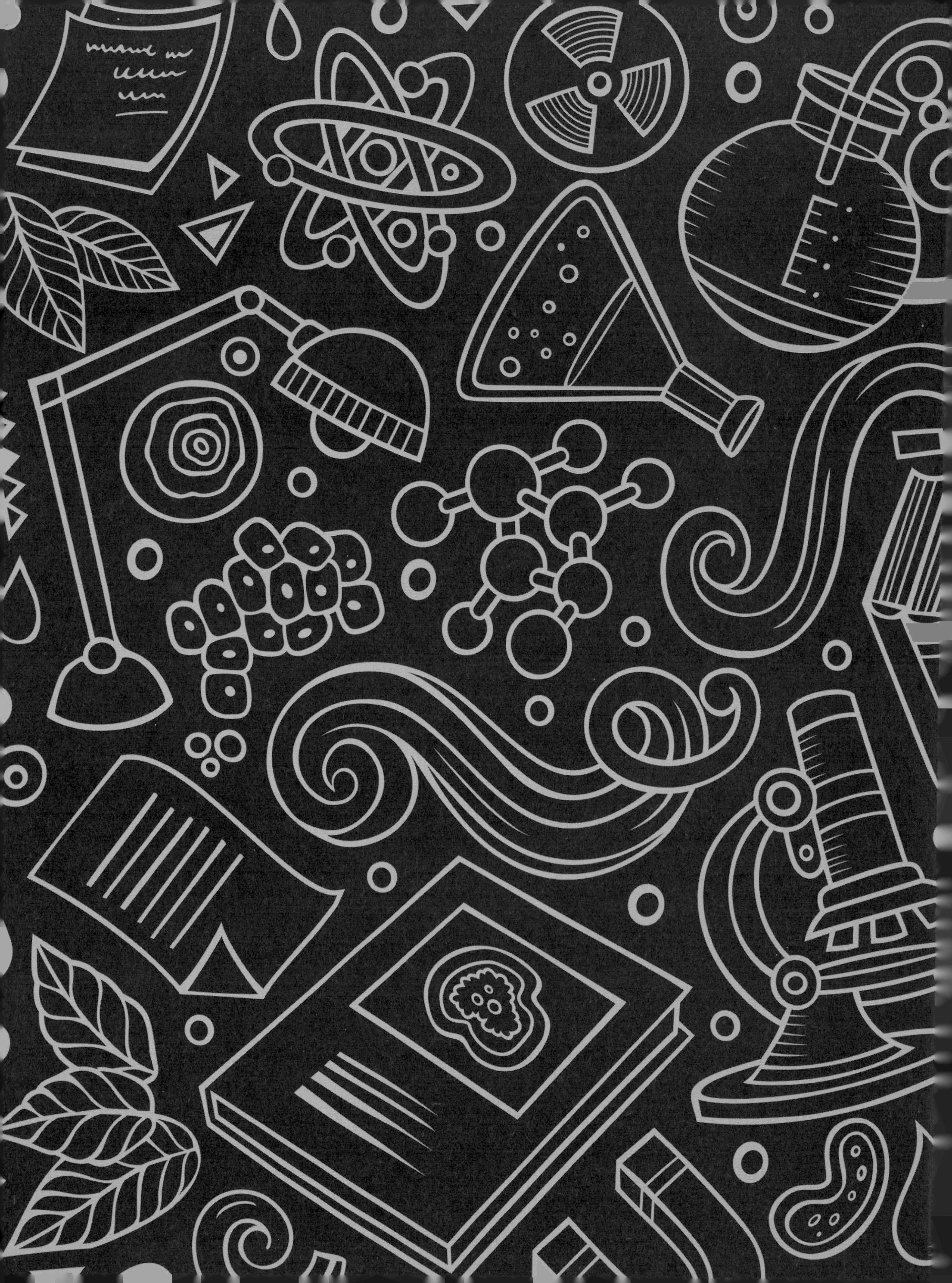

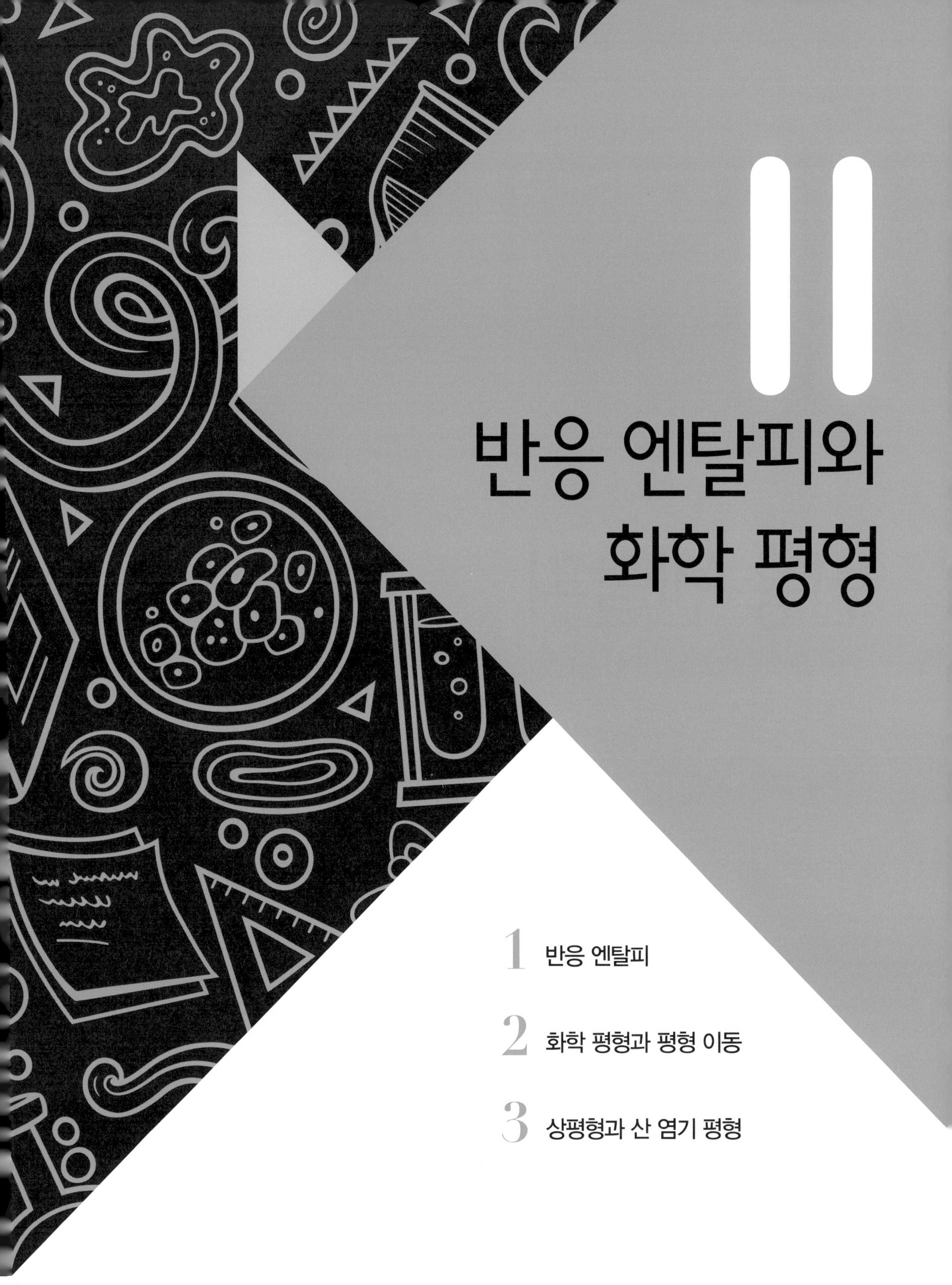

II 반응 엔탈피와 화학 평형

1 반응 엔탈피

2 화학 평형과 평형 이동

3 상평형과 산 염기 평형

1
반응 엔탈피

01 화학 반응과 열의 출입

02 헤스 법칙

단원 Preview

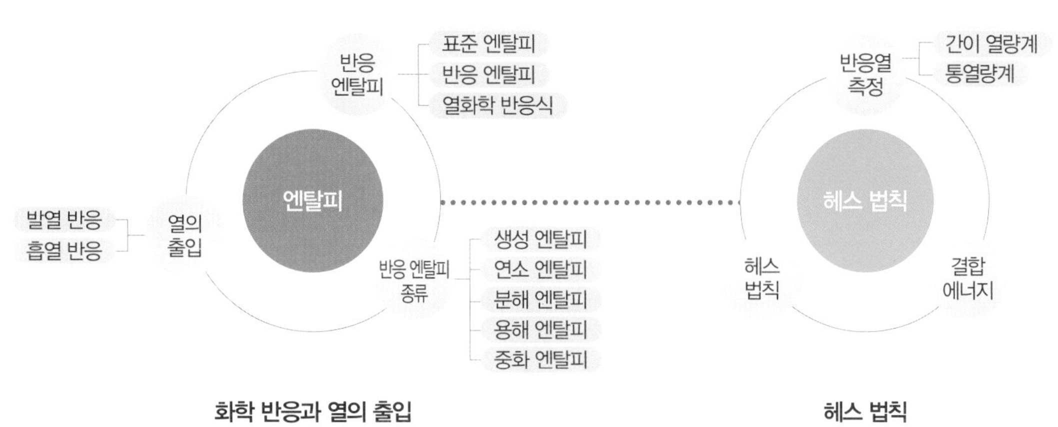
엔탈피
반응 엔탈피
표준 엔탈피
반응 엔탈피
열화학 반응식
열의 출입
발열 반응
흡열 반응
반응 엔탈피 종류
생성 엔탈피
연소 엔탈피
분해 엔탈피
용해 엔탈피
중화 엔탈피
헤스 법칙
반응열 측정
간이 열량계
통열량계
헤스 법칙
결합 에너지
화학 반응과 열의 출입
헤스 법칙

01 화학 반응과 열의 출입

학습 Point 발열 반응과 흡열 반응 > 반응 엔탈피와 열화학 반응식 > 반응 엔탈피의 종류

1 발열 반응과 흡열 반응

자동차를 움직이게 하는 것은 휘발유와 같은 연료이다. 그렇다면 휘발유와 같은 연료는 어떻게 무거운 자동차를 움직이게 할 수 있는 것일까? 이것은 연료가 연소하면서 에너지를 발생시키기 때문이다. 이처럼 화학 반응이 일어나면 에너지의 출입이 따른다.

1. 반응계와 주위

심화 017~018쪽

반응계는 반응이 직접 일어나는 영역으로 실험을 수행할 때 관심의 초점이 되는 출발 물질과 최종 물질을 의미한다. 반응계를 제외한 나머지 모든 것은 주위라고 한다.

예 삼각 플라스크에서 $Ba(OH)_2(s)$과 $NH_4NO_3(s)$이 반응하면 반응계는 $Ba(OH)_2(s)$과 $NH_4NO_3(s)$이고, 주위는 삼각 플라스크, 공기를 비롯하여 나머지 모든 것이다.

반응계와 주위

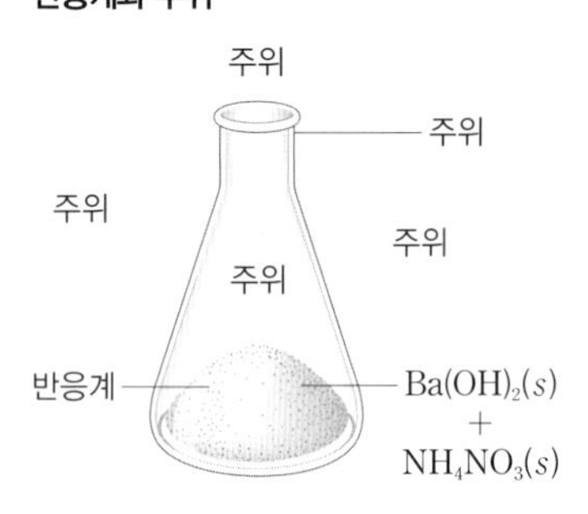

2. 화학 반응에서 열의 출입

에너지 보존 법칙에 따르면 에너지는 다른 형태로 전환되거나 다른 곳으로 전이되어도 새로 생성되거나 소멸되지 않으므로 에너지의 총합은 항상 일정하다.

반응계의 에너지+주위의 에너지=일정

(1) **반응계와 주위의 에너지 변화:** 화학 반응이 일어날 때 반응계가 에너지를 잃으면 주위는 에너지를 얻고, 반응계가 에너지를 얻으면 주위는 에너지를 잃는다.

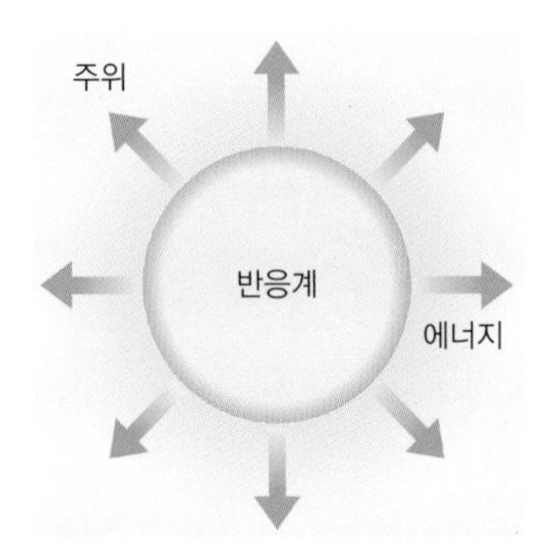

반응계가 방출한 에너지는 모두 주위가 얻으므로 반응계와 주위의 총 에너지는 일정하다.

▲ 발열 반응

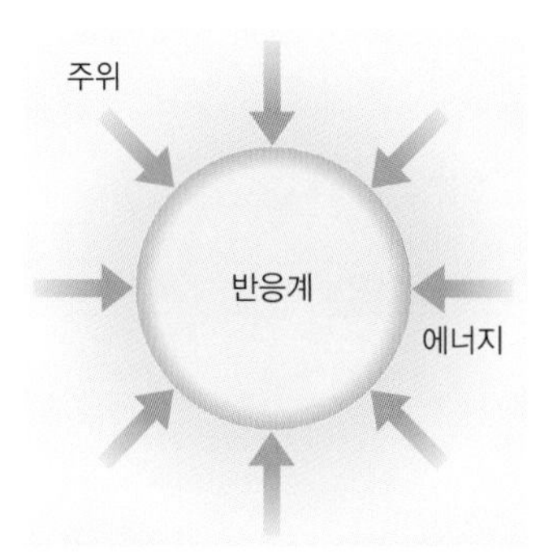

반응계가 흡수한 에너지는 모두 주위에서 공급되므로 반응계와 주위의 총 에너지는 일정하다.

▲ 흡열 반응

화학 반응과 에너지 보존 법칙

발열 반응이 일어날 때 열에너지가 방출되고, 흡열 반응이 일어날 때 열에너지가 흡수된다고 해서 에너지 보존 법칙이 성립하지 않는 것은 아니다. 발열 반응의 경우 반응물이 가진 화학 에너지가 열에너지로 전환되는 것이고, 흡열 반응의 경우 열에너지가 생성물의 화학 에너지로 전환되는 것이다. 즉, 에너지는 서로 전환될 뿐 생성되거나 소멸되지 않는다.

(2) 화학 반응에서 열의 출입

① **발열 반응:** 반응계의 에너지가 열의 형태로 주위로 이동하므로 반응계의 에너지는 감소하고 주위의 온도는 높아진다. 발열 반응의 예로는 연소, 금속의 산화, 금속과 산의 반응, 중화 반응, 수산화 나트륨의 용해 등이 있다.

② **흡열 반응:** 주위의 에너지가 반응계로 이동하므로 반응계의 에너지는 증가하고 주위의 온도는 낮아진다. 흡열 반응의 예로는 탄산 칼슘의 열분해, 광합성, 물의 전기 분해, 질산 암모늄의 용해 등이 있다.

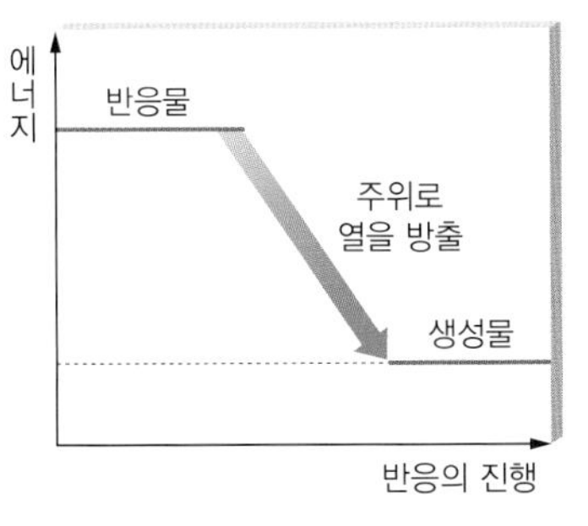

▲ **발열 반응에서 에너지 변화와 열 방출**

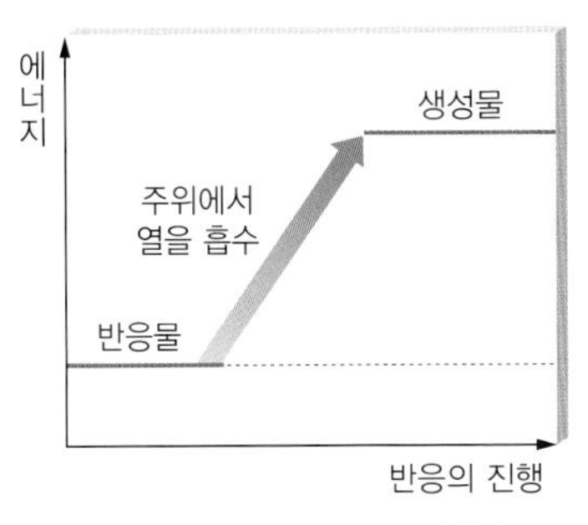

▲ **흡열 반응에서 에너지 변화와 열 흡수**

(3) **물질의 안정성:** 물질의 안정성은 물질이 지닌 에너지로 판단할 수 있다. 물질이 지닌 에너지가 낮을수록 에너지 면에서 안정하다.

① **발열 반응:** 생성물이 반응물보다 에너지가 더 낮다. 따라서 발열 반응에서는 생성물이 반응물보다 안정하다.

② **흡열 반응:** 반응물이 생성물보다 에너지가 더 낮다. 따라서 흡열 반응에서는 반응물이 생성물보다 안정하다.

발열 반응의 이용
- 극지방에서 날씨가 매우 추울 때 얼음집에 물을 뿌린다.
- 일회용 주머니 난로에 사용하는 대표적인 물질은 철 가루로, 철 가루와 산소가 반응하면 열이 발생한다.

흡열 반응의 이용
- 더운 여름날 마당에 물을 뿌린다.
- 질산 암모늄의 용해 반응을 이용하여 냉각 팩을 만든다. 손목이나 발목이 부었을 때 붓기가 있는 상처에서 열이 발생하는데, 이때 응급처치를 하기 위해 냉각 팩을 사용한다.

2 반응 엔탈피와 열화학 반응식

물질을 구성하고 있는 입자가 서로 결합하거나 분해되어 새로운 물질이 생성되는 것이 화학 변화이다. 이러한 화학 변화를 반응물과 생성물의 화학식과 기호를 이용하여 화학 반응식으로 나타낼 때 열에너지의 출입을 함께 나타낼 수 있다.

1. 반응 엔탈피(enthalpy)

(1) **엔탈피의 정의:** 어떤 물질이 가지고 있는 고유한 총 에너지 함량을 엔탈피라고 하며, H로 나타낸다. 예를 들면, H_2O의 엔탈피는 원자핵 속에 존재하는 입자들의 핵에너지, 전자가 가지는 에너지, 원자 사이의 공유 결합 에너지, 물 분자의 병진 운동 에너지, 진동 운동 에너지, 회전 운동 에너지 등의 모든 에너지를 합한 값이다. 따라서 어떤 물질의 엔탈피 값을 정확하게 측정하는 것은 사실상 불가능하며, 실제로 그럴 필요도 없다. 화학 반응에서 중요한 것은 엔탈피 변화이며, 엔탈피 변화는 일정한 압력 조건에서 화학 반응이 진행될 때 출입하는 열에너지와 같다.

엔탈피
엔탈피는 그리스어의 'enthalpo(덥다)'에서 유래되었다.

(2) **표준 엔탈피:** 엔탈피는 온도와 압력에 따라 달라진다. 25 ℃, 1기압에서 엔탈피 값을 표준 엔탈피라고 하며, H°로 나타낸다. 만약 아무 조건이 없이 엔탈피 값이 주어진다면 대개는 25 ℃, 1기압에서의 엔탈피 값인 표준 엔탈피 값을 의미한다.

(3) **반응 엔탈피(ΔH)**

① **반응 엔탈피:** 화학 반응이 일어나면 반응물이 가진 엔탈피의 합과 생성물이 가진 엔탈피의 합이 서로 다르기 때문에 열의 출입이 나타난다. 화학 반응이 일어날 때 생성물의 엔탈피 합에서 반응물의 엔탈피 합을 뺀 값을 반응 엔탈피 또는 엔탈피 변화라고 하며, ΔH로 나타낸다.

> 반응 엔탈피(ΔH)=생성물의 엔탈피 합−반응물의 엔탈피 합
> $=\sum H_P - \sum H_R$
> (H_P: 생성물의 엔탈피, H_R: 반응물의 엔탈피)

② **발열 반응과 흡열 반응의 반응 엔탈피:** 발열 반응의 경우 에너지가 주위로 방출되어 엔탈피가 감소하므로 $\Delta H<0$이고, 흡열 반응의 경우 주위로부터 에너지가 흡수되어 엔탈피가 증가하므로 $\Delta H>0$이다.

- 발열 반응의 반응 엔탈피: $\Delta H<0$
- 흡열 반응의 반응 엔탈피: $\Delta H>0$

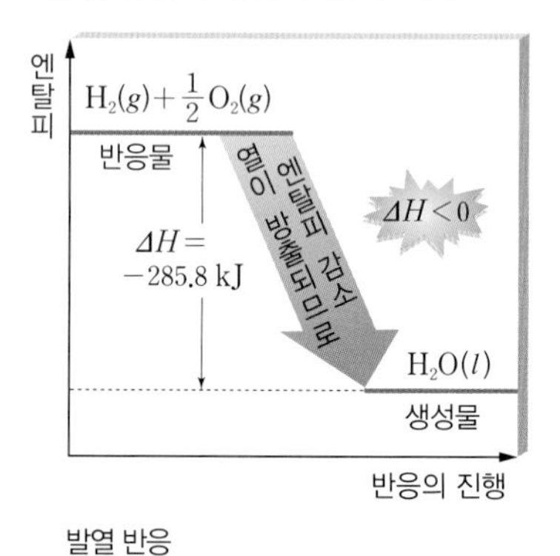

발열 반응

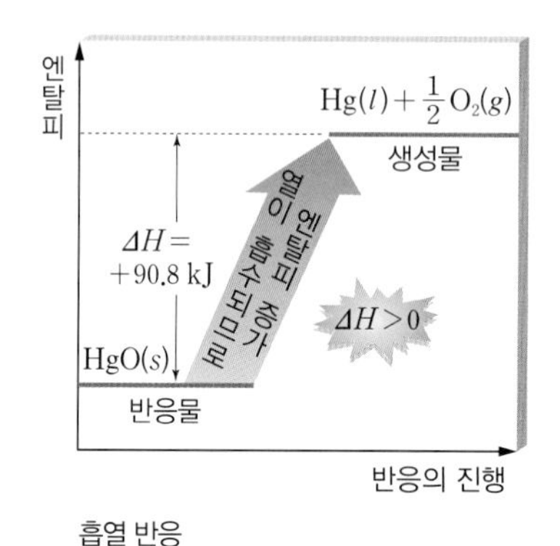

흡열 반응

▲ **화학 반응에서 엔탈피의 변화**

상태 함수와 엔탈피

상태 함수는 계(system)의 현재 상태의 온도나 압력과 같은 변수에 의해 결정되고, 계의 변화 과정과는 관계없는 계의 성질을 의미한다. 한 지점에서 출발하여 산의 정상에 도달하는 등산 과정을 예로 들면, 해발 고도는 상태 함수이지만 등산 거리는 상태 함수가 아니다. 즉, 등산 거리는 어떤 경로를 이용하는가에 따라 달라지지만 해발 고도는 달라지지 않는다. 엔탈피는 상태 함수로, 변화가 어떻게 일어났는지는 관계없이 단지 초기 상태와 최종 상태에 의해서만 결정된다. 엔탈피와는 다르게 일은 상태 함수가 아니다. 일은 어떤 경로를 거치느냐에 따라 그 값이 달라지기 때문이다.

2. 열화학 반응식

(1) **열화학 반응식:** 화학 반응이 일어날 때 흡수하거나 방출하는 열에너지를 포함시켜 나타낸 화학 반응식을 열화학 반응식이라고 한다.

① **반응열과 열화학 반응식:** 화학 반응이 일어날 때 흡수하거나 방출하는 열량을 반응열이라고 하며, Q로 나타낸다. 열을 방출하는 화학 반응에서는 화학 반응식 끝에 $+Q$로 나타내고, 열을 흡수하는 화학 반응에서는 화학 반응식 끝에 $-Q$로 나타낸다.

② **반응 엔탈피와 열화학 반응식:** 대부분의 화학 반응은 일정한 압력인 대기압 상태에서 일어난다. 그런데 일정한 압력에서 화학 반응이 일어날 때 출입하는 열에너지와 엔탈피 변화의 크기는 서로 같다. 따라서 열화학 반응식을 나타낼 때 반응열 Q로 표시하는 대신 반응 엔탈피 ΔH를 이용하여 표시할 수 있으며, 화학 반응식 뒤에 쉼표를 찍은 후 표시한다.

반응열과 반응 엔탈피

- 반응열(Q)=반응물의 엔탈피 합 −생성물의 엔탈피 합
- 반응 엔탈피(ΔH)=생성물의 엔탈피 합 −반응물의 엔탈피 합

(2) 발열 반응, 흡열 반응과 열화학 반응식

① 발열 반응: 열이 방출되는 반응이므로 반응열 $Q>0$이고, 엔탈피가 감소하는 반응이므로 반응 엔탈피 $\Delta H<0$이다.

$$H_2(g) + \frac{1}{2}O_2(g) \longrightarrow H_2O(l) + 285.8\text{ kJ}$$

$$H_2(g) + \frac{1}{2}O_2(g) \longrightarrow H_2O(l),\ \Delta H = -285.8\text{ kJ}$$

② 흡열 반응: 열이 흡수되는 반응이므로 반응열 $Q<0$이고, 엔탈피가 증가하는 반응이므로 반응 엔탈피 $\Delta H>0$이다.

$$HgO(s) \longrightarrow Hg(l) + \frac{1}{2}O_2(g) - 90.8\text{ kJ}$$

$$HgO(s) \longrightarrow Hg(l) + \frac{1}{2}O_2(g),\ \Delta H = 90.8\text{ kJ}$$

반응 구분	발열 반응	흡열 반응
열의 출입	열이 방출되는 반응	열이 흡수되는 반응
안정한 물질	생성물	반응물
반응열(Q)	$Q>0$	$Q<0$
반응 엔탈피(ΔH)	$\Delta H<0$	$\Delta H>0$
반응의 예	연소, 중화 반응	열분해, 광합성

▲ 발열 반응과 흡열 반응의 비교

(3) 열화학 반응식에서 유의할 사항

① 열화학 반응식에서 화학식 앞의 계수비는 각 물질의 몰비를 의미한다.

② 어떤 물질이 가지는 에너지는 상태에 따라 달라지므로 열화학 반응식에 나타내는 물질의 화학식 뒤에는 반드시 물질의 상태, 즉 고체(s), 액체(l), 기체(g), 수용액(aq) 등을 표시해야 한다.

예 수소의 연소 반응

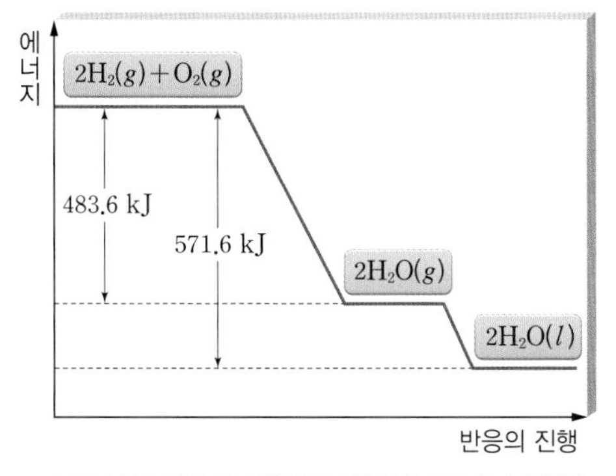

- $2H_2(g) + O_2(g) \longrightarrow 2H_2O(l)$, $\Delta H = -571.6\text{ kJ}$
- $2H_2(g) + O_2(g) \longrightarrow 2H_2O(g)$, $\Delta H = -483.6\text{ kJ}$

▲ 수소의 연소 반응에서 생성물의 상태에 따른 에너지 변화

수소 기체가 연소하여 물이 생성될 때와 수증기가 생성될 때 출입하는 에너지의 양이 다르다. 수소 기체가 연소하여 액체 상태의 물 2몰이 생성될 때에는 571.6 kJ의 에너지가 방출되고, 수소 기체가 연소하여 기체 상태의 수증기 2몰이 생성될 때에는 483.6 kJ의 에너지가 방출된다. 이와 같이 같은 종류의 물질이라도 상태에 따라 화학 반응에서 출입하는 에너지의 양이 다르므로 열화학 반응식을 나타낼 때는 물질의 상태를 함께 표시해야 한다.

화학 반응식을 나타내는 방법(예 물의 생성 반응)

- 1단계_화살표(→)를 중심으로 왼쪽에는 반응물인 수소(H_2)와 산소(O_2)의 화학식을 쓰고, 오른쪽에는 생성물인 물(H_2O)의 화학식을 쓴 다음, 수소의 화학식과 산소의 화학식 사이에 '+'를 쓴다.
  $H_2 + O_2 \longrightarrow H_2O$
- 2단계_반응 전후 원자의 종류과 개수가 같도록 계수를 맞춘다.
  $2H_2 + O_2 \longrightarrow 2H_2O$
  H 4개, O 2개=H 4개, O 2개

③ 반응 엔탈피는 온도와 압력에 따라 달라지므로 열화학 반응식을 쓸 때에는 반응 조건, 즉 온도와 압력을 표시해야 한다. 일반적으로 온도와 압력의 반응 조건이 주어지지 않으면 표준 상태인 25 ℃, 1기압으로 간주한다. 표준 상태에서의 반응 엔탈피는 $\Delta H°$로 표시한다.

④ 화학 반응식의 계수가 변하면 반응 엔탈피의 크기도 비례하여 변한다.

$H_2(g) + \frac{1}{2}O_2(g) \longrightarrow H_2O(l)$, $\Delta H = -285.8$ kJ

$2H_2(g) + O_2(g) \longrightarrow 2H_2O(l)$, $\Delta H = -571.6$ kJ

➡ 화학 반응식의 계수가 2배가 되면 반응 엔탈피도 2배가 된다.

⑤ 정반응이 발열 반응이면 역반응은 흡열 반응이므로, 이때 두 반응 엔탈피의 절댓값은 같으나 부호가 반대이다.

$H_2(g) + \frac{1}{2}O_2(g) \longrightarrow H_2O(l)$, $\Delta H = -285.8$ kJ

$H_2O(l) \longrightarrow H_2(g) + \frac{1}{2}O_2(g)$, $\Delta H = 285.8$ kJ

⑥ 열화학 반응식의 반응열을 표시할 때 Q와 H를 혼용하여 사용하므로 부호에 유의해야 한다. 즉, Q와 ΔH는 절댓값이 같고 부호가 반대이다.

$Q = -\Delta H$

3 반응 엔탈피의 종류

반응 엔탈피의 종류에는 반응의 종류에 따라 생성 엔탈피, 연소 엔탈피, 분해 엔탈피, 중화 엔탈피 등이 있다. 반응 엔탈피는 물질이 반응할 때 출입하는 에너지로 나타내며, 물질의 상태나 온도, 압력에 따라 달라지므로 물질의 상태, 온도, 압력을 표시해야 한다.

표준 생성 엔탈피($\Delta H°_f$)
$\Delta H°_f$에서 위첨자 °는 표준 상태임을, 아래 첨자 f는 생성(formation)을 의미한다.

1. 생성 엔탈피(ΔH_f)

어떤 화합물 1몰이 가장 안정한 성분 원소로부터 생성될 때의 반응 엔탈피를 생성 엔탈피라고 하며, ΔH_f로 나타낸다. 특히 표준 상태(25 ℃, 1기압)에서의 생성 엔탈피를 표준 생성 엔탈피 또는 표준 생성열이라고 하며, $\Delta H°_f$로 나타낸다. 온도와 압력이 표시되지 않은 경우라면 표준 상태인 25 ℃, 1기압에서의 값을 의미한다.

(1) **표준 생성 엔탈피의 계산:** 표준 생성 엔탈피는 열화학 반응식으로부터 구할 수 있다.

예 $H_2(g) + \frac{1}{2}O_2(g) \longrightarrow H_2O(l)$, $\Delta H = -285.8$ kJ

➡ $H_2O(l)$의 표준 생성 엔탈피($\Delta H°_f$)는 -285.8 kJ/mol이다.

예 $N_2(g) + O_2(g) \longrightarrow 2NO(g)$, $\Delta H = 182.6$ kJ

➡ $NO(g)$ 2몰이 생성될 때의 반응 엔탈피는 $\Delta H =$ 182.6 kJ/mol이므로 $NO(g)$의 표준 생성 엔탈피($\Delta H°_f$)는 91.3 kJ/mol이다.

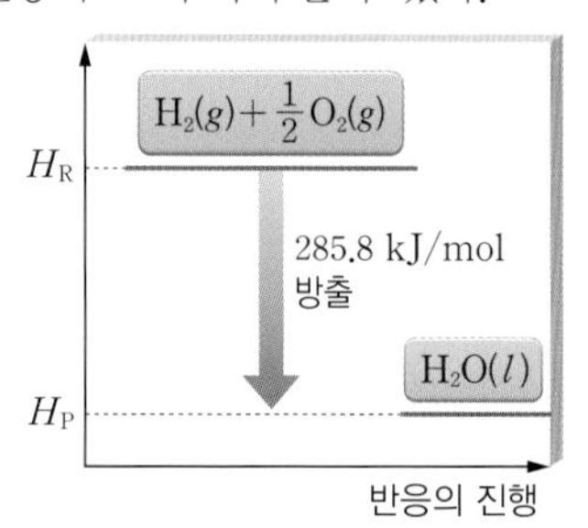

▲ **물의 생성 반응과 생성 엔탈피** H_R는 반응물의 엔탈피이고, H_P는 생성물의 엔탈피이다.

물질	$CH_4(g)$	$C_3H_8(g)$	$CO_2(g)$	$H_2O(g)$	$H_2O(l)$	$H_2O_2(l)$
$\Delta H°_f$(kJ/mol)	−74.8	−103.8	−393.5	−241.8	−285.8	−187.7
물질	$NH_3(g)$	$NO(g)$	$NO_2(g)$	$HI(g)$	$CH_3COOH(l)$	$CCl_4(l)$
$\Delta H°_f$(kJ/mol)	−45.9	91.3	33.2	26.5	−484.3	−135.4

▲ 몇 가지 물질의 표준 생성 엔탈피(kJ/mol, 25 ℃, 1기압)

(2) **원소의 표준 생성 엔탈피:** 원소의 표준 생성 엔탈피는 0이다. 여러 가지 동소체가 존재하는 경우에는 표준 상태에서 가장 안정한 원소의 표준 생성 엔탈피가 0이다. 산소는 $O(g)$와 $O_2(g)$, $O_3(g)$의 동소체가 존재하며, 탄소는 흑연, 다이아몬드, 풀러렌 등의 동소체가 존재한다. 산소의 경우 표준 상태에서 가장 안정한 원소가 $O_2(g)$이므로 $O_2(g)$의 표준 생성 엔탈피가 0이다. 반면, 산소 원자(O)나 오존(O_3)은 표준 생성 엔탈피가 0이 아니다. 탄소의 경우에는 표준 상태에서 흑연이 가장 안정하므로 흑연의 표준 생성 엔탈피가 0이다.

물질	산소			탄소		
	$O(g)$	$O_2(g)$	$O_3(g)$	$C(g)$	C(*s*, 흑연)	C(*s*, 다이아몬드)
$\Delta H°_f$(kJ/mol)	249.2	0	143.0	716.7	0	1.9

▲ 산소와 탄소의 표준 생성 엔탈피(kJ/mol, 25 ℃, 1기압)

(3) **표준 생성 엔탈피를 이용한 물질의 안정성 비교:** 표준 생성 엔탈피는 화합물의 상대적 안정성을 나타내므로 이를 이용하여 같은 원소로 이루어진 물질의 안정성을 비교할 수 있다. 같은 원소로 이루어진 여러 화합물 중 표준 생성 엔탈피($\Delta H°_f$)가 작은 물질일수록 안정하다.

물질	$C_2H_2(g)$	$C_2H_4(g)$	$C_2H_6(g)$
$\Delta H°_f$(kJ/mol)	227.4	52.4	−84.7
안정성	작아짐 ←		→ 커짐

▲ 표준 생성 엔탈피에 따른 물질의 안정성 비교

(4) **표준 생성 엔탈피와 반응 엔탈피:** 표준 생성 엔탈피를 그 물질의 상대적 엔탈피 값으로 사용할 수 있다. 화학 반응의 엔탈피 변화는 다음과 같다.

$$\text{반응 엔탈피}(\Delta H) = \text{생성물의 엔탈피 합} - \text{반응물의 엔탈피 합} = \sum H_P - \sum H_R = \sum H°_{f(\text{생성물})} - \sum H°_{f(\text{반응물})}$$

예제

표준 생성 엔탈피 값을 참고하여 다음 반응의 반응 엔탈피(ΔH, kJ/mol)를 구하시오.

$$C_3H_8(g) + 5O_2(g) \longrightarrow 3CO_2(g) + 4H_2O(l)$$

해설 $\Delta H = \sum H°_{f(\text{생성물})} - \sum H°_{f(\text{반응물})}$

$= \{3 \times \Delta H°_{f(CO_2)} + 4 \times \Delta H°_{f(H_2O)}\} - \{\Delta H°_{f(C_3H_8)} + 5 \times \Delta H°_{f(O_2)}\}$

$= \{3 \times (-393.5\ \text{kJ/mol}) + 4 \times (-285.8\ \text{kJ/mol})\} - \{(-103.8\ \text{kJ/mol}) + 5 \times (0\ \text{kJ/mol})\}$

$= -2219.9$ kJ/mol

정답 −2219.9 kJ/mol

표준 생성 엔탈피

표준 상태(25 ℃, 1기압)에서 가장 안정한 성분 원소로부터 화합물 1몰이 생성되는 반응에 대한 반응 엔탈피를 의미하며, 실험실에서 일어나지 않는 반응이라도 관계없다. 예를 들면 실험실에서 탄소와 수소를 반응시켜 메테인을 생성시킬 수는 없지만, 메테인의 표준 생성 엔탈피는 다음과 같은 가상의 반응에서의 반응 엔탈피로 정의된다.

$C(s, \text{흑연}) + 2H_2(g) \longrightarrow CH_4(g)$

표준 생성 엔탈피를 이용한 물질의 안정성

표준 생성 엔탈피($\Delta H°_f$)를 이용하여 물질의 안정성을 비교할 때에는 같은 원소로부터 생성되는 물질의 경우에만 가능하다. 예를 들면, $\Delta H°_f$가 52.4 kJ/mol인 $C_2H_4(g)$이 $\Delta H°_f$가 227.4 kJ/mol인 $C_2H_2(g)$보다 안정한 물질이라고 할 수 있지만, $\Delta H°_f$가 −187.7 kJ/mol인 $H_2O_2(l)$가 $\Delta H°_f$가 −135.4 kJ/mol인 $CCl_4(l)$보다 안정한 물질이라고 할 수는 없다.

2. 연소 엔탈피

어떤 물질 1몰이 완전 연소할 때의 반응 엔탈피를 연소 엔탈피라고 한다. 물질의 연소 반응은 발열 반응이므로 연소 반응의 $\varDelta H$ 값은 모두 (−)값을 가진다.

예 $C(s, 흑연) + O_2(g) \longrightarrow CO_2(g)$, $\varDelta H = -393.5$ kJ

$CH_4(g) + 2O_2(g) \longrightarrow CO_2(g) + 2H_2O(l)$, $\varDelta H = -890.5$ kJ

$CO(g) + \frac{1}{2}O_2(g) \longrightarrow CO_2(g)$, $\varDelta H = -283.0$ kJ

물질	C(s, 흑연)	$H_2(g)$	$C_2H_5OH(l)$	$CH_4(g)$	$n-C_4H_{10}(g)$	$n-C_8H_{18}(l)$
$\varDelta H$(kJ/mol)	−393.5	−285.8	−1366.8	−890.5	−2878.0	−5470.0

▲ 몇 가지 물질의 연소 엔탈피(kJ/mol, 25 °C, 1기압)

메테인의 연소 반응과 연소 엔탈피

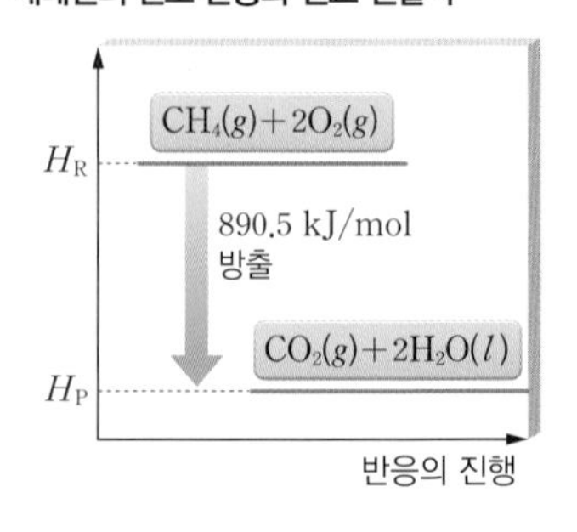

3. 분해 엔탈피

화합물 1몰이 가장 안정한 성분 원소로 분해될 때의 반응 엔탈피를 분해 엔탈피라고 한다. 분해 반응은 생성 반응의 역반응에 해당하므로 분해 엔탈피와 생성 엔탈피는 절댓값이 같고, 부호가 반대인 관계이다.

예 $HCl(g) \longrightarrow \frac{1}{2}H_2(g) + \frac{1}{2}Cl_2(g)$, $\varDelta H = 92.3$ kJ

$\frac{1}{2}H_2(g) + \frac{1}{2}Cl_2(g) \longrightarrow HCl(g)$, $\varDelta H = -92.3$ kJ

➡ $HCl(g)$의 분해 엔탈피는 92.3 kJ/mol이고, 생성 엔탈피는 −92.3 kJ/mol이다.

4. 용해 엔탈피

물질 1몰을 다량의 용매에 넣어서 용해시킬 때의 반응 엔탈피를 용해 엔탈피라고 한다. 수산화 나트륨(NaOH), 염화 칼슘($CaCl_2$) 등의 고체가 물에 용해될 때에는 열이 방출되는 발열 반응이 일어나지만, 대부분의 고체가 물에 용해될 때에는 열을 흡수하는 흡열 반응이 일어난다. 그리고 기체 및 액체가 물에 용해될 때에는 대부분 열을 방출하는 발열 반응이 일어난다.

예 $H_2SO_4(l) \longrightarrow H_2SO_4(aq)$, $\varDelta H = -81.9$ kJ

$NaOH(s) \longrightarrow NaOH(aq)$, $\varDelta H = -44.5$ kJ

$NH_4NO_3(s) \longrightarrow NH_4NO_3(aq)$, $\varDelta H = 25.7$ kJ

물질	$NaCl(s)$	$KOH(s)$	$CaCl_2(s)$	$HCl(g)$	$NH_3(g)$	$CH_3COOH(l)$
$\varDelta H$(kJ/mol)	3.9	−57.6	−81.7	−75.3	−30.5	−1.5

▲ 몇 가지 물질의 용해 엔탈피(kJ/mol, 25 °C, 1기압)

진한 황산을 묽히는 방법
황산(H_2SO_4)의 용해 엔탈피는 다른 산의 용해 엔탈피보다 크므로 진한 황산을 묽힐 때는 물에 진한 황산을 조금씩 넣어 가면서 서서히 묽혀야 한다.

기체의 용해도
기체 물질의 용해 엔탈피($\varDelta H$)는 대부분 (−)값을 가지므로 기체가 물에 녹는 과정은 대부분 발열 과정임을 알 수 있고, 기체의 용해도는 온도가 낮을수록 커진다.

5. 중화 엔탈피

산의 H^+ 1몰과 염기의 OH^- 1몰이 반응하여 $H_2O(l)$ 1몰이 생성될 때의 반응 엔탈피를 중화 엔탈피라고 한다. 중화 엔탈피는 산과 염기의 종류에 관계없이 −55.8 kJ/mol로 일정하다. 이것은 산과 염기의 종류가 달라져도 중화 반응의 알짜 이온 반응식은 같기 때문이다.

$HCl(aq) + NaOH(aq) \longrightarrow NaCl(aq) + H_2O(l)$, $\varDelta H = -55.8$ kJ

➡ 알짜 이온 반응식: $H^+(aq) + OH^-(aq) \longrightarrow H_2O(l)$, $\varDelta H = -55.8$ kJ

중화열

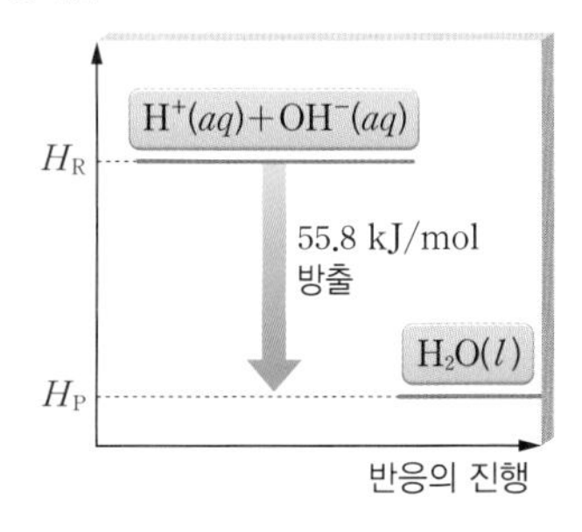

차이를 만드는

열역학 제1법칙

열역학 제1법칙은 에너지 보존 법칙으로, 이에 따르면 에너지는 새로 생성되거나 소멸되지 않고 단지 계에서 주위로, 주위에서 계로 전달될 뿐이다. 열역학 제1법칙에서 중요한 계와 주위에 대해 자세히 알아보자.

열역학 제1법칙은 우주 전체의 에너지 합은 일정하다는 의미를 포함한다. 태양 에너지와 지구상에 있는 화합물의 에너지가 우리가 사용할 수 있는 에너지의 전부이다. 따라서 새로운 에너지를 만들어 내는 것은 불가능하며, 다른 형태의 에너지로 변화시키는 것만 할 수 있다. '무에서 유를 창조할 수 없다.'라는 말은 열역학 제1법칙을 잘 설명해 주는 표현이다.

❶ 계(system)

반응이 직접 일어나는 영역으로 계를 제외한 나머지를 의미하는 주위와 구별되며, 실험을 수행할 때 관심의 초점이 되는 출발 물질과 최종 물질을 의미한다.

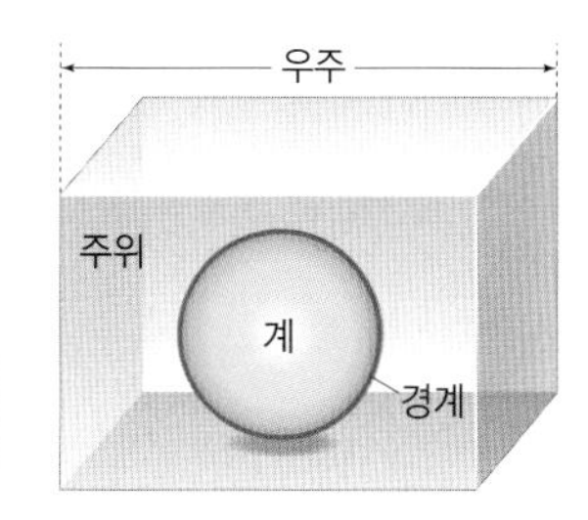

universe(우주)=system(계)+surroundings(주위)
전체 관심 대상 나머지

- 열린계: 계와 주위 사이에 에너지와 물질을 모두 교환할 수 있다.
- 닫힌계: 계와 주위 사이에 에너지는 교환할 수 있지만, 물질은 교환할 수 없다. 예 백열전구
- 고립계: 계와 주위 사이에 에너지와 물질을 모두 교환할 수 없다. 예 보온병

계(system)	열린계(open system)	닫힌계(closed system)	고립계(isolated system)
에너지	출입	출입	차단
물질	출입	차단	차단
모형	수증기, 열	열	

열역학
열역학은 에너지의 대소를 비교해서 우리가 관심을 가지는 대상이 가장 안정한 상태에서 어떻게 존재하는가를 예측하는 학문이다. 열역학에서는 중간에 어떤 과정을 거치는지, 또 얼마나 빨리 안정한 상태로 되는지는 다루지 않는다. 이러한 것을 다루는 학문은 반응 속도론(kinetics)이다.

$C(s, 다이아몬드) \longrightarrow C(s, 흑연)+2\ kJ/mol$

- 열역학: 흑연은 다이아몬드보다 안정한 상태이다.
- 반응 속도론: 다이아몬드가 흑연으로 변하는 데 수백만 년 정도 걸린다.

❷ 계의 성질

- 크기(extensive) 성질: 전체 계의 값이 각 부분 계 값의 합으로 나타나는 성질로, 시료의 양에 비례한다.

예 에너지, 질량, 부피, 엔탈피 등

- 세기(intensive) 성질: 전체 계의 값이 각 부분 계의 값과 같게 나타나는 성질로, 시료의 양과 관계없는 성질이다.

예 온도, 압력, 밀도 등

물질과 에너지의 관계
1905년에 아인슈타인은 $E=mc^2$이라는 식을 발표하여 물질과 에너지는 서로 교환이 가능하다고 하였으며 이에 따르면 열역학 제1법칙은 우주의 물질과 에너지의 총합은 일정하다고 표현할 수 있다.

계를 반으로 나누면 부피와 질량은 각각 반으로 줄어들지만, 압력과 온도는 변하지 않는다. 이와 같이 부피, 질량과 같은 크기 성질은 시료의 양에 따라 변하고, 압력, 온도와 같은 세기 성질은 시료의 양에 영향을 받지 않는다.

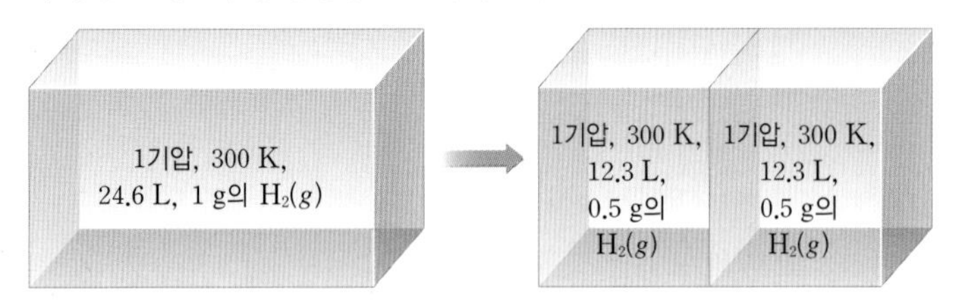

❸ 상태 함수(state function)와 경로 함수(path function)

- 상태 함수: 상태 함수는 오직 초기 상태와 최종 상태에 의해 결정되는 함수로, 계가 지나간 과정과는 무관하며, 계의 현재 상태의 온도나 압력과 같은 변수에 의해 결정된다.
  예 부피, 에너지, 엔탈피, 엔트로피 등
- 경로 함수: 경로에 따라 결과가 다른 함수이다. 예 일, 열 등

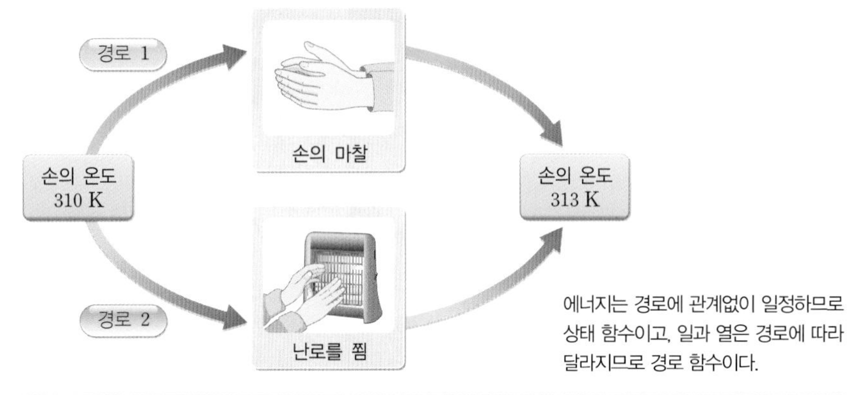

에너지는 경로에 관계없이 일정하므로 상태 함수이고, 일과 열은 경로에 따라 달라지므로 경로 함수이다.

경로	일	열	온도 변화	내부 에너지 변화(n: 양(mol), C_v: 몰 열용량)
경로 1	+	0	+3 K	$n \times C_v \times 3$
경로 2	0	+	+3 K	$n \times C_v \times 3$

▲ 상태 함수와 경로 함수의 비교

❹ 내부 에너지(internal energy)

계를 구성하는 입자들의 운동 에너지와 위치 에너지의 총합을 의미한다. ➡ $E_i = E_k + E_p$
이상 기체에 가까운 단원자 기체(He, Ne, Ar 등)의 경우 위치 에너지가 없고, 에너지 등분배 원리(평균 운동 에너지$=\frac{1}{2}kT$)에 의해 공간 상에서 3가지 병진 운동이 가능하기 때문에 다음과 같이 정의할 수 있다.

$$E_i = E_k = \frac{3}{2}nRT$$

엔탈피 변화와 내부 에너지

- 엔탈피는 화학 반응에서 흡수되거나 방출되는 열을 구하기 위해 사용되는 물질의 크기 성질로, 일정한 압력에서 전달된 열과 같다. 화학 반응은 일정한 압력에서 일어나는 경우가 많다.
- 계의 내부 에너지가 증가하면 (+), 감소하면 (−)로 표시한다. 즉, 계가 흡수한 열은 (+), 계가 방출한 열은 (−)로 표시하고, 주위가 계에 해 준 일은 (+), 계가 주위로 한 일은 (−)로 표시한다.

01 화학 반응과 열의 출입

1 발열 반응과 흡열 반응

1. **반응계와 주위** (❶)는 반응이 직접 일어나는 영역으로 실험을 수행할 때 관심의 초점이 되는 출발 물질과 최종 물질을 의미하며, 반응계를 제외한 나머지 모든 것을 (❷)라고 한다.

2. **발열 반응과 흡열 반응**
- 발열 반응: 화학 반응이 일어날 때 에너지를 (❸)하는 반응으로, 발열 반응이 일어나면 반응계의 에너지는 (❹)하고 주위의 온도는 높아진다.
- 흡열 반응: 화학 반응이 일어날 때 에너지를 (❺)하는 반응으로, 흡열 반응이 일어나면 반응계의 에너지는 (❻)하고 주위의 온도는 낮아진다.

3. **물질의 안정성** 발열 반응에서는 생성물이 반응물보다 안정하고, 반대로 흡열 반응에서는 반응물이 생성물보다 안정하다.

2 반응 엔탈피와 열화학 반응식

1. **반응 엔탈피** 화학 반응이 일어날 때 생성물의 엔탈피 합에서 반응물의 엔탈피 합을 뺀 값을 반응 엔탈피 또는 엔탈피 변화라고 하며, (❼)로 나타낸다.
- 반응 엔탈피(ΔH)$=\sum H_P-\sum H_R$

2. **열화학 반응식** 화학 반응이 일어날 때 흡수하거나 방출하는 열에너지를 포함시켜 나타낸 화학 반응식

3. **반응 엔탈피와 열화학 반응식**
- 발열 반응: 열을 방출하는 반응이므로 반응열 Q(❽)0이고, 엔탈피가 감소하는 반응이므로 반응 엔탈피 ΔH(❾)0이다.
- 흡열 반응: 열을 흡수하는 반응이므로 반응열 Q(❿)0이고, 엔탈피가 증가하는 반응이므로 반응 엔탈피 ΔH(⓫)0이다.

3 반응 엔탈피의 종류

1. (⓬) **엔탈피** 어떤 화합물 1몰이 가장 안정한 성분 원소로부터 생성될 때의 반응 엔탈피

예 $\frac{1}{2}N_2(g)+\frac{1}{2}O_2(g) \longrightarrow NO(g)$, $\Delta H=91.3$ kJ

- 표준 생성 엔탈피(ΔH°_f): 표준 상태(25 ℃, 1기압)에서의 생성 엔탈피

2. (⓭) **엔탈피** 어떤 물질 1몰이 완전 연소할 때의 반응 엔탈피

예 $CH_4(g)+2O_2(g) \longrightarrow CO_2(g)+2H_2O(l)$, $\Delta H=-890.5$ kJ

3. (⓮) **엔탈피** 화합물 1몰이 가장 안정한 성분 원소로 분해될 때의 반응 엔탈피

예 $HCl(g) \longrightarrow \frac{1}{2}H_2(g)+\frac{1}{2}Cl_2(g)$, $\Delta H=92.3$ kJ

4. (⓯) **엔탈피** 물질 1몰을 다량의 용매에 넣어서 용해시킬 때의 반응 엔탈피

예 $H_2SO_4(l) \longrightarrow H_2SO_4(aq)$, $\Delta H=-81.9$ kJ

5. (⓰) **엔탈피** 산의 H^+ 1몰과 염기의 OH^- 1몰이 반응하여 $H_2O(l)$ 1몰이 생성될 때의 반응 엔탈피

예 $H^+(aq)+OH^-(aq) \longrightarrow H_2O(l)$, $\Delta H=-55.8$ kJ

01 다음 보기의 반응을 발열 반응과 흡열 반응으로 구분하시오.

보기
ㄱ. 철의 부식 ㄴ. 식물의 광합성
ㄷ. 도시가스의 연소 ㄹ. 산과 염기의 중화 반응
ㅁ. 탄산수소 나트륨($NaHCO_3$)의 분해

(1) 발열 반응 (2) 흡열 반응

02 다음은 프로페인(C_3H_8) 연소 반응의 열화학 반응식이다.

$$C_3H_8(g) + 5O_2(g) \longrightarrow 3CO_2(g) + 4H_2O(l), \quad \Delta H = -2219.9 \text{ kJ}$$

이로부터 알 수 있는 것만을 보기에서 있는 대로 고르시오.

보기
ㄱ. 반응열의 크기 ㄴ. 반응물의 종류
ㄷ. 반응물의 상태 ㄹ. 반응물의 엔탈피

03 25 °C, 1기압에서 $CO_2(g) \longrightarrow CO(g) + \frac{1}{2}O_2(g)$의 반응 엔탈피($\Delta H_1$)는 283 kJ이다. 같은 조건에서 다음 반응의 반응 엔탈피(ΔH_2)를 구하시오.

$$2CO(g) + O_2(g) \longrightarrow 2CO_2(g), \ \Delta H_2$$

04 반응 엔탈피(ΔH)에 대한 설명으로 옳은 것만을 보기에서 있는 대로 고르시오.

보기
ㄱ. $\Delta H > 0$인 반응은 흡열 반응이다.
ㄴ. ΔH는 생성물의 상태가 다르면 그 값도 달라진다.
ㄷ. $\Delta H < 0$인 반응에서는 반응물이 생성물보다 더 안정하다.

05 그림은 A와 B가 반응하여 C가 생성되는 반응의 엔탈피 변화를 나타낸 것이다.

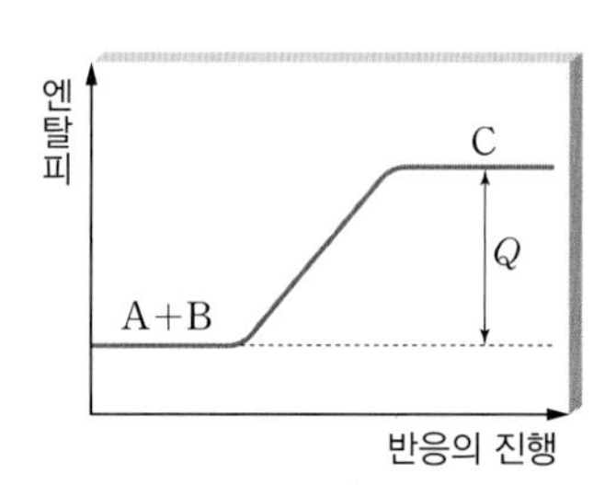

이에 대한 설명으로 옳은 것만을 보기에서 있는 대로 고르시오.

보기
ㄱ. $\Delta H < 0$이다.
ㄴ. 반응이 일어날 때 주위의 온도가 높아진다.
ㄷ. 반응이 일어날 때 Q만큼의 에너지를 흡수한다.
ㄹ. 생성물의 엔탈피는 반응물의 엔탈피 합보다 크다.

06 다음은 질소와 산소가 반응하여 일산화 질소가 생성되는 반응의 열화학 반응식이다.

$$N_2(g) + O_2(g) \longrightarrow 2NO(g), \ \Delta H = 182.6 \text{ kJ}$$

이에 대한 설명으로 옳은 것만을 보기에서 있는 대로 고르시오.

보기
ㄱ. $2NO(g) \longrightarrow N_2(g) + O_2(g)$ 반응에서 반응 엔탈피(ΔH)는 -182.6 kJ이다.
ㄴ. 질소 기체와 산소 기체가 반응하여 일산화 질소 기체가 생성되는 반응은 흡열 반응이다.
ㄷ. 일산화 질소 기체 1몰이 질소 기체와 산소 기체로 분해될 때 182.6 kJ의 에너지를 방출한다.

07 표는 몇 가지 물질의 표준 생성 엔탈피이다.

물질	$H_2O(g)$	$NO(g)$	$NH_3(g)$
표준 생성 엔탈피 ($\Delta H°_f$, kJ/mol)	-241.8	91.3	-45.9

다음 반응의 반응 엔탈피(ΔH, kJ)를 구하시오.

$$4NH_3(g) + 5O_2(g) \longrightarrow 6H_2O(g) + 4NO(g)$$

08 다음은 $CO_2(g)$와 $H_2O(l)$의 표준 생성 엔탈피($\Delta H°_f$)이다.

$CO_2(g)$: $\Delta H°_f = -393.5$ kJ/mol
$H_2O(l)$: $\Delta H°_f = -285.8$ kJ/mol

$C_3H_4(g)$의 연소 엔탈피가 -1937 kJ/mol일 때, $C_3H_4(g)$의 표준 생성 엔탈피($\Delta H°_f$, kJ/mol)를 구하시오.

09 하이드라진(N_2H_4)과 사산화 이질소(N_2O_4)를 섞어 반응시키면 질소(N_2)와 물(H_2O)이 생성되며, 이들 각 물질들의 생성 엔탈피(ΔH_f)는 다음 표와 같다. (단, H, N, O의 원자량은 각각 1, 14, 16이다.)

물질	$N_2H_4(l)$	$N_2O_4(g)$	$N_2(g)$	$H_2O(l)$
생성 엔탈피 (kJ/mol)	50.6	11.1	0	-285.8

(1) 이 반응의 화학 반응식을 쓰시오.

(2) (1)의 반응에서의 반응 엔탈피(ΔH)를 구하시오.

(3) $N_2H_4(l)$ 3.2 g이 반응할 때 발생하는 열량(kJ)을 구하시오.

10 그림은 25 °C, 1기압에서 수소 기체와 산소 기체가 반응하여 수증기와 물이 생성될 때의 엔탈피 변화를 나타낸 것이다.

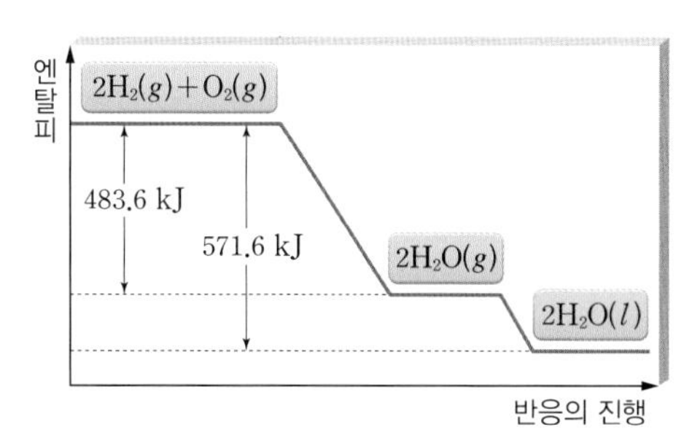

이에 대한 설명으로 옳은 것만을 보기에서 있는 대로 고르시오.

보기
ㄱ. $H_2O(g)$의 생성 엔탈피는 -241.8 kJ/mol이다.
ㄴ. $H_2O(l)$의 분해 엔탈피는 571.6 kJ/mol이다.
ㄷ. $H_2O(g) \longrightarrow H_2O(l)$ 반응의 반응 엔탈피는 -88 kJ이다.

11 다음은 몇 가지 화학 반응의 열화학 반응식이다.

- $CH_4(g) \longrightarrow C(s) + 2H_2(g)$, ΔH_1
- $CaO(s) + CO_2(g) \longrightarrow CaCO_3(s)$, ΔH_2
- $HCl(aq) + NaOH(aq) \longrightarrow NaCl(aq) + H_2O(l)$, ΔH_3
- $2C_2H_2(g) + 5O_2(g) \longrightarrow 4CO_2(g) + 2H_2O(l)$, ΔH_4

이에 대한 설명으로 옳은 것만을 보기에서 있는 대로 고르시오.

보기
ㄱ. ΔH_1은 $CH_4(g)$의 분해 엔탈피이다.
ㄴ. ΔH_2는 $CaCO_3(s)$의 생성 엔탈피이다.
ㄷ. ΔH_3은 중화 엔탈피로, 산과 염기의 종류에 관계없이 일정하다.
ㄹ. ΔH_4는 $C_2H_2(g)$의 연소 엔탈피로, $\Delta H_4 < 0$이다.

> 정답과 해설 145쪽

01

> 발열 반응과 흡열 반응

다음은 실생활과 관련 있는 세 가지 현상을 설명한 것이다.

- ⓐ 철 가루와 산소가 반응하면서 손난로가 따뜻해진다.
- ⓑ 드라이아이스가 승화하면서 주위가 서늘해진다.
- ⓒ 질산 암모늄이 용해하면서 냉각 팩이 시원해진다.

밑줄 친 부분에 대한 설명으로 옳은 것만을 보기에서 있는 대로 고른 것은?

보기

ㄱ. ⓐ는 발열 반응이다.

ㄴ. ⓑ는 $\Delta H < 0$이다.

ㄷ. ⓒ에서 엔탈피는 $NH_4NO_3(aq)$이 $NH_4NO_3(s)$보다 크다.

① ㄴ ② ㄷ ③ ㄱ, ㄴ ④ ㄱ, ㄷ ⑤ ㄴ, ㄷ

• 열을 방출하는 반응은 $\Delta H < 0$이고, 열을 흡수하는 반응은 $\Delta H > 0$이다.

02

> 열화학 반응식

다음은 25 °C, 1기압에서 수산화 나트륨(NaOH)의 용해 반응의 열화학 반응식이다.

$$NaOH(s) \longrightarrow NaOH(aq),\ \Delta H = -44.5\ kJ$$

이에 대한 설명으로 옳은 것만을 보기에서 있는 대로 고른 것은?

보기

ㄱ. 이 반응은 발열 반응이다.

ㄴ. 이 반응이 일어날 때 주위의 온도는 낮아진다.

ㄷ. 반응물의 엔탈피가 생성물의 엔탈피보다 작다.

① ㄱ ② ㄴ ③ ㄷ ④ ㄱ, ㄷ ⑤ ㄴ, ㄷ

• $\Delta H < 0$인 반응은 생성물의 엔탈피 합이 반응물의 엔탈피 합보다 작고, $\Delta H > 0$인 반응은 생성물의 엔탈피 합이 반응물의 엔탈피 합보다 크다.

03

> 표준 생성 엔탈피

다음은 25 °C, 1기압에서 두 가지 반응의 열화학 반응식이다.

(가) $N_2(g) + 2O_2(g) \longrightarrow N_2O_4(g) \quad \Delta H = a$ kJ ($a>0$)

(나) $2N_2(g) + O_2(g) \longrightarrow 2N_2O(g) \quad \Delta H = b$ kJ

이에 대한 설명으로 옳은 것만을 보기에서 있는 대로 고른 것은?

보기

ㄱ. (가)는 흡열 반응이다.

ㄴ. $N_2O_4(g)$의 표준 생성 엔탈피는 a kJ/mol이다.

ㄷ. $N_2O(g)$의 표준 생성 엔탈피는 $2b$ kJ/mol이다.

① ㄱ ② ㄴ ③ ㄱ, ㄴ ④ ㄱ, ㄷ ⑤ ㄱ, ㄴ, ㄷ

표준 생성 엔탈피는 25 °C, 1기압에서 가장 안정한 성분 원소로부터 화합물 1몰이 생성될 때의 반응 엔탈피를 의미한다.

04

> 반응 엔탈피의 종류

그림은 25 °C, 1기압에서 몇 가지 반응의 엔탈피 변화(ΔH)를 나타낸 것이다.

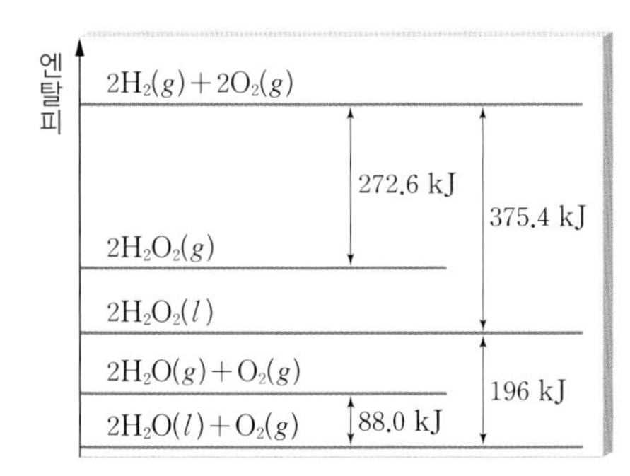

이에 대한 설명으로 옳은 것만을 보기에서 있는 대로 고른 것은?

보기

ㄱ. $H_2O_2(l)$의 분해 엔탈피는 187.7 kJ/mol이다.

ㄴ. $H_2O(g)$의 생성 엔탈피는 -483.4 kJ/mol이다.

ㄷ. $H_2O(l)$ 1몰이 기화하는 데 필요한 에너지는 88.0 kJ이다.

① ㄱ ② ㄷ ③ ㄱ, ㄴ ④ ㄱ, ㄷ ⑤ ㄴ, ㄷ

생성 엔탈피는 가장 안정한 성분 원소로부터 화합물 1몰이 생성될 때의 반응 엔탈피이고, 분해 엔탈피는 어떤 물질 1몰이 가장 안정한 성분 원소로 분해될 때의 반응 엔탈피이다. 생성 엔탈피와 분해 엔탈피는 절댓값이 같고, 부호만 다르다.

02 헤스 법칙

학습 Point 반응열 측정 > 결합 에너지 > 헤스 법칙

1 반응열 측정

화학 반응에서 방출하거나 흡수하는 열량은 열량계를 이용하여 측정할 수 있다. 열량을 측정할 수 있는 열량계에는 간이 열량계와 통열량계가 있다.

1. 간이 열량계(정압 열량계)와 통열량계(정부피 열량계)

심화 034쪽

스타이로폼 열량계는 구조가 간단하므로 화학 반응에서 출입하는 열량을 쉽게 측정할 수 있으나, 열손실이 크므로 정밀한 실험에는 사용할 수 없다. 따라서 정확한 연소열을 측정할 때에는 연소 시 발생하는 열이 외부로 빠져나가지 않게 고안된 통열량계를 사용한다.

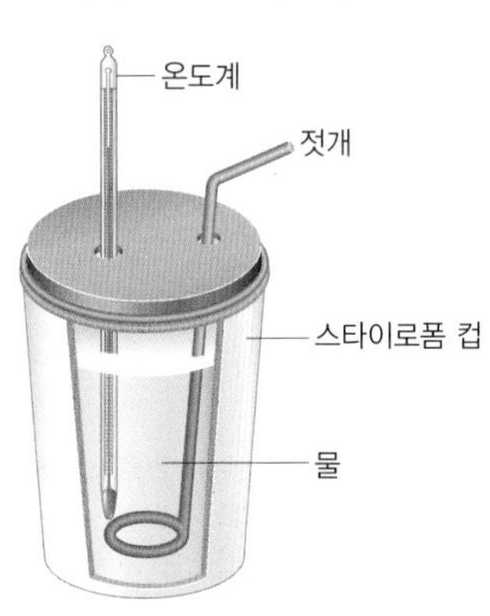

▲ 간이 열량계

온도계
점화 장치
스위치
일정량의 물
산소 넣는 곳
강철 통
전열선
백금 도가니

▲ 통열량계

2. 반응열 계산

(1) **간이 열량계를 이용한 반응열 측정:** 발생한 열량은 열량계 속 물이 모두 흡수한다고 가정한다.

$$\text{발생한 열량}(Q) = \text{물의 비열}(c) \times \text{물의 질량}(m) \times \text{물의 온도 변화}(\Delta t)$$

(2) **통열량계를 이용한 반응열 측정:** 통열량계는 가운데에 두꺼운 강철로 된 연소 통에서 나오는 연소열이 주위에 있는 물의 온도를 높이고, 물은 외부로 열을 빼앗기지 않도록 단열 용기 속에 들어 있다. 연소 통에 시료와 산소를 넣고 밀폐한 다음, 전열선에 전기를 통해 주면 시료가 연소하여 열이 방출되므로 물의 온도가 변한다. 따라서 열량계에 들어 있는 물과 통의 열용량을 알면 온도 변화를 측정하여 연소 시 발생한 열량(Q)을 계산할 수 있다.

발생한 열량(Q) = 통이 흡수한 열량($Q_{통}$) + 물이 흡수한 열량($Q_{물}$)
= {통의 열용량($C_{통}$) × 온도 변화(Δt)} + {물의 열용량($C_{물}$) × 온도 변화(Δt)}
= {통의 열용량($C_{통}$) × 온도 변화(Δt)} + {물의 비열(c) × 물의 질량(m) × 온도 변화(Δt)}

열용량(C)과 비열(c), 몰 열용량(C_m)

- 열용량(C): 물질의 온도를 1 ℃ 높이는 데 필요한 열량이다. 열량계가 열을 흡수하면 온도가 높아지는데, 온도 변화는 열량계의 열용량(C)에 따라 달라진다.
  $C = \dfrac{Q}{\Delta t}$
  (Q: 흡수한 열량, Δt: 열량계의 온도 변화)
- 비열(c): 물질 1 g의 온도를 1 ℃ 높이는 데 필요한 열량이다.
  $Q = c \times m \times \Delta t$
  (Q: 흡수한 열량, c: 물질의 비열 m: 물질의 질량, Δt: 온도 변화)
- 몰 열용량(C_m): 물질 1몰의 온도를 1 ℃ 높이는 데 필요한 열량이다.
  $Q = C_m \times n \times \Delta t$
  (Q: 흡수한 열량, C_m: 몰 열용량, n: 물질의 양(mol), Δt: 온도 변화)

결합 에너지와 반응 엔탈피

화학 반응에서는 반응물을 이루고 있는 원자들 사이의 결합이 끊어지고, 결합이 끊어진 원자들이 재배열되어 새로운 결합을 형성한다. 원자 사이의 결합이 끊어지고 새로운 결합이 형성되기 위해서는 반드시 에너지가 출입하는데, 반응 엔탈피는 원자 사이의 결합이 끊어지거나 생성될 때 출입하는 에너지와 관련이 있다.

1. 결합 에너지

(1) **결합 에너지:** 화학 반응이 일어날 때에는 반응물을 이루는 원자들 사이에 결합이 끊어지고, 원자들이 재배열되어 새로운 결합을 형성한다. 따라서 화학 결합을 끊기 위해서는 입자들 사이의 인력을 끊을 수 있을 만큼의 충분한 에너지가 필요하며, 새로운 결합이 형성될 때에는 에너지를 방출한다. 기체 상태의 분자에서 두 원자 사이의 공유 결합 1몰을 끊어서 중성 원자로 만드는 데 필요한 에너지를 결합 에너지라고 한다.

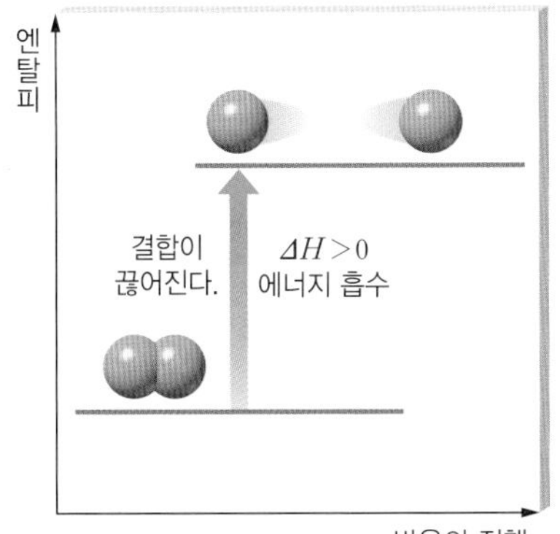

▲ 화학 결합을 끊을 때

엔탈피
결합을 생성한다.
ΔH<0 에너지 방출
반응의 진행

▲ 화학 결합을 형성할 때

예를 들면, H_2 1몰의 공유 결합을 끊는 데 436 kJ의 에너지를 흡수하므로 H_2의 결합 에너지는 436 kJ/mol이다.

$H_2(g) \longrightarrow H(g) + H(g),\ \Delta H = 436\ \text{kJ}$

반대로, 수소 원자 2몰이 결합하여 수소 분자 1몰이 생성되면 436 kJ의 에너지를 방출한다.

$H(g) + H(g) \longrightarrow H_2(g),\ \Delta H = -436\ \text{kJ}$

같은 결합이 형성되거나 분해될 때 출입하는 에너지의 양은 같고 부호만 반대이다. 이와 같이 원자 사이에 결합이 형성되거나 끊어질 때 수반되는 에너지를 결합 에너지라고 한다.

(2) **평균 결합 에너지:** 주어진 결합에 대한 결합 에너지는 화합물이 달라지면 그 값이 약간씩 달라진다. 다음의 반응은 모두 C−H 결합이 끊어지는 반응이다.

$C_2H_6(g) \longrightarrow C_2H_5(g) + H(g),\ \Delta H = 410.0\ \text{kJ}$

$CHF_3(g) \longrightarrow CF_3(g) + H(g),\ \Delta H = 429.0\ \text{kJ}$

이와 같이 어떤 결합의 결합 에너지는 분자가 달라지면 약간씩 차이가 나기 때문에 각 화합물에서의 결합 에너지를 측정한 후, 그 평균값을 구한 평균 결합 에너지(D)를 사용한다.

결합 에너지와 결합 엔탈피

메테인에 있는 C−H 결합의 결합 에너지는 438.0 kJ/mol이다.

$CH_4(g) + 438.0\ \text{kJ} \longrightarrow CH_3(g) + H(g)$

이 반응은 다음과 같이 반응 엔탈피(ΔH)를 이용하여 나타낼 수 있다.

$CH_4(g) \longrightarrow CH_3(g) + H(g),\ \Delta H = 438.0\ \text{kJ}$

결합	결합 에너지 (kJ/mol)	결합	결합 에너지 (kJ/mol)	결합	결합 에너지 (kJ/mol)	결합	결합 에너지 (kJ/mol)
H−H	435.8	F−F	158.7	C−F	460.9	C−C	346.1
H−F	569.7	Cl−Cl	242.6	C−Cl	325.2	C=C	605.0
H−Cl	431.6	Br−Br	193.9	C−Br	289.1	C≡C	842.2
H−Br	366.2	I−I	152.3	C−I	230.5	N=N	419.0
H−I	298.3	N−F	272.8	Cl−F	260.8	N≡N	946.9

▲ **평균 결합 에너지(D, kJ/mol)**

결합 에너지와 결합의 세기

결합 에너지는 결합의 세기를 나타내는 척도로, 결합 에너지가 클수록 화학 결합이 강하여 끊기가 어렵다.

결합 에너지는 결합의 극성이 클수록, 단일 결합보다는 다중 결합일수록 증가한다.

┌ 결합의 극성 : HF > HCl > HBr > HI
└ 결합 에너지 : HF > HCl > HBr > HI

┌ 결합 수 : C−C < C=C < C≡C
└ 결합 에너지 : C−C < C=C < C≡C

2. 분자의 해리 에너지

분자에 존재하는 모든 결합을 끊어 원자 상태로 만드는 데 필요한 에너지를 분자의 해리 에너지라고 한다. 분자의 해리 에너지는 분자 내 모든 결합의 결합 에너지의 합으로 구한다. H_2O 분자에는 O−H 결합이 2개 있으므로 $H_2O(g)$ 분자의 해리 에너지는 다음과 같다.

$H_2O(g)$ 분자의 해리 에너지 = 2 × (O−H 평균 결합 에너지)

$= 2 \times 463.4$ kJ/mol $= 926.8$ kJ/mol

3. 결합 에너지와 반응 엔탈피

화학 반응에서 반응 엔탈피는 반응물과 생성물의 결합 에너지를 이용하여 구할 수 있다.
수소 기체와 염소 기체가 반응하여 염화 수소 기체가 생성되는 반응의 반응 엔탈피를 결합 에너지를 이용하여 구하면 다음과 같다.

$H_2(g) + Cl_2(g) \longrightarrow 2HCl(g)$, $\Delta H = ?$

이 반응은 다음과 같이 2단계로 나타낼 수 있다.

〈1단계〉 $H_2(g) + Cl_2(g) \longrightarrow 2H(g) + 2Cl(g)$, $\Delta H_1 = 678.4$ kJ

〈2단계〉 $2H(g) + 2Cl(g) \longrightarrow 2HCl(g)$, $\Delta H_2 = -863.2$ kJ

〈1단계〉는 반응물의 결합이 끊어지는 과정이고, 〈2단계〉는 생성물의 결합이 형성되는 과정이며, 전체 반응은 〈1단계〉와 〈2단계〉의 합이다. 따라서 전체 반응에 대한 반응 엔탈피는 다음과 같다.

$\Delta H = \Delta H_1 + \Delta H_2$

그런데 〈1단계〉는 반응물의 모든 결합이 끊어지는 반응이므로 ΔH_1은 반응물의 결합 에너지 합과 같다. 즉, $\Delta H_1 = \sum D_{반응물}$이다. 그리고 〈2단계〉는 생성물의 모든 결합이 생성되는 반응으로, 결합이 끊어지는 반응의 역반응이므로 ΔH_2는 생성물의 결합 에너지 합과 부호가 반대이다.
즉, $\Delta H_2 = -\sum D_{생성물}$이다. 따라서 $\Delta H = \Delta H_1 + \Delta H_2 = \sum D_{반응물} - \sum D_{생성물}$이다.

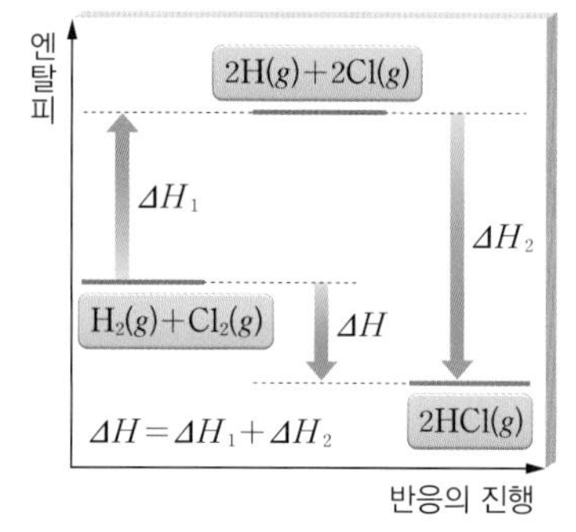

▲ **$HCl(g)$ 생성 반응에서 엔탈피 변화**

$$\Delta H = \sum D_{반응물} - \sum D_{생성물} = \sum D_{끊어지는\ 결합} - \sum D_{생성되는\ 결합}$$

반응 엔탈피 계산

반응 엔탈피를 계산할 때에는 표준 생성 엔탈피를 이용하는 것이 가장 정확한 방법이다. 그러나 표준 생성 엔탈피를 이용하는 방법은 반응에 참여한 모든 물질의 ΔH°_f를 알아야 하는 단점이 있다. 현재 수천만 개 이상의 물질이 존재하지만 표준 생성 엔탈피는 수천 개 정도만 결정되어 있기 때문에 결합 에너지를 이용하는 방법이 필요하다. 실제 원자 사이의 정확한 결합 에너지를 알지 못하더라도 평균 결합 에너지를 이용하면 반응 엔탈피를 근사적으로 구할 수 있다.

염화 수소 기체가 생성되는 반응의 반응 엔탈피를 구하면 다음과 같다.

$$\Delta H = \Delta H_1 + \Delta H_2 = \sum D_{반응물} - \sum D_{생성물} = 678.4\ kJ - 863.2\ kJ = -184.8\ kJ$$

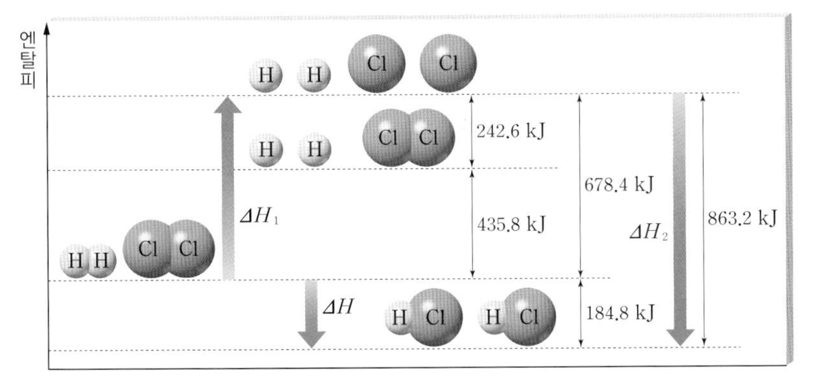

▲ 수소 기체와 염소 기체가 반응하여 염화 수소 기체가 생성될 때의 엔탈피 변화

시야 확장 ⊕ 결합 에너지를 이용한 발열 반응과 흡열 반응의 예측

다음과 같은 경우 결합 에너지를 이용하여 발열 반응인지 흡열 반응인지를 정성적으로 판단할 수 있다.

❶ **끊어지는 결합의 수와 생성되는 결합의 수가 같을 경우:** 생성되는 결합이 더 강하면 발열 반응이고, 끊어지는 결합이 더 강하면 흡열 반응이다.

예 $H_2(g) + Cl_2(g) \longrightarrow 2HCl(g)$, $\Delta H = -184.8$ kJ의 경우 2개의 결합(H−H, Cl−Cl)이 끊어지고 2개의 결합(2H−Cl)이 생성된다. 생성되는 결합이 끊어지는 결합보다 더 강하므로 발열 반응이다.

❷ **끊어지는 결합과 생성되는 결합의 세기가 비슷할 경우:** 생성되는 결합의 수가 더 많으면 발열 반응이고, 끊어지는 결합의 수가 더 많으면 흡열 반응이다.

예 $2H_2(g) + O_2(g) \longrightarrow 2H_2O(g)$, $\Delta H = -483.6$ kJ의 경우 3개의 결합(2H−H, O=O)이 끊어지고 4개의 결합(4O−H)이 생성된다. 생성되는 결합의 수가 더 많으므로 발열 반응이다.

$HCl(g)$가 생성되는 반응의 결합 세기

• 끊어지는 결합

$H_2(g) \longrightarrow 2H(g)$, $\Delta H = 435.8$ kJ(강함)

$Cl_2(g) \longrightarrow 2Cl(g)$, $\Delta H = 242.6$ kJ(약함)

• 생성되는 결합

$H(g) + Cl(g) \longrightarrow HCl(g)$, $\Delta H = -431.6$ kJ(강함)

$H_2O(g)$가 생성되는 반응의 결합 세기

• 끊어지는 결합

$H_2(g) \longrightarrow 2H(g)$, $\Delta H = 435.8$ kJ(강함)

$O_2(g) \longrightarrow 2O(g)$, $\Delta H = 498.6$ kJ(강함)

• 생성되는 결합

$H(g) + O(g) \longrightarrow OH(g)$, $\Delta H = -463.4$ kJ(강함)

예제

표는 25 °C, 1기압에서 몇 가지 물질에 대한 자료이다. 다음 물음에 답하시오.

구분	$H_2O(l)$	$H_2(g)$	$O_2(g)$	$H_2O(g)$	$CO_2(g)$
기화열(kJ/mol)	44.0				
결합 에너지(kJ/mol)		435.8	498.6		
표준 생성 엔탈피(kJ/mol)				−241.8	−393.5

(1) $2H_2(g) + O_2(g) \longrightarrow 2H_2O(l)$ 반응의 반응 엔탈피(ΔH)를 구하시오.

(2) $H_2O(g)$에서 O−H 결합의 결합 에너지를 구하시오.

(3) $CO(g) + H_2O(g) \longrightarrow CO_2(g) + H_2(g)$의 반응 엔탈피($\Delta H$)가 −42.0 kJ이다. $CO(g)$의 표준 생성 엔탈피(ΔH°_f)를 구하시오.

해설 (1) $2H_2(g) + O_2(g) \longrightarrow 2H_2O(g)$, ΔH_1에서 $\Delta H_1 = \sum H^\circ_{f(생성물)} - \sum H^\circ_{f(반응물)} = 2\times(-241.8) - 0 = -483.6$(kJ)

$2H_2O(g) \longrightarrow 2H_2O(l)$, ΔH_2에서 $\Delta H_2 = 2\times(-44.0) = -88.0$(kJ)

$2H_2(g) + O_2(g) \longrightarrow 2H_2O(l)$, ΔH에서 $\Delta H = \Delta H_1 + \Delta H_2 = -483.6 + (-88.0) = -571.6$(kJ)

(2) $2H_2(g) + O_2(g) \longrightarrow 2H_2O(g)$, ΔH에서 $\Delta H = -483.6$ kJ이므로 $-483.6 = (2\times435.8 + 498.6) - 4x$에서 $x = 463.45$ kJ이다.

(3) $\Delta H = -42.0 = (-393.5) - \{x + (-241.8)\}$ $\therefore x = -109.7$ kJ

정답 (1) −571.6 kJ (2) 463.45 kJ/mol (3) −109.7 kJ/mol

3 헤스 법칙

발열 반응에서는 반응물의 화학 에너지가 열에너지로 전환되고, 흡열 반응에서는 열에너지가 생성물의 화학 에너지로 전환된다. 이처럼 화학 반응이 일어날 때에는 에너지가 생성되거나 소멸되지 않으며, 다른 형태의 에너지로 전환된다.

1. 헤스 법칙

스위스의 화학자 헤스는 반응 과정의 반응열에 관한 여러 가지 실험 결과로부터 '화학 반응이 일어날 때 반응 전 물질의 종류와 상태, 반응 후 물질의 종류와 상태가 같으면 반응 경로에 관계없이 반응 엔탈피는 일정하다.'는 것을 발표했다. 이것을 총열량 불변 법칙 또는 헤스 법칙이라고 한다.

헤스(Hess, G. H., 1802~1850)
스위스 제네바에서 출생한 화학자로, 열화학에 대한 연구로 많은 업적을 남겼다. 그 중 반응열을 계통적으로 측정하여 1840년 총열량 불변 법칙, 즉 헤스 법칙을 이끌어 낸 것은 그의 대표적인 업적이다.

2. 탄소의 연소 반응에서 헤스 법칙

탐구 030~031쪽

탄소가 산소와 반응하여 이산화 탄소가 생성되는 반응은 다음과 같이 두 가지 경로가 가능하다.

〈경로 1〉 $C(s, \text{흑연}) + O_2(g) \longrightarrow CO_2(g)$, $\Delta H_1 = -393.5$ kJ

〈경로 2〉 $C(s, \text{흑연}) + \frac{1}{2}O_2(g) \longrightarrow CO(g)$, $\Delta H_2 = -110.5$ kJ

$CO(g) + \frac{1}{2}O_2(g) \longrightarrow CO_2(g)$, $\Delta H_3 = -283.0$ kJ

〈경로 1〉은 탄소가 완전 연소하여 이산화 탄소가 생성되는 반응으로, 반응 엔탈피 $\Delta H = -393.5$ kJ이다.

〈경로 2〉는 탄소가 불완전 연소하여 일산화 탄소가 생성된 후, 일산화 탄소가 산소와 반응하여 이산화 탄소가 되는 반응으로, 반응 엔탈피 $\Delta H = (-110.5\text{ kJ}) + (-283.0\text{ kJ}) = -393.5$ kJ이다.

〈경로 1〉과 〈경로 2〉에서 반응 엔탈피는 $\Delta H = -393.5$ kJ로 같고, $\Delta H_1 = \Delta H_2 + \Delta H_3$의 관계가 성립한다.

반응 엔탈피와 헤스 법칙
엔탈피는 상태 함수이므로 반응 엔탈피는 두 상태를 연결하는 경로와는 무관하다. 따라서 연속적으로 일어나는 반응의 반응 엔탈피 합은 전체 반응의 반응 엔탈피와 같다.

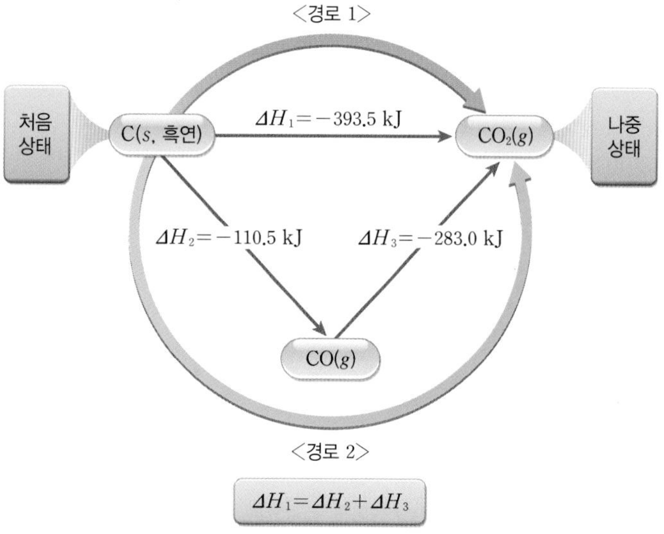

▲ 탄소의 연소 반응에서 헤스 법칙의 성립

3. 헤스 법칙의 이용

집중 분석 032~033쪽

실험에서는 측정할 수 없는 화학 반응의 반응 엔탈피는 실험으로 측정 가능한 다른 화학 반응의 반응 엔탈피를 이용하여 구할 수 있다.

예를 들면, 흑연을 태워서 일산화 탄소를 얻는 반응의 반응 엔탈피는 실험으로 측정하기 어렵다. 실제 흑연을 태우는 경우 일산화 탄소만 생성되는 것이 아니라 이산화 탄소도 함께 생성되기 때문이다. 이 경우 반응 엔탈피 측정이 가능한 다음의 ①식과 ②식을 이용하여 원하는 반응의 반응 엔탈피를 구할 수 있다.

$C(s, \text{흑연}) + \frac{1}{2}O_2(g) \longrightarrow CO(g),\ \Delta H_1 = ?$

$C(s, \text{흑연}) + O_2(g) \longrightarrow CO_2(g),\ \Delta H_2 = -393.5\ \text{kJ}$ …… ①

$CO(g) + \frac{1}{2}O_2(g) \longrightarrow CO_2(g),\ \Delta H_3 = -283.0\ \text{kJ}$ …… ②

(①식−②식)을 한 후 $CO(g)$ 항을 오른쪽으로 옮기면 구하는 식을 얻을 수 있다.

$$\begin{array}{rl} & C(s, \text{흑연}) + O_2(g) \longrightarrow CO_2(g) \text{ …… ①} \\ - & CO(g) + \frac{1}{2}O_2(g) \longrightarrow CO_2(g) \text{ …… ②} \\ \hline & C(s, \text{흑연}) + \frac{1}{2}O_2(g) \longrightarrow CO(g) \end{array}$$

이 반응의 반응 엔탈피는 '①식의 반응 엔탈피(ΔH_2)−②식의 반응 엔탈피(ΔH_3)'로 구할 수 있다.

$\Delta H_1 = -393.5\ \text{kJ} - (-283.0\ \text{kJ}) = -110.5\ \text{kJ}$

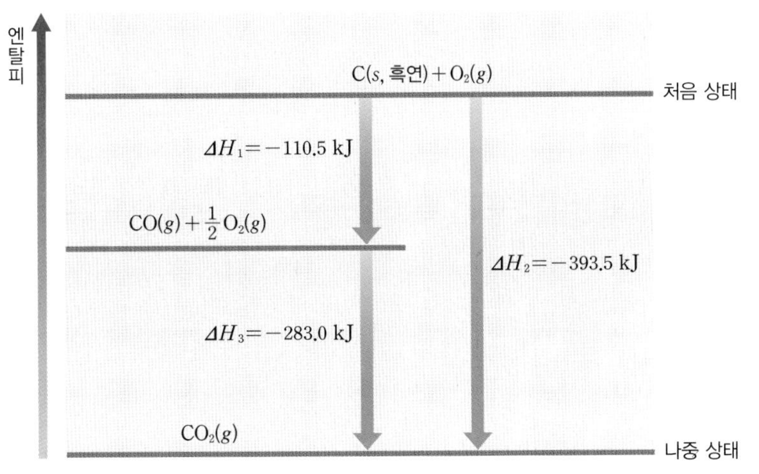

▲ 흑연의 연소 반응에서의 엔탈피 변화

헤스 법칙을 이용해서 반응 엔탈피를 계산할 때에는 각각의 반응을 더하거나 빼서 원하는 전체 반응을 얻는데, 이때 착오가 생기기 쉽다. 각 반응식에 있는 모든 물질을 이용하여 계산하는 것이 쉽지 않으므로 특정 화합물을 대상으로 부호를 결정한 후 계수를 결정하면 좀 더 간편하다. 위의 예에서 흑연은 반응열을 구하려는 식의 왼쪽에 있고, ①식에서도 왼쪽에 있으므로 ①식은 '+'가 되게 하며, CO는 반응열을 구하려는 식에서 오른쪽에 있고, ②식에서 왼쪽에 있으므로 ①식에서 ②식을 빼 주어 '−'가 되게 한다.

헤스 법칙의 비유

등산을 할 때 정상으로 가는 길은 여러 가지이지만 올라간 높이는 정상을 오르는 경로에 관계없이 같다.

흑연의 불완전 연소 반응의 엔탈피 변화

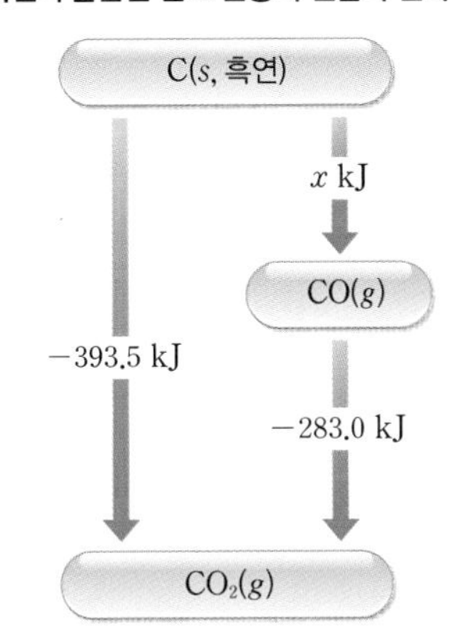

흑연이 불완전 연소하여 일산화 탄소(CO)가 생성되는 반응의 반응 엔탈피(ΔH)는 x kJ이다.

$-393.5 = x + (-283.0)$

과정이 살아 있는 탐구

헤스 법칙 확인하기

화학 반응의 반응 엔탈피는 반응 경로에 관계없이 일정함을 확인할 수 있다.

과정

실험 1

1 간이 열량계에 증류수 100 g을 넣고 온도(t_1)를 측정한다.

2 고체 수산화 나트륨(NaOH) 2.0 g을 간이 열량계에 넣고 젓개로 저으면서 30초마다 용액의 온도를 측정한다.

3 과정 **2**의 수용액 50 g을 비커에 넣은 후, 찬물이 들어 있는 큰 비커 속에서 식힌다.

4 0.5 M 염산(HCl) 50 mL를 다른 비커에 넣고 과정 **3**의 수산화 나트륨 수용액과 같은 온도가 되도록 한다. (단, 염산의 밀도는 1.0 g/mL로 가정한다.)

5 과정 **3**의 수산화 나트륨 수용액과 과정 **4**의 0.5 M 염산을 간이 열량계에 넣어 섞으면서 30초마다 혼합 용액의 온도를 측정한다.

실험 2

1 간이 열량계에 0.5 M 염산(HCl(aq)) 100 mL를 넣고 섞은 뒤 온도를 측정한다.

2 고체 수산화 나트륨(NaOH) 2.0 g을 과정 **1**의 간이 열량계에 넣고 젓개로 저으면서 30초마다 혼합 용액의 온도를 측정한다.

유의점
- 시약을 사용할 때에는 보안경을 착용하고, 시약이 피부나 옷에 묻지 않도록 주의한다.
- 고체 수산화 나트륨은 공기 중의 수분을 흡수하는 성질이 있으므로 질량을 측정할 때 가능한 빨리 측정하고, 간이 열량계에 넣은 다음, 재빨리 뚜껑을 닫는다.
- 온도를 측정할 때 용액을 젓개로 잘 저어 주거나 용액이 들어 있는 열량계를 약간씩 흔들어 주어 용액의 온도가 고르게 유지되도록 하면서 측정해야 한다.
- 실험이 끝난 뒤 남은 물질은 지정된 곳에 모아 처리한다.

실험 1

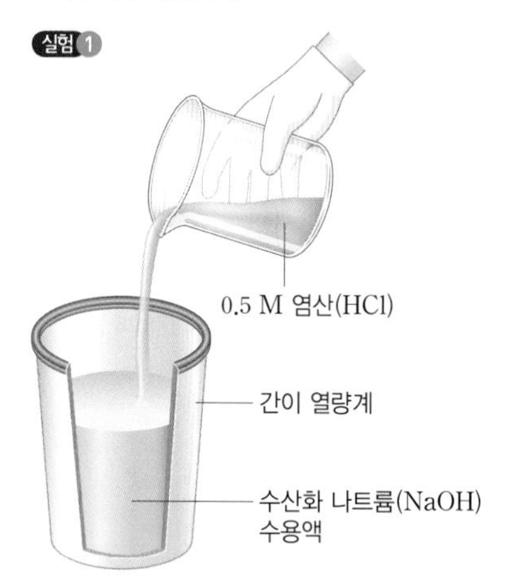

실험 2

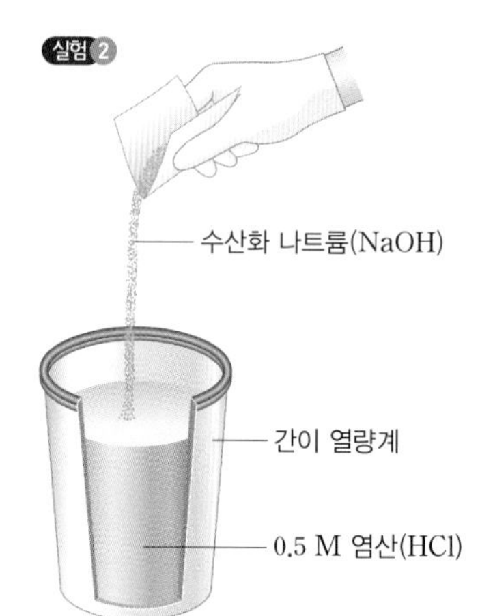

결과 및 해석

1 각 실험에서 측정한 용액의 온도

경과 시간(초)		0	30	60	90	120	150	180
실험 1	과정 2 (℃)	20	21.7	22.3	22.9	23.3	23.6	23.6
	과정 5 (℃)	20	21.8	22.4	23.2	23.3	23.3	23.3
실험 2 (℃)		20	22.4	23.6	26.0	28.0	30.2	30.2

2 실험 1과 실험 2에서의 반응 경로

실험	과정	반응
실험 1	과정 2	NaOH(s) ⟶ NaOH(aq)
	과정 5	NaOH(aq) + HCl(aq) ⟶ NaCl(aq) + H_2O(l)
실험 2		NaOH(s) + HCl(aq) ⟶ NaCl(aq) + H_2O(l)

3 실험1의 과정 2, 과정 5와 실험2에서 발생한 열량 (단, 모든 용액의 비열은 4.2 J/g·℃라고 가정한다.)

실험1	과정 2	4.2 J/g·℃× 102 g×(23.6−20.0) ℃=1542.2 J
	과정 5	4.2 J/g·℃× 100 g×(23.3−20.0) ℃=1386.0 J
실험2		4.2 J/g·℃× 102 g×(30.2−20.0) ℃=4369.7 J

4 실험1의 과정 2, 과정 5와 실험2에서의 반응 엔탈피(kJ/mol) (단, NaOH의 화학식량은 40.0이다.)

구분		NaOH의 양(mol)	반응한 HCl의 양(mol)	반응 엔탈피(kJ/mol)
실험1	과정 2	0.05	−	30.84
	과정 5	0.025	0.025	55.44
실험2		0.05	0.05	87.39

- 실험1에서의 전체 반응 엔탈피=(30.84+55.44) kJ/mol=86.28 kJ/mol
- 실험2에서의 반응 엔탈피=87.39 kJ/mol

열량 계산

$Q=cm\Delta t$

(c: 비열, m: 질량, Δt: 온도 변화)

오차가 발생하는 원인

- 간이 열량계가 완벽하게 밀폐되지 않아 열이 손실된다.
- 간이 열량계의 열용량을 고려하지 않아 열손실이 있다.
- 발생한 열이 물의 온도만 높이는 것이 아니라 물의 상태가 변하는 데에도 사용된다.
- 건조한 상태의 수산화 나트륨이 아니라 물이 결합된 상태의 수산화 나트륨이었을 수 있다.
- 수용액의 비열이 실제와 다를 수 있다.

정리

- 실험1의 과정 2와 과정 5의 반응 엔탈피를 합하면 실험2의 반응 엔탈피와 거의 같다. 실험1에서 과정 2와 과정 5의 반응 엔탈피 합은 이론적으로는 실험2에서의 반응 엔탈피와 같아야 한다. 이 실험에서와 같이 실험1의 반응 엔탈피 합과 실험2의 반응 엔탈피는 실험상에서 약간의 오차가 발생하는데, 이러한 오차의 원인으로는 수용액의 밀도가 실제로 1 g/mL가 아닌 것, 열량계의 열용량을 무시한 것 등이 있다.
- 각 경로에 대한 이론상의 반응 엔탈피는 다음과 같다.

  실험1 과정 2: $NaOH(s) \longrightarrow NaOH(aq)$, $\Delta H_1=-44.5$ kJ

  과정 5: $NaOH(aq)+HCl(aq) \longrightarrow NaCl(aq)+H_2O(l)$, $\Delta H_2=-55.8$ kJ

  실험2 $NaOH(s)+HCl(aq) \longrightarrow NaCl(aq)+H_2O(l)$, $\Delta H=-100.3$ kJ

  따라서 $\Delta H=-100.3\text{ kJ}=(-44.5\text{ kJ})+(-55.8\text{ kJ})=\Delta H_1+\Delta H_2$의 관계가 되므로 헤스 법칙이 성립한다.

탐구 확인 문제

> 정답과 해설 146쪽

01 그림은 고체 수산화 나트륨(NaOH) 40 g과 1 M 염산(HCl) 1 L가 반응할 때의 엔탈피 변화를 나타낸 것이다. (단, NaOH의 화학식량은 40이다.)

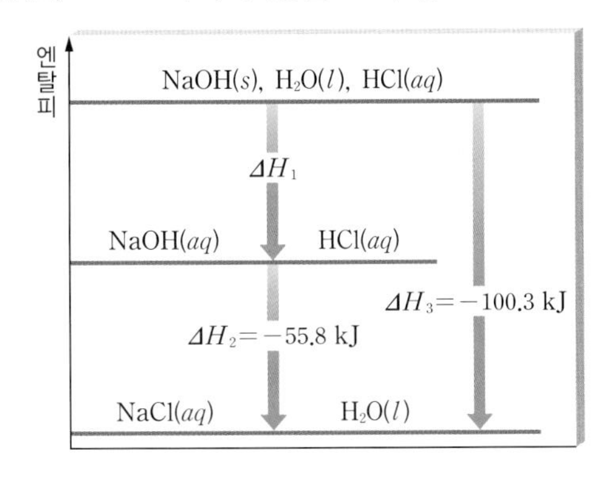

이에 대한 설명으로 옳은 것만을 보기에서 있는 대로 고른 것은?

보기

ㄱ. $\Delta H_1=\Delta H_2+\Delta H_3$이다.

ㄴ. $NaOH(s)$의 용해 엔탈피는 ΔH_1과 같다.

ㄷ. $NaOH(aq)$ 대신 $KOH(aq)$이 $HCl(aq)$과 반응하더라도 반응 엔탈피는 ΔH_2이다.

ㄹ. $NaOH(s)$과 $HCl(aq)$ 반응의 반응 엔탈피 ΔH_3은 중화 엔탈피를 의미한다.

① ㄱ, ㄴ ② ㄱ, ㄷ ③ ㄱ, ㄹ ④ ㄴ, ㄷ ⑤ ㄴ, ㄹ

실전에 대비하는

화학 반응의 반응 엔탈피 계산

화학 반응에서의 반응 엔탈피는 결합 에너지를 이용하여 구할 수도 있고, 화학 반응에서 반응물의 종류와 상태, 생성물의 종류와 상태가 같으면 반응 경로에 관계없이 출입하는 열량의 총합이 일정하다는 헤스 법칙을 이용하여 구할 수도 있다. 결합 에너지와 헤스 법칙을 이용하여 화학 반응에서의 반응 엔탈피를 계산해 보자.

❶ 결합 에너지를 이용하는 경우

$$\Delta H = \sum D_{반응물} - \sum D_{생성물}$$

결합	평균 결합 에너지 (kJ/mol)	결합	평균 결합 에너지 (kJ/mol)
H−H	436	C−H	410
H−F	570	O=O	498
O−H	463	N≡N	945
N−H	391	F−F	159

예 수소와 플루오린이 반응하여 플루오린화 수소가 생성되는 다음 반응의 반응 엔탈피(ΔH)를 구하시오.

$$H_2(g) + F_2(g) \longrightarrow 2HF(g),\ \Delta H = ?$$

[단계적 풀이 방법]

단계 1 반응물의 결합 에너지 합($\sum D_{반응물}$)을 구한다.

➡ H−H와 F−F의 결합 에너지는 각각 436 kJ/mol, 159 kJ/mol이므로 열화학 반응식으로 나타내면 다음과 같다.

$H_2(g) \longrightarrow H(g) + H(g),\ \Delta H_{H-H} = 436\ kJ$

$F_2(g) \longrightarrow F(g) + F(g),\ \Delta H_{F-F} = 159\ kJ$

$H_2(g)$ 1몰과 $F_2(g)$ 1몰이 반응하므로 반응물의 결합 에너지 합($\sum D_{반응물}$)은 다음과 같다.

$\sum D_{반응물} = \Delta H_{H-H} + \Delta H_{F-F} = (436+159)\ kJ = 595\ kJ$

단계 2 생성물의 결합 에너지 합($\sum D_{생성물}$)을 구한다.

➡ H−F의 결합 에너지는 570 kJ/mol이므로 열화학 반응식으로 나타내면 다음과 같다.

$HF(g) \longrightarrow H(g) + F(g),\ \Delta H_{H-F} = 570\ kJ$

반응에서 $HF(g)$ 2몰이 생성되므로 생성물의 결합 에너지 합($\sum D_{생성물}$)은 다음과 같다.

$\sum D_{생성물} = 2 \times \Delta H_{H-F} = 2 \times 570\ kJ = 1140\ kJ$

단계 3 반응 엔탈피를 구한다.

➡ $\Delta H = \sum D_{반응물} - \sum D_{생성물}$
$= 595\ kJ - 1140\ kJ = -545\ kJ$

예제

수소와 산소가 반응하여 수증기를 생성하는 다음 반응의 반응 엔탈피(ΔH)를 구하시오.

$$2H_2(g) + O_2(g) \longrightarrow 2H_2O(g),\ \Delta H = ?$$

해설 $H_2(g)$ 2몰과 $O_2(g)$ 1몰이 반응하여 $H_2O(g)$ 2몰이 생성된다. H_2O 한 분자에는 O−H 결합이 2개 있으므로 반응물과 생성물의 결합 에너지 합을 각각 구하면 다음과 같다.

$\sum D_{반응물} = (2 \times \Delta H_{H-H}) + \Delta H_{O=O} = \{(2 \times 436) + 498\}\ kJ = 1370\ kJ$

$\sum D_{생성물} = 2 \times (2 \times \Delta H_{O-H}) = 2 \times (2 \times 463)\ kJ = 1852\ kJ$

$\therefore \Delta H = \sum D_{반응물} - \sum D_{생성물} = (1370 - 1852)\ kJ = -482\ kJ$

정답 $\Delta H = -482\ kJ$

› 정답과 해설 147쪽

1. 그림은 염소와 수소가 반응하여 염화 수소를 생성하는 반응에서 물질의 엔탈피를 나타낸 것이고, 표는 몇 가지 물질의 결합 에너지를 나타낸 것이다.

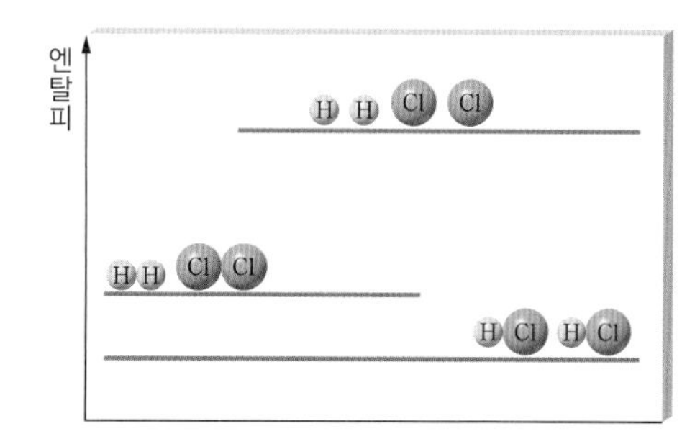

결합	H−H	Cl−Cl	H−Cl
결합 에너지(kJ/mol)	436	243	432

$$H_2(g) + Cl_2(g) \longrightarrow 2HCl(g),\ \Delta H = ?$$

이에 대한 설명으로 옳은 것만을 보기에서 있는 대로 고르시오.

보기
ㄱ. $\Delta H = 145\ kJ$이다.
ㄴ. H−Cl의 분해 반응은 발열 반응이다.
ㄷ. 주어진 결합 중 가장 강한 결합은 H−H이다.

② 헤스 법칙을 이용하는 경우

예 다음 열화학 반응식을 이용하여 프로페인($C_3H_8(g)$)의 생성 엔탈피를 구하시오.

(가) $H_2(g) + \frac{1}{2}O_2(g) \longrightarrow H_2O(l)$, $\Delta H_1 = -285.8$ kJ
(나) $C(s, \text{흑연}) + O_2(g) \longrightarrow CO_2(g)$, $\Delta H_2 = -393.5$ kJ
(다) $C_3H_8(g) + 5O_2(g) \longrightarrow 3CO_2(g) + 4H_2O(l)$, $\Delta H_3 = -2219.9$ kJ

[단계적 풀이 방법]

단계 1 구하려는 열화학 반응식을 나타낸다.

- $C_3H_8(g)$의 생성 엔탈피는 $C_3H_8(g)$을 이루는 가장 안정한 성분 원소로부터 $C_3H_8(g)$이 생성될 때의 반응 엔탈피이다. $C_3H_8(g)$의 생성 반응을 열화학 반응식으로 나타내면 다음과 같다.

➡ $3C(s, \text{흑연}) + 4H_2(g) \longrightarrow C_3H_8(g)$, $\Delta H = ?$

단계 2 구하려는 열화학 반응식에서 물질 하나를 선택한 후, 주어진 열화학 반응식에서 같은 물질을 찾아 부호를 정하고 계수를 맞춘다. 이때 구하려는 반응식의 물질과 주어진 반응식의 물질이 모두 반응물이거나 모두 생성물인 경우 '+', 두 반응식 중 하나는 반응물, 다른 하나는 생성물인 경우 '−' 부호를 붙인다.

- $C(s)$는 구하려는 반응식과 주어진 반응식 (나)에서 모두 반응물이므로 부호는 '+'이고, 계수를 맞추기 위해 반응식 (나)에 3을 곱한다.

➡ $\Delta H = +3\Delta H_2$

단계 3 나머지 물질도 단계 2 과정을 반복하여 부호를 정하고, 계수를 맞춘다.

- $H_2(g)$는 구하려는 반응식과 주어진 반응식 (가)에서 모두 반응물이므로 부호는 '+'이고, 계수를 맞추기 위해 반응식 (가)에 4를 곱한다.

➡ $\Delta H = +3\Delta H_2 + 4\Delta H_1$

- $C_3H_8(g)$은 구하려는 반응식에서는 생성물이지만 주어진 반응식 (다)에서 반응물이므로 부호는 '−'이고, 계수는 서로 같으므로 1이다. (단, 1은 생략한다.)

➡ $\Delta H = +3\Delta H_2 + 4\Delta H_1 - \Delta H_3$

단계 4 반응 엔탈피를 계산한다.

$$\begin{aligned}\Delta H &= 4\Delta H_1 + 3\Delta H_2 - \Delta H_3 \\ &= \{4\times(-285.8)\} + \{3\times(-393.5)\} - (-2219.9) \text{ kJ} \\ &= -103.8 \text{ kJ}\end{aligned}$$

단계 5 지금까지 계산한 결과를 적용하여 구하려는 열화학 반응식이 나오는지 확인한다.

$$\begin{array}{ll} & 4H_2(g) + 2O_2(g) \longrightarrow 4H_2O(l) \cdots\cdots (\text{가})\times 4 \\ +) & 3C(s) + 3O_2(g) \longrightarrow 3CO_2(g) \cdots\cdots (\text{나})\times 3 \\ \hline & 3C(s) + 4H_2(g) + \cancel{5O_2(g)} \longrightarrow \cancel{3CO_2(g)} + \cancel{4H_2O(l)} \\ -) & \cancel{5O_2(g)} + C_3H_8(g) \longrightarrow \cancel{3CO_2(g)} + \cancel{4H_2O(l)} \cdots\cdots (\text{다}) \\ \hline & 3C(s) + 4H_2(g) \longrightarrow C_3H_8(g) \\ & \qquad \Delta H = 4\Delta H_1 + 3\Delta H_2 - \Delta H_3 \end{array}$$

2. 다음은 몇 가지 화학 반응의 열화학 반응식이다.

- $2C(s, \text{흑연}) + 3H_2(g) + \frac{1}{2}O_2(g) \longrightarrow C_2H_5OH(l)$, ΔH_1
- $C(s, \text{흑연}) + O_2(g) \longrightarrow CO_2(g)$, ΔH_2
- $H_2(g) + \frac{1}{2}O_2(g) \longrightarrow H_2O(l)$, ΔH_3

> 정답과 해설 147쪽

주어진 자료를 이용하여 다음 에탄올 연소 반응의 반응 엔탈피 ΔH를 구하는 식으로 옳은 것은?

$C_2H_5OH(l) + 3O_2(g) \longrightarrow 2CO_2(g) + 3H_2O(l)$, $\Delta H = ?$

① $\Delta H = \Delta H_1 + \Delta H_2 + \Delta H_3$
② $\Delta H = \Delta H_1 - \Delta H_2 - \Delta H_3$
③ $\Delta H = \Delta H_2 + \Delta H_3 - \Delta H_1$
④ $\Delta H = \Delta H_1 - 2\Delta H_2 - 3\Delta H_3$
⑤ $\Delta H = 2\Delta H_2 + 3\Delta H_3 - \Delta H_1$

차이를 만드는

엔탈피와 통열량계

화학 반응이 일어날 때는 반응물을 이루는 원자들의 결합이 끊어지고 재배열되어 새로운 결합이 형성되는데, 이 때 에너지 출입은 반응 엔탈피와 관련이 있다. 그렇다면 화학 반응에서의 반응 엔탈피와 물질의 내부 에너지 변화가 같은지 알아보자.

❶ 일정한 압력에서 일어나는 반응

대부분의 화학 반응은 일정한 압력에서 일어난다. 이 경우에 계가 외부로 일을 하므로 내부 에너지 변화는 발생한 열(Q_P)과 외부로 한 일(W)을 모두 고려해야 한다. 만일 외부 압력이 P인 상태에서 부피가 ΔV만큼 팽창했다면 내부 에너지 변화(ΔU)는 다음과 같다.

$\Delta U = Q_P + W = Q_P - P\Delta V$

그런데 일정한 압력에서 발생하는 반응열 Q_P는 엔탈피 변화(ΔH)와 같으므로

$\Delta U = Q_P + W = Q_P - P\Delta V = \Delta H - P\Delta V$에서 $\Delta H = \Delta U + P\Delta V$이다.

반응이 진행되는 동안 외부로 일을 하므로 반응계의 에너지 변화와 화학 반응에서 방출하는 열량이 서로 다르다. 실제 내부 에너지 변화(ΔU)는 방출하는 열량(ΔH)보다 작다.

예를 들어, 나트륨과 물이 반응하여 수소 기체가 발생하는 반응을 예로 들어보자.

나트륨과 물이 반응하여 수소 기체가 발생하는 반응의 열화학 반응식은 다음과 같다.

$2Na(s) + 2H_2O(l) \longrightarrow 2NaOH(aq) + H_2(g)$, $\Delta H = -367.5$ kJ

위 반응을 통해 25 ℃, 1기압에서 수소 기체 1몰이 발생했다고 가정하면, 기체 1몰의 부피는 약 24.5 L이므로 외부로 한 일의 양은 다음과 같다.

$P\Delta V = 1\ \text{atm} \times 24.5\ \text{L} = (1.01 \times 10^5)\ \text{Pa} \times (24.5 \times 10^{-3})\ \text{m}^3 = 2.48\ \text{kJ}$

따라서 $\Delta H = \Delta U + P\Delta V = -367.5\ \text{kJ} = \Delta U + 2.48\ \text{kJ}$이므로 ΔU는 -370.0 kJ이 된다. 즉, 내부 에너지는 370.0 kJ 만큼 줄어든 것이다. 그런데 나트륨과 물이 반응하여 수소 기체 1몰이 발생한 반응에서는 367.5 kJ의 열이 주위로 방출되었으므로 내부 에너지 변화와 화학 반응이 일어나는 동안 방출된 열량은 서로 다르다.

❷ 일정한 부피에서 일어나는 반응(통열량계)

통열량계에서의 연소 반응은 닫힌 용기에서 일어나므로 부피는 일정하게 유지되나 압력이 일정하게 유지되지 않는다. 이 경우에는 외부로 일을 하지 않으므로 화학 반응의 반응열은 내부 에너지 변화와 같다. $\Delta U = Q_V$

그러나 화학 반응에서 발생하는 반응열과 반응 엔탈피(ΔH)는 같지 않다.

$\Delta H = \Delta U + \Delta PV$에서 이상 기체 방정식에 의하면

$\Delta PV = \Delta nRT$이고, 기체 상수 $R = 8.314$ J/(mol·K)이고, $T = 298$ K이므로

$\Delta PV = \Delta nRT = 2.48\ \text{kJ/mol} \times \Delta n$이다.

$\Delta H = \Delta U + \Delta PV = \Delta U + 2.48\ \text{kJ/mol} \times \Delta n = Q_V + 2.48\ \text{kJ/mol} \times \Delta n$

만약 흑연이 연소되는 반응($C(s) + O_2(g) \longrightarrow CO_2(g)$)과 같이 기체 반응물의 양(mol)과 기체 생성물의 양(mol)이 같은 경우 $\Delta n = 0$이므로 $\Delta H = Q_V + 2.48\ \text{kJ/mol} \times \Delta n = Q_V$가 된다.

단원자 분자인 이상 기체에서 정부피 몰 열용량(C_V)과 정압 몰 열용량(C_P)

기체 분자 운동론에서 단원자 분자 n mol의 운동 에너지는

$E = \frac{3}{2}nRT$이다.

일정 부피에서는 외부로 일을 하지 않으므로 내부 에너지 변화는 다음과 같다.

$\Delta U = \frac{3}{2}nR\Delta T = Q_V = nC_V\Delta T$

$\therefore C_V = \frac{3}{2}R$

일정 압력에서는 외부로 일을 하기 때문에 내부 에너지 변화는 다음과 같다.

$\Delta U = Q_P + W$
$= nC_P\Delta T - P\Delta V$
$= nC_P\Delta T - nR\Delta T$
$= nC_V\Delta T$

$\therefore C_P = C_V + R$
$= \frac{3}{2}R + R = \frac{5}{2}R$

열을 J로 표시하면 R는 8.314 J/(K·mol)로 나타내야 한다. 따라서 단원자 분자의 정부피 몰 열용량은 12.47 J/(K·mol)이고, 정압 몰 열용량은 20.79 J/(K·mol)이다.

정답과 해설 147쪽

02 헤스 법칙

1 반응열 측정

1. **간이 열량계와 통열량계** (❶)는 구조가 간단하고 열량을 쉽게 측정할 수 있으나, 열손실이 크다. (❷)는 연소열을 측정할 때 연소 시 발생하는 열이 외부로 빠져 나가지 않게 고안되었다.

2. **반응열 계산**

- 간이 열량계를 이용한 반응열 계산: 반응열(Q)=간이 열량계 속 물이 얻은 열량
  ➡ Q=물의 비열(c)×물의 질량(m)×물의 온도 변화(Δt)
- 통열량계를 이용한 반응열 계산: 반응열(Q)=통이 흡수한 열량+물이 얻은 열량
  ➡ Q={통의 열용량($C_{통}$)+물의 비열(c)×물의 질량(m)}×물의 온도 변화(Δt)

2 결합 에너지와 반응 엔탈피

1. (❸) 기체 상태의 분자에서 두 원자 사이의 공유 결합 1몰을 끊어 중성 원자로 만드는 데 필요한 에너지

- 평균 결합 에너지(D): 한 종류의 결합이 다양한 분자에 존재하는 경우 같은 종류의 결합이라도 결합 에너지가 다르므로 각 화합물에서의 결합 에너지를 측정한 후 그 평균값을 구한 평균 결합 에너지(D)를 사용한다.

2. **분자의 해리 에너지** 분자에 존재하는 모든 결합을 끊어 원자 상태로 만드는 데 필요한 에너지로, 분자의 해리 에너지는 분자 내 모든 결합의 결합 에너지의 합으로 구한다.

3. **결합 에너지와 반응 엔탈피** 반응 엔탈피는 (❹)의 결합 에너지 합에서 (❺)의 결합 에너지 합을 뺀 값에 해당한다.
   $\Delta H=\sum D_{반응물}-\sum D_{생성물}$

3 헤스 법칙

1. (❻) 화학 반응이 일어날 때 반응물의 종류와 상태, 생성물의 종류와 상태가 같으면 반응 경로에 관계없이 반응 엔탈피가 항상 일정하다.

2. **헤스 법칙 이용** 헤스 법칙을 이용하면 실험에서 직접 측정하기 어려운 반응의 반응 엔탈피를 구할 수 있다.
   예 흑연이 연소하여 일산화 탄소가 생성되는 반응의 반응 엔탈피는 직접 측정하기 어려우므로 반응 엔탈피를 쉽게 측정할 수 있는 흑연과 일산화 탄소의 완전 연소 반응식을 이용한다.

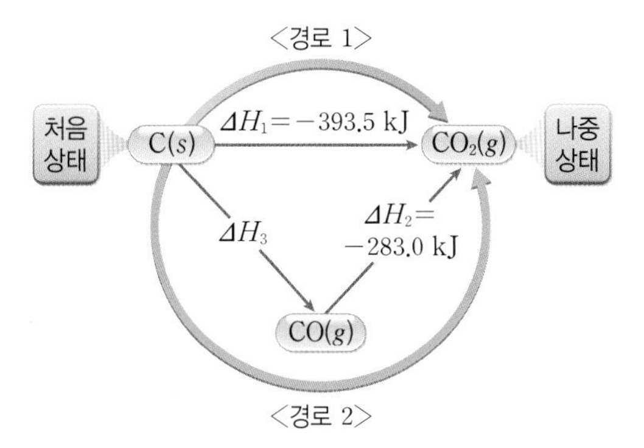

$C(s,\ 흑연)+O_2(g) \longrightarrow CO_2(g),\ \Delta H_1=-393.5\ kJ$ …… ①

$CO(g)+\frac{1}{2}O_2(g) \longrightarrow CO_2(g),\ \Delta H_2=-283.0\ kJ$ …… ②

$C(s,\ 흑연)+\frac{1}{2}O_2(g) \longrightarrow CO(g),\ \Delta H_3=?$ …… ③

반응 ①은 반응 ②와 ③을 더한 것과 같으므로 $\Delta H_3=\Delta H_1-\Delta H_2$=(❼) kJ

01 25 °C 물 300 g을 채운 통열량계에 에탄올 1 g을 넣고 뚜껑을 잘 닫은 후 충분한 산소로 연소시켰더니 물의 온도가 35 °C가 되었다. 에탄올이 연소할 때 방출한 열량(kJ/mol)을 구하시오.(단, 물의 비열은 4.2 J/g·°C이고, 통열량계의 열용량은 1.7 kJ/°C이며, 에탄올의 분자량은 46.0이다.)

[02~04] 표는 몇 가지 결합의 결합 에너지를 나타낸 것이다.

결합	H−H	H−O	C−H
결합 에너지(kJ/mol)	436	463	410
결합	C=O	O=O	N≡N
결합 에너지(kJ/mol)	805	498	947

02 다음 열화학 반응식을 이용하여 N−H의 결합 에너지(kJ/mol)를 구하시오.(단, 소수점 첫째 자리에서 반올림한다.)

$$3H_2(g) + N_2(g) \longrightarrow 2NH_3(g),\ \Delta H = -91.8\ \text{kJ}$$

03 $H_2O(g)$의 생성 엔탈피(ΔH, kJ/mol)를 구하시오.

04 에틸렌(C_2H_4)의 해리 에너지는 2245 kJ/mol이다. C=C의 결합 에너지(kJ/mol)를 구하시오.

05 그림은 수소(H_2)와 플루오린(F_2)이 반응하여 플루오린화 수소(HF)를 생성할 때의 엔탈피 변화를 나타낸 것이다.

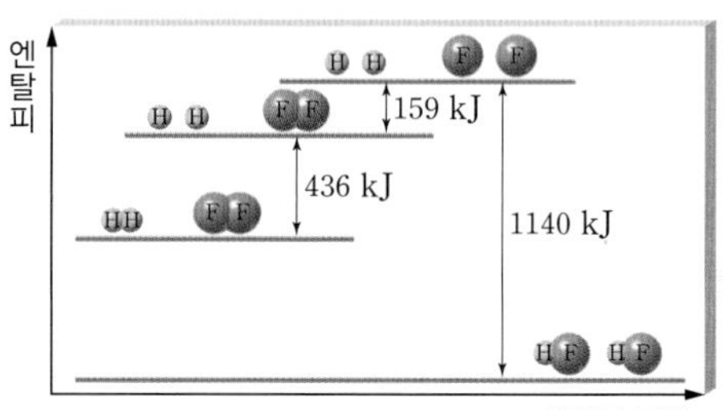

이에 대한 설명으로 옳은 것만을 보기에서 있는 대로 고르시오.

보기
ㄱ. F−F의 결합 에너지는 159 kJ/mol이다.
ㄴ. H−F의 결합 에너지는 −1140 kJ/mol이다.
ㄷ. 이 반응의 반응 엔탈피 ΔH는 545 kJ이다.
ㄹ. 반응물의 결합 에너지 합은 생성물의 결합 에너지 합보다 크다.

06 다음은 알케인의 브로민화 반응과 몇 가지 결합의 결합 에너지를 나타낸 것이다.

(가) $Br_2 \longrightarrow 2Br,\ \Delta H_1$
(나) $RCH_3 + Br \longrightarrow RCH_2 + HBr,\ \Delta H_2$
(다) $RCH_2 + Br_2 \longrightarrow RCH_2Br + Br,\ \Delta H_3$

결합	C−H	H−Br	Br−Br	C−Br
결합 에너지(kJ/mol)	410	366	194	290

이 반응에 대한 설명으로 옳은 것은 ○, 옳지 않은 것은 ×를 표시하시오.

(1) (가)에서 $\Delta H_1 < 0$이다. (　　)
(2) (나)에서 $\Delta H_2 = 44$ kJ이다. (　　)
(3) (다)에서는 96 kJ의 열이 발생한다. (　　)
(4) $RCH_3 + Br_2 \longrightarrow RCH_2Br + HBr$의 반응은 발열 반응이다. (　　)
(5) CH_4 분자의 해리 에너지는 4×410 kJ/mol이다. (　　)

07 그림은 어떤 반응들의 경로에 따른 엔탈피 변화를 나타낸 것이다.

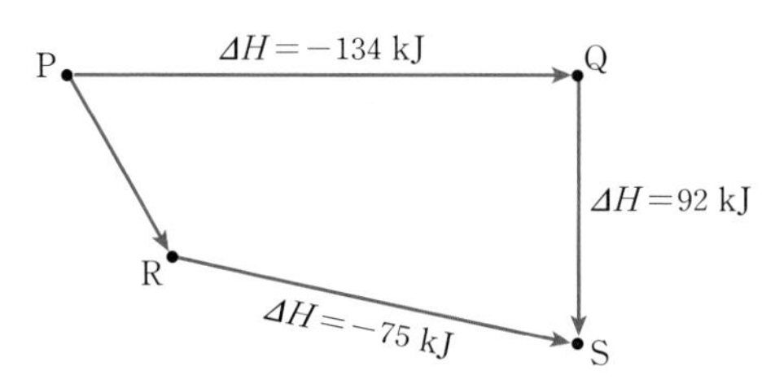

이에 대한 설명으로 옳은 것만을 보기에서 있는 대로 고르시오.

보기

ㄱ. P → R의 반응 엔탈피 $\Delta H = -33$ kJ이다.
ㄴ. R → Q의 반응은 흡열 반응이다.
ㄷ. S → P의 반응 엔탈피 $\Delta H = 42$ kJ이다.

08 다음은 탄소와 수증기가 반응하여 일산화 탄소와 수소가 생성되는 반응의 열화학 반응식이다.

$$C(s) + H_2O(g) \longrightarrow CO(g) + H_2(g),\ \Delta H$$

다음 열화학 반응식을 이용하여 위 반응의 반응 엔탈피 (ΔH)를 구하시오.

- $C(s) + O_2(g) \longrightarrow CO_2(g),\ \Delta H = -393.5$ kJ
- $2H_2(g) + O_2(g) \longrightarrow 2H_2O(g),\ \Delta H = -483.6$ kJ
- $2CO(g) + O_2(g) \longrightarrow 2CO_2(g),\ \Delta H = -566.0$ kJ

09 표는 25 °C, 1기압에서 $CO_2(g)$, $H_2O(l)$의 생성 엔탈피와 $CH_3OH(l)$의 연소 엔탈피를 나타낸 것이다.

물질	$CH_3OH(l)$	$CO_2(g)$	$H_2O(l)$
생성 엔탈피(kJ/mol)	−	−393.5	−285.8
연소 엔탈피(kJ/mol)	−686.3	−	−

$CH_3OH(l)$의 표준 생성 엔탈피(kJ/mol)를 구하시오.

10 다음은 철과 탄소의 연소 반응의 열화학 반응식이다.

- $2Fe(s) + \frac{3}{2}O_2(g) \longrightarrow Fe_2O_3(s),\ \Delta H_1 = -824.2$ kJ
- $C(s) + \frac{1}{2}O_2(g) \longrightarrow CO(g),\ \Delta H_2 = -110.5$ kJ

다음 반응의 반응 엔탈피(ΔH)를 구하시오.

$$Fe_2O_3(s) + 3C(s) \longrightarrow 2Fe(s) + 3CO(g),\ \Delta H = ?$$

11 그림은 25 °C, 1기압에서 물과 관련된 반응의 엔탈피 변화를 나타낸 것이다.

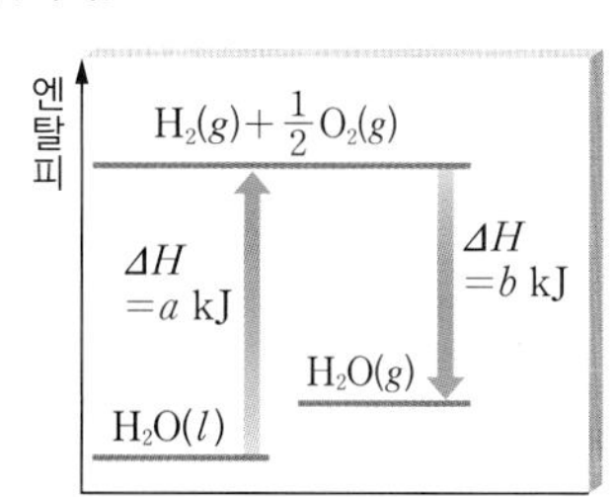

이에 대한 설명으로 옳은 것만을 보기에서 있는 대로 고르시오.

보기

ㄱ. $a > 0$, $b < 0$이다.
ㄴ. $H_2O(l)$의 기화 엔탈피는 $(b-a)$ kJ/mol이다.
ㄷ. $H_2O(g)$의 엔탈피는 $H_2O(l)$의 엔탈피보다 크다.

01

> 반응열 측정

다음은 25 ˚C에서 염산(HCl)과 수산화 나트륨(NaOH)의 반응열을 구하는 실험이다.

[실험]

Ⅰ. 1 M HCl(*aq*) 25 mL가 들어 있는 간이 열량계에 0.5 M NaOH(*aq*) 50 mL를 넣고 최고 온도를 측정하여 반응열 Q_1(kJ)을 구한다.

Ⅱ. 0.5 M HCl(*aq*) 50 mL가 들어 있는 간이 열량계에 NaOH(*s*) 1 g을 넣은 후 최고 온도를 측정하여 반응열 Q_2(kJ)를 구한다.

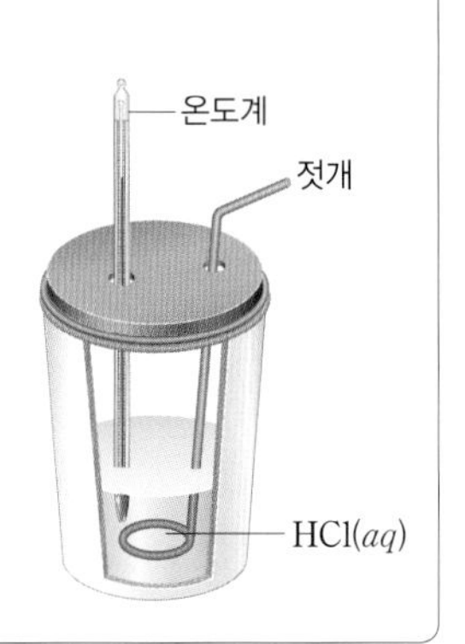

이에 대한 설명으로 옳은 것만을 보기에서 있는 대로 고른 것은? (단, NaOH의 화학식량은 40이고, 간이 열량계에서 열 손실은 없다고 가정한다.)

보기

ㄱ. $Q_1 > Q_2$이다.

ㄴ. 실험 Ⅰ에서의 중화 엔탈피(ΔH)는 $-40Q_1$이다.

ㄷ. 실험 Ⅰ과 Ⅱ에서 생성된 물의 양(mol)을 모두 합하면 0.05몰이다.

① ㄱ ② ㄷ ③ ㄱ, ㄴ ④ ㄴ, ㄷ ⑤ ㄱ, ㄴ, ㄷ

• 실험 Ⅰ에서는 염산과 수산화 나트륨 수용액의 중화 반응이 일어나고, 실험 Ⅱ에서는 고체 수산화 나트륨의 용해 반응과, 염산과 수산화 나트륨 수용액의 중화 반응이 일어난다.

02

> 결합 에너지와 반응 엔탈피

다음은 25 ˚C, 1기압에서 하이드라진(N_2H_4)과 관련된 자료이다.

• N_2H_4의 구조식: H−N(−H)−N(−H)−H

• $N_2H_4(g)$의 표준 생성 엔탈피: 93 kJ/mol

• 몇 가지 결합의 결합 에너지

결합	H−H	N−H	N≡N	N=N	N−N
결합 에너지(kJ/mol)	436	?	947	419	162

이 자료로부터 $N_2H_2(g)$의 표준 생성 엔탈피(kJ/mol) 값을 구하면?

① 440 ② 391 ③ 182 ④ −345 ⑤ −600

• 반응 엔탈피는 반응물의 결합 에너지 합에서 생성물의 결합 에너지 합을 뺀 값이다.

03

> 결합 에너지와 반응 엔탈피

그림은 25 °C, 1기압에서 몇 가지 반응의 엔탈피 관계를 나타낸 것이다.

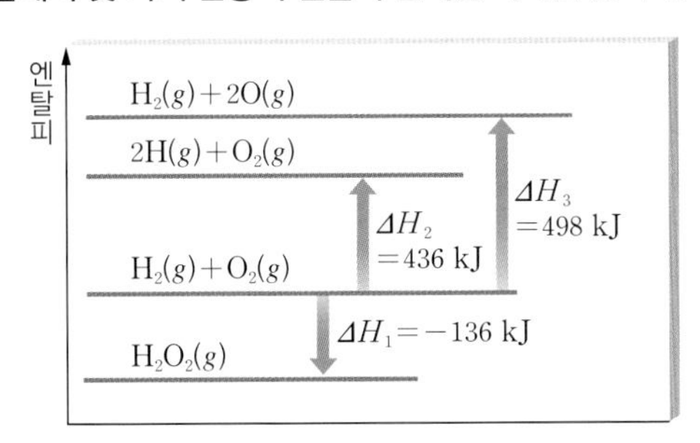

이에 대한 설명으로 옳은 것만을 보기에서 있는 대로 고른 것은? (단, O−H의 결합 에너지는 463 kJ/mol이다.)

보기

ㄱ. $H_2O_2(g)$의 분해 엔탈피는 136 kJ/mol이다.
ㄴ. O−O의 결합 에너지는 144 kJ/mol이다.
ㄷ. O−O 결합이 H−H 결합보다 더 강하다.

① ㄱ ② ㄴ ③ ㄱ, ㄴ ④ ㄴ, ㄷ ⑤ ㄱ, ㄴ, ㄷ

- 어떤 화학 반응에서 반응 엔탈피는 반응물의 결합 에너지 합에서 생성물의 결합 에너지 합을 뺀 값과 같다.
결합의 세기는 결합 에너지가 클수록 더 강하다.

04

> 반응열의 종류와 헤스 법칙

다음은 25 °C, 1기압에서 몇 가지 반응의 열화학 반응식이다.

- $C_3H_8(g) + 5O_2(g) \longrightarrow 3CO_2(g) + 4H_2O(l)$, $\Delta H=a$ kJ
- $C(s$, 흑연$) + O_2(g) \longrightarrow CO_2(g)$, $\Delta H=b$ kJ
- $2H_2(g) + O_2(g) \longrightarrow 2H_2O(l)$, $\Delta H=c$ kJ

이에 대한 설명으로 옳은 것만을 보기에서 있는 대로 고른 것은?

보기

ㄱ. $C_3H_8(g)$의 연소 엔탈피는 a kJ/mol이다.
ㄴ. $C_3H_8(g)$의 생성 엔탈피는 $(3b+2c-a)$ kJ/mol이다.
ㄷ. $H_2O(l)$의 분해 엔탈피는 $-c$ kJ/mol이다.

① ㄱ ② ㄴ ③ ㄷ ④ ㄱ, ㄴ ⑤ ㄱ, ㄷ

- 연소 엔탈피는 어떤 물질 1몰이 완전 연소할 때의 반응 엔탈피이고, 생성 엔탈피는 어떤 화합물 1몰이 가장 안정한 성분 원소로부터 생성될 때의 반응 엔탈피이고, 분해 엔탈피는 화합물 1몰이 가장 안정한 성분 원소로 분해될 때의 반응 엔탈피이다. 각 반응 엔탈피에 해당하는 열화학 반응식을 찾고, 주어진 열화학 반응식에서 해당하는 반응 엔탈피를 구한다.

05

> 헤스 법칙

그림은 25 ℃, 1기압에서 몇 가지 반응에 대한 엔탈피 변화를 나타낸 것이다.

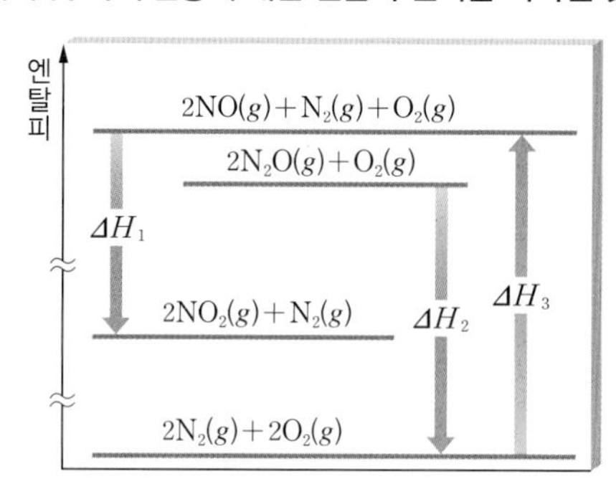

이에 대한 설명으로 옳은 것만을 보기에서 있는 대로 고른 것은?

보기

ㄱ. $N_2O(g)$의 생성 엔탈피는 $-\Delta H_2$이다.

ㄴ. $NO(g)$의 분해 엔탈피는 $-\Delta H_3$이다.

ㄷ. $NO_2(g) + N_2O(g) \longrightarrow 3NO(g)$의 반응 엔탈피는 $\frac{1}{2}(\Delta H_2+2\Delta H_3-\Delta H_1)$이다.

① ㄱ ② ㄴ ③ ㄷ ④ ㄱ, ㄴ ⑤ ㄱ, ㄷ

화학 반응에서 반응물의 종류와 상태, 생성물의 종류와 상태가 같으면 반응 경로에 관계없이 반응 엔탈피가 일정하다.

고난도

06

> 헤스 법칙

표는 25 ℃, 1기압에서 아세틸렌(C_2H_2)과 벤젠(C_6H_6)의 생성 엔탈피(ΔH_f)와 연소 엔탈피(ΔH_c)를 나타낸 것이다.

화합물	ΔH_f(kJ/mol)	ΔH_c(kJ/mol)
$C_2H_2(g)$	227	a
$C_6H_6(g)$	83	b

이에 대한 설명으로 옳은 것만을 보기에서 있는 대로 고른 것은?

보기

ㄱ. $b-3a=598$이다.

ㄴ. $3C_2H_2(g) \longrightarrow C_6H_6(g)$의 반응 엔탈피는 144 kJ이다.

ㄷ. $C_6H_6(g)$의 해리 에너지는 $C_2H_2(g)$의 해리 에너지의 3배이다.

① ㄱ ② ㄴ ③ ㄱ, ㄴ ④ ㄴ, ㄷ ⑤ ㄱ, ㄴ, ㄷ

$C_2H_2(g)$과 $C_6H_6(g)$의 생성 엔탈피는 C(*s*, 흑연)와 $H_2(g)$가 반응하여 각 물질 1몰이 생성될 때의 반응 엔탈피이고, $C_2H_2(g)$과 $C_6H_6(g)$의 연소 엔탈피는 각 물질 1몰이 $O_2(g)$와 반응하여 $H_2O(l)$과 $CO_2(g)$가 생성될 때의 반응 엔탈피이다.

07

헤스 법칙

표는 25 ℃, 1기압에서 실험식이 CH_2인 두 물질 $A(g)$, $B(g)$의 생성 엔탈피와 연소 엔탈피에 대한 자료이고, 그림은 25 ℃, 1기압에서 $A(g)$, $B(g)$ 1몰이 완전 연소할 때의 엔탈피 변화를 나타낸 것이다. ㉠과 ㉡은 각각 $A(g)$, $B(g)$ 중 하나이다.

물질	$A(g)$	$B(g)$	$CO_2(g)$
생성 엔탈피 (kJ/mol)	18	x	-394
연소 엔탈피 (kJ/mol)	-2058	-2091	

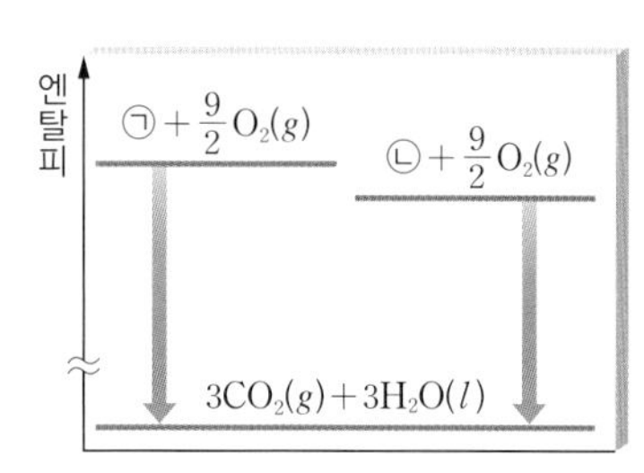

이에 대한 설명으로 옳은 것만을 보기에서 있는 대로 고른 것은? (단, $O_2(g)$의 표준 생성 엔탈피는 0이다.)

보기

ㄱ. ㉠은 $B(g)$이다.
ㄴ. $x=51$이다.
ㄷ. 25 ℃, 1기압에서 $H_2O(l)$의 생성 엔탈피는 -286 kJ/mol이다.

① ㄱ ② ㄷ ③ ㄱ, ㄴ ④ ㄴ, ㄷ ⑤ ㄱ, ㄴ, ㄷ

화학 반응 전후 원자의 종류와 수는 변하지 않는다. 두 반응에서 생성물은 CO_2와 H_2O로 같으므로, 이를 통해 반응물을 예측한다.

08

헤스 법칙

다음은 25 ℃, 1기압에서 3가지 반응의 열화학 반응식과 반응물의 표준 생성 엔탈피를 비교한 자료이다.

[열화학 반응식]

- $C_3H_4(g) \longrightarrow 3C(s, \text{흑연}) + 2H_2(g)$, ΔH_1
- $C_3H_6(g) \longrightarrow 3C(s, \text{흑연}) + 3H_2(g)$, ΔH_2
- $C_3H_8(g) \longrightarrow 3C(s, \text{흑연}) + 4H_2(g)$, ΔH_3

[자료]

표준 생성 엔탈피 비교: $C_3H_4(g) > C_3H_6(g) > 0 > C_3H_8(g)$

이에 대한 설명으로 옳은 것만을 보기에서 있는 대로 고른 것은? (단, $H_2(g)$와 $C(s, \text{흑연})$의 표준 생성 엔탈피는 모두 0이다.)

보기

ㄱ. $\Delta H_3 > 0$이다.
ㄴ. $|\Delta H_1| < |\Delta H_2|$이다.
ㄷ. $C_3H_8(g)$의 표준 생성 엔탈피는 $\Delta H_1 + \Delta H_2$이다.

① ㄱ ② ㄷ ③ ㄱ, ㄴ ④ ㄴ, ㄷ ⑤ ㄱ, ㄴ, ㄷ

$C_3H_4(g)$, $C_3H_6(g)$, $C_3H_8(g)$의 표준 생성 엔탈피는 각각 25 ℃, 1기압에서 다음 반응의 반응 엔탈피이다.

- $C_3H_4(g)$의 생성 엔탈피: $3C(s, \text{흑연}) + 2H_2(g) \longrightarrow C_3H_4(g)$
- $C_3H_6(g)$의 생성 엔탈피: $3C(s, \text{흑연}) + 3H_2(g) \longrightarrow C_3H_6(g)$
- $C_3H_8(g)$의 생성 엔탈피: $3C(s, \text{흑연}) + 4H_2(g) \longrightarrow C_3H_8(g)$

2
화학 평형과 평형 이동

01 화학 평형

02 평형 이동

단원 Preview

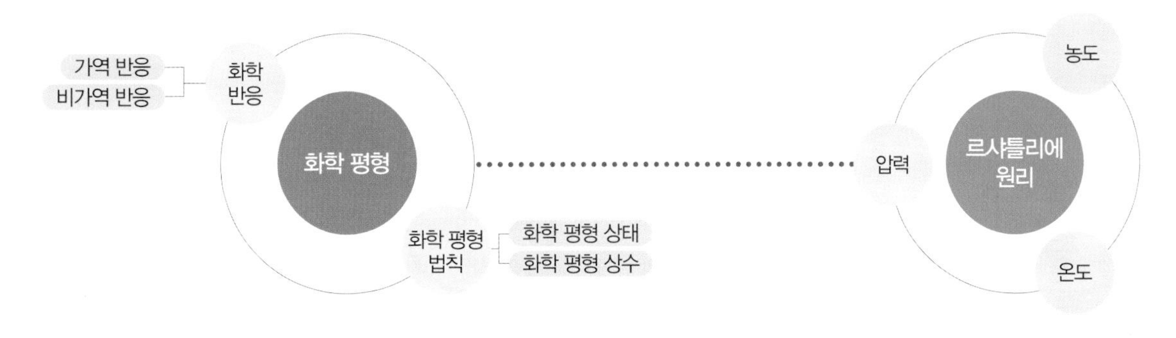

화학 평형

평형 이동

01 화학 평형

학습 Point 가역 반응과 비가역 반응 > 화학 평형의 의미 > 화학 평형 법칙 > 평형 상수와 반응의 진행 방향

1 가역 반응과 비가역 반응

우리 주위에서 일어나는 반응에는 정반응과 역반응이 모두 일어날 수 있는 반응도 있고, 역반응이 거의 일어나지 않는 반응도 있다.

1. 가역 반응

(1) **가역 반응:** 온도, 압력, 농도 등의 반응 조건에 따라 정반응과 역반응이 모두 일어날 수 있는 반응을 가역 반응이라고 한다.

(2) **가역 반응의 예**

① 이산화 질소(NO_2)와 사산화 이질소(N_2O_4)의 가역 반응: NO_2가 서로 결합하여 N_2O_4를 생성하는 반응은 가역적으로 일어난다. 적갈색 기체인 NO_2를 냉각하면 무색 기체인 N_2O_4를 생성하는 반응이 우세하게 진행되어 적갈색이 옅어진다. 반대로 무색 기체인 N_2O_4를 가열하면 적갈색 기체인 NO_2를 생성하는 반응이 우세하게 진행되어 적갈색이 진해진다. 즉, 2개의 NO_2 분자가 결합하여 N_2O_4 분자가 될 수도 있고, 반대로 N_2O_4 분자가 2개의 NO_2 분자로 분해될 수도 있다.

$$\underset{\text{적갈색}}{2NO_2(g)} \underset{\text{가열}}{\overset{\text{냉각}}{\rightleftharpoons}} \underset{\text{무색}}{N_2O_4(g)}$$

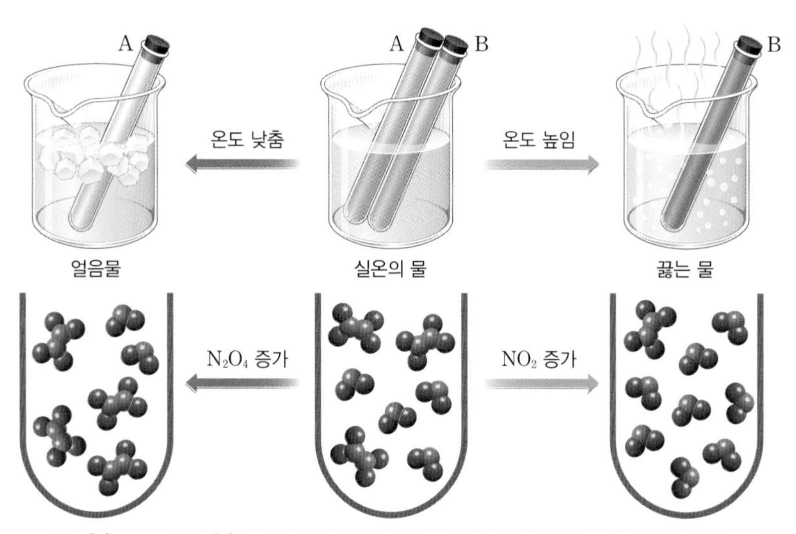

▲ **$2NO_2(g) \rightleftharpoons N_2O_4(g)$의 가역 반응** 무색의 N_2O_4 기체가 주로 존재하는 시험관(얼음물)이나 적갈색의 NO_2 기체가 주로 존재하는 시험관(끓는 물)을 실온의 물이 들어 있는 비커에 담그면 두 경우 모두 기체의 색깔이 옅은 적갈색으로 변한다.

상태 변화에서의 가역 반응

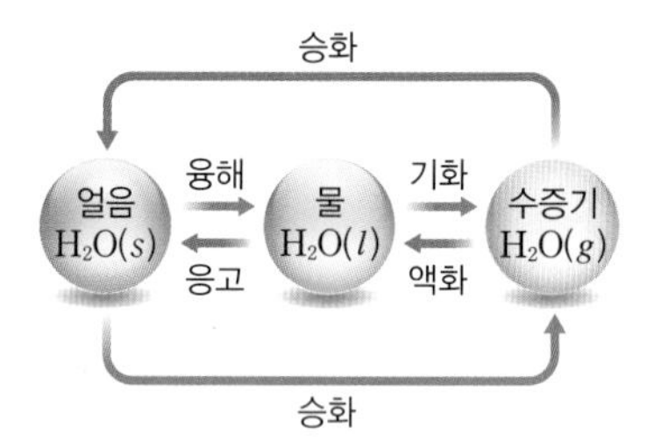

② 구리의 이온화와 석출

$$Cu(s) \rightleftharpoons Cu^{2+}(aq) + 2e^-$$

③ 광합성과 호흡

$$6CO_2(g) + 6H_2O(l) \underset{\text{호흡}}{\overset{\text{광합성}}{\rightleftharpoons}} C_6H_{12}O_6(s) + 6O_2(g)$$

④ 석회 동굴과 종유석, 석순의 생성 반응

$$CaCO_3(s) + CO_2(g) + H_2O(l) \underset{\text{종유석, 석순}}{\overset{\text{석회 동굴}}{\rightleftharpoons}} Ca(HCO_3)_2(aq)$$

⑤ 염화 암모늄의 생성과 분해

$$NH_3(g) + HCl(g) \rightleftharpoons NH_4Cl(s)$$

⑥ 탄산 칼슘의 분해와 생성

$$CaCO_3(s) \rightleftharpoons CaO(s) + CO_2(g)$$

2. 비가역 반응

(1) **비가역 반응:** 대부분의 화학 반응은 기본적으로 가역 반응이다. 그러나 어떤 화학 반응은 역반응이 거의 무시될 만큼 매우 적게 일어나는데, 이러한 반응을 비가역 반응이라고 한다. 열린계에서의 반응은 비가역 반응이다. 예를 들면, 어떤 화학 반응에서 기체가 발생하고 발생한 기체가 공기 중으로 날아가 버리면 비가역 반응이 일어난 것이다.

(2) **비가역 반응의 예**

① 기체 발생 반응

$$Zn(s) + H_2SO_4(aq) \longrightarrow ZnSO_4(aq) + H_2(g)$$

② 앙금 생성 반응

$$AgNO_3(aq) + NaCl(aq) \longrightarrow AgCl(s) + NaNO_3(aq)$$

③ 산과 염기의 중화 반응

$$HCl(aq) + NaOH(aq) \longrightarrow NaCl(aq) + H_2O(l)$$

④ 연소 반응

$$CH_4(g) + 2O_2(g) \longrightarrow CO_2(g) + 2H_2O(l)$$

예제

다음 보기의 여러 가지 화학 반응 중 비가역 반응만을 있는 대로 고르시오.

보기

ㄱ. $Cu(s) + 4HNO_3(aq) \longrightarrow Cu(NO_3)_2(aq) + 2NO_2(g) + 2H_2O(l)$

ㄴ. $H_2O(l) \longrightarrow H_2O(g)$

ㄷ. $2NO_2(g) \longrightarrow N_2O_4(g)$

ㄹ. $2NH_3(g) \longrightarrow N_2(g) + 3H_2(g)$

ㅁ. $H^+(aq) + OH^-(aq) \longrightarrow H_2O(l)$

해설 비가역 반응은 역반응이 거의 무시될 수 있을 정도로 매우 적게 일어나는 반응으로, 비가역 반응에는 기체 발생 반응, 앙금 생성 반응, 산과 염기의 중화 반응, 연소 반응 등이 있다. ㄱ은 기체 발생 반응, ㅁ은 산과 염기의 중화 반응이다.

정답 ㄱ, ㅁ

비가역 반응의 예

- 탄산 칼슘과 염산이 반응하면 이산화 탄소가 발생한다.
- 탄산 나트륨 수용액과 염화 칼슘 수용액이 반응하면 탄산 칼슘의 흰색 앙금이 생성된다.
- 페놀프탈레인 용액이 들어 있는 염산에 수산화 나트륨 수용액을 계속 넣으면 수용액이 붉은색으로 변한다.
- 물질이 공기 중의 산소와 반응하여 이산화 탄소와 물이 생성된다.

▲ 기체 발생 반응

▲ 앙금 생성 반응

▲ 중화 반응

▲ 연소 반응

2 화학 평형

밀폐된 용기에 물을 담아놓고 오랜 시간이 지나면 물의 양은 변하지 않고 일정하게 유지된다. 이때에도 밀폐된 용기 안에서는 물의 증발과 응축이 끊임없이 일어나고 있다.

1. 화학 평형 상태

심화 052~054쪽

가역 반응에서 정반응 속도와 역반응 속도가 같아져서 겉으로 보기에는 반응이 일어나지 않는 것처럼 보이는 상태를 화학 평형 상태라고 한다. 화학 평형 상태는 닫힌계에서만 이루어지며, 반응물과 생성물이 함께 존재한다.

2. 화학 평형 상태의 특징

(1) **정반응 속도와 역반응 속도:** 평형 상태에서는 반응이 정지된 것처럼 보이지만 실제로는 정반응과 역반응이 계속 일어나고 있으므로 반응물과 생성물이 함께 존재한다. 이때 반응이 정지된 상태가 아니라 정반응 속도와 역반응 속도가 같으므로 동적 평형 상태가 유지된다.

$$aA + bB \underset{v_2}{\overset{v_1}{\rightleftharpoons}} cC + dD$$ (평형 상태: v_1(정반응 속도)$=v_2$(역반응 속도))

(2) **반응물과 생성물의 농도:** 화학 평형 상태에서는 온도나 압력이 변하지 않으면 반응물의 농도와 생성물의 농도가 일정하게 유지된다.

예 일정한 온도와 압력에서 밀폐된 용기에 아이오딘화 수소를 넣으면 반응이 진행되다가 잠시 후 평형 상태에 도달한다.

$2HI(g) \rightleftharpoons H_2(g) + I_2(g)$

아이오딘화 수소가 분해되어 수소와 아이오딘이 되는 정반응 속도는 반응 초기에는 빠르지만, 반응이 진행됨에 따라 아이오딘화 수소의 농도가 묽어지면서 점점 느려진다. 그리고 아이오딘화 수소가 생성되는 역반응 속도는 반응 초기에 0에 가깝지만, 반응이 진행됨에 따라 수소와 아이오딘의 농도가 진해지면서 점점 빨라진다. 결국 이 가역 반응은 아이오딘화 수소의 분해 속도와 생성 속도가 같아지는 동적 평형 상태에 도달한다.

➡ 아이오딘화 수소의 생성 반응 속도와 분해 반응 속도가 같은 화학 평형 상태에서는 수소, 아이오딘, 아이오딘화 수소의 농도가 각각 일정하게 유지된다.

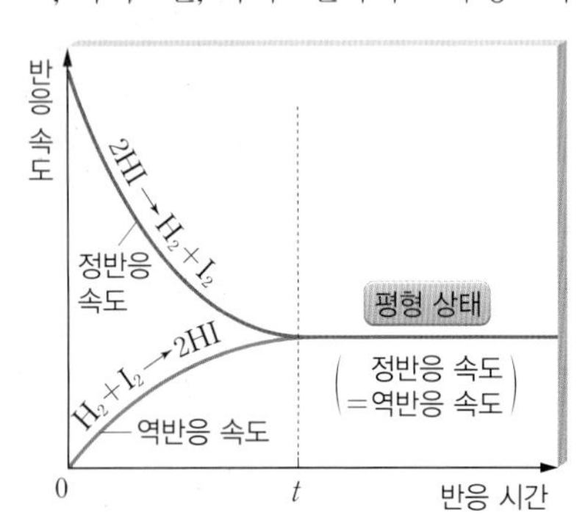

반응 시간에 따른 정반응 속도와 역반응 속도 변화

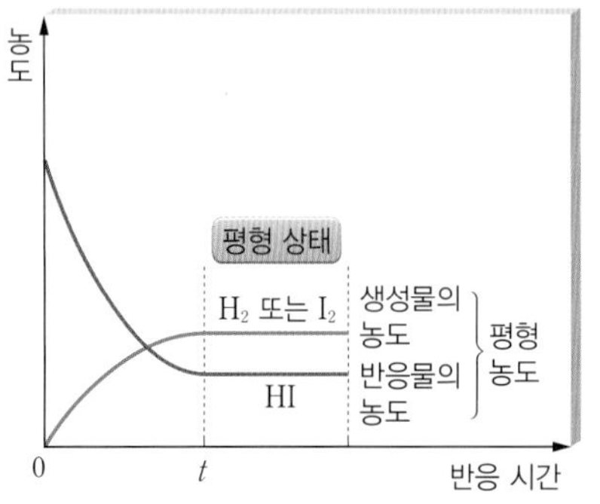

반응 시간에 따른 물질의 농도 변화

▲ $2HI(g) \rightleftharpoons H_2(g) + I_2(g)$ 반응에서의 반응 속도와 물질의 농도 변화

밀폐 용기 속 액체와 기체의 동적 평형 상태

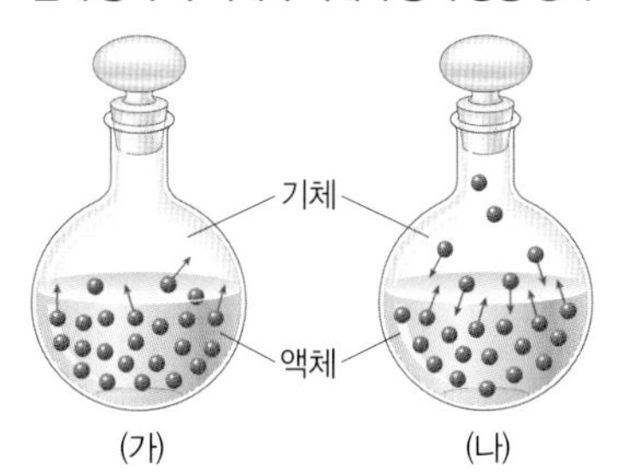

플라스크 속에 액체를 넣고 밀폐시키면 증발된 분자는 밖으로 나가지 못하고 플라스크 속 액체 위의 공간에 존재한다. 이 기체 분자가 액체 표면에 충돌하면 응축되어 다시 액체로 된다. 처음에는 응축 속도보다 증발 속도가 빠르지만 시간이 지날수록 액체 표면 위에 기체 분자 수가 증가하여 응축 속도가 증가한다. 그리고 응축 속도와 증발 속도가 같아지는 동적 평형 상태가 되어 액체의 양과 기체의 양이 일정하게 유지된다.

(가): 증발 속도 > 응축 속도

(나): 증발 속도 = 응축 속도

화학 평형 상태

화학 평형 상태는 반응이 정지된 상태가 아닌 동적 평형 상태이다.

$$aA + bB \underset{v_2}{\overset{v_1}{\rightleftharpoons}} cC + dD$$

v_1(정반응 속도)$=v_2$(역반응 속도)

(3) **반응 조건과 평형 상태:** 반응 조건이 같으면 반응이 정반응에서 시작되든지 역반응에서 시작되든지 같은 평형 상태에 도달하게 된다.

예를 들어 $2NO_2(g) \rightleftharpoons N_2O_4(g)$가 평형 상태에 있을 때 반응 조건(압력, 온도)을 변화시키면 $NO_2(g)$와 $N_2O_4(g)$의 존재비가 달라지는 새로운 평형 상태에 도달한다. 그러나 반응 조건이 변하지 않는 한 평형 상태에서 반응물과 생성물의 농도는 항상 일정하게 유지된다.

다음 표는 25 ℃에서 밀폐된 용기 속에 $N_2O_4(g)$와 $NO_2(g)$의 처음 농도를 다르게 하여 넣었을 때, 평형 상태에서 각 물질의 농도를 나타낸 것이다.

실험	처음 농도(M)		평형 농도(M)	
	$[N_2O_4]$	$[NO_2]$	$[N_2O_4]$	$[NO_2]$
1	0.0400	0.0000	0.0337	0.0126
2	0.0337	0.0126	0.0337	0.0126
3	0.0000	0.0800	0.0337	0.0126

이로부터 알 수 있는 것과 같이 온도와 압력이 일정할 때, 용기 속에 $N_2O_4(g)$와 $NO_2(g)$를 다른 농도로 넣은 경우에도 같은 평형 상태에 도달하게 된다.

(4) **화학 반응식의 계수비와 평형 상태에서의 농도:** 평형 상태에서 존재하는 물질의 양은 화학 반응식의 계수와 관계가 있을 것으로 생각하기 쉽다. 그러나 평형 상태에서 존재하는 반응물과 생성물의 양은 반응식의 계수에 의해 정해지는 것이 아니다.

예를 들어, $H_2(g) + I_2(g) \rightleftharpoons 2HI(g)$의 평형 상태에서 H_2, I_2, HI가 각각 1몰, 1몰, 2몰이 존재하거나 1 : 1 : 2의 몰비로 존재한다는 의미가 아니다. 즉, 반응식의 계수비는 평형 상태에서 존재하는 반응물과 생성물의 농도비가 아니라, 평형에 도달할 때까지 반응물이 감소한 농도와 생성물이 증가한 농도의 비에 해당한다.

압력 평형 상수

일반적으로 기체 사이의 반응에서는 성분 기체의 압력을 쉽게 측정할 수 있으므로 농도 대신 압력을 사용하여 평형 상수를 표현하기도 한다. 이 평형 상수는 K_P로 나타내며 압력 평형 상수라고 불린다.

$aA(g) + bB(g) \rightleftharpoons cC(g) + dD(g)$

$K_P = \dfrac{P_C^{\,c} \cdot P_D^{\,d}}{P_A^{\,a} \cdot P_B^{\,b}}$

3. 화학 평형 법칙

일정한 온도에서 어떤 가역 반응이 평형 상태에 도달했을 때, 반응물의 농도 곱에 대한 생성물의 농도 곱의 비는 항상 일정하다. 이를 화학 평형 법칙이라고 한다.

(1) **평형 상수:** 다음과 같은 가역 반응이 평형 상태에 있다.

$aA + bB \rightleftharpoons cC + dD$

평형 상태에서는 정반응 속도와 역반응 속도가 같으므로 반응물과 생성물의 농도가 일정하게 유지된다. 이때 다음과 같이 화학 반응식의 계수를 농도의 지수로 한 생성물의 농도 곱을 반응물의 농도 곱으로 나누어 준 값은 주어진 온도에서 항상 일정하다는 것이 실험적으로 증명되었다.

$$K = \frac{[C]^c[D]^d}{[A]^a[B]^b} \text{ ([A], [B], [C], [D]: 평형 상태에서 각 물질의 농도)}$$

위 식을 평형 상수식이라고 하며, 이때의 일정한 값 K를 평형 상수라고 한다.

예 $N_2(g) + 3H_2(g) \rightleftharpoons 2NH_3(g)$의 반응이 평형 상태에 있을 때 이 반응의 평형 상수 $K = \dfrac{[NH_3]^2}{[N_2][H_2]^3}$이다.

평형 상수

평형 상태에서는 정반응 속도와 역반응 속도가 같다. 그러나 화학 반응식의 계수로부터 반응 속도를 직접적으로 구할 수 없다는 것이 밝혀졌고, 평형 상수 K는 실험적으로 증명된 값이라는 것에 유의해야 한다.

(2) **평형 상수의 실험적 확인:** 일산화 탄소와 수소가 반응하면 메탄올이 생성된다.

$CO(g) + 2H_2(g) \rightleftharpoons CH_3OH(g)$

이 반응이 평형 상태에 있을 때 반응물과 생성물의 농도는 시간이 지나도 일정하게 유지된다. 그러나 평형 상태에서 각 물질의 농도는 처음에 넣어 준 반응물의 양에 따라 달라진다. 다음 표는 500 K에서 각 물질의 농도를 다르게 하여 실험했을 때 처음 농도와 평형 농도를 나타낸 것이다.

물질		$[CO]$(mol/L)	$[H_2]$(mol/L)	$[CH_3OH]$(mol/L)
실험 1	처음	0.1000	0.1000	0.0000
	평형	0.0911	0.0822	0.0089
실험 2	처음	0.0000	0.0000	0.1000
	평형	0.0753	0.1510	0.0247
실험 3	처음	0.1000	0.1000	0.1000
	평형	0.1380	0.1760	0.0620

실험 1은 CO, H_2만 넣은 경우, 실험 2는 CH_3OH만 넣은 경우, 실험 3은 CO, H_2, CH_3OH을 모두 넣은 경우이다.

각 실험의 평형 상태에서 각 물질의 농도는 일정하게 유지되므로 반응물과 생성물의 평형 농도를 포함하는 어떤 비의 값은 평형이 이루어진 방법에 관계없이 일정한 값을 가질 것이다. 다음 표는 그 일정한 값을 찾기 위해 몇 가지 비의 값을 구해 본 결과이다.

실험	$\frac{[CH_3OH]}{[CO][H_2]}$	$\frac{[CH_3OH][H_2]}{[CO]^2}$	$\frac{[CH_3OH]}{[CO][H_2]^2}$
1	1.19	0.09	14.5
2	2.17	0.66	14.4
3	2.55	0.57	14.5

위 표의 결과로 보아 화학 반응식의 계수를 각 물질 농도의 지수로 한 $\frac{[CH_3OH]}{[CO][H_2]^2}$만 일정한 값을 나타낸다는 것을 알 수 있다. 이것이 평형 상수식이 되며, 그 값은 평형 상수 값이 된다. 평형 상수 값은 이론적으로 유도될 수도 있지만, 많은 시행착오가 필요하다. 따라서 평형 상수 값은 실험적으로 찾아야 한다.

평형 상수의 단위

- 평형 상수 K의 단위는 평형 상수식에 따라 달라진다.
  예 $CO(g) + 2H_2(g) \rightleftharpoons CH_3OH(g)$
  이 반응에서 K의 단위는 $\frac{M}{M \cdot M^2} = \frac{1}{M^2}$이 된다.
- 화학 반응식을 어떻게 표현하는가에 따라 평형 상수식이 달라지므로 일반적으로 평형 상수에는 단위를 쓰지 않는다.

(3) 불균일 평형에서의 평형 상수식

① **불균일 평형:** 반응물과 생성물이 2가지 이상의 상태로 존재하는 평형을 불균일 평형이라고 한다.

예 $CH_3COOH(aq) + H_2O(l) \rightleftharpoons CH_3COO^-(aq) + H_3O^+(aq)$

② **불균일 평형의 평형 상수식:** 탄산 칼슘의 열분해 반응식은 다음과 같다.

$CaCO_3(s) \rightleftharpoons CaO(s) + CO_2(g)$

닫힌계에서 이 반응이 일어나면 용기 속에 고체와 기체의 두 가지 상이 존재한다. 이 반응에서 모든 물질을 포함하는 평형 상수식은 다음과 같다.

$$K' = \frac{[CaO][CO_2]}{[CaCO_3]}$$

균일 평형과 불균일 평형

반응물과 생성물이 모두 기체이거나 모두 용액 상태일 경우에 이루어지는 평형을 균일 평형이라 하며, 반응물과 생성물이 두 가지 이상의 상태로 존재하는 경우에 이루어지는 평형을 불균일 평형이라고 한다. 예를 들면, 수소 기체와 산소 기체가 반응하여 수증기가 생성되는 반응은 균일 평형이고, 탄소가 수증기와 반응하여 일산화 탄소와 수소 기체가 생성되는 반응은 불균일 평형이다.

- 균일 평형의 예: $2H_2(g) + O_2(g) \longrightarrow 2H_2O(g)$
- 불균일 평형의 예: $C(s) + H_2O(g) \longrightarrow CO(g) + H_2(g)$

그런데 CaO과 $CaCO_3$은 고체이므로 몰 농도는 일정한 상수 값이 되며, 그 값은 밀도와 화학식량으로부터 구할 수 있다.

$$[CaO]=3.25\ g/mL\times\frac{1\ mol}{56.1\ g}=57.9\ mol/L$$

$$[CaCO_3]=2.71\ g/mL\times\frac{1\ mol}{100\ g}=27.1\ mol/L$$

평형 상수를 나타내는 식에 상수가 여러 개 있을 필요가 없으므로 상수는 함께 묶어서 표현하는 것이 타당하다. 따라서 $CaCO_3$ 분해 반응에 대한 평형 상수식은 다음과 같다.

$$K=K'\times\frac{[CaCO_3]}{[CaO]}=[CO_2] \Rightarrow K=[CO_2]$$

따라서 고체와 기체의 불균일 평형에서는 고체를 제외한 기체의 농도만으로 평형 상수식을 나타내고, 액체와 기체의 불균일 평형에서는 액체를 제외한 기체의 농도만으로 평형 상수식을 나타낸다.

(4) **평형 상수 구하기:** 평형 상수를 구하기 위해서는 먼저 화학 반응식과 각 물질들의 평형 상태에서의 농도를 알아야 하며, 다음과 같은 과정으로 구할 수 있다.

1단계_ 화학 반응식으로부터 평형 상수식을 쓴다.
2단계_ 반응물과 생성물의 평형 상태에서의 농도를 구한다.
3단계_ 평형 상태의 농도를 평형 상수식에 대입하여 평형 상수를 구한다.

① **평형 상태의 농도가 모두 주어진 경우:** 평형 상수식에 평형 상태에서 각 물질의 농도를 대입하여 평형 상수를 구한다.

예 t ℃에서 $A(g)+2B(g) \rightleftharpoons 2C(g)$의 반응이 평형 상태에 도달했을 때 A, B, C의 농도가 각각 $[A]=0.2$ M, $[B]=0.4$ M, $[C]=0.8$ M이었다.

t ℃에서 이 반응의 평형 상수는 $K=\frac{[C]^2}{[A][B]^2}=\frac{(0.8)^2}{(0.2)(0.4)^2}=20$이다.

② **평형 상태의 농도가 주어지지 않았을 경우:** 화학 반응식으로부터 알 수 있는 양적 관계를 이용하여 평형 상태에서 각 물질의 농도를 구한 다음, 이를 평형 상수식에 대입하여 평형 상수를 구할 수 있다.

예 t ℃에서 1 L 용기 속에 수소와 아이오딘을 각각 1몰씩 넣고 반응시켜 평형 상태에 도달했을 때 아이오딘화 수소의 농도가 1몰이었다면 다음과 같은 관계가 성립하므로 이를 이용하여 평형 상수를 구할 수 있다.

	$H_2(g)$	+	$I_2(g)$	$\rightleftharpoons$	$2HI(g)$
처음 농도(mol/L)	1		1		0
반응 농도(mol/L)	−0.5		−0.5		1
평형 농도(mol/L)	0.5		0.5		1

$K=\frac{[HI]^2}{[H_2][I_2]}$ (단, 평형 상수식에 대입하는 농도는 평형 상태의 농도이다.)

$=\frac{1^2}{0.5\times0.5}=4$

불균일 평형의 예

- $NH_3(g)+HCl(g) \rightleftharpoons NH_4Cl(s)$, $K=\frac{1}{[NH_3][HCl]}$
- $CO(g)+H_2O(l) \rightleftharpoons CO_2(g)+H_2(g)$, $K=\frac{[CO_2][H_2]}{[CO]}$
- $Zn(s)+Cu^{2+}(aq) \rightleftharpoons Zn^{2+}(aq)+Cu(s)$, $K=\frac{[Zn^{2+}]}{[Cu^{2+}]}$
- $AgCl(s) \rightleftharpoons Ag^+(aq)+Cl^-(aq)$, $K=[Ag^+][Cl^-]$

평형 상태의 농도가 주어지지 않았을 경우의 평형 농도

평형 상수를 구하기 위해서는 반응물과 생성물의 평형 농도를 구해야 한다. 평형 상태의 농도가 주어지지 않았을 경우에는 화학 반응식의 계수로부터 반응하는 물질의 양적 관계를 이용해야 하는데, 보통 다음과 같은 관계식으로 평형 상태의 농도를 구한다.

- 반응물의 평형 농도(M) = 처음 농도(M) − 반응한 농도(M)
- 생성물의 평형 농도(M) = 처음 농도(M) + 생성된 농도(M)

(5) **평형 상수의 성질**

① **온도 변화와 평형 상수:** 화학 반응의 평형 상수는 온도에 의해서만 변한다. 즉, 주어진 화학 반응에서 반응물의 농도를 다르게 해도 온도가 일정하면 평형 상수는 변하지 않는다.

② **역반응의 평형 상수:** 역반응의 평형 상수(K')는 정반응의 평형 상수(K)와 역수 관계가 성립한다.

$$aA + bB \rightleftharpoons cC + dD,\ K=\frac{[C]^c[D]^d}{[A]^a[B]^b}$$

$$cC + dD \rightleftharpoons aA + bB,\ K'=\frac{[A]^a[B]^b}{[C]^c[D]^d}$$

$K'=\frac{1}{K}$ ($K \times K'=1$, K와 K'은 서로 역수 관계이다.)

③ **화학 반응식과 평형 상수:** 같은 화학 반응이라도 화학 반응식의 계수를 다르게 쓰면 평형 상수 값이 변한다.

$$aA + bB \rightleftharpoons cC + dD,\ K_1=\frac{[C]^c[D]^d}{[A]^a[B]^b}$$

위의 반응식에 $\frac{1}{2}$을 곱하면 평형 상수 값은 다음과 같다.

$$\frac{a}{2}A + \frac{b}{2}B \rightleftharpoons \frac{c}{2}C + \frac{d}{2}D,\ K_2=\frac{[C]^{\frac{c}{2}}[D]^{\frac{d}{2}}}{[A]^{\frac{a}{2}}[B]^{\frac{b}{2}}}$$

K_2를 K_1과 비교하면 $K_2=K_1^{\frac{1}{2}}$이다. 즉, 화학 반응식에 숫자 A를 곱하면 이때의 평형 상수(K'')는 처음 평형 상수(K)와 다음과 같은 관계가 성립한다.

$K''=K^{A}$

④ **평형 상수 값의 의미:** 평형 상수 값이 크면 정반응 쪽으로 평형이 치우치고, 평형 상수 값이 작으면 역반응 쪽으로 평형이 치우친다.

- 평형 상수 값이 클 때: 반응이 정반응 쪽으로 우세하게 진행되어 평형 상태에서 생성물의 농도가 반응물의 농도보다 크다.

예 $N_2(g) + 3H_2(g) \rightleftharpoons 2NH_3(g)$, $K=5\times10^8$(25 ℃)

- 평형 상수 값이 작을 때: 반응이 역반응 쪽으로 우세하게 진행되어 평형 상태에서 반응물의 농도가 생성물의 농도보다 크다.

예 $N_2(g) + O_2(g) \rightleftharpoons 2NO(g)$, $K=1\times10^{-30}$(25 ℃)

평형 상태에서 대부분이 반응물인 $N_2(g)$와 $O_2(g)$로 존재하고 생성물인 $NO(g)$의 존재 비율은 매우 작다.

예제

$N_2(g) + 3H_2(g) \rightleftharpoons 2NH_3(g)$의 평형 상수 K 값은 $\frac{1}{4}$이다. 같은 온도에서 다음 반응의 평형 상수 값(K')을 구하시오.

$$\frac{1}{2}N_2(g) + \frac{3}{2}H_2(g) \rightleftharpoons NH_3(g)$$

해설 $K=\frac{[NH_3]^2}{[N_2][H_2]^3}$, $K'=\frac{[NH_3]}{[N_2]^{\frac{1}{2}}[H_2]^{\frac{3}{2}}}$, $K'=K^{\frac{1}{2}}=\sqrt{\frac{1}{4}}=\frac{1}{2}$

정답 $\frac{1}{2}$

두 화학 반응식을 가감하여 나온 화학 반응식의 평형 상수

첫 번째 화학 반응식의 평형 상수를 K_1, 두 번째 화학 반응식의 평형 상수를 K_2라고 하면 다음과 같다.

- (첫 번째 화학 반응식+두 번째 화학 반응식)에서 나온 화학 반응식의 평형 상수를 K_3라고 하면 $K_3=K_1K_2$이다.
- (첫 번째 화학 반응식−두 번째 화학 반응식)에서 나온 화학 반응식의 평형 상수를 K_4라고 하면 $K_4=\frac{K_1}{K_2}$이다.

평형 상태에서 반응물과 생성물의 농도 비교

- K가 크면 정반응이 우세하게 일어나 평형에 도달하며, 평형 상태에서 생성물이 반응물보다 많다는 것을 의미한다.

- K가 작으면 역반응이 우세하게 일어나 평형에 도달하며, 평형 상태에서 반응물이 생성물보다 많다는 것을 의미한다.

평형 상수와 반응 속도

평형 상수가 큰 반응의 경우 정반응이 우세하므로 평형 상태에서 생성물의 농도가 반응물보다 매우 크다. 따라서 정반응 속도가 매우 빠를 것으로 생각할 수 있다. 그러나 평형 상수와 반응 속도는 관계가 없다. 평형 상수가 매우 큰 반응이라도 빠른 반응과 느린 반응이 있다. 빠른 반응은 평형에 빨리 도달하고, 느린 반응은 평형에 늦게 도달한다.

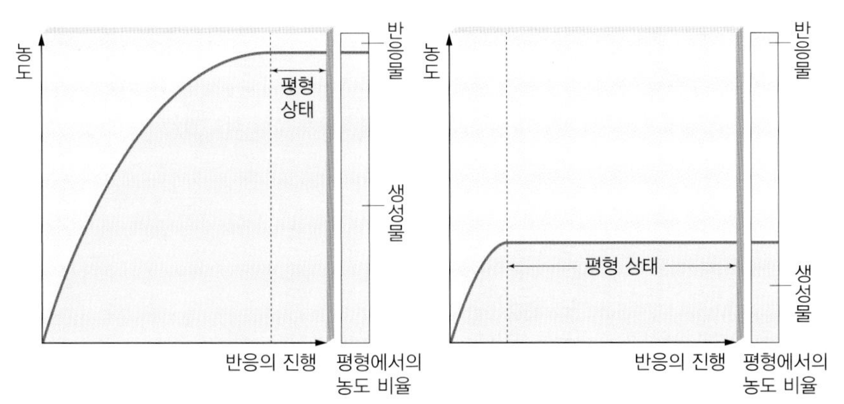

▲ 정반응이 우세한 경우 평형 상태에서 농도 비교 ▲ 역반응이 우세한 경우 평형 상태에서 농도 비교

반응	K 값(25 ℃)
$H_2(g) + \frac{1}{2}O_2(g) \rightleftharpoons H_2O(g)$	1.1×10^{40}
$Cu(s) + 2Ag^+(aq) \rightleftharpoons Cu^{2+}(aq) + 2Ag(s)$	2.0×10^{15}
$2NH_3(g) \rightleftharpoons N_2(g) + 3H_2(g)$	2.0×10^{-9}
$N_2O_4(g) \rightleftharpoons 2NO_2(g)$	5.7×10^{-3}
$CH_3COOH(aq) \rightleftharpoons H^+(aq) + CH_3COO^-(aq)$	1.8×10^{-5}
$AgCl(s) \rightleftharpoons Ag^+(aq) + Cl^-(aq)$	1.7×10^{-10}

▲ 몇 가지 반응의 평형 상수 값

(6) 평형 상수 값과 반응의 진행 방향 예측: 온도를 일정하게 유지하였을 때 평형 상수 K와 평형 상수식에 처음 농도를 대입하여 계산한 반응 지수 Q를 비교하면 반응의 진행 방향을 예측할 수 있다.

① 수소와 아이오딘의 반응: 수소와 아이오딘이 반응하여 아이오딘화 수소가 생성되는 반응의 화학 반응식과 평형 상수를 나타내면 다음과 같다.

$$H_2(g) + I_2(g) \rightleftharpoons 2HI(g),\ K = \frac{[HI]^2}{[H_2][I_2]}$$

어떤 온도에서 이 반응의 평형 상수 값이 10이라고 할 때, 1 L 용기에 수소, 아이오딘, 아이오딘화 수소를 각각 1몰, 2몰, 3몰씩 넣고 반응시킨다면 반응 지수를 구하여 반응이 어느 방향으로 진행되는지 예측할 수 있다.

처음 각 물질의 농도가 $[H_2]=1$ M, $[I_2]=2$ M, $[HI]=3$ M이므로 평형 상수식에 이 농도 값을 대입한 값인 반응 지수 Q는 $\frac{3^2}{1\times2}=4.5$이다. 이때 반응 지수 Q는 평형 상수 K 값인 10보다 작으므로 이 반응이 평형 상태가 되기 위해서는 Q 값이 증가하는 방향으로 반응이 진행될 것이다. 따라서 평형 상수식의 분모에 있는 $[H_2]$, $[I_2]$는 줄어들고, 분자에 있는 $[HI]$는 늘어나는 방향인 정반응 쪽으로 반응이 진행됨을 알 수 있다.

② 평형 상수(K)와 반응 지수(Q)의 관계에 따른 반응의 진행 방향

- $Q<K$ ➡ 정반응이 우세하게 진행된다.
- $Q=K$ ➡ 평형 상태
- $Q>K$ ➡ 역반응이 우세하게 진행된다.

비가역 반응의 진행에 따른 농도 변화

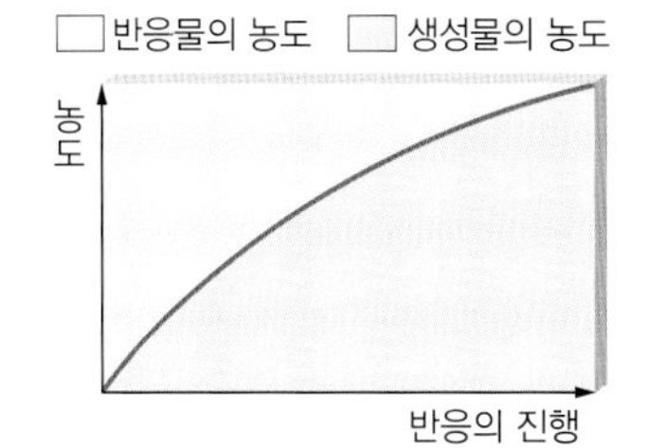

비가역 반응에서는 반응물이 모두 생성물로 변하기 때문에 반응이 끝나면 반응물의 농도는 0이 되고, 생성물의 농도는 최대가 된다.

화학 반응식과 K 값

같은 반응이라도 화학 반응식의 계수와 온도에 따라 K 값이 달라진다. 따라서 K 값을 나타낼 때는 화학 반응식과 온도를 함께 표시하는 것이 원칙이다.

화학 반응과 평형 상수 K

K가 클수록 정반응이 잘 일어나고, K가 작을수록 역반응이 잘 일어난다.

예 $Cu(s) + 2Ag^+(aq) \longrightarrow Cu^{2+}(aq) + 2Ag(s)$ 반응은 잘 일어나지만, $AgCl(s) \longrightarrow Ag^+(aq) + Cl^-(aq)$ 반응은 잘 일어나지 않는다.

반응 지수(Q)와 평형 상수(K)

$aA + bB \rightleftharpoons cC + dD$의 반응에서 평형 상수식에 현재 상태의 농도를 대입한 것이 반응 지수이고, 평형 상태의 농도를 대입한 것이 평형 상수이다.

반응 지수(Q)와 평형 상수(K)의 비교

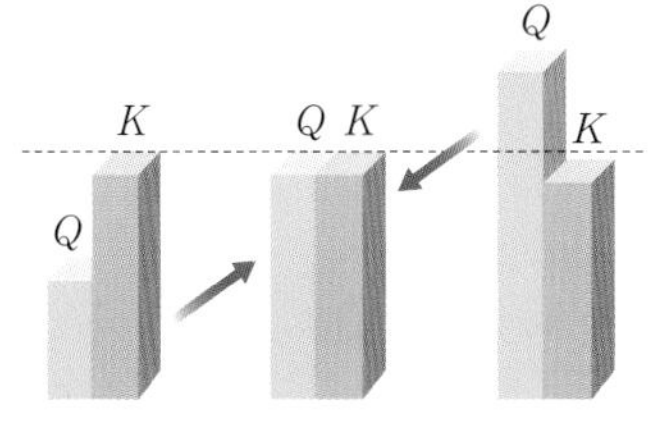

- $Q<K$ ➡ 정반응 속도 > 역반응 속도
  생성물의 농도: 평형 농도 > 현재 농도
- $Q=K$ ➡ 정반응 속도 = 역반응 속도
  생성물의 농도: 평형 농도 = 현재 농도
- $Q>K$ ➡ 정반응 속도 < 역반응 속도
  생성물의 농도: 평형 농도 < 현재 농도

평형을 결정하는 요인

화학 반응에서의 조건을 통해 평형을 이루기 위한 반응의 진행 방향을 예측할 수 있다. 화학 평형이 결정되는 요인에 대해 자세히 알아보자.

❶ 엔탈피 변화(ΔH)

어떤 물리적 변화나 화학적 변화가 자발적으로 일어나는지가 결정되는 중요한 요인 중 하나는 에너지이다. 물이 높은 곳에서 낮은 곳으로 흐르는 것과 같이 자연계에서 일어나는 반응은 에너지가 높은 상태에서 낮은 상태로 자발적으로 일어나려고 한다. 물리적 변화나 화학적 변화는 물질이 안정해지는 쪽으로 일어난다. 그러나 에너지만으로는 설명되지 않는 변화들도 있다. 대표적인 예로 실온에서 얼음이 자발적으로 녹는 현상이다.

$H_2O(s) \longrightarrow H_2O(l)$, $\Delta H = 6.01$ kJ

이 반응은 생성물의 에너지가 반응물의 에너지보다 커지는 흡열 반응이지만, 실온에서 자발적으로 일어난다. 따라서 에너지만으로는 반응의 진행 방향을 예측할 수 없다.

❷ 엔트로피(무질서도) 변화(ΔS)

물리적 변화나 화학적 변화의 진행 방향을 예측할 수 있는 또 하나의 요인은 엔트로피 변화이다.

① **엔트로피 변화(ΔS)**: 정리된 책상이나 방이 시간이 흐르면 무질서해지듯이 자연계에서 일어나는 모든 물리적, 화학적 변화는 무질서도의 척도인 엔트로피(S)가 증가하는 쪽($\Delta S > 0$)으로 진행된다.

② 엔트로피의 크기

- 상태에 따른 엔트로피: $S_{고체} < S_{액체} \ll S_{기체}$

일반적으로 고체 상태는 진동 운동만 가능하므로 분자 배열의 경우의 수가 가장 적고, 액체 상태는 액체 내부에서 진동 운동과 회전 운동, 병진 운동이 가능하므로 분자 배열의 경우의 수가 고체 상태보다는 많다. 기체 상태는 진동, 회전, 병진 운동이 매우 자유롭기 때문에 분자 배열의 경우의 수가 가장 많다. 경우의 수가 많을수록 엔트로피가 크기 때문에 엔트로피 크기는 기체 > 액체 > 고체 순이다. 예를 들어 물의 세 가지 상태 중 얼음은 엔트로피가 가장 작고, 물은 엔트로피가 얼음보다 크며, 수증기는 엔트로피가 가장 크다. 따라서 얼음(고체) → 물(액체) → 수증기(기체)의 상태 변화는 엔트로피가 증가하는 변화이다.

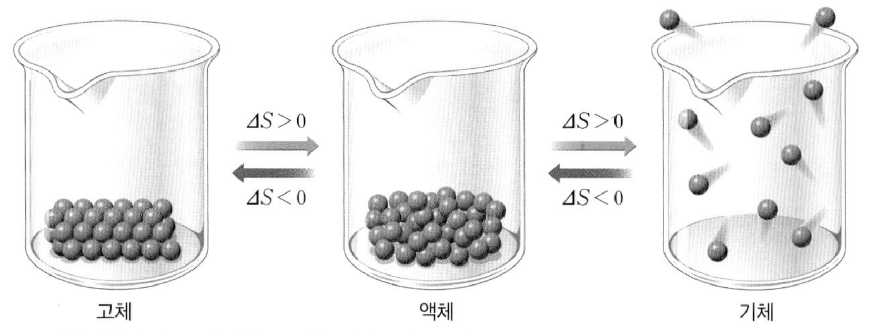

▲ **물질의 상태와 엔트로피 변화** 물질의 상태가 고체에서 액체로, 액체에서 기체로 변하면 엔트로피가 증가하고, 그 반대의 과정이 일어나면 엔트로피가 감소한다.

엔트로피
엔트로피는 무질서도의 척도로, 자연적으로 일어나는 모든 현상은 질서 있는 상태에서 무질서한 상태로 변하는데, 이는 엔트로피가 낮은 상태에서 높은 상태로 변하는 것이다.

상태에 따른 엔트로피 변화

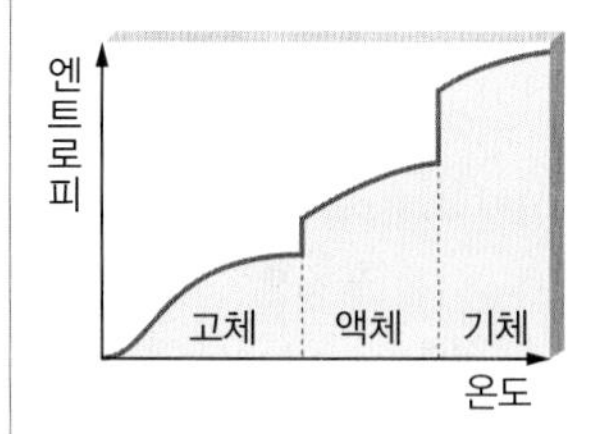

상태 변화와 엔트로피 변화
엔트로피 변화 중 가장 간단한 경우가 물질의 상태가 변하는 것이다. 물질이 고체에서 액체로, 액체에서 기체로 상태가 변하면 엔트로피는 증가하고, 그 반대의 과정에서는 엔트로피가 감소한다.

• 용질이 용매에 용해되는 경우: 대부분의 이온성 물질이 물에 용해되는 것은 엔트로피가 증가하는 과정이다. 예를 들어 염화 나트륨 결정이 물에 녹을 때는 규칙적 구조의 결정이 흐트러지고 이온들이 물속에 무질서하게 존재하게 되는데, 이때 엔트로피는 증가한다.

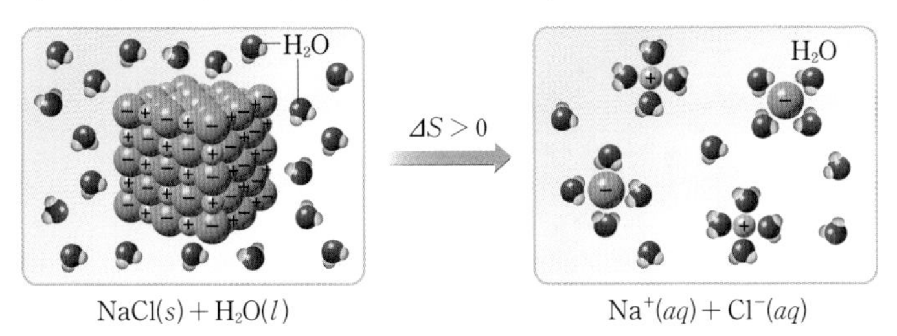

▲ **염화 나트륨의 용해와 엔트로피 변화**

• 기체 분자 수가 변하는 경우: 기체 분자 수가 많은 상태의 엔트로피가 더 크다.

➡ $N_2O_4(g) \longrightarrow 2NO_2(g)$

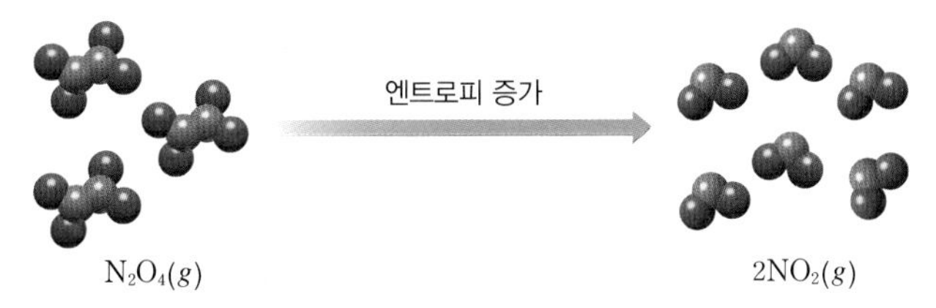

▲ **기체 분해 반응으로 분자 수가 증가한 경우의 엔트로피 변화**

• 서로 다른 기체가 섞이는 경우: 두 가지 기체를 용기에 각각 넣은 후, 두 용기에 연결된 꼭지를 열면 두 기체가 자발적으로 섞이게 된다. 기체가 섞이는 과정에서 물질의 에너지 변화는 없지만 무질서도가 증가한다.

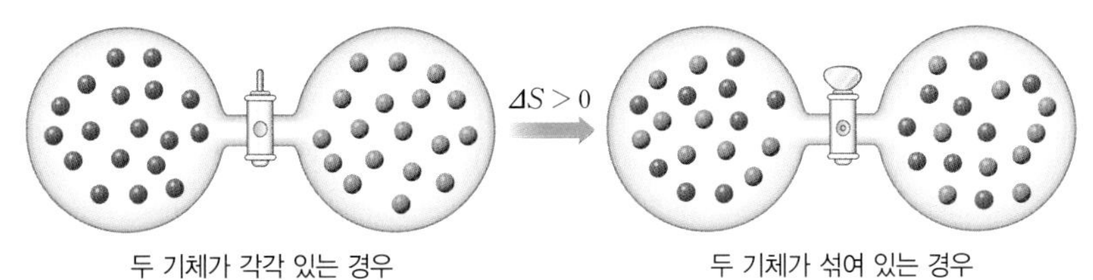

▲ **서로 다른 기체가 섞이는 경우**

• 물질의 온도가 높아지는 경우: 물질의 온도가 높아지면 분자들의 운동 에너지가 증가하므로 분자 운동이 활발해져 분자 사이의 인력이 약해지고 분자 배열이 불규칙적으로 변한다. 즉, 물질의 온도가 높은 경우의 엔트로피가 온도가 낮은 경우의 엔트로피보다 크다.

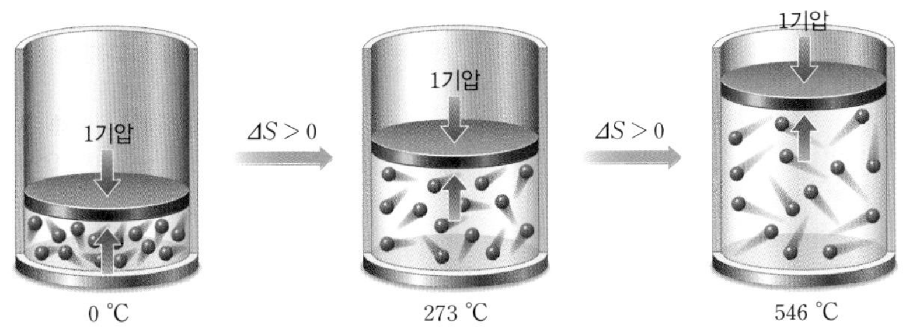

▲ **일정한 압력에서 온도가 높아지는 경우**

수화
수용액 속에서 용매인 물 분자가 용질 분자나 이온을 둘러싸는 현상이다. 수화되는 과정에서는 엔트로피가 감소한다.($\Delta S < 0$)

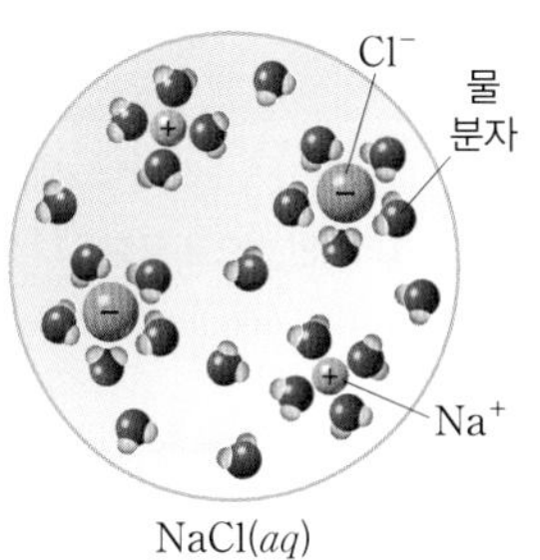

암모니아의 합성과 분해에서 엔트로피 변화
$N_2(g) + 3H_2(g) \longrightarrow 2NH_3(g)$
질소 분자 1개와 수소 분자 3개가 반응하여 암모니아 분자 2개를 생성하는 경우, 분자 수는 4개에서 2개로 감소하므로 엔트로피가 감소한다($\Delta S < 0$). 반대로, 암모니아 분자가 분해되어 질소 분자와 수소 분자가 되는 경우에는 분자 수가 2개에서 4개로 증가하므로 엔트로피가 증가한다($\Delta S > 0$).

액체의 온도 증가와 엔트로피 증가
온도가 높아지면 분자 운동이 활발해지므로 엔트로피가 증가한다.

• 물질이 나누어지는 경우: 물질이 나누어지면 입자 수가 증가하므로 물질이 나누어지기 전의 엔트로피보다 크다.

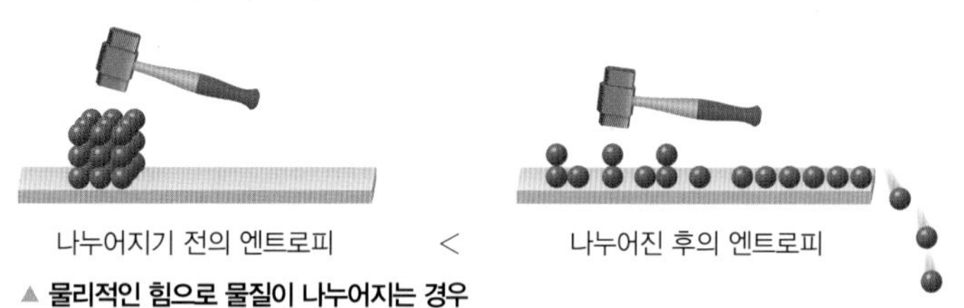

▲ 물리적인 힘으로 물질이 나누어지는 경우

❸ 화학 평형의 결정

평형 상태는 에너지가 낮아지려는 경향과 엔트로피가 증가하려는 경향이 경쟁한 결과로 결정된다.

① 탄산 칼슘의 분해 반응: 다음은 탄산 칼슘의 분해 반응식이다.

$CaCO_3(s) \rightleftharpoons CaO(s) + CO_2(g)$, $\Delta H = 180.6$ kJ

엔트로피 면에서 보면 기체가 생성되는 정반응이 일어나려고 하고, 에너지 면에서 보면 발열 반응인 역반응이 일어나려고 한다. 이때 평형 상태는 두 요인이 경쟁한 결과로 결정된다.

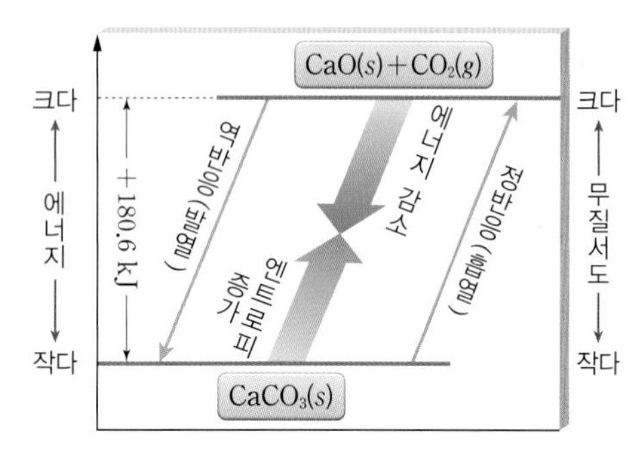

▲ 화학 평형을 결정하는 인자들

② 암모니아의 생성 반응: 질소와 수소가 반응하여 암모니아가 생성되는 반응은 엔트로피 면에서는 기체의 양(mol)이 증가하는 역반응이 일어나려고 하고, 에너지 면에서는 발열 반응인 정반응이 일어나려고 한다. 이때 두 요인이 경쟁한 결과로 평형이 결정된다.

$N_2(g) + 3H_2(g) \rightleftharpoons 2NH_3(g)$, $\Delta H = -92$ kJ

③ 얼음의 상태 변화: 얼음이 녹는 상태 변화는 엔트로피 면에서는 일어나려고 하나, 엔탈피 면에서는 일어나지 않으려고 한다. 0 ℃ 이상의 온도에서는 엔트로피가 증가하는 경향이 우세하여 얼음이 녹는 과정이 자발적으로 일어난다. 그러나 0 ℃ 보다 낮은 온도에서는 엔탈피가 감소하는 경향이 우세하여 얼음이 녹는 과정이 비자발적이다. 결국 얼음이 녹는 과정에서 엔트로피와 엔탈피는 0 ℃에서 평형을 이룬다.

자발적 반응이 일어나는 방향은 다음과 같다.
• 엔탈피가 감소하는 쪽으로 일어나려고 한다($\Delta H < 0$).
• 엔트로피가 증가하는 쪽으로 일어나려고 한다($\Delta S > 0$).

화학 평형의 결정
• 화학 평형은 자발적으로 일어나서 평형 상태에 도달한다.
• 화학 평형을 결정하는 한 가지 요인은 에너지이다. ➡ 평형은 에너지가 낮아지는 쪽으로 이동하려고 한다.
• 화학 평형을 결정하는 또 다른 요인은 엔트로피(무질서도)이다. ➡ 평형은 엔트로피(무질서도)가 커지는 쪽으로 이동하려고 한다.
• 화학 평형은 에너지와 엔트로피(무질서도)라는 두 요인의 경쟁 결과로 이루어진다.

암모니아 생성 반응의 평형

$N_2(g) + 3H_2(g) \underset{\Delta S > 0}{\overset{\Delta H < 0}{\rightleftharpoons}} 2NH_3(g)$, $\Delta H = -92$ kJ

ΔH와 ΔS가 균형을 이룰 때 평형에 도달한다.

자유 에너지 변화와 화학 반응의 자발성

자유 에너지(G)는 자유롭고 유용하게 사용할 수 있는 에너지의 개념으로, 화학 반응에서의 자유 에너지 변화(ΔG)로 반응의 자발성을 예측할 수 있다.

$\Delta G = \Delta H - T\Delta S$

화학 반응은 $\Delta G < 0$일 때 자발적, $\Delta G = 0$일 때 평형, $\Delta G > 0$일 때 비자발적이다.

정답과 해설 153쪽

01 화학 평형

1 가역 반응과 비가역 반응

1. **정반응과 역반응** 화학 반응식에서 반응물(화살표의 왼쪽 물질)이 생성물(화살표의 오른쪽 물질)로 되는 반응을 정반응, 생성물이 반응물로 되는 반응을 역반응이라고 한다.
2. **(❶) 반응** 온도, 압력, 농도 등 반응 조건에 따라 정반응과 역반응이 모두 일어날 수 있는 반응
3. **(❷) 반응** 역반응이 거의 일어나지 않는 반응

2 화학 평형

1. **화학 평형 상태** 가역 반응에서 정반응 속도와 역반응 속도가 (❸)져서 겉으로 보기에는 반응이 일어나지 않는 것처럼 보이는 동적 평형 상태를 화학 평형 상태라고 한다.

   $a\mathrm{A}+b\mathrm{B} \underset{v_2}{\overset{v_1}{\rightleftharpoons}} c\mathrm{C}+d\mathrm{D}$ v_1(정반응 속도) (❹) v_2(역반응 속도)

   • 일정한 온도와 압력의 화학 평형 상태에서는 반응물과 생성물의 농도가 일정하게 유지된다.
2. **화학 평형 법칙** 일정한 온도에서 어떤 가역 반응이 평형을 이루고 있을 때, 반응물의 농도 곱에 대한 생성물의 농도 곱의 비는 항상 (❺)하다.
3. **평형 상수** $a\mathrm{A}+b\mathrm{B} \rightleftharpoons c\mathrm{C}+d\mathrm{D}$의 반응이 평형 상태에 있을 때 반응물의 농도 곱에 대한 생성물의 농도 곱의 비를 평형 상수라고 하며, 평형 상수는 일정한 온도에서 일정한 값을 갖는다.

   평형 상수 $K=\dfrac{[\mathrm{C}]^c[\mathrm{D}]^d}{[\mathrm{A}]^a[\mathrm{B}]^b}$
4. **평형 상수의 성질**

   • 온도와 평형 상수: 평형 상수는 온도에 의해서만 변하는 함수로, 반응물의 농도를 다르게 해도 온도가 일정하면 평형 상수는 변하지 않는다.

   • 역반응의 평형 상수: 역반응의 평형 상수(K')는 정반응의 평형 상수(K)와 (❻) 관계가 성립한다.

   $a\mathrm{A}+b\mathrm{B} \rightleftharpoons c\mathrm{C}+d\mathrm{D},\ K=\dfrac{[\mathrm{C}]^c[\mathrm{D}]^d}{[\mathrm{A}]^a[\mathrm{B}]^b}$

   $c\mathrm{C}+d\mathrm{D} \rightleftharpoons a\mathrm{A}+b\mathrm{B},\ K'=\dfrac{[\mathrm{A}]^a[\mathrm{B}]^b}{[\mathrm{C}]^c[\mathrm{D}]^d}$

   $K'=\dfrac{1}{K}$($K'\times K=1$, K와 K'는 역수 관계이다.)
5. **평형 상수 값의 의미** 평형 상수 값이 크면 (❼) 쪽으로 평형이 치우치고, 평형 상수 값이 작으면 (❽) 쪽으로 평형이 치우친다.
6. **평형 상수 값과 반응의 진행 방향 예측** 온도가 일정할 때 평형 상수 K와 현재의 농도를 대입하여 계산한 반응 지수 Q를 비교하면 반응의 진행 방향을 예측할 수 있다.

   • Q (❾) K ➡ 정반응이 우세하게 진행된다.

   • Q (❿) K ➡ 평형 상태

   • Q (⓫) K ➡ 역반응이 우세하게 진행된다.

 정답과 해설 153쪽

01 다음 보기의 반응 중 비가역 반응에 해당하는 것만을 있는 대로 고르시오.

보기
ㄱ. $H_2(g) + F_2(g) \longrightarrow 2HF(g)$
ㄴ. $2SO_2(g) + O_2(g) \longrightarrow 2SO_3(g)$
ㄷ. $CH_4(g) + 2O_2(g) \longrightarrow CO_2(g) + 2H_2O(l)$
ㄹ. $NaOH(aq) + HCl(aq) \longrightarrow NaCl(aq) + H_2O(l)$

02 화학 평형 상태에 대한 설명으로 옳은 것만을 보기에서 있는 대로 고르시오.

보기
ㄱ. 온도가 달라져도 반응물과 생성물의 평형 농도는 일정하다.
ㄴ. 화학 평형 상태에서는 반응물과 생성물이 함께 존재한다.
ㄷ. 화학 평형 상태에 도달하면 반응이 더 이상 일어나지 않는다.
ㄹ. 평형 상태에서 반응물의 전체 농도는 생성물의 전체 농도와 같다.

03 다음은 일정한 온도에서 밀폐된 용기에 들어 있는 $NO_2(g)$와 $N_2O_4(g)$ 반응의 화학 반응식이다.

$$2NO_2(g) \rightleftharpoons N_2O_4(g)$$

이 반응이 평형 상태에 도달했을 때, 이에 대한 설명으로 옳은 것만을 보기에서 있는 대로 고르시오.

보기
ㄱ. $N_2O_4(g)$의 생성 속도와 분해 속도가 같다.
ㄴ. $NO_2(g)$와 $N_2O_4(g)$의 농도는 일정하게 유지된다.
ㄷ. 용기 속에 있는 $NO_2(g)$와 $N_2O_4(g)$의 농도비는 2 : 1이다.

04 그림은 수소와 아이오딘이 반응하여 아이오딘화 수소가 생성되는 반응에서 밀폐된 반응 용기에 수소와 아이오딘을 넣었을 때 반응 시간에 따른 반응 속도와 농도 변화를 나타낸 것이다.

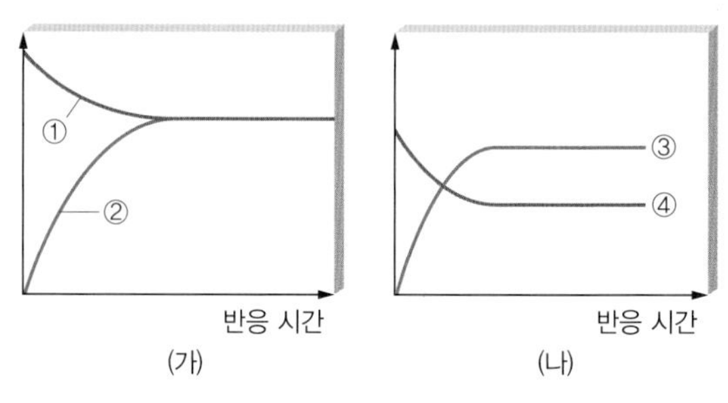

(가)에서 ①과 ②가 나타내는 것, (나)에서 ③과 ④가 나타내는 것을 각각 쓰시오.

05 다음은 일산화 탄소와 수소 반응의 화학 반응식이다.

$$CO(g) + 3H_2(g) \rightleftharpoons CH_4(g) + H_2O(g)$$

10 L의 강철 용기 속에 일산화 탄소 1몰과 수소 3몰을 넣었더니 평형 상태에서 0.3몰의 수증기가 생성되었다.

(1) 평형 상태에서 각 물질들의 양(mol)을 구하시오.
(2) 평형 상태에서 각 물질들의 몰 농도(M)를 구하시오.

06 다음 반응의 평형 상수식을 각각 쓰시오.

(1) $2NO(g) + O_2(g) \rightleftharpoons 2NO_2(g)$
(2) $2SO_2(g) + O_2(g) \rightleftharpoons 2SO_3(g)$
(3) $NH_3(g) + HCl(g) \rightleftharpoons NH_4Cl(s)$
(4) $N_2(g) + 2O_2(g) \rightleftharpoons 2NO_2(g)$
(5) $Cu^{2+}(aq) + Zn(s) \rightleftharpoons Cu(s) + Zn^{2+}(aq)$
(6) $CH_3COOH(aq) + H_2O(l) \rightleftharpoons CH_3COO^-(aq) + H_3O^+(aq)$

07 표는 밀폐된 용기에 물질 A, B, C의 농도를 각각 달리하여 넣고, t ℃에서 평형에 도달하였을 때 각 물질의 농도를 측정한 결과이다. 용기 내에서는 $a\text{A} \rightleftharpoons b\text{B} + c\text{C}$($a, b, c$는 반응 계수)의 반응이 일어난다.

실험	처음 농도(mol/L)			평형 농도(mol/L)		
	A	B	C	A	B	C
1	1.00	0	0	0.80	0.20	0.20
2	0.60	0	0	0.45	0.15	0.15
3	1.00	0.20	0.20	0.98	0.22	0.22

A, B, C의 처음 농도가 각각 0 M, 1.0 M, 1.0 M이고, 평형 상태에서 A의 농도가 0.8 M이라면 C의 평형 상태에서의 농도(M)를 구하시오.

08 0.4 M A와 0.5 M B를 반응시켜 평형 상태에 도달했을 때 A의 농도는 0.2 M, B의 농도는 0.4 M, 생성물 C의 농도는 0.2 M이었다. 이 반응의 화학 반응식과 평형 상수 값을 구하시오. (단, A, B, C는 모두 기체이고, 반응식의 계수는 가장 간단한 정수비로 나타낸다.)

09 그림은 t ℃에서 수소와 아이오딘으로부터 아이오딘화 수소가 생성될 때 시간에 따른 반응물과 생성물의 농도 변화를 나타낸 것이다.

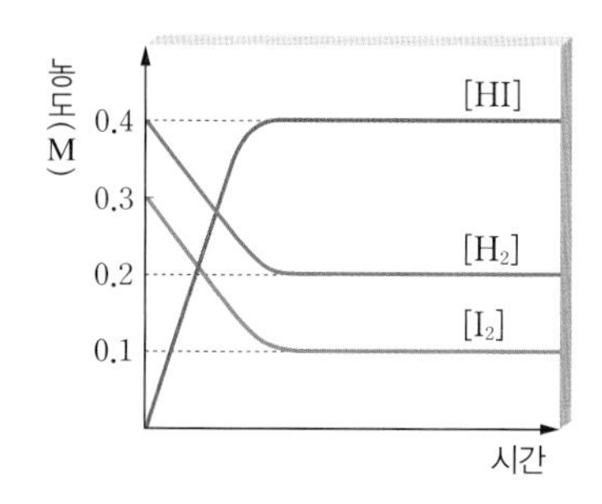

(1) 다음 반응의 평형 상수를 구하시오.

$$H_2(g) + I_2(g) \rightleftharpoons 2HI(g)$$

(2) t ℃에서 10 L 용기에 H_2 3몰, I_2 2몰, HI 4몰을 넣고 반응시킨다면 어느 쪽으로 반응이 진행되는지 쓰시오.

10 다음은 t ℃에서 기체 A와 B가 반응하여 기체 C를 생성하는 화학 반응식과 평형 상수(K)이다.

$$\text{A}(g) + \text{B}(g) \rightleftharpoons 2\text{C}(g) \quad K=4$$

t ℃에서 2 L의 강철 용기에 A~C를 각각 1몰씩 넣었을 때, 정반응과 역반응 중 우세하게 진행되는 반응을 고르고, 평형 상태에서 C의 농도(M)를 구하시오.

[11~12] 그림은 27 ℃로 유지되는 8.2 L의 강철 용기 안에서 A(g)와 B(g)가 반응하여 C(g)를 생성할 때 시간에 따른 각 물질의 양(mol) 변화를 나타낸 것이다. (단, 기체 상수 R=0.082 atm·L/(mol·K)이다.)

$$a\text{A}(g) + b\text{B}(g) \rightleftharpoons c\text{C}(g) \ (a, b, c\text{는 반응 계수})$$

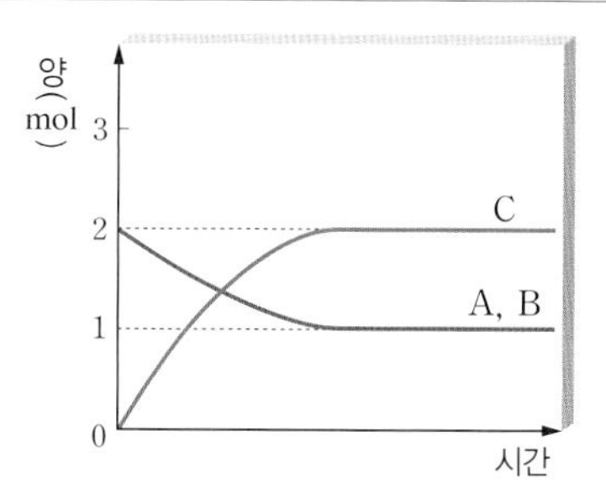

11 이에 대한 설명으로 옳은 것은 ○, 옳지 않은 것은 ×를 표시하시오.

(1) $a : b : c = 2 : 2 : 1$이다. (　　)

(2) 가장 간단한 정수비로 반응식을 나타낼 때 이 반응의 평형 상수는 4이다. (　　)

(3) 평형 상태에서 용기 안 기체의 전체 압력은 12기압이다. (　　)

12 위 그림의 평형 상태에서 용기 안에 A, B, C를 각각 1몰씩 더 넣어 주었을 때에 대한 설명으로 옳은 것은 ○, 옳지 않은 것은 ×를 표시하시오. (단, 온도는 일정하다.)

(1) 반응은 역반응 쪽으로 진행된다. (　　)

(2) 새로운 평형 상태에서 평형 상수는 $\frac{9}{4}$이다. (　　)

(3) 새로운 평형 상태에서 용기 안의 전체 압력은 21기압이다. (　　)

정답과 해설 155쪽

01

화학 반응식의 양적 관계와 평형 상수

다음은 A와 B가 반응하여 C가 생성되는 반응의 화학 반응식이다.

$$A(g) + 3B(g) \rightleftharpoons 2C(g)$$

2 L 부피의 강철 용기에 $A(g)$ 0.02몰과 $B(g)$ 0.04몰을 넣고 반응시켜 평형에 도달하였을 때 $A(g)$는 0.01몰이었다.

이에 대한 설명으로 옳은 것만을 보기에서 있는 대로 고른 것은? (단, 온도는 일정하다.)

보기

ㄱ. 평형 상태에서 $B(g)$의 양은 0.01몰이다.

ㄴ. 평형 상수(K)는 1×10^4이다.

ㄷ. 평형 상태에서 용기 안의 전체 압력은 반응 전의 $\frac{1}{2}$이다.

① ㄱ ② ㄴ ③ ㄷ ④ ㄱ, ㄷ ⑤ ㄴ, ㄷ

화학 반응식의 계수비는 반응물과 생성물의 반응 몰비와 같고, 일정한 부피의 용기 안의 전체 압력은 전체 기체의 양(mol)에 비례한다. 평형 상수는 평형 상태에서 물질의 농도를 대입하여 구하며, 이 반응의 평형 상수식은 다음과 같다.
$K=\frac{[C]^2}{[A][B]^3}$

02

정반응 속도, 역반응 속도와 화학 평형

다음은 25 ℃에서 2 L의 강철 용기 안에 $A_2(g)$와 $B_2(g)$를 넣고 반응시킬 때 시간에 따른 각 물질의 농도 변화를 측정한 결과이다.

$$aA_2(g) + B_2(g) \rightleftharpoons bX(g)\ (a와\ b는\ 반응\ 계수)$$

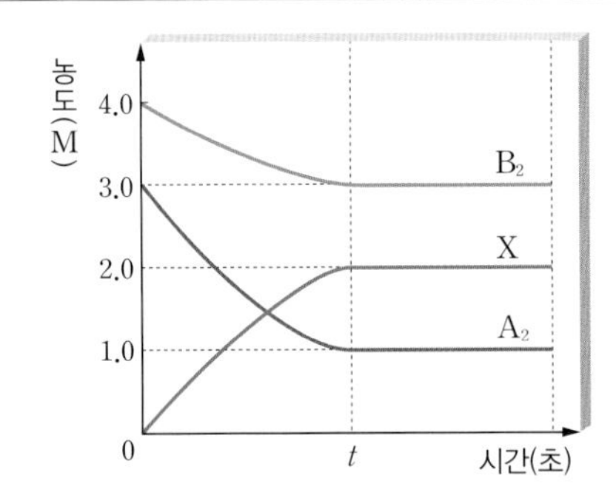

이에 대한 설명으로 옳은 것만을 보기에서 있는 대로 고른 것은?

보기

ㄱ. X의 분자식 AB이다.

ㄴ. 25 ℃에서 이 반응의 평형 상수 $K=\frac{4}{3}$이다.

ㄷ. $0\sim t$초 구간에서 역반응 속도는 정반응 속도보다 빠르다.

ㄹ. 1 L 강철 용기에 $A_2(g)$, $B_2(g)$, $X(g)$를 각각 1몰씩 넣으면 정반응이 우세하게 진행된다.

① ㄱ, ㄴ ② ㄱ, ㄷ ③ ㄱ, ㄹ ④ ㄴ, ㄷ ⑤ ㄴ, ㄹ

$[A_2]$가 3 M에서 1 M로 감소하고, $[B_2]$가 4 M에서 3 M로 감소할 때 [X]는 0 M에서 2 M로 증가하므로 화학 반응식의 계수비는 $A_2 : B_2 : X=2 : 1 : 2$이다.

03

> 평형 상수

다음은 기체 A와 B가 반응하여 기체 C를 생성하는 반응의 화학 반응식과 농도로 정의되는 평형 상수(K)이다.

$$A(g) + B(g) \rightleftharpoons 2C(g) \quad K$$

그림은 T ℃에서 강철 용기에 $A(g)$ 1몰과 $B(g)$ 3몰을 넣어 도달한 평형 Ⅰ과, 평형 Ⅰ에서 $A(g)$ 2몰을 추가하여 새롭게 도달한 평형 Ⅱ를 나타낸 것이다. 평형 Ⅰ, Ⅱ에서 $C(g)$의 양(mol)은 각각 n몰, $2n$몰이다.

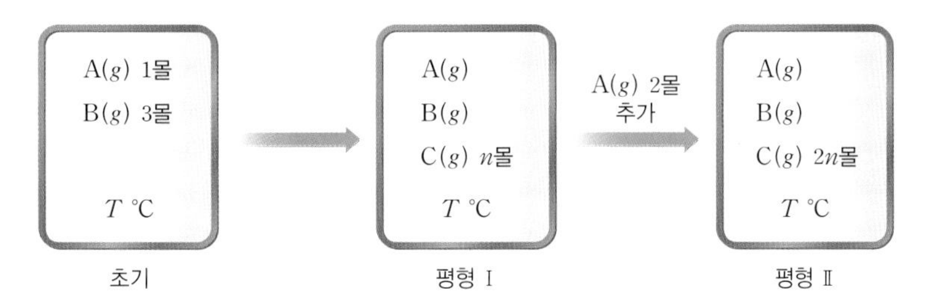

T ℃에서 이 반응의 평형 상수 K 값은?

① 1　② 2　③ 4　④ 8　⑤ 16

- 온도가 일정한 조건에서 어떤 화학 반응의 평형 상수 K는 일정한 값을 나타낸다.

04

> 평형 상수와 반응의 진행 방향 예측

다음은 A로부터 B와 C가 생성되는 반응의 화학 반응식과 평형 상수(K)이다.

$$A(aq) \rightleftharpoons bB(aq) + cC(aq) \quad K \ (b, c\text{는 반응 계수})$$

표는 T ℃에서 수행한 실험 Ⅰ~Ⅲ의 초기 농도와 평형 농도를 나타낸 것이다.

실험	A(aq)의 농도(M)		B(aq)의 농도(M)		C(aq)의 농도(M)	
	초기	평형	초기	평형	초기	평형
Ⅰ	x	0.80	0	0.20	0	0.20
Ⅱ	y	0.20	0	0.10	0	0.10
Ⅲ	1.00		1.00		1.00	

이에 대한 설명으로 옳은 것만을 보기에서 있는 대로 고른 것은? (단, 온도는 일정하다.)

보기
ㄱ. $x+y=1.20$이다.
ㄴ. T ℃에서 $K=0.5$이다.
ㄷ. Ⅲ의 초기 상태에서는 역반응이 우세하게 진행된다.

① ㄱ　② ㄴ　③ ㄷ　④ ㄱ, ㄴ　⑤ ㄴ, ㄷ

- 화학 반응식의 계수비는 반응물과 생성물의 반응 몰비와 같다.
평형 상수(K)와 반응 지수(Q) 값을 비교하면 반응의 진행 방향을 예측할 수 있다.
  - $Q<K$ ➡ 정반응이 우세하게 진행
  - $Q=K$ ➡ 평형
  - $Q>K$ ➡ 역반응이 우세하게 진행

05

> 화학 반응식과 평형 상수

다음은 A로부터 B와 C가 생성되는 반응의 화학 반응식과, T K에서의 평형 상수(K)이다. 분자량은 B가 C의 2배이다.

$$2A(g) \rightleftharpoons B(g) + C(g) \quad K=4$$

그림 (가)는 T K에서 부피가 1 L인 강철 용기에 A, B, C가 들어 있는 것을, (나)는 반응이 진행되어 평형에 도달한 상태를 나타낸 것이다.

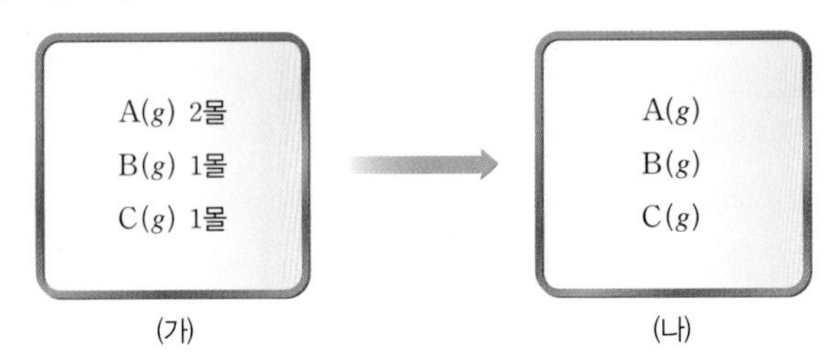

(가) (나)

이에 대한 설명으로 옳은 것만을 보기에서 있는 대로 고른 것은? (단, 온도는 일정하다.)

보기
ㄱ. 분자량비는 A : B : C=3 : 4 : 2이다.
ㄴ. (나)에서 $B(g)$의 양은 $\frac{8}{5}$몰이다.
ㄷ. $A(g)$의 몰 분율은 (가)에서가 (나)에서보다 크다.

① ㄷ ② ㄱ, ㄴ ③ ㄱ, ㄷ ④ ㄴ, ㄷ ⑤ ㄱ, ㄴ, ㄷ

- 반응 지수(Q)는 현재 상태에서의 농도를 대입한 값으로, 반응 지수(Q)와 평형 상수(K)의 값을 비교하면 반응의 진행 방향을 예측할 수 있다.
$Q=\frac{[B][C]}{[A]^2}$

06

> 평형 상수

다음은 기체 A와 B가 반응하여 기체 C를 생성하는 반응의 화학 반응식이다.

$$A(g) + 3B(g) \rightleftharpoons cC(g) \text{ (}c\text{는 반응 계수)}$$

그림은 부피가 1 L인 강철 용기에서 반응의 초기 상태와 평형 상태를 나타낸 것이다. 온도는 일정하며, 기체 A의 몰 분율은 두 상태 모두 0.5이다.

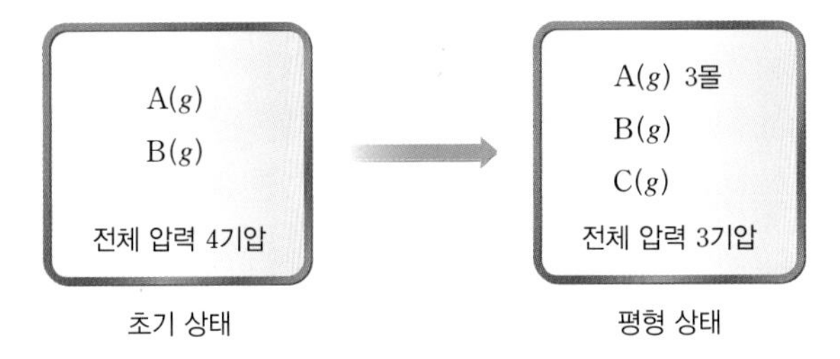

초기 상태 평형 상태

이에 대한 설명으로 옳은 것만을 보기에서 있는 대로 고른 것은?

보기
ㄱ. c는 2이다.
ㄴ. 평형 상수(K)는 3이다.
ㄷ. 평형 상태에서 $C(g)$의 부분 압력은 1기압이다.

① ㄱ ② ㄴ ③ ㄷ ④ ㄱ, ㄷ ⑤ ㄴ, ㄷ

- 일정한 부피의 용기 안의 전체 압력은 용기에 들어 있는 전체 기체의 양(mol)에 비례한다.

07

> 기체의 부분 압력과 평형 상수

다음은 T K에서 기체 A와 B가 반응하여 기체 C를 생성하는 반응의 열화학 반응식이다.

$$A(g) + B(g) \longrightarrow cC(g),\ \varDelta H \text{ (단, } c\text{는 반응 계수)}$$

그림 (가)는 부피가 2 L인 강철 용기에서 이 반응이 평형에 도달한 상태를 나타낸 것이고, (나)는 (가)에 $B(g)$ 0.4몰을 추가하여 새로운 평형에 도달한 상태를, (다)는 온도를 높여 새로운 평형에 도달한 상태를 나타낸 것이다.

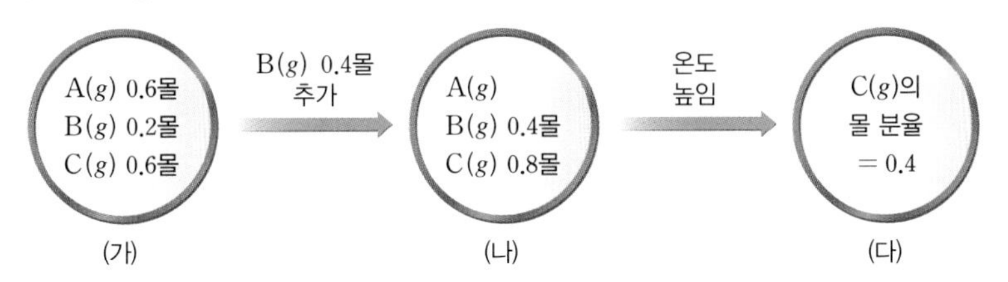

이에 대한 설명으로 옳은 것만을 보기에서 있는 대로 고른 것은? (단, (가)와 (나)의 온도는 같다.)

보기

ㄱ. $c=2$이다.

ㄴ. $A(g)$의 몰 분율은 (가) : (나)$=3:2$이다.

ㄷ. 평형 상수는 (가)$>$(다)이다.

① ㄴ ② ㄷ ③ ㄱ, ㄴ ④ ㄱ, ㄷ ⑤ ㄴ, ㄷ

- 온도가 일정한 조건에서 어떤 화학 반응의 평형 상수 K는 일정한 값을 나타낸다.

고난도 08

> 평형 상수와 반응의 진행 방향 예측

다음은 T K에서 기체 A와 B가 반응하여 기체 C가 생성되는 반응의 화학 반응식과 평형 상수이다.

$$A(g) + 3B(g) \rightleftharpoons 2C(g) \quad K=\frac{16}{3}$$

그림은 T K에서 꼭지로 연결된 강철 용기 (가)와 (나)에서 각각 이 반응이 평형에 도달한 상태를 입자 모형으로 나타낸 것이다. 이에 대한 설명으로 옳은 것만을 보기에서 있는 대로 고른 것은? (단, 온도는 일정하고 연결관의 부피는 무시하며, ●, ▲, ■는 각각 A~C 중 하나이고, 모형에서 입자 1개는 1몰을 나타낸다.)

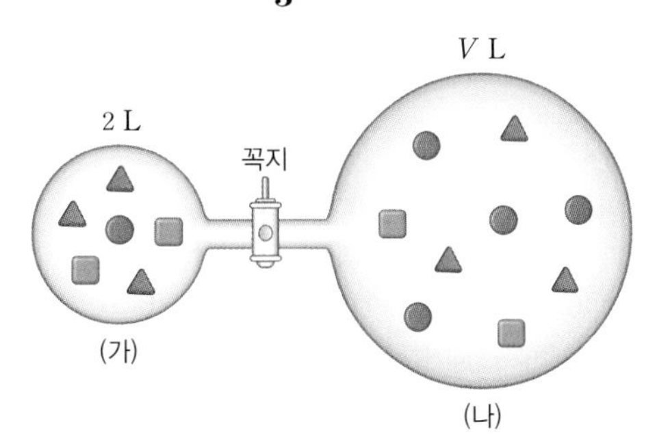

보기

ㄱ. ●는 B이다.

ㄴ. V는 16이다.

ㄷ. 꼭지를 열어 새로운 평형에 도달하면 ■의 몰 분율은 $\frac{4}{15}$보다 커진다.

① ㄴ ② ㄷ ③ ㄱ, ㄴ ④ ㄱ, ㄷ ⑤ ㄱ, ㄴ, ㄷ

- 반응 지수 Q와 평형 상수 K를 비교하면 반응의 진행 방향을 예측할 수 있다.
  - $Q<K$ ➡ 정반응이 우세하게 진행
  - $Q=K$ ➡ 평형
  - $Q>K$ ➡ 역반응이 우세하게 진행

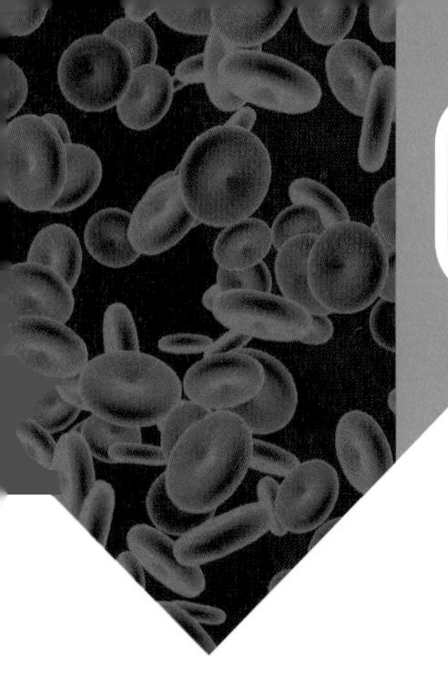

02 평형 이동

학습 Point 농도와 평형 이동 > 압력과 평형 이동 > 온도와 평형 이동 > 평형 이동의 응용

1 르샤틀리에 원리

어떤 화학 반응이 평형 상태에 있을 때 반응 조건이 변하지 않으면 평형 상태는 유지된다. 그러나 평형 상태에서 반응 조건을 변화시키면 초기의 평형은 깨지고, 새로운 평형에 도달한다.

1. 화학 평형 이동

어떤 화학 반응이 평형 상태에 있을 때 농도, 온도, 압력 등의 조건이 변하지 않으면 평형 상태는 계속 유지된다. 그러나 평형 상태에서 농도, 온도, 압력 등의 조건이 변하면 평형 상태는 더 이상 유지되지 않고, 정반응이나 역반응 중 하나의 우세한 반응이 진행되다가 새로운 평형 상태에 도달한다. 이를 화학 평형 이동이라고 하며, 이때 각 물질의 농도가 증가하는지 감소하는지는 평형 이동 원리인 르샤틀리에 원리를 이용하여 알아낼 수 있다.

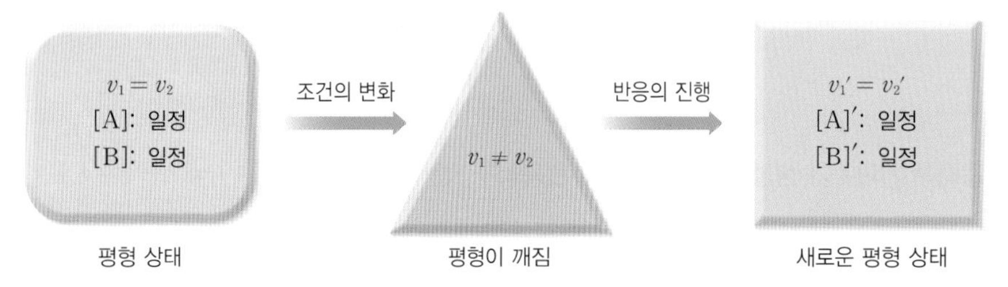

▲ **화학 평형의 이동 예(A $\underset{v_2}{\overset{v_1}{\rightleftarrows}}$ B에서의 평형 이동)**

2. 르샤틀리에 원리

1884년 르샤틀리에는 르샤틀리에 원리로 불리는 다음 문장을 발표하였다.

> "Any change is one of the variables that determines the state of a system in equilibrium causes a shift in the position of equilibrium in a direction that tends to counteract the change in the variable under consideration."
> 평형 상태에 있는 반응계에 어떤 변화가 생기면 그 변화를 완화시키려는 방향으로 평형이 이동한다.

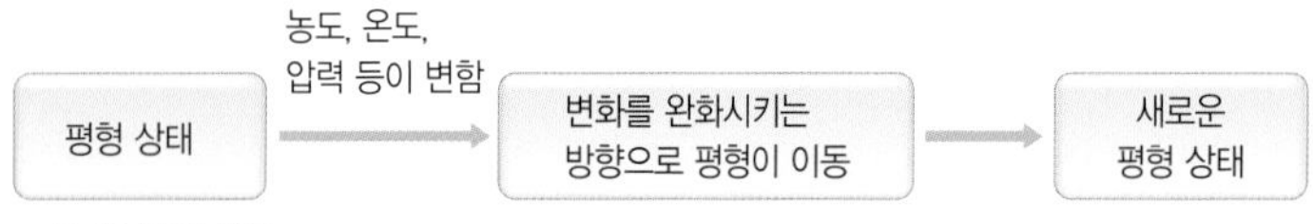

▲ **르샤틀리에 원리**

르샤틀리에(Le Chatelier, H. L., 1850~1936)
프랑스의 화학자. 1884년 어떤 계의 평형 상태가 외부 작용에 의해 깨지면 그 외부 작용의 효과를 상쇄하는 방향으로 계의 상태가 변화하여 새로운 평형에 도달한다는 르샤틀리에 원리를 발표함으로써 효율적 화학 공정을 개발하는 데 크게 공헌하였다. 르샤틀리에 원리는 화학적 가역 반응뿐만 아니라 증발이나 결정화와 같은 물리적 가역 반응에도 적용된다.

2 농도와 평형 이동

어떤 반응이 평형 상태에 있을 때, 반응물의 농도나 생성물의 농도가 달라지면 초기의 평형은 깨지고, 정반응이나 역반응 중 하나의 우세한 반응이 진행되다가 새로운 평형에 도달한다.

1. 농도와 평형 이동

어떤 반응이 평형 상태에 있을 때, 반응물이나 생성물의 농도를 증가시키면 그 물질의 농도를 감소시키는 방향으로 반응이 진행되고, 반대로 농도를 감소시키면 그 물질의 농도를 증가시키는 방향으로 반응이 진행된다.

- 반응물의 농도를 증가시키거나 생성물의 농도를 감소시키면 ➡ 생성물이 증가하는 정반응 쪽으로 반응이 진행된다.
- 생성물의 농도를 증가시키거나 반응물의 농도를 감소시키면 ➡ 반응물이 증가하는 역반응 쪽으로 반응이 진행된다.

반응의 진행에 따른 반응물과 생성물의 농도 변화
- 정반응 진행 ➡ 반응물의 농도 감소, 생성물의 농도 증가
- 역반응 진행 ➡ 반응물의 농도 증가, 생성물의 농도 감소

2. 농도 변화에 따른 평형 이동

N_2와 H_2가 반응하여 NH_3가 생성되는 반응에서 평형 상수식은 다음과 같다.

$$N_2(g) + 3H_2(g) \rightleftharpoons 2NH_3(g),\ K = \frac{[NH_3]^2}{[N_2][H_2]^3}$$

(1) **반응물인 N_2나 H_2를 첨가했을 경우:** 분모 값이 커지기 때문에, 즉 반응 지수(Q)가 K 값보다 작아지므로 Q가 K와 같아지기 위하여 평형은 $[NH_3]$가 커지는 정반응 쪽으로 이동한다.

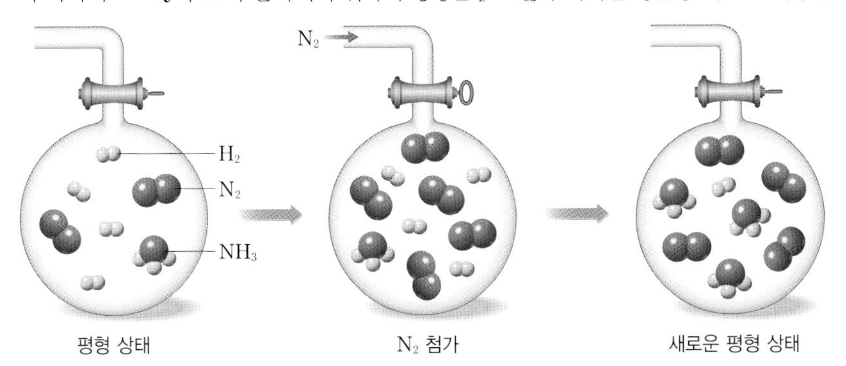

▲ **NH_3 생성 반응이 평형 상태일 때 N_2 첨가에 따른 평형 이동 모형**

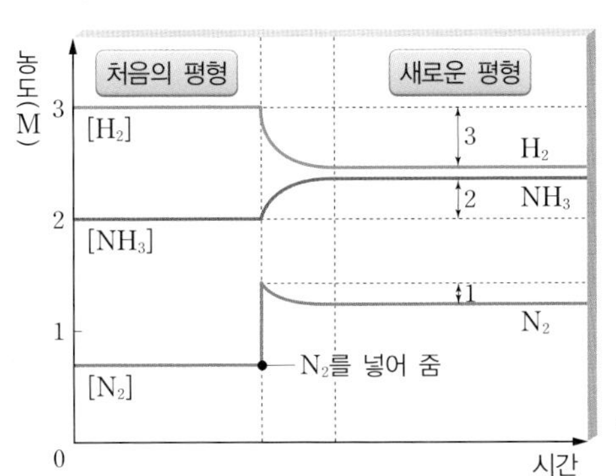

◀ **NH_3 생성 반응이 평형 상태일 때 농도 변화에 따른 평형 이동(N_2를 첨가했을 때)**

(2) **생성물인 NH_3를 첨가했을 경우:** 분자 값이 커지기 때문에, 즉 반응 지수(Q)가 K 값보다 커지므로 Q가 K와 같아지기 위하여 평형은 $[N_2]$, $[H_2]$가 커지는 역반응 쪽으로 이동한다.

농도 변화에 따른 평형 이동
평형 상태에서 반응물이나 생성물의 농도를 변화시킬 때 그 순간의 반응 지수 Q와 평형 상수 K를 비교하여 평형의 이동 방향을 예측할 수 있다.
- 반응물 농도 ↑ 또는 생성물 농도 ↓ ➡ $Q<K$, 정반응 쪽으로 이동
- 반응물 농도 ↓ 또는 생성물 농도 ↑ ➡ $Q>K$, 역반응 쪽으로 이동

3 압력과 평형 이동

어떤 반응이 평형 상태에 있을 때, 일정한 온도에서 압력이 변하면 초기의 평형은 깨지고, 새로운 평형에 도달한다.

1. 압력과 평형 이동

심화 069~070쪽

어떤 반응이 평형 상태에 있을 때, 일정한 온도에서 압력이 증가하면 기체의 양(mol)이 감소하는 쪽으로 평형이 이동한다.

- 압력이 증가하면 ➡ 기체의 양(mol)이 감소하는 쪽으로 평형이 이동한다.
- 압력이 감소하면 ➡ 기체의 양(mol)이 증가하는 쪽으로 평형이 이동한다.

기체 분자 수와 압력

반응 용기 안의 압력은 기체 물질의 양에 의해 결정된다. 반응 용기 안의 기체 분자 수가 증가하면 압력이 커지고, 기체 분자 수가 감소하면 압력이 작아진다.

2. 압력 변화에 따른 평형 이동

$N_2(g)$와 $H_2(g)$가 반응하여 $NH_3(g)$가 생성되는 반응은 다음과 같다.

$N_2(g) + 3H_2(g) \rightleftharpoons 2NH_3(g)$

(1) **압력이 증가할 경우:** 기체의 양(mol)이 감소하는 정반응 쪽으로 평형이 이동한다.

(2) **압력이 감소할 경우:** 기체의 양(mol)이 증가하는 역반응 쪽으로 평형이 이동한다.

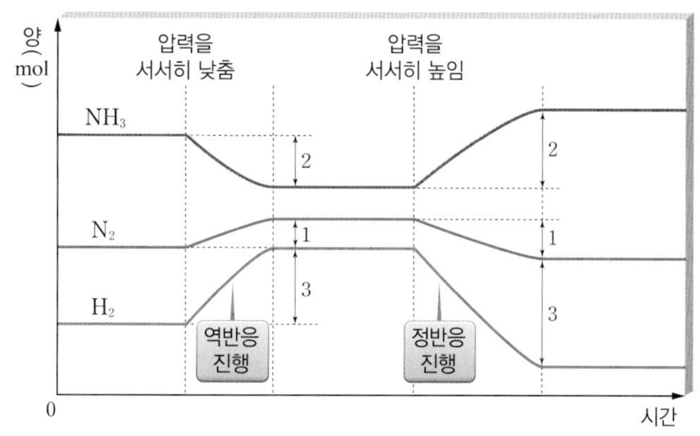

▲ **압력에 따른 H_2, N_2, NH_3의 양(mol) 변화** 압력 증가로 기체의 부피가 감소하면 평형이 정반응 쪽으로 이동하여 NH_3의 양(mol)은 증가하고, N_2와 H_2의 양(mol)은 감소한다. 그러나 전체 부피가 감소하므로 NH_3, N_2, H_2의 농도는 모두 증가한다. NH_3의 농도는 많이 증가하고 N_2, H_2의 농도는 약간 증가한다.

3. 압력에 따른 평형 이동에서 유의할 점

(1) 화학 반응 전후 기체의 양(mol)이 같은 반응에서는 압력에 의해 평형이 이동하지 않는다.

예 $H_2(g) + I_2(g) \rightleftharpoons 2HI(g)$

(2) 고체나 액체는 압력을 나타내지 않으므로 고체나 액체를 포함하는 반응에서는 기체의 양(mol)만 비교한다.

예 $C(s) + H_2O(g) \rightleftharpoons CO(g) + H_2(g)$ 반응에서 $C(s)$는 압력을 나타내지 않으므로 압력이 증가하면 압력이 감소하는 쪽, 즉 기체의 양(mol)이 감소하는 역반응 쪽으로 평형이 이동한다.

(3) **반응에 영향을 끼치지 않는 기체의 첨가:** 일정한 부피의 용기에 비활성 기체(예 Ar, Ne, He 등)와 같이 반응에 영향을 끼치지 않는 기체를 첨가하여 압력을 증가시켜도 기체의 부분 압력은 변하지 않으므로 평형은 이동하지 않는다.

(4) **부피 감소 효과:** 기체 사이의 반응에서 부피 감소는 압력 증가와 같은 효과를 나타낸다.

시선 집중 ★ 평형 상태의 기체 반응에서 비활성 기체를 넣었을 때의 변화

- 피스톤이 고정되어 있는 경우: 일정한 부피에서 비활성 기체를 넣으면 실린더 안의 압력이 증가하지만, 기체의 부분 압력은 변하지 않으므로 평형은 이동하지 않는다.
- 피스톤이 고정되지 않은 경우: 일정한 압력에서 비활성 기체를 넣으면 실린더의 부피가 증가하여 기체의 압력이 감소한다. 따라서 기체의 압력이 증가하는 방향, 즉 기체의 양(mol)이 증가하는 방향으로 평형이 이동한다.

4 온도와 평형 이동

어떤 반응이 평형 상태에 있을 때 온도가 변하면, 경우에 따라 흡열 반응이 우세하게 일어날 수도 있고 발열 반응이 우세하게 일어날 수도 있다.

1. 온도와 평형 이동

어떤 반응이 평형 상태에 있을 때, 반응계의 온도를 높이면 온도를 낮추려는 흡열 반응 쪽으로 평형이 이동하고, 온도를 낮추면 온도를 높이려는 발열 반응 쪽으로 평형이 이동한다.

- 반응계의 온도를 낮추면 ➡ 발열 반응 쪽으로 평형이 이동한다.
- 반응계의 온도를 높이면 ➡ 흡열 반응 쪽으로 평형이 이동한다.

2. 온도 변화에 따른 평형 이동

이산화 질소(NO_2)가 반응하여 사산화 이질소(N_2O_4)가 생성되는 반응은 다음과 같다.

$2NO_2(g) \rightleftharpoons N_2O_4(g)$, $\Delta H = -54.8$ kJ
적갈색 무색

(1) **온도가 높아질 때:** $\Delta H < 0$이므로 정반응은 발열 반응이다. 그런데 온도가 높아지면 온도가 낮아지는 흡열 반응이 우세하게 일어나 역반응 쪽으로 평형이 이동하므로 적갈색은 점점 진해진다. 따라서 온도가 높아지면 평형 상수 K는 작아진다.

(2) **온도가 낮아질 때:** 르샤틀리에 원리에 의해 온도가 낮아지면 온도가 높아지는 발열 반응이 우세하게 일어나 정반응 쪽으로 평형이 이동하므로 적갈색은 점점 연해지고, 무색으로 변한다. 따라서 온도가 낮아지면 평형 상수 K는 커진다.

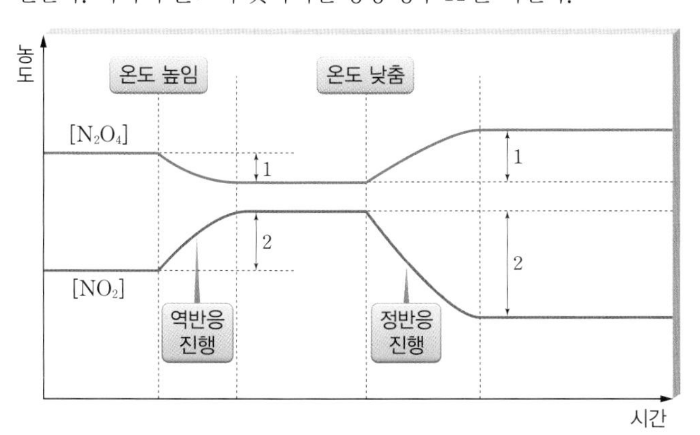

▲ $2NO_2(g) \rightleftharpoons N_2O_4(g)$ 반응의 온도 변화에 따른 N_2O_4와 NO_2의 농도 변화

반응 온도에 따른 평형 상수

$N_2O_4(g) \rightleftharpoons 2NO_2(g)$, $\Delta H = 54.8$ kJ

온도(℃)	평형 상수
0.0	6.8×10^{-4}
18.8	3.03×10^{-3}
49.9	3.03×10^{-2}
73.6	1.19×10^{-1}
99.8	4.38×10^{-1}

(3) 몇 가지 화학 반응에서 온도에 따른 평형 상수

열화학 반응식	평형 상수 값		
	298 K	800 K	1200 K
$CO(g)+3H_2(g) \rightleftharpoons CH_4(g)+H_2O(g)$, $\Delta H=-206$ kJ	4.9×10^{27}	1.4×10^{5}	3.9
$N_2(g)+3H_2(g) \rightleftharpoons 2NH_3(g)$, $\Delta H=-92$ kJ	2.6×10^{8}	3.9×10^{-2}	1.1×10^{-2}
$CaCO_3(s) \rightleftharpoons CaO(s)+CO_2(g)$, $\Delta H=181$ kJ	1.9×10^{-23}	4.3×10^{-14}	1.0
$N_2(g)+2O_2(g) \rightleftharpoons 2NO_2(g)$, $\Delta H=66$ kJ	1.3×10^{-19}	5.0×10^{-16}	6.3×10^{-11}

발열 반응인 경우($\Delta H<0$)에는 온도가 높아지면 평형 상수 값이 작아지고, 흡열 반응인 경우($\Delta H>0$)에는 온도가 높아지면 평형 상수 값이 커진다.

3. 온도에 따른 평형 이동의 예

주행 중인 자동차 엔진에서 이산화 질소가 생성되는 현상은 온도 상승에 따른 평형 이동의 결과로 설명할 수 있다.

$$N_2(g)+2O_2(g) \rightleftharpoons 2NO_2(g),\ \Delta H=66\ \text{kJ}$$

(1) 이 반응은 흡열 반응으로, 25 ℃에서 압력 평형 상수 $K_P=1.3\times10^{-19}$이다.

(2) 상온에서는 열역학적으로 평형이 역반응 쪽으로 치우쳐 있으므로 반응 속도에 관계없이 NO_2가 거의 존재하지 않는다. 그런데 주행 중인 자동차 엔진에서 온도가 1500~2000 K까지 올라가면 이산화 질소 생성 반응의 압력 평형 상수 K_P' 값이 7.9×10^{-6} 정도로, 25 ℃에서보다 100조 배 정도 커진다. 따라서 평형이 정반응 쪽으로 이동하여 이산화 질소가 생성되는 반응이 일어난다.

시야 확장 ⊕ 촉매와 평형 이동

평형 상태의 반응 용기에 촉매를 넣어 주면 정반응 속도와 역반응 속도가 모두 빨라지지만 반응물과 생성물의 평형 농도는 변하지 않는다. 즉, 촉매는 평형 이동에 영향을 끼치지 않고, 평형에 도달하는 데 걸리는 시간만 단축시킨다.

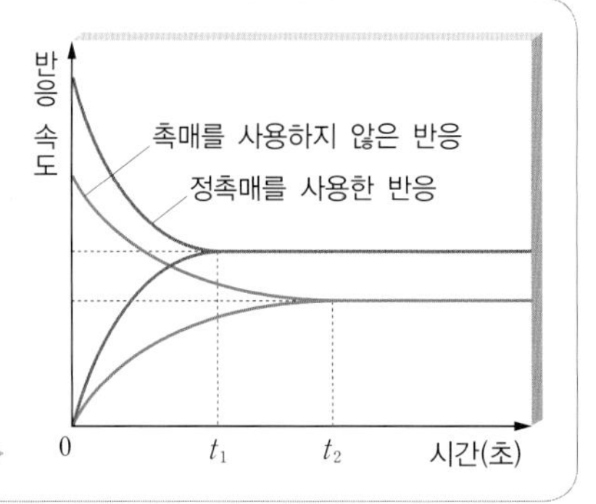

촉매를 사용할 때의 반응 속도 변화 ▶

5 평형 이동의 응용

화학 반응이 산업 현장에서 이용될 때에는 남는 반응물의 양이 최소가 되고, 생성되는 생성물의 양이 최대가 되어야 경제적으로 유리하다.

1. 수득률

화학 반응식으로부터 계산하여 얻을 수 있는 생성물의 양에 대한 실제로 얻어낼 수 있는 생성물의 비율을 수득률이라고 한다.

평형 상수와 온도와의 관계

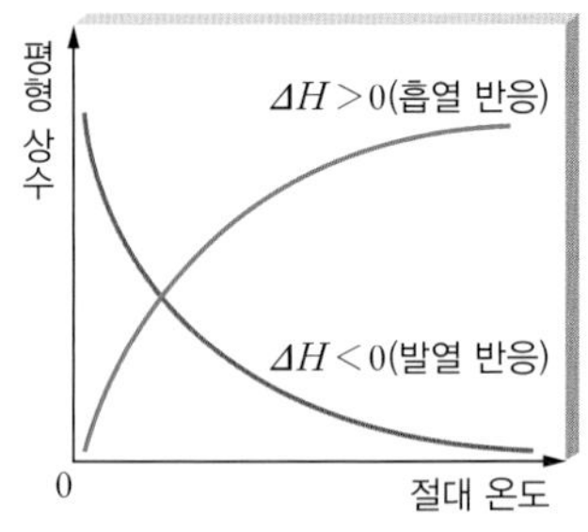

화학 반응의 평형 상수 K와 절대 온도 사이에는 다음과 같은 관계식이 성립한다.

$K=ke^{-\frac{\Delta H}{T}}$ (단, k는 비례 상수)

발열 반응에서는 $\Delta H<0$이므로 온도가 높아지면 K가 작아지고, 흡열 반응에서는 $\Delta H>0$이므로 온도가 높아지면 K가 커진다.

정촉매와 부촉매

반응 속도를 빠르게 하는 것을 정촉매, 반응 속도를 느리게 하는 것을 부촉매라고 한다.

평형 이동에서 유의할 점

- 촉매는 평형 이동에는 영향을 끼치지 않으며, 단지 평형에 도달하는 시간을 단축시킨다.
- 평형 상수 K의 값은 온도에 의해서만 변할 뿐 농도, 압력, 촉매에 영향을 받지 않는다.

수득률은 다음과 같은 식으로 구할 수 있다.

$$\text{수득률}(\%)=\frac{\text{실제 얻어지는 생성물의 양(실험 값)}}{\text{반응물이 모두 반응할 때 얻어지는 생성물의 양(계산 값)}}\times 100$$

화학 반응을 통해 얻는 생성물의 수득률을 높이기 위해서는 르샤틀리에 원리를 이용하면 된다. 즉, 온도와 압력 조건을 변화시켜서 화학 평형이 최대한 정반응 쪽으로 이동하도록 조절하는 것이다.

2. 수득률에 영향을 끼치는 요인

화학 반응을 통해 얻는 생성물의 수득률은 온도와 압력에 의한 영향을 받는다.

$aA(g)+bB(g) \rightleftharpoons cC(g)+dD(g),\ \Delta H=?$

(1) **온도에 의한 영향:** 발열 반응의 경우에는 온도를 낮추면 생성물의 수득률이 증가하고, 흡열 반응의 경우에는 온도를 높이면 생성물의 수득률이 증가한다.

(2) **압력에 의한 영향:** 분자 수가 증가하는 기체 반응의 경우에는 압력을 감소시키면 생성물의 수득률이 증가하고, 분자 수가 감소하는 기체 반응의 경우에는 압력을 증가시키면 생성물의 수득률이 증가한다.

3. 압력에 따른 수득률 변화

$aA(g)+bB(g) \rightleftharpoons cC(g)+dD(g)$ 반응에서 압력이 변하면 수득률이 달라진다.

- $a+b>c+d$ ➡ 압력이 커지면 정반응 진행 ➡ 수득률 증가
- $a+b<c+d$ ➡ 압력이 커지면 역반응 진행 ➡ 수득률 감소
- $a+b=c+d$ ➡ 압력에 의해 평형이 이동하지 않는다. ➡ 수득률 일정

4. 하버법에 의한 암모니아 합성

질소는 단백질의 성분 원소로, 생명체에 매우 중요한 물질이다. 질소는 공기 중의 78 % 정도를 차지하지만, 분자 상태의 질소(N_2)는 매우 안정하기 때문에 화합물을 형성하지 않아 생명체가 그대로 이용하기 어렵다. 생명체가 질소를 이용하려면 질소 고정이라는 과정을 통해 질소 화합물로 만들어야 한다. 따라서 분자 상태의 질소(N_2)를 수소(H_2)와 반응시켜 암모니아(NH_3)로 합성하는 하버법은 비료, 화약, 플라스틱, 의약품 등의 제조에 없어서는 안 될 매우 중요한 공정이다.

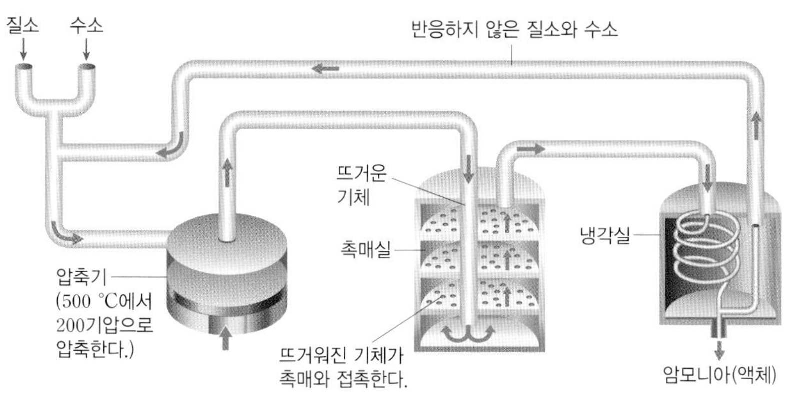

▲ 암모니아의 합성 과정(하버법)

촉매가 수득률에 끼치는 영향

촉매는 반응 시간을 단축시켜서 평형에 빨리 도달하게 하지만, 평형 농도에 영향을 끼치지 않으므로 생성물의 수득률에 영향을 끼치지 않는다.

화학 반응에서 압력에 따른 수득률 변화

$aA(g)+bB(g) \rightleftharpoons cC(g)+dD(g)$

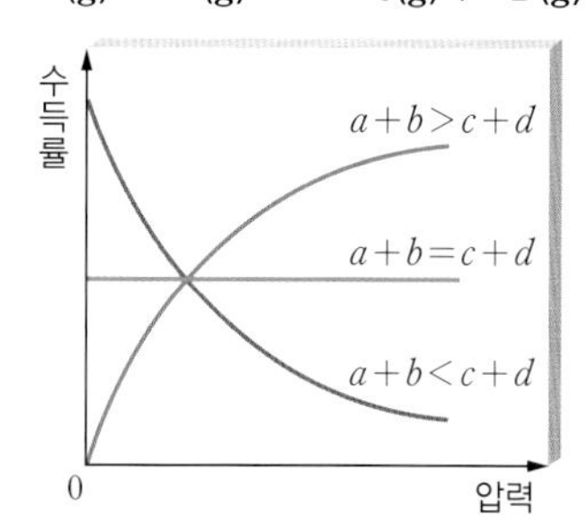

화학 반응식에서 반응물의 계수 합이 생성물의 계수 합보다 큰 경우에는 압력이 커질수록 수득률이 증가하고, 반응물의 계수 합이 생성물의 계수 합보다 작은 경우에는 압력이 커질수록 수득률이 감소한다.

질소 고정

공기 중의 질소(N_2)를 생물체가 이용할 수 있는 질소 화합물 상태로 바꾸는 과정을 말한다.

하버법

독일의 과학자 하버가 발견한 암모니아의 합성 방법으로, 르샤틀리에 원리를 이용하여 질소와 수소로부터 암모니아를 합성하는 방법이다.

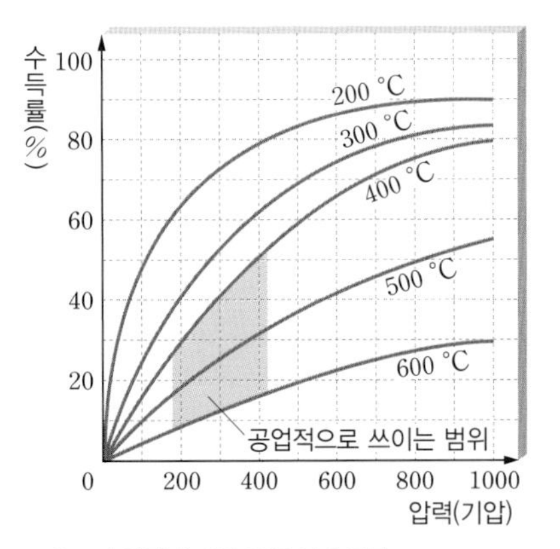

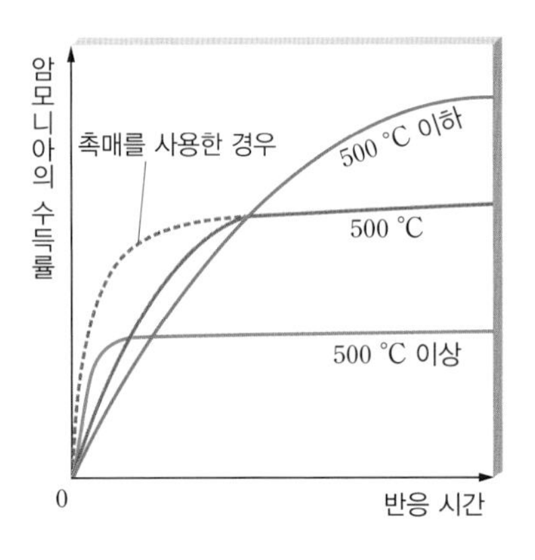

▲ 온도와 압력에 따른 NH_3의 수득률

▲ 화학 반응에서 촉매의 영향

하버법에 의한 암모니아(NH_3) 합성 반응은 르샤틀리에 원리가 산업 현장에서 적용되는 대표적인 예이다. 다음은 질소와 수소로부터 암모니아를 합성하는 반응의 열화학 반응식이다.

$$N_2(g) + 3H_2(g) \rightleftharpoons 2NH_3(g),\ \Delta H = -92\ \text{kJ}$$

암모니아의 합성 반응은 발열 반응이고, 분자 수가 감소하는 반응이다. 따라서 암모니아의 수득률을 높이기 위해서는 압력은 증가시키고 온도는 낮추면 된다. 그러나 온도를 너무 낮추면 반응 속도가 느려져 평형에 도달하는 시간이 너무 길어지며, 압력이 높은 고압 장치를 만드는 것 또한 경제적 어려움이 있으므로 실제로는 산화 철을 주성분으로 하는 촉매 존재 하에 400~600 ℃, 300기압 정도의 조건에서 반응이 일어나게 한다. 이러한 방법을 하버법이라고 한다.

5. 헤모글로빈의 산소 운반

우리 몸에서 산소는 적혈구 속에 있는 헤모글로빈(Hb)에 의해 운반되며, 이때의 화학 반응은 다음과 같은 가역 반응이다.

$$Hb(aq) + O_2(g) \rightleftharpoons HbO_2(aq)$$

산소의 농도가 높은 폐에서는 평형이 정반응 쪽으로 이동하여 헤모글로빈(Hb)이 산소(O_2)와 결합한다. 이렇게 결합된 산소 헤모글로빈(HbO_2)은 조직 세포까지 산소를 운반하고, 산소의 농도가 낮은 조직 세포에서는 평형이 역반응 쪽으로 이동하여 HbO_2이 분해되므로 조직 세포에 산소를 공급할 수 있게 된다. 높은 산에 올라가면 기압이 낮아지는 동시에 공기 중 산소의 부분 압력이 감소한다. 산소의 부분 압력이 감소하면 혈액에 용해되는 산소의 양이 감소하므로 르샤틀리에 원리에 의해 역반응이 우세하게 일어나게 되어 HbO_2이 줄어든다. HbO_2이 줄어들면 조직 세포에 산소를 충분히 공급하지 못하므로 고산병이 생기게 된다. 그러나 충분한 시간이 흐르면 환경에 적응하기 위해 사람의 몸은 전보다 더 많은 헤모글로빈 분자(Hb)를 생성하여 평형은 정반응 쪽으로 이동하게 되고, 그러면 다시 HbO_2이 증가하여 산소 공급이 원활해진다. 이러한 이유로 고산 지대에 사는 사람들은 일반적으로 낮은 지대에 사는 사람들에 비해 혈액 내 헤모글로빈 농도가 높은 편이다.

헤모글로빈

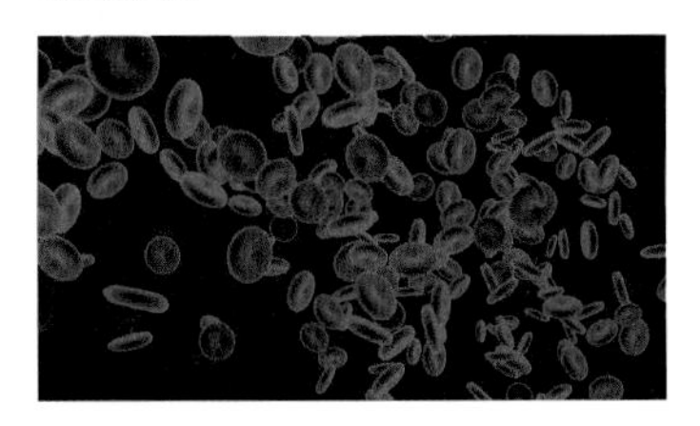

척추동물의 적혈구 속에 들어 있는 색소 단백질로, 생체 내에서는 산소를 운반하는 역할을 한다. 헤모글로빈 한 분자에는 철 원자가 4개 존재하고 철 원자 1개에 대해 한 분자씩의 산소가 결합하므로 헤모글로빈 한 분자는 산소 분자 4개와 결합한다.

고산병

해발 고도 2500~3000 m 이상의 산에 올랐을 때 나타날 수 있는 병적 증세로, 산악병이라고도 한다. 높은 산에서는 공기 속의 산소 분압이 감소하므로 불쾌해지거나 피로해질 뿐만 아니라 두통, 식욕 부진, 구토 등이 일어나며, 더 올라가면 졸음, 현기증 등의 감각 이상 증세가 나타난다.

압력 변화에 따른 평형 이동

압력에 의해 평형이 이동할 때 평형 이동은 압력 변화를 줄여주는 정도로만 일어날 뿐 주어진 변화보다 더 큰 변화가 일어나지는 않으며, 압력 변화는 평형 상수를 변화시키는 데 영향을 끼치지 못한다. 압력에 의해 평형이 이동할 때의 압력 변화를 모형을 통해 살펴보고, 압력 변화에 따른 평형 상수 값을 직접 확인해 보자.

❶ 압력 변화에 따른 반응 모형

평형 상태에 있는 반응계를 압축시켜 압력을 증가시키면 기체 분자 수가 감소하는 쪽으로 반응이 진행되어 압력이 조금 감소한다. 다음 그림과 같이 피스톤에 가하는 압력을 증가시키면 이산화 질소(NO_2) 분자의 일부가 사산화 이질소(N_2O_4) 분자로 변하면서 전체 분자 수가 감소한다. 전체 분자 수가 감소하면 전체 압력도 감소하므로 압력 증가의 효과가 상쇄된다.

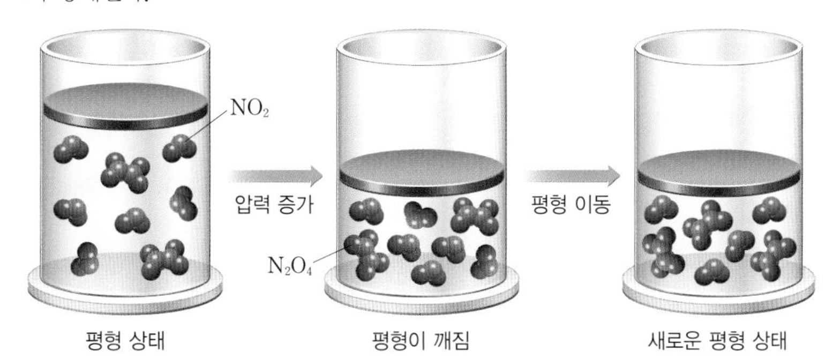

▲ $2NO_2(g) \rightleftharpoons N_2O_4(g)$ 반응에서 압력 변화에 따른 평형 이동

❷ 물질 첨가에 따른 효과

이산화 황(SO_2)이 산소(O_2)와 반응하여 삼산화 황(SO_3)이 생성되는 반응은 다음과 같다.

$2SO_2(g) + O_2(g) \rightleftharpoons 2SO_3(g)$, $K = 2.8 \times 10^2$ (1000 K)

10 L 용기 속에 SO_3이 0.68몰, SO_2이 0.32몰, O_2가 0.16몰 들어 있는 처음 평형 상태에서 SO_3 1.00몰을 첨가했을 때의 변화는 다음과 같다.

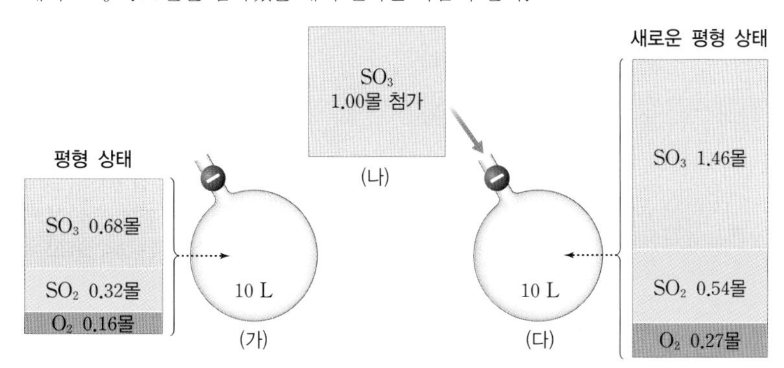

SO_3 1.00몰을 첨가하면 르샤틀리에 원리에 의해 평형이 역반응 쪽으로 이동하여 새로운 평형 상태 (다)에 도달한다. 새로운 평형 상태에서 평형 상수식을 이용하여 SO_3의 양을 구하면 1.46몰이 된다. 이 양은 처음에 있던 0.68몰에 넣어 준 1.00몰을 합한 값보다 작지만, 처음의 0.68몰보다는 크다. 즉, 평형 이동에 의해 첨가한 물질의 일부만 상쇄된다.

압력이 증가하는 경우

$2NO_2 \rightleftharpoons N_2O_4$
(적갈색) (무색)

피스톤에 가하는 압력을 증가시키면 정반응 쪽으로 평형이 이동한다. 이때 관찰하는 위치에 따라 색깔 변화가 다르다.

- 아래에서 위로 관찰한 경우: 반응 용기를 압축한 순간에는 압축 전과 색깔이 같지만 평형 이동에 의해 색깔이 점차 옅어진다.
- 측면에서 관찰한 경우: 반응 용기를 압축하면 물리적으로 압축한 순간에는 농도가 증가하므로 색깔이 진해진다. 그후 새로운 평형에 도달하면서 평형이 정반응 쪽으로 이동하므로 색깔이 옅어진다. 그러나 압축 직후보다 색깔이 옅어지는 것이지, 압축 전보다 색깔이 옅어지는 것은 아니다.

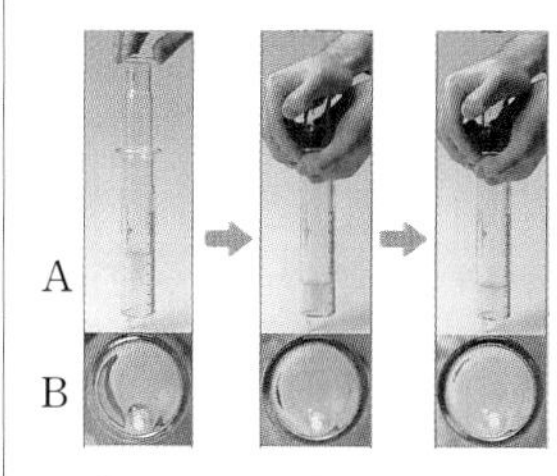

A: 측면에서 관찰한 경우
B: 아래에서 위로 관찰한 경우

③ 용기의 부피 변화에 의한 효과

$2SO_2(g) + O_2(g) \rightleftharpoons 2SO_3(g)$ 반응이 평형 상태에 있을 때 압력을 증가시켜 반응 용기의 부피를 10 L에서 1 L로 감소시켰을 때의 변화는 다음과 같다.

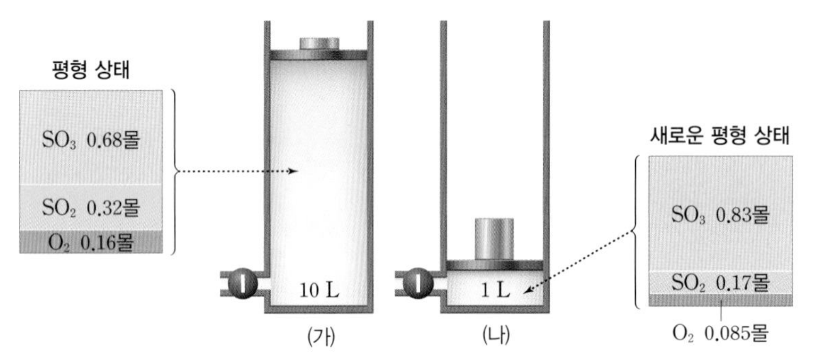

$K=\frac{[SO_3]^2}{[SO_2]^2[O_2]}$에서 부피가 $\frac{1}{10}$로 되었으므로 각 물질의 농도는 10배가 된다.

따라서 반응 지수 $Q=\frac{[10\times SO_3]^2}{[10\times SO_2]^2[10\times O_2]}=\frac{[SO_3]^2}{10\times[SO_2]^2[O_2]}=\frac{K}{10}$이 되므로 반응 용기의 부피가 $\frac{1}{10}$로 되었을 때 반응 지수 $Q=\frac{K}{10}$가 되어 평형이 정반응 쪽으로 이동하게 된다.

또, 새로운 평형 상태에서는 SO_2이나 O_2의 농도가 처음 평형 상태의 농도보다 커지는 것을 알 수 있다. 처음 평형 상태와 새로운 평형 상태에서 각 물질의 농도를 비교하면 다음과 같다.

평형 상태	$[SO_3]$	$[SO_2]$	$[O_2]$
처음	0.068 M	0.032 M	0.016 M
나중	0.830 M	0.170 M	0.085 M

④ 압력 변화와 평형 상수

$2SO_2(g) + O_2(g) \rightleftharpoons 2SO_3(g)$ 반응에서 압력이 10배가 되었을 때 농도 변화는 다음과 같다.

평형 상태	$[SO_3]$	$[SO_2]$	$[O_2]$
처음	0.068 M	0.032 M	0.016 M
나중	0.830 M	0.170 M	0.085 M

처음의 평형 상태와 나중의 평형 상태에서 각각 평형 상수를 계산하면 다음과 같다.

$$K_{처음}=\frac{(0.068)^2}{(0.032)^2\times 0.016}\fallingdotseq 2.8\times 10^2$$

$$K_{나중}=\frac{(0.830)^2}{(0.170)^2\times 0.085}\fallingdotseq 2.8\times 10^2$$

$K_{처음}=K_{나중}$이므로 평형 상수는 압력이 달라져도 변하지 않는다는 것을 알 수 있다. 즉, 평형 상태의 반응에서 압력이 달라지면 새로운 평형 상태에 도달하기는 하지만, 압력에 의해 평형 상수 값은 변하지 않는다.

압력이 감소하는 경우

$2NO_2 \rightleftharpoons N_2O_4$
(적갈색) (무색)

피스톤에 가하는 압력을 감소시키면 역반응 쪽으로 평형이 이동한다.

- 아래에서 위로 관찰한 경우: 반응 용기를 팽창시킨 순간에는 팽창시키기 전과 색깔이 같지만 평형 이동에 의해 색깔이 점차 진해진다.
- 측면에서 관찰한 경우: 반응 용기를 팽창시키면 순간적으로 농도가 감소하므로 색깔이 옅어진다. 그후 새로운 평형에 도달하면서 평형이 역반응 쪽으로 이동하므로 색깔이 진해진다.

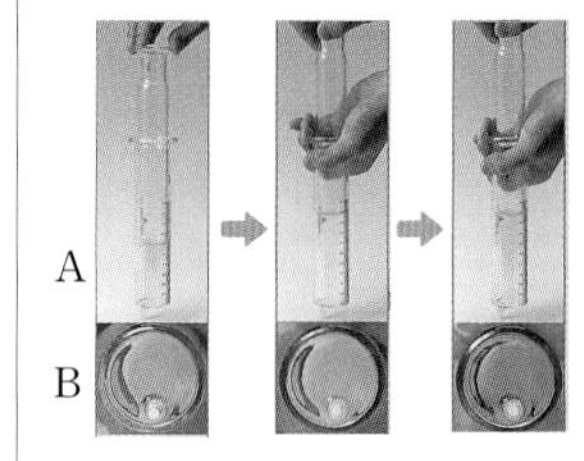

A: 측면에서 관찰한 경우
B: 아래에서 위로 관찰한 경우

02 평형 이동

1 르샤틀리에 원리

르샤틀리에 원리(평형 이동 원리) 가역 반응이 평형 상태에 있을 때 외부에서 농도, 온도, 압력 등의 조건을 변화시키면 그 변화를 (❶)시키는 방향으로 반응이 진행되어 새로운 평형 상태에 도달한다.

2 농도와 평형 이동

농도와 평형 이동

- 평형 상태의 반응에서 반응물이나 생성물의 농도를 증가시키면 그 물질의 농도를 (❷)시키는 방향으로 평형이 이동한다.
- 평형 상태의 반응에서 반응물이나 생성물의 농도를 감소시키면 그 물질의 농도를 (❸)시키는 방향으로 평형이 이동한다.

3 압력과 평형 이동

압력과 평형 이동

- 평형 상태의 기체 반응에서 압력을 높이면 기체의 양(mol)이 (❹)하는 방향으로 평형이 이동한다.
- 평형 상태의 기체 반응에서 압력을 낮추면 기체의 양(mol)이 (❺)하는 방향으로 평형이 이동한다.

4 온도와 평형 이동

1. 온도와 평형 이동

- 평형 상태의 반응에서 온도를 높이면 열을 (❻)하는 반응이 우세하게 진행되어 평형이 이동한다.
- 평형 상태의 반응에서 온도를 낮추면 열을 (❼)하는 반응이 우세하게 진행되어 평형이 이동한다.

2. 온도와 평형 상수

- 정반응이 발열 반응인 경우 온도를 높이면 평형 상수 K가 (❽)한다.
- 정반응이 흡열 반응인 경우 온도를 높이면 평형 상수 K가 (❾)한다.
- 평형 상수 K는 온도에 의해서만 변할 뿐 농도, 압력, 촉매의 영향을 받지 않는다.

5 평형 이동의 응용

1. 수득률 화학 반응식으로 계산한 생성물의 양에 대한 실제로 얻어낸 생성물의 비율이다.

$$\text{수득률}(\%)=\frac{\text{실제 얻어지는 생성물의 양(실험 값)}}{\text{반응물이 모두 반응할 때 얻어지는 생성물의 양(계산 값)}}\times 100$$

2. 수득률에 영향을 끼치는 요인

- 온도: 발열 반응의 경우 온도를 낮추면 수득률이 (❿)하고, 흡열 반응의 경우 온도를 높이면 수득률이 (⓫)한다.
- 압력: 분자 수가 증가하는 기체 반응의 경우 압력을 낮추면 수득률이 (⓬)하고, 분자 수가 감소하는 기체 반응의 경우 압력을 높이면 수득률이 (⓭)한다.

예 $a\mathrm{A}(g)+b\mathrm{B}(g) \rightleftharpoons c\mathrm{C}(g)+d\mathrm{D}(g)$ 반응에서 압력에 따른 수득률 변화

- $a+b>c+d$ ➡ 압력이 커지면 (⓮)이 우세하게 진행 ➡ 수득률 (⓯)
- $a+b<c+d$ ➡ 압력이 커지면 (⓰)이 우세하게 진행 ➡ 수득률 (⓱)
- $a+b=c+d$ ➡ 압력에 의해 평형이 이동하지 않는다. ➡ 수득률 일정

01 크로뮴산 이온(CrO_4^{2-})과 다이크로뮴산 이온($Cr_2O_7^{2-}$)은 수용액에서 다음 반응과 같은 평형을 이룬다.

$$2CrO_4^{2-}(aq) + 2H^+(aq) \rightleftharpoons Cr_2O_7^{2-}(aq) + H_2O(l)$$

이 용액에 $NaOH(aq)$을 넣었을 때의 변화에 대한 설명으로 알맞은 말을 고르시오. (단, 온도는 일정하다.)

(1) 평형은 (정반응, 역반응) 쪽으로 이동한다.

(2) 평형 상수 K는 (증가한다, 일정하다, 감소한다).

02 그림은 밀폐된 용기에서 평형을 이루고 있는 $N_2(g) + 3H_2(g) \rightleftharpoons 2NH_3(g)$ 반응에 어떤 요인을 변화시켰을 때 시간에 따른 물질의 농도 변화를 나타낸 것이다. (단, 온도는 일정하다.)

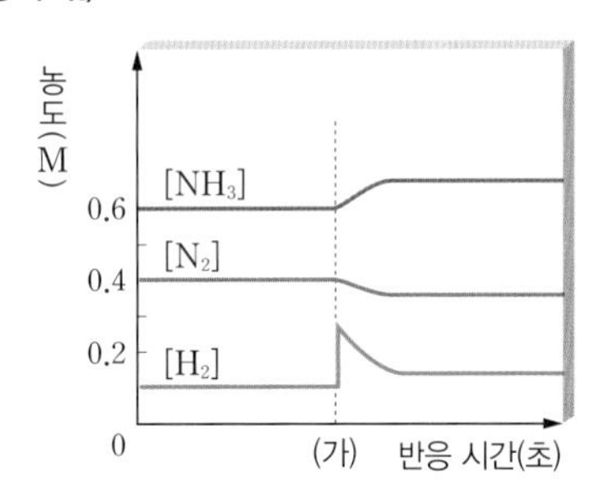

(1) (가)에서 어떤 조건이 변화되었는지 쓰시오.

(2) 처음 평형 상태에서의 평형 상수(K)를 구하시오.

(3) 처음 평형 상태에서의 평형 상수(K)와 나중 평형 상태에서의 평형 상수(K') 값을 등호 또는 부등호로 비교하시오.

03 평형 상태의 다음 반응 중 온도를 일정하게 유지하면서 압력을 증가시켰을 때 정반응 쪽으로 평형이 이동하는 반응을 보기에서 있는 대로 고르시오.

보기

ㄱ. $H_2O(l) \rightleftharpoons H_2O(g)$

ㄴ. $2C(s) + O_2(g) \rightleftharpoons 2CO_2(g)$

ㄷ. $CaCO_3(s) \rightleftharpoons CaO(s) + CO_2(g)$

ㄹ. $CO(g) + H_2(g) \rightleftharpoons C(s) + H_2O(g)$

04 25 °C에서 다음 반응이 평형 상태에 있다.

$$N_2O_4(g) \rightleftharpoons 2NO_2(g),\ \Delta H = 54.8\ kJ$$

반응 용기의 부피를 2배로 하였을 때 다음 물음에 답하시오. (단, 온도는 일정하다.)

(1) 반응은 정반응과 역반응 중 어느 쪽으로 우세하게 진행될지 쓰시오.

(2) 평형 상수의 크기는 어떻게 되는지 쓰시오.

05 다음 각 반응이 평형 상태에 있을 때, 반응 용기의 부피를 증가시키면 생성물의 양(mol)은 어떻게 변하는지 쓰시오. (단, 온도는 일정하다.)

(1) $PCl_5(g) \rightleftharpoons PCl_3(g) + Cl_2(g)$

(2) $CaO(s) + CO_2(g) \rightleftharpoons CaCO_3(s)$

(3) $3Fe(s) + 4H_2O(g) \rightleftharpoons Fe_3O_4(s) + 4H_2(g)$

06 다음은 일산화 탄소(CO)와 수증기(H_2O) 반응의 열화학 반응식이다.

$$CO(g) + H_2O(g) \rightleftharpoons CO_2(g) + H_2(g),\ \Delta H = -41.2\ kJ$$

이 반응이 평형을 이루고 있는 상태에서 온도를 높여 새로운 평형 상태에 도달하였다. 다음 물음에 답하시오.

(1) 새로운 평형 상태에 도달하였을 때 수소의 양(mol)을 초기 평형 상태와 비교하시오.

(2) 처음 평형 상태에서의 평형 상수를 K라 하고, 나중 평형 상태에서의 평형 상수를 K'이라고 할 때, K와 K'의 크기를 등호 또는 부등호로 비교하시오.

07 다음은 삼산화 황(SO_3)이 분해되는 반응의 열화학 반응식이다.

$$2SO_3(g) \rightleftharpoons 2SO_2(g) + O_2(g),\ \Delta H = 189\ \text{kJ}$$

이 반응이 화학 평형을 이루고 있을 때 다음과 같은 변화에 의해 평형이 역반응 쪽으로 이동하는 경우를 보기에서 있는 대로 고르시오.

보기
ㄱ. 온도를 높인다.
ㄴ. 산소(O_2) 기체를 첨가한다.
ㄷ. 반응 용기의 부피를 줄인다.
ㄹ. 삼산화 황(SO_3) 기체를 제거한다.

08 다음은 A(g)와 B(g)가 반응하여 C(g)가 생성되는 반응의 화학 반응식이고, 표는 이 반응에서 온도 변화와 반응 용기의 부피 변화에 따른 평형 상수 값의 변화를 나타낸 것이다.

$$A(g) + B(g) \rightleftharpoons C(g)$$

실험	1	2	3	4
절대 온도(K)	400	500	600	600
용기 부피(L)	1	1	1	0.5
평형 상수	–	3	2	–

이 반응에 대한 설명으로 옳은 것은 ○, 옳지 않은 것은 ×를 표시하시오.

(1) 정반응은 발열 반응이다. (　　)
(2) 500 K에서 2 L 용기 속에 A, B, C를 각각 1몰씩 넣었을 때 정반응 쪽으로 반응이 진행된다. (　　)
(3) 600 K에서 2 L 용기 속에 A, B, C를 각각 1몰씩 넣었을 때 정반응 쪽으로 반응이 진행된다. (　　)
(4) 실험 1에서의 평형 상수는 실험 2에서의 평형 상수보다 크다. (　　)
(5) 실험 4에서의 평형 상수는 실험 3에서의 평형 상수보다 작다. (　　)

09 다음과 같은 반응이 평형 상태에 있다.

$$Ag^+(aq) + Ce^{3+}(aq) \rightleftharpoons Ag(s) + Ce^{4+}(aq),\quad \Delta H < 0$$

Ag(s)의 양을 증가시킬 수 있는 방법으로 옳은 것만을 보기에서 있는 대로 고르시오.

보기
ㄱ. 온도를 낮춘다.
ㄴ. $Ce^{3+}(aq)$의 농도를 증가시킨다.
ㄷ. $Ce^{4+}(aq)$의 농도를 증가시킨다.
ㄹ. 가라앉은 Ag(s)을 일부 제거한다.

10 그림은 질소 기체와 수소 기체를 반응시켜 암모니아 기체를 합성할 때, 온도와 압력에 따른 암모니아 기체의 수득률 변화를 나타낸 것이다.

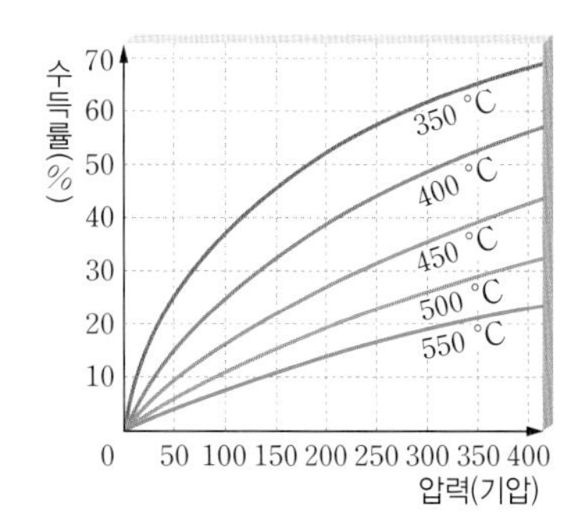

이에 대한 설명으로 옳은 것만을 보기에서 있는 대로 고르시오.

보기
ㄱ. 생성물이 반응물보다 안정하다.
ㄴ. 암모니아가 생성되면서 분자 수가 감소한다.
ㄷ. 정촉매를 사용할 경우에는 수득률이 증가한다.
ㄹ. 온도는 낮을수록, 압력은 높을수록 수득률이 증가한다.

> 정답과 해설 160쪽

01

> 평형 상수와 평형 이동

다음은 기체 A가 기체 B를 생성하는 반응의 화학 반응식이다.

$$A(g) \rightleftharpoons 2B(g)$$

그림 (가)는 온도 T, 압력 P, 부피 V에서 기체 A와 B가 평형을 이루고 있는 상태를, (나)와 (다)는 (가)에서 순차적으로 조건을 달리하여 새롭게 도달한 평형 상태를 나타낸 것이다.

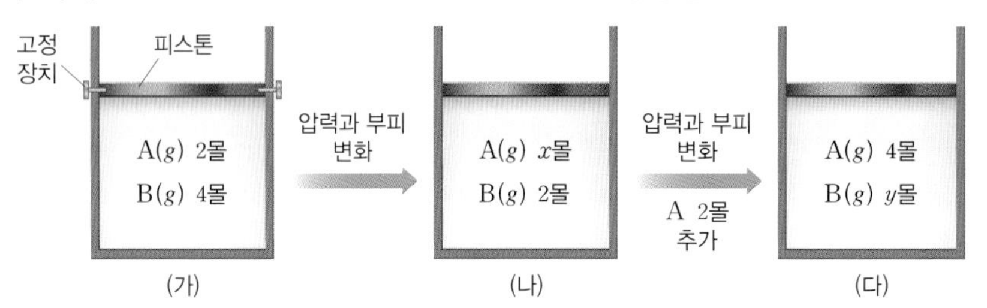

(가), (나), (다)의 부피를 옳게 비교한 것은? (단, 온도는 일정하다.)

① (가)<(나)<(다) ② (가)<(다)<(나) ③ (나)<(가)<(다)
④ (나)<(다)<(가) ⑤ (다)<(나)<(가)

• (가)~(다)의 온도가 일정하므로 평형 상수는 변하지 않는다.

02

> 온도에 따른 평형 상수와 평형 이동

다음은 A가 B를 생성하는 반응의 열화학 반응식이다.

$$2A(g) \rightleftharpoons B(g),\ \Delta H>0$$

그림은 400 K에서 강철 용기에 A(g)만 넣고 반응시켰을 때 시간에 따른 A의 농도를 나타낸 것이다. 충분한 시간이 흐른 후, 이 강철 용기의 온도를 300 K으로 낮추어 평형 상태에 도달했을 때 A의 평형 농도는 C_2 M이었다. 이에 대한 설명으로 옳은 것만을 보기에서 있는 대로 고른 것은? (단, 400 K에서 반응의 평형 상수는 K_1, 300 K에서 반응의 평형 상수는 K_2이다.)

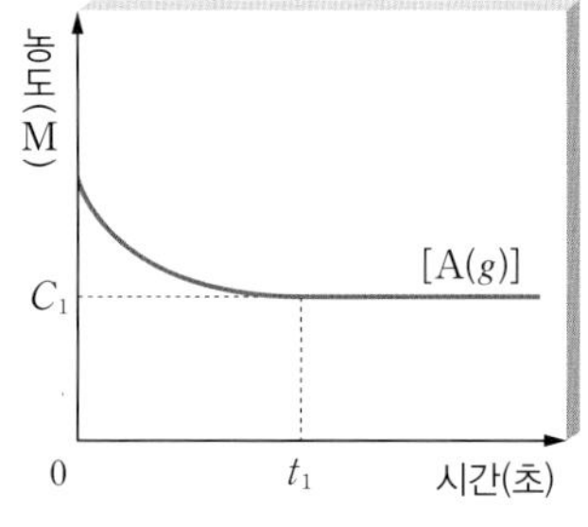

보기

ㄱ. t_1에서 B의 농도는 $\frac{C_1}{2}$ M이다.

ㄴ. $C_1>C_2$이다.

ㄷ. $K_1>K_2$이다.

① ㄱ ② ㄴ ③ ㄷ ④ ㄱ, ㄴ ⑤ ㄴ, ㄷ

• 평형 상태의 반응이 있을 때 이 반응이 발열 반응이라면 온도가 높아질 때 역반응 쪽으로 반응이 진행되어 평형이 이동하고, 흡열 반응이라면 온도가 높아질 때 정반응 쪽으로 반응이 진행되어 평형이 이동한다.

03

> 평형 이동 법칙

다음은 사산화 이질소(N_2O_4)가 분해되어 이산화 질소(NO_2)가 생성되는 반응의 열화학 반응식이다.

$$N_2O_4(g) \rightleftharpoons 2NO_2(g),\ \Delta H > 0$$

그림 (가)와 (나)는 T ℃, P기압에서 두 기체가 실린더 속에서 평형을 이루고 있는 상태를 각각 나타낸 것이다. (가)의 피스톤은 고정되어 있지 않고, (나)의 피스톤은 고정되어 있다. (가)와 (나)에 대한 설명으로 옳은 것만을 보기에서 있는 대로 고른 것은? (단, 피스톤의 질량과 마찰은 무시한다.)

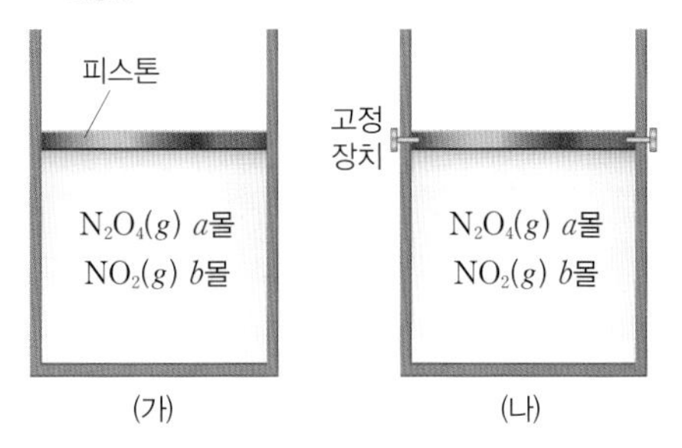

보기

ㄱ. (가)에서 헬륨을 넣으면 역반응 쪽으로 평형이 이동한다.

ㄴ. (나)에서 온도를 낮추면 N_2O_4의 몰 분율이 증가한다.

ㄷ. (가)와 (나)에 같은 양(mol)의 $NO_2(g)$를 첨가했을 때 반응 지수(Q)는 $Q_{(가)} > Q_{(나)}$이다.

① ㄱ ② ㄴ ③ ㄷ ④ ㄱ, ㄴ ⑤ ㄴ, ㄷ

- 평형 상태에 있는 반응계에 어떤 변화가 생기면 그 변화를 완화시키려는 방향으로 평형이 이동한다. 압력을 높이면 압력이 낮아지는 방향으로 반응이 진행되고, 온도를 낮추면 온도를 높이는 방향으로 반응이 진행된다. 또, 반응물의 농도를 증가시키거나 생성물의 농도를 감소시키면 생성물이 증가하는 쪽으로 반응이 진행된다.

04

> 온도와 농도에 따른 평형 이동

다음은 화학 평형 이동을 알아보는 실험이다.

[열화학 반응식] $A(g) \rightleftharpoons 2B(g),\ \Delta H$

[실험 과정]

(가) 2 L 강철 용기에 8몰의 기체 A를 넣어 평형 Ⅰ이 되었을 때 기체의 양(mol)을 구한다.

(나) 평형 Ⅰ에 A x몰을 첨가하여 평형 Ⅱ가 되었을 때 기체의 양(mol)을 구한다.

(다) 평형 Ⅱ에 온도를 낮추어 평형 Ⅲ이 되었을 때 기체의 양(mol)을 구한다.

[실험 결과] 평형 상태에서 기체의 양(mol)

평형	Ⅰ	Ⅱ	Ⅲ
A의 양(mol)	a	9	−
B의 양(mol)	8	b	10

이에 대한 설명으로 옳은 것만을 보기에서 있는 대로 고른 것은? (단, (가)와 (나)의 온도는 같다.)

보기

ㄱ. 평형 Ⅰ에서 평형 상수는 4이다.

ㄴ. $a+b+x=12$이다.

ㄷ. 이 반응은 흡열 반응이다.

① ㄱ ② ㄴ ③ ㄷ ④ ㄱ, ㄴ ⑤ ㄱ, ㄷ

- $A(g) \rightleftharpoons 2B(g)$ 반응의 평형 상수는 다음과 같이 구할 수 있다.
$K = \frac{[B]^2}{[A]}$

고난도

05

> 온도와 농도에 따른 평형 이동

다음은 기체 X가 기체 Y를 생성하는 반응의 열화학 반응식이다.

$$aX(g) \rightleftharpoons bY(g),\ \Delta H<0\ (a,\ b\text{는 반응 계수})$$

그림은 강철 용기에서 X와 Y 혼합 기체의 전체 압력과 어느 한 기체의 부분 압력을 시간에 따라 나타낸 것이다.

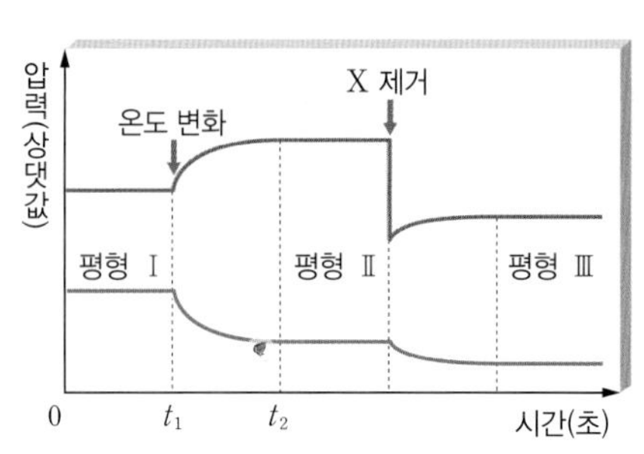

평형 Ⅰ, 평형 Ⅱ, 평형 Ⅲ에서의 평형 상수를 옳게 비교한 것은? (단, t_2초 이후 온도는 일정하다.)

① 평형 Ⅰ = 평형 Ⅱ < 평형 Ⅲ
② 평형 Ⅰ = 평형 Ⅱ > 평형 Ⅲ
③ 평형 Ⅰ < 평형 Ⅱ < 평형 Ⅲ
④ 평형 Ⅰ < 평형 Ⅱ = 평형 Ⅲ
⑤ 평형 Ⅰ > 평형 Ⅱ = 평형 Ⅲ

- 반응계의 온도가 낮아지면 발열 반응 쪽으로 평형이 이동하고, 온도를 높이면 흡열 반응 쪽으로 평형이 이동한다.

06

> 평형 이동 법칙

다음은 A가 B를 생성하는 반응의 열화학 반응식과 평형 상수(K)이다.

$$2A(g) \rightleftharpoons bB(g),\ \Delta H,\ K(b\text{는 반응 계수})$$

그림 (가)는 실린더에서 A(g)와 B(g)가 평형에 도달한 것을, (나)와 (다)는 부피와 온도(T)를 단계적으로 변화시켜 각각 평형에 도달한 것을 나타낸 것이다. P_B는 B(g)의 부분 압력이다.

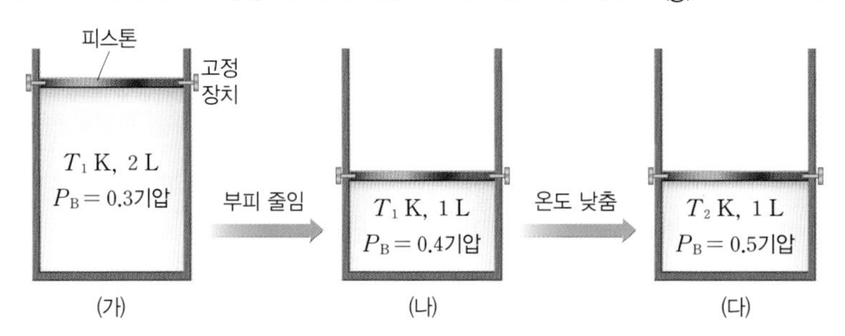

이에 대한 설명으로 옳은 것만을 보기에서 있는 대로 고른 것은? (단, (나)에서의 평형 상수는 $K_{(나)}$이고, (다)에서의 평형 상수는 $K_{(다)}$이다.)

보기

ㄱ. $b>2$이다.

ㄴ. 발열 반응이다.

ㄷ. $\dfrac{K_{(나)}}{K_{(다)}}>1$이다.

① ㄱ ② ㄷ ③ ㄱ, ㄴ ④ ㄴ, ㄷ ⑤ ㄱ, ㄴ, ㄷ

- 부피가 줄어들면 압력은 증가한다. 압력이 증가하면 기체 분자 수가 감소하는 방향으로 평형이 이동한다.

07
> 온도와 압력에 따른 평형 이동

다음은 t ℃에서 2가지 열화학 반응식과 농도로 정의되는 평형 상수(K)이다.

- $2A(g) \rightleftharpoons B(g) + C(g)$, $\Delta H < 0$　　• $2X(g) \rightleftharpoons Y(g)$, $\Delta H > 0$, $K = 0.05$

그림은 피스톤으로 분리된 밀폐 용기에 각각 A(g)와 X(g)를 넣어 반응시켰을 때, t ℃에서 각각 평형에 도달한 상태를 나타낸 것이다.
이에 대한 설명으로 옳은 것만을 보기에서 있는 대로 고른 것은? (단, 피스톤의 마찰은 무시한다.)

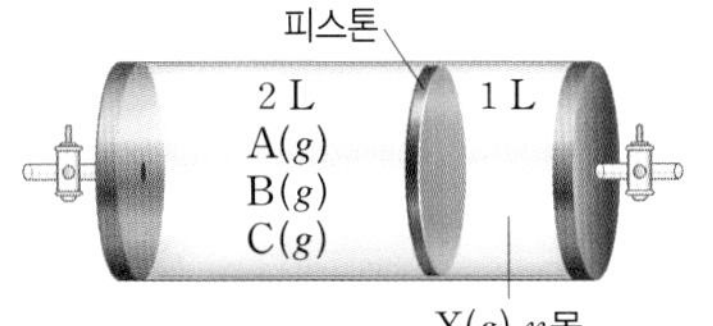

보기
ㄱ. $n=1$이다.
ㄴ. 처음 넣어 준 A(g)는 4.4몰이다.
ㄷ. 온도를 높여 주면 $2X(g) \rightleftharpoons Y(g)$ 반응이 일어나는 오른쪽으로 피스톤이 이동한다.

① ㄱ　② ㄴ　③ ㄷ　④ ㄱ, ㄴ　⑤ ㄴ, ㄷ

- 정반응이 발열 반응인 경우 온도가 높아지면 역반응 쪽으로 반응이 진행되어 평형이 이동하고, 정반응이 흡열 반응인 경우 온도가 높아지면 정반응 쪽으로 반응이 진행되어 평형이 이동한다.

08
> 평형 상수와 평형 이동

다음은 어떤 화학 반응의 자료와 실험이다.

[자료] 화학 반응식과 T K에서 농도로 정의된 평형 상수(K)

$$A(g) + B(g) \rightleftharpoons cC(g)\ K\ (c\text{는 반응 계수})$$

[실험 과정]
(가) 그림과 같이 꼭지로 분리된 강철 용기에 C(g)를 넣는다.
(나) 평형에 도달한 후, 용기 Ⅰ에서 기체의 몰 농도를 구한다.
(다) 꼭지를 열어 충분한 시간이 지난 후, 기체의 몰 농도를 구한다.
(라) (다)의 평형 상태에 A(g)와 C(g)를 각각 0.2몰씩 첨가한다.

C(g) 1.4몰 1 L　꼭지　진공 2 L
Ⅰ　Ⅱ

[실험 결과]

실험 과정	(나)	(다)
A(g)의 몰 농도(M)	0.6	0.2

이에 대한 설명으로 옳은 것만을 보기에서 있는 대로 고른 것은? (단, (가)~(라)에서 온도는 T K으로 일정하고, 연결관의 부피는 무시한다.)

보기
ㄱ. $c=3$이다.
ㄴ. (나)에서 C(g)의 몰 분율은 0.3이다.
ㄷ. (라)에서 역반응이 우세하게 일어난다.

① ㄱ　② ㄴ　③ ㄷ　④ ㄱ, ㄷ　⑤ ㄴ, ㄷ

- $aA(g) + bB(g) \rightleftharpoons cC(g) + dD(g)$ 반응에서 압력이 변하면 얻어지는 생성물의 양이 달라진다.
  - $a+b>c+d$ ➡ 압력이 감소하면 역반응 쪽으로 평형이 이동한다.
  - $a+b=c+d$ ➡ 압력이 감소해도 평형이 이동하지 않는다. 평형 상태이다.
  - $a+b<c+d$ ➡ 압력이 감소하면 정반응 쪽으로 평형이 이동한다.

3
상평형과 산 염기 평형

01 상평형

02 산 염기 평형

03 완충 용액

단원
Preview

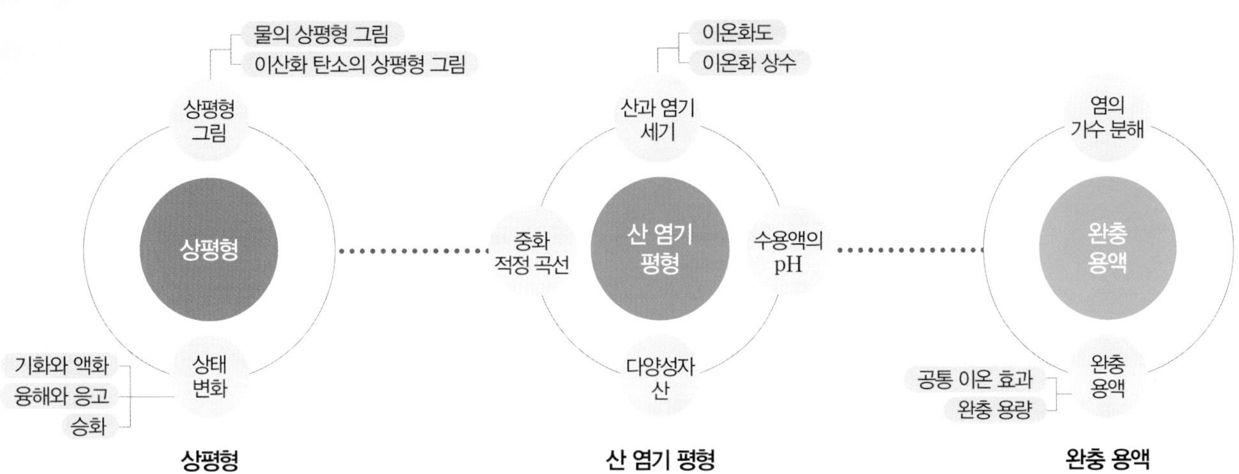
물의 상평형 그림
이산화 탄소의 상평형 그림
상평형
그림
상평형
기화와 액화
융해와 응고
승화
상태
변화
상평형
이온화도
이온화 상수
산과 염기
세기
중화
적정 곡선
산 염기
평형
수용액의
pH
다양성자
산
산 염기 평형
염의
가수 분해
완충
용액
공통 이온 효과
완충 용량
완충
용액
완충 용액

01 상평형

학습 Point 상태 변화와 에너지 > 상평형의 정의 > 상평형 그림

1 상태 변화와 에너지

우리 주위의 물질은 고체, 액체, 기체 중 한 가지 상태로 존재하며, 물질의 상태는 한 가지 상태로만 존재하는 것이 아니라 조건에 따라 다른 상태로 바뀔 수 있다.

1. 상태 변화

물이 얼어 얼음이 되고, 끓어서 수증기가 되는 것과 같이 조건에 따라 물질의 상태가 변하는 현상을 상태 변화라고 한다.

(1) **기화와 액화:** 물질의 상태가 액체에서 기체로 변하는 현상을 기화라 하고, 기체에서 액체로 변하는 현상을 액화라고 한다.

(2) **융해와 응고:** 물질의 상태가 고체에서 액체로 변하는 현상을 융해라 하고, 액체에서 고체로 변하는 현상을 응고라고 한다.

(3) **승화:** 물질의 상태가 고체에서 기체로 변하거나, 기체에서 고체로 변하는 현상을 승화라고 한다.

우리 주위의 상태 변화
- 기화: 물이 끓는다.
  손등에 바른 에탄올이 사라진다.
- 액화: 풀잎에 이슬이 맺힌다.
  호수 주변에 안개가 생긴다.
- 융해: 얼음이 녹는다.
  초콜릿이 녹는다.
- 응고: 물이 언다.
  흘러내리던 촛농이 굳는다.
- 승화: 나프탈렌의 크기가 작아진다.
  추운 겨울 서리가 생긴다.

2. 상태 변화의 원인

물질의 상태는 온도나 압력에 따라 변하며, 우리 주위에서 일어나는 상태 변화는 보통 온도에 의해서 일어난다.

(1) **온도에 의한 상태 변화:** 물질을 가열하면 고체 → 액체 → 기체로 상태가 변하고, 냉각하면 기체 → 액체 → 고체로 상태가 변한다.

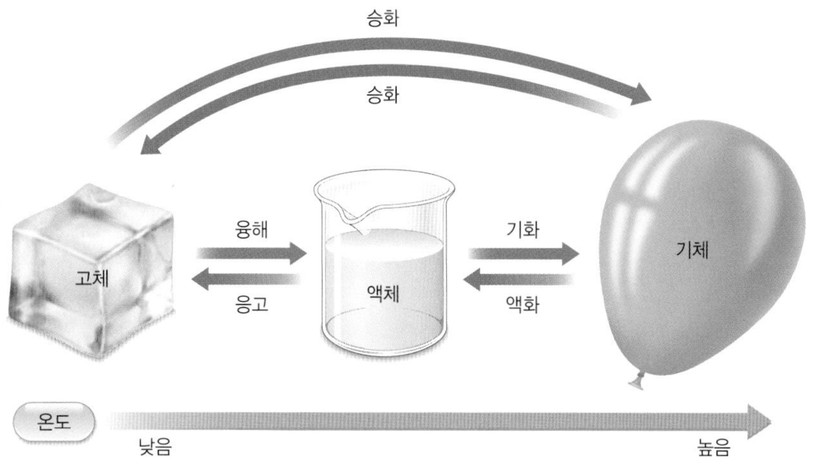

▲ 온도에 의한 상태 변화

(2) **압력에 의한 상태 변화:** 대부분의 물질은 압력을 가하면 기체에서 액체로, 액체에서 고체로 상태가 변한다.

① 일회용 라이터나 휴대용 가스레인지의 연료로 사용하는 뷰테인은 높은 압력에 의해 액화되어 액체 상태로 용기에 들어 있다. 액화된 연료는 용기 밖으로 나오면 압력이 낮아져 기체 상태가 된다.

② 액화 천연가스(LNG)는 메테인(CH_4) 기체를 압축한 것으로, 용기 밖으로 나오면 압력이 낮아져 기체 상태가 된다.

시선 집중 ★ 압력에 따른 물의 상태 변화

얼음 위에 추를 매단 철사줄을 올려놓으면 철사줄이 얼음을 통과한다. 이는 압력이 높아지면 물의 어는점이 낮아지기 때문에 나타나는 현상이다. 철사줄이 닿는 부분의 얼음이 높은 압력에 의해 녹아 물이 되고, 녹은 물은 철사줄이 지나면 다시 얼게 되므로 얼음이 갈라지지 않고도 철사줄이 얼음을 통과할 수 있다.

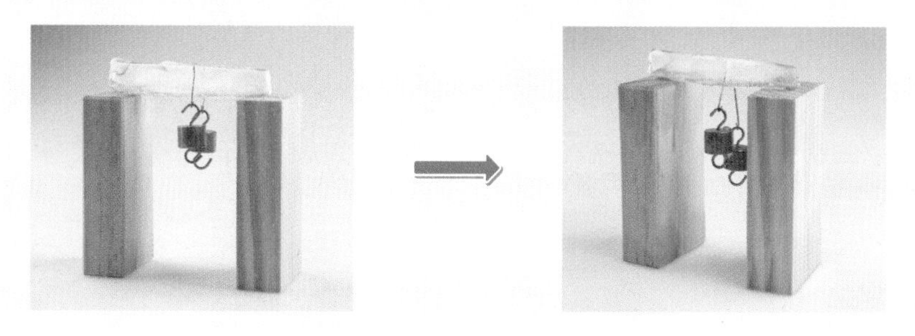

3. 상태 변화와 에너지

기화, 액화, 융해, 응고, 승화와 같은 상태 변화가 일어날 때에는 물질의 물리적인 모양이 변하지만, 화학적인 성질은 변하지 않는다.

융해, 기화, 고체에서 기체로의 승화가 일어날 때에는 분자 사이의 인력을 극복하기 위해 에너지를 흡수하고, 반대로 응고, 액화, 기체에서 고체로의 승화가 일어날 때에는 에너지를 방출한다. 즉, 상태 변화가 일어날 때에는 항상 에너지가 출입한다.

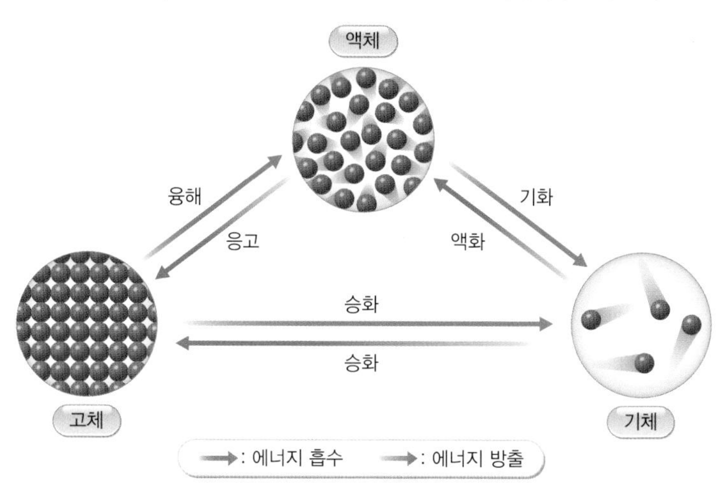

▲ 상태 변화와 에너지 출입 관계

상태 변화에 따른 에너지 출입의 이용 (냉장고의 원리)

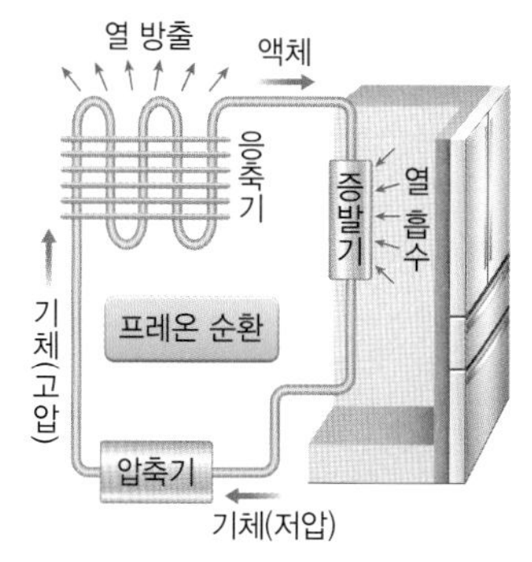

응축기에서 액화된 냉매는 증발기에서 기체 상태로 된다. 그런데 액체에서 기체로 상태가 변할 때는 열에너지가 필요하므로, 액화된 냉매는 열에너지를 흡수하여 냉장고 내부의 온도를 낮춘다. 증발기를 지난 냉매는 압축기에서 압축되고, 응축기에서 액화되면서 다시 열에너지를 방출한다.

상평형 그림

물질의 세 가지 상태는 온도와 압력에 따라 결정되는데, 온도와 압력에 따른 물질의 상태를 그림으로 나타내기도 한다.

1. 상평형

일정한 온도에서 밀폐된 용기에 액체를 넣어 두면 처음에는 액체 표면에서 증발이 일어나 기체 분자 수가 점점 많아진다. 기체 분자 수가 많아짐에 따라 기체 분자들이 액체 표면과 충돌하여 액체 상태로 응축되고, 결국 증발하는 분자 수와 응축하는 분자 수가 같아져 동적 평형 상태에 도달하는데, 이와 같이 물질이 두 가지 이상의 상태를 이루어 동적 평형 상태를 유지하는 것을 상평형이라고 한다.

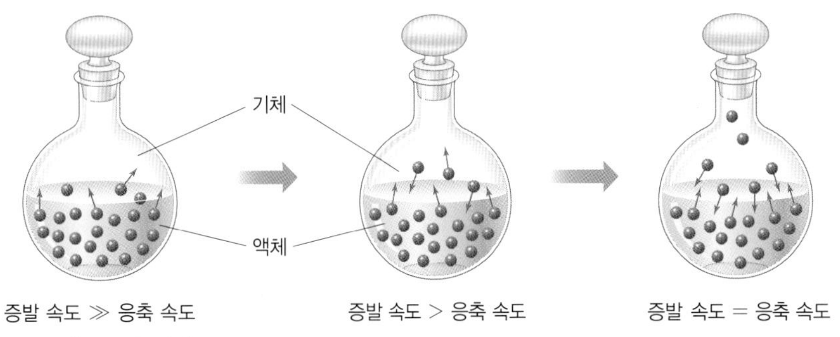

▲ 상평형(동적 평형 상태)

2. 상평형 그림

심화 084쪽

온도와 압력에 따른 물질의 상태를 그림으로 나타낸 것을 상평형 그림이라고 한다.
물과 이산화 탄소의 상평형 그림은 다음과 같다.

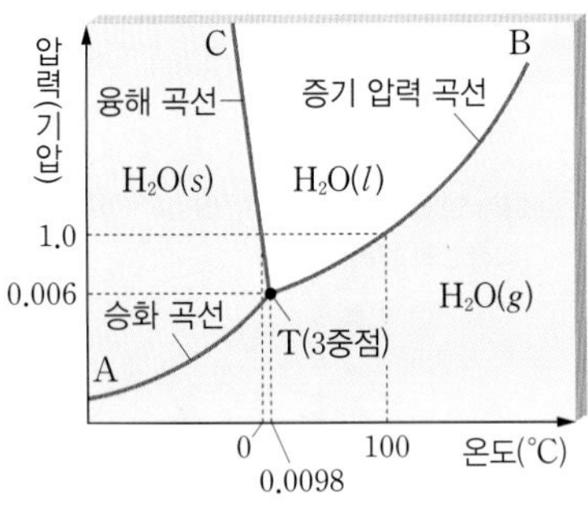

▲ 물의 상평형 그림

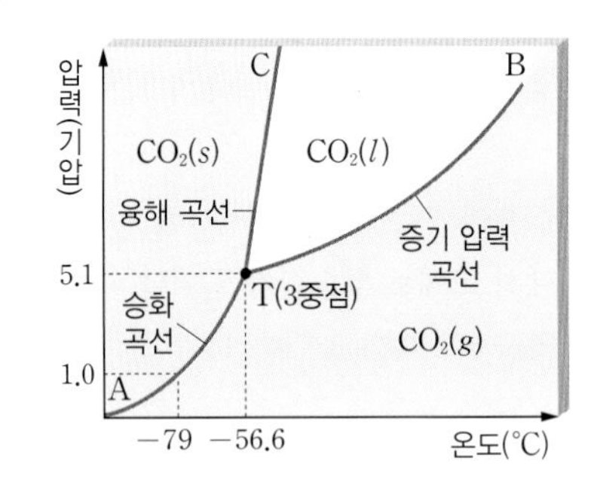

▲ 이산화 탄소의 상평형 그림

(1) **증기 압력 곡선:** 기체와 액체가 평형을 이루는 온도와 압력을 나타내는 곡선을 증기 압력 곡선이라고 한다.

물의 상평형 그림에서는 수증기와 물이 공존하여 평형을 이루는 BT 곡선이 증기 압력 곡선이다. 높은 산에서 밥을 하면 쌀이 설익는 이유를 BT 곡선으로 설명할 수 있다. 높은 산에서는 대기압이 1기압보다 낮아서 100 ℃보다 낮은 온도에서 물의 증기 압력이 외부 압력과 같아진다. 이로 인해 온도가 충분히 높아지기 전 물이 끓게 되어 쌀이 설익는다. 또, 압력솥에 밥을 하면 밥이 빨리 되는 이유도 물의 증기 압력 곡선으로 설명할 수 있다. 압력솥에 밥을 하면 압력솥 안의 압력이 높아져 물이 100 ℃보다 높은 온도에서 끓게 되므로 밥이 빨리 된다.

임계 온도와 임계 압력

임계 온도는 기체의 액화가 가능한 가장 높은 온도로, 임계 온도 이상에서는 분자 운동이 매우 활발하므로 분자들이 액체 상태로 존재하지 않는다. 임계 온도에서 기체를 액화시키는 데 필요한 가장 낮은 압력을 임계 압력이라고 한다. 따라서 기체와 액체가 공존하는 현상은 임계 온도까지만 가능하며, 증기 압력 곡선도 임계 온도까지만 그릴 수 있다.

참고 1권 057쪽
증기 압력의 개념

끓는점과 녹는점(어는점)

끓는점은 증기 압력 곡선 상의 온도이고, 녹는점(어는점)은 융해(용융) 곡선 상의 온도이다. 즉, 끓는점은 액체와 기체가 평형을 이루는 온도, 녹는점(어는점)은 고체와 액체가 평형을 이루는 온도이다.

(2) **융해(용융) 곡선:** 액체와 고체가 평형을 이루는 온도와 압력을 나타낸 곡선을 융해(용융) 곡선이라고 한다.

물의 상평형 그림에서는 물과 얼음이 공존하여 평형을 이루는 CT 곡선이 융해 곡선이다. 물의 융해 곡선은 음(−)의 기울기 값을 나타내기 때문에 외부 압력이 높아지면 어는점이 낮아진다. 얼음판에서 스케이트를 탈 수 있는 이유를 CT 곡선으로 설명할 수 있다. 얼음판에서 스케이트를 타면 스케이트 날에 체중이 실려서 스케이트 날이 얼음을 누르는 압력으로 인해 물의 어는점은 낮아진다. 어는점이 낮아지면 얼음이 녹아 물이 되고, 이 물은 스케이트가 잘 미끄러지게 한다. 물과 달리 이산화 탄소의 융해 곡선은 양(+)의 기울기 값을 나타내기 때문에 외부 압력이 높아지면 어는점도 높아진다.

얼음의 융해로 잘 미끄러지는 스케이트

스케이트 날이 닿은 부분의 얼음이 녹아 쉽게 미끄러진다.

(3) **승화 곡선:** 고체와 기체가 평형을 이루는 온도와 압력을 나타낸 곡선을 승화 곡선이라고 한다.

물의 상평형 그림에서는 얼음과 수증기가 공존하여 평형을 이루는 AT 곡선이 승화 곡선이다. 라면의 건더기 수프, 인스턴트 커피 등의 동결 건조 식품을 만드는 방법도 AT 곡선으로 설명할 수 있다. 동결 건조 방법은 식품을 급속 냉동한 뒤 압력을 매우 낮게 낮춰 얼어 있는 식품 속 물을 승화시켜 건조하는 방법이다. 또, 아이스크림을 포장할 때 넣어 주는 드라이아이스가 실온에서 시간이 지날수록 작아지는 현상도 이산화 탄소의 상평형 그림에서 승화 곡선으로 설명할 수 있다.

(4) **3중점:** 상평형 그림에서 증기 압력 곡선, 융해(용융) 곡선, 승화 곡선이 모두 만나는 지점 T가 존재한다. T점은 고체, 액체, 기체가 모두 함께 존재하는 온도와 압력을 나타낸 것으로, 3중점이라고 한다. 물은 0.006기압, 0.0098 ℃에서 물질의 세 가지 상태가 모두 존재하고, 이산화 탄소는 5.1기압, −56.6 ℃에서 물질의 세 가지 상태가 모두 존재한다.

시선 집중 ★ 물의 상평형 그림 해석

일정한 압력에서 온도를 높일 때

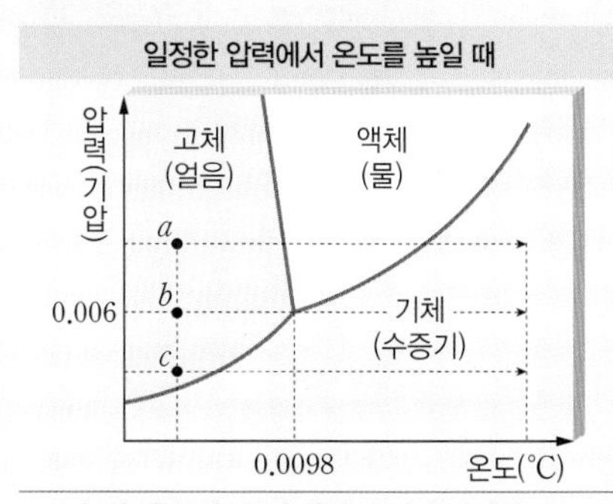

- a점: 융해 곡선, 증기 압력 곡선과 만난다.
  고체 → 고체+액체 → 액체 → 액체+기체 → 기체
- b점: 3중점과 만난다.
  고체 → 고체+액체+기체 → 기체
- c점: 승화 곡선과 만난다.
  고체 → 고체+기체 → 기체

일정한 온도에서 압력을 낮출 때

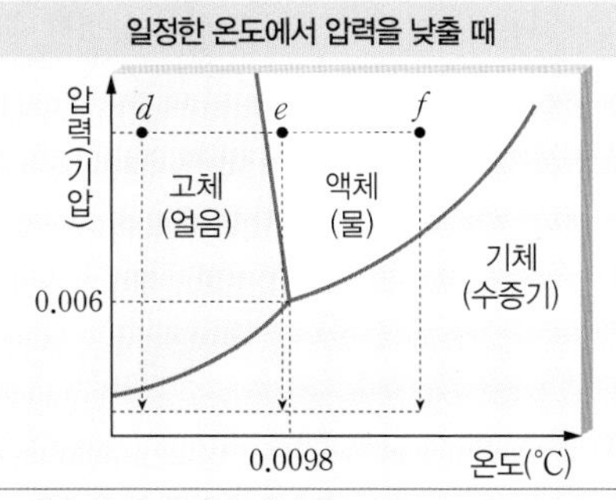

- d점: 승화 곡선과 만난다.
  고체 → 고체+기체 → 기체
- e점: 융해 곡선, 승화 곡선과 만난다.
  액체 → 액체+고체 → 고체 → 고체+기체 → 기체
- f점: 증기 압력 곡선과 만난다.
  액체 → 액체+기체 → 기체

승화가 일어나는 조건

모든 물질은 3중점 이하의 압력에서 승화가 일어날 수 있다. 이산화 탄소와 같이 3중점의 압력이 대기압보다 높은 경우에는 대기압 하에서 승화가 일어나는데, 이러한 물질을 승화성 물질이라고 한다.

차이를 만드는

압력 변화와 물의 어는점

일반적으로 물질은 압력이 증가하면 어는점이 높아지지만, 물의 경우는 예외적으로 어는점이 낮아진다. 물의 상태에 따른 부피와 밀도를 살펴보고, 압력에 따른 물의 어는점 변화를 정리해 보자.

❶ 상태 변화에 따른 물의 부피와 밀도 변화

일반적으로 물질의 부피는 고체<액체≪기체 순이지만, 물은 예외적으로 액체<고체≪기체 순이다. 이는 고체일 때 수소 결합에 의해 빈 공간이 많은 육각형 고리 구조를 가지기 때문이다. 물의 온도가 0 ℃에서 4 ℃까지 높아지면 부피는 감소하여 4 ℃에서 최소가 되고, 밀도는 4 ℃에서 최대가 된다. 또, 같은 온도에서 물과 얼음의 밀도를 비교하면 액체인 물의 밀도가 더 크다. 실제로 0 ℃에서 물의 밀도는 0.99987 g/cm^{3}이고, 얼음의 밀도는 0.9167 g/cm^{3}이다.

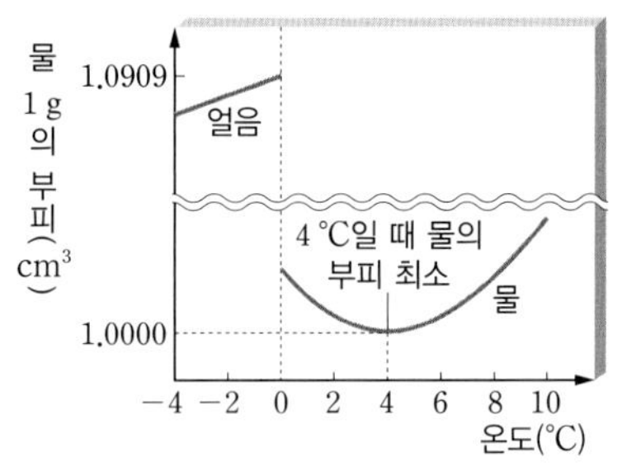

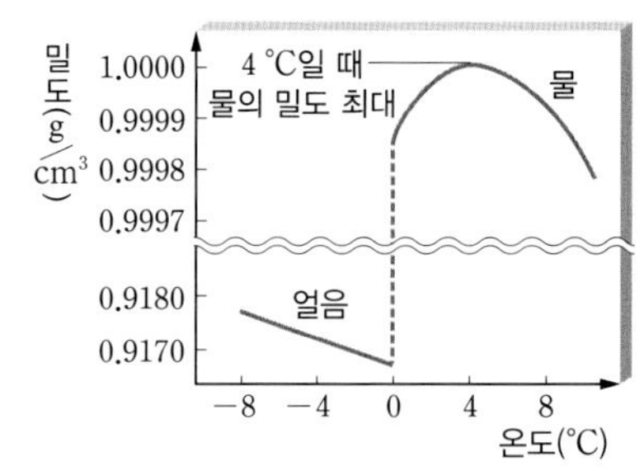

▲ 온도에 따른 물의 부피와 밀도 변화

물을 제외한 다른 물질의 부피와 밀도 변화
상태가 변할 때 질량은 변하지 않으므로 밀도는 부피의 영향을 받는다. 부피가 증가하면 밀도는 감소하고 부피가 감소하면 밀도는 증가한다. 일반적으로 물질은 액체에서 고체로 상태가 변할 때 분자 운동이 느려지고 분자 사이의 인력이 커진다. 따라서 고체 상태에서는 액체 상태에서보다 분자가 빽빽하게 밀집하므로 부피가 약간 감소하고 밀도가 약간 증가한다.

물이 얼 때의 부피 변화

❷ 압력에 따른 물의 상태 변화

물질에 압력을 가하면 입자 사이의 거리가 가까워져 부피가 줄어들므로 밀도가 커진다. 대부분의 물질은 고체가 액체보다 밀도가 크기 때문에 압력을 가하면 액체에서 고체로 상태가 변한다. 그런데 물의 경우는 압력을 가하면 오히려 얼음에서 물로 상태가 변하는데, 이는 물의 밀도가 얼음보다 더 크기 때문에 나타나는 현상이다. 따라서 상평형 그림에서 융해 곡선의 기울기가 그림 (가)와 같이 음(−)의 값을 나타낸다. 반면 대부분의 다른 물질은 그림 (나)와 같이 융해 곡선의 기울기가 양(+)의 값을 나타낸다. 따라서 물은 압력이 높아지면 어는점이 낮아지고, 물을 제외한 대부분의 물질은 압력이 높아지면 어는점이 높아진다.

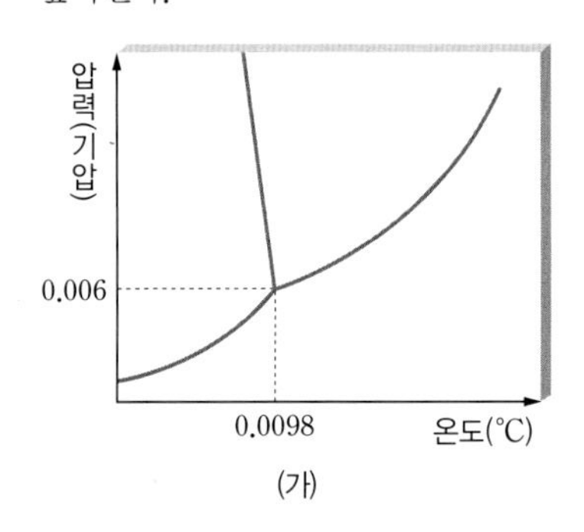

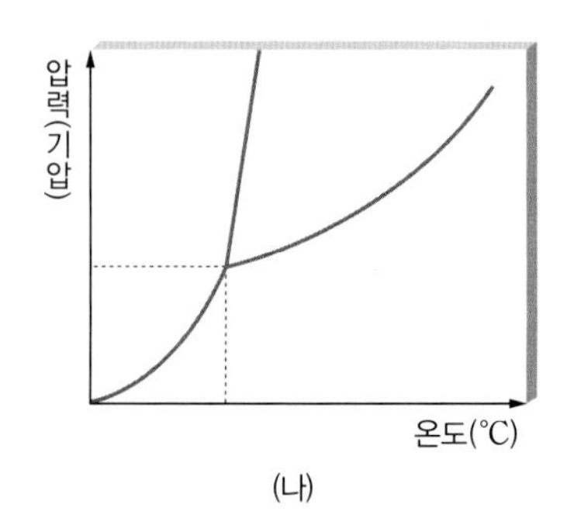

온도에 따른 물의 부피와 밀도 변화
물이 얼음으로 될 때는 수소 결합에 의해 빈 공간이 많은 육각형 고리 구조를 가지므로 부피가 커진다. 따라서 물은 예외적으로 액체일 때의 밀도가 고체일 때보다 크다. 또한 온도가 4 ℃보다 더 높아지면 분자 운동이 활발해져서 열팽창에 의해 부피가 증가하므로 밀도가 작아진다. 따라서 물은 4 ℃에서 부피가 가장 작고, 밀도가 가장 크다.

정답과 해설 163쪽

01 상평형

1 상태 변화와 에너지

1. 상태 변화

- 물질의 상태가 액체에서 기체로 변하는 현상을 (❶), 기체에서 액체로 변하는 현상을 (❷)라고 한다.
- 물질의 상태가 고체에서 액체로 변하는 현상을 (❸), 액체에서 고체로 변하는 현상을 (❹)라고 한다.
- 물질의 상태가 고체에서 기체로 변하거나, 기체에서 고체로 변하는 현상을 (❺)라고 한다.

2. 상태 변화와 에너지

- 에너지를 흡수하는 상태 변화: 융해, 기화, 고체에서 기체로의 승화
- 에너지를 방출하는 상태 변화: 응고, 액화, 기체에서 고체로의 승화

3. 상태 변화의 원인 온도와 압력

2 상평형 그림

1. (❻) 물질이 두 가지 이상의 상태를 이루어 동적 평형 상태를 유지하는 것

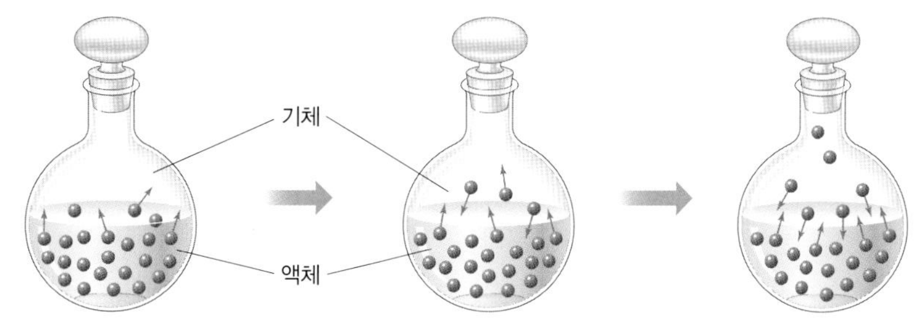

▲ 상평형(동적 평형 상태)

2. 상평형 그림 온도와 압력에 따른 물질의 상태를 그림으로 나타낸 것

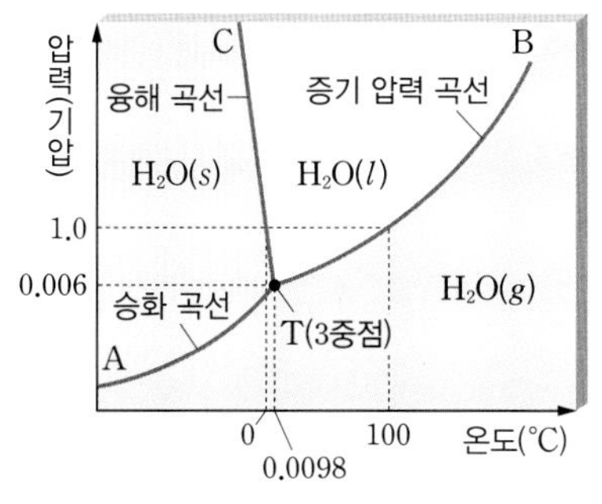

▲ 물의 상평형 그림

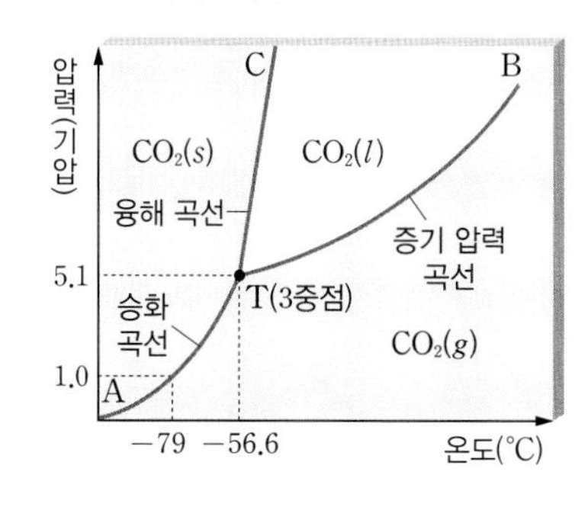

▲ 이산화 탄소의 상평형 그림

- (❼): 액체와 기체가 상평형을 이루는 온도와 압력을 나타낸 곡선
- 융해(용융) 곡선: 액체와 고체가 상평형을 이루는 온도와 압력을 나타낸 곡선
- (❽): 고체와 기체가 상평형을 이루는 온도와 압력을 나타낸 곡선
- (❾): 기체, 액체, 고체가 모두 함께 존재하는 온도와 압력을 나타낸 지점

[01~02] 그림은 이산화 탄소(CO_2)의 상평형 그림이다.

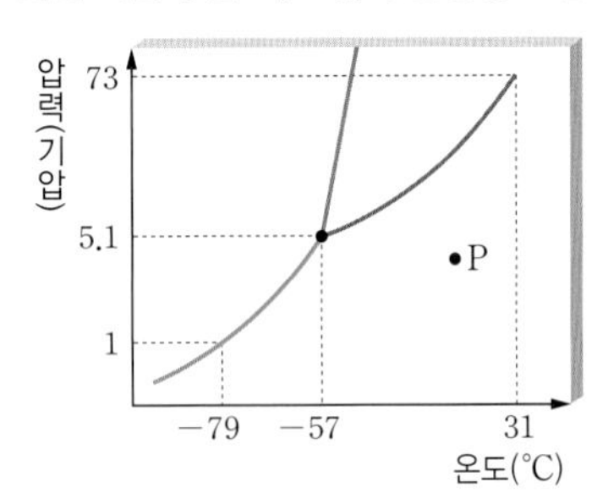

01 다음 조건에서 안정하게 존재하는 이산화 탄소의 상태를 쓰시오.

(1) −70 ℃, 6기압

(2) 0 ℃, 1기압

(3) 30 ℃, 73기압

02 점 P 상태에서 다음 조건을 변화시켰을 때 일어날 수 있는 상태 변화를 쓰시오.

온도를 유지한 채 압력을 높였다.

[03~04] 그림은 물의 상평형 그림을 나타낸 것이다.

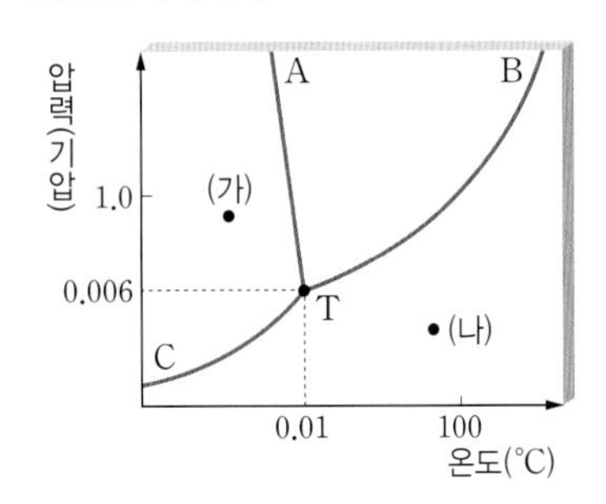

03 다음 현상과 관계 있는 곡선을 쓰시오.

(1) 추운 겨울철에 수도관이 얼어 터진다.

(2) 높은 산에서 밥을 지으면 쌀이 설익는다.

(3) 동결 건조 방법을 이용하여 건조 식품을 만든다.

04 물의 상평형 그림에 대한 설명으로 옳은 것만을 보기에서 있는 대로 고르시오.

보기

ㄱ. T점에서는 물, 수증기, 얼음이 함께 존재한다.

ㄴ. 압력이 높아지면 녹는점과 끓는점이 높아진다.

ㄷ. 분자 운동은 (나)에서가 (가)에서보다 더 활발하다.

05 그림은 분자로 이루어진 물질 A와 B의 상평형 그림이다.

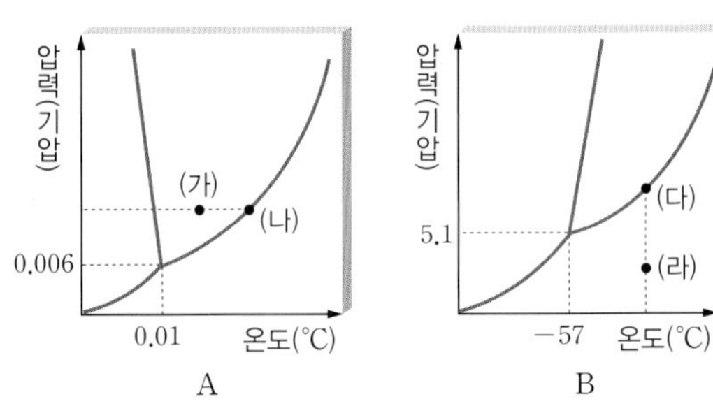

이에 대한 설명으로 옳은 것은 ○, 옳지 않은 것은 ×를 표시하시오.

(1) A는 B보다 분자 사이의 인력이 크다. ( )

(2) A는 고체가 액체보다 같은 부피 속에 들어 있는 분자 수가 많다. ( )

(3) A는 압력이 높아질 때 녹는점이 높아진다. ( )

(4) B는 압력이 높아질 때 끓는점이 낮아진다. ( )

(5) B는 1기압에서 어는점이 존재하지 않는다. ( )

(6) (나) 상태에서는 증발 속도와 응축 속도가 같다. ( )

(7) (가) → (나)에서 반응 엔탈피(ΔH)는 0보다 크다. ( )

(8) (다) → (라)에서 반응 엔탈피(ΔH)는 0보다 크다. ( )

> 정답과 해설 163쪽

01

> 가열 곡선과 상평형 그림

그림 (가)는 1기압에서 X(*s*) 1 kg의 가열 곡선이고, (나)는 X의 상평형 그림이다.

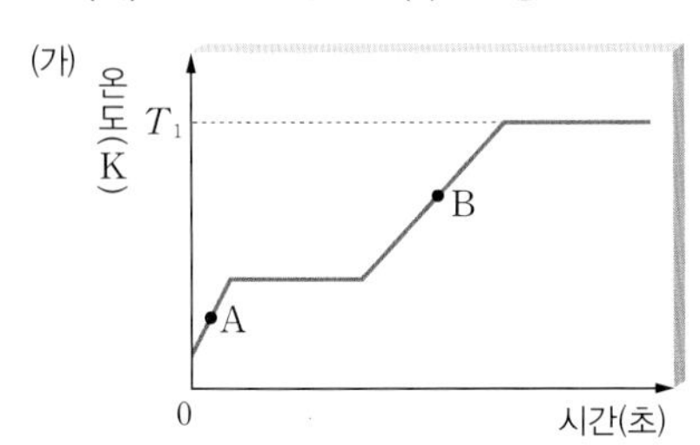

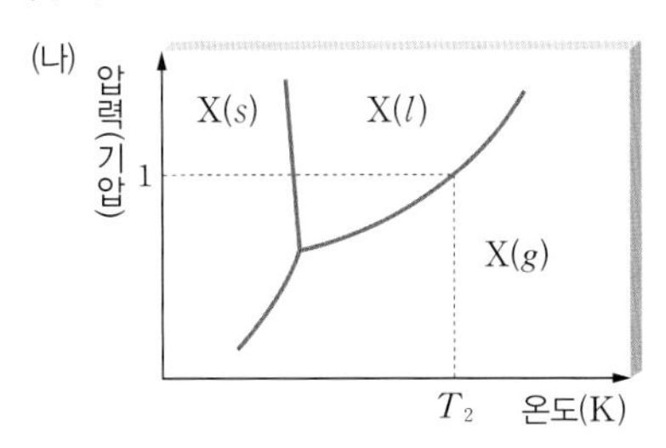

이에 대한 설명으로 옳은 것만을 보기에서 있는 대로 고른 것은?

보기

ㄱ. $T_1 = T_2$이다.
ㄴ. A는 B보다 밀도가 크다.
ㄷ. B에서 가장 안정한 상태는 기체이다.

① ㄱ　② ㄴ　③ ㄱ, ㄴ　④ ㄴ, ㄷ　⑤ ㄱ, ㄴ, ㄷ

• 녹는점과 어는점은 고체와 액체가 함께 존재하여 평형을 이루는 온도이고, 끓는점은 액체와 기체가 함께 존재하여 평형을 이루는 온도이다.

02

> 상평형 그림

다음은 물질 X에 대한 자료이다.

- 3중점에서의 압력은 0.06기압이다.
- *P* 기압에서 녹는점은 T_1 K, 끓는점은 T_2 K이다.
- 293 K에서 X(*l*)의 증기 압력은 8.5기압이다.
- 녹는점에서 압력을 낮추면 물질 X의 상태는 액체이다.

물질 X의 상평형 그림으로 가장 적절한 것은?

①
온도(K)　T_2　293　T_1　0.06　*P*　8.5　압력(기압)

②
온도(K)　293　T_2　T_1　0.06　*P*　8.5　압력(기압)

③
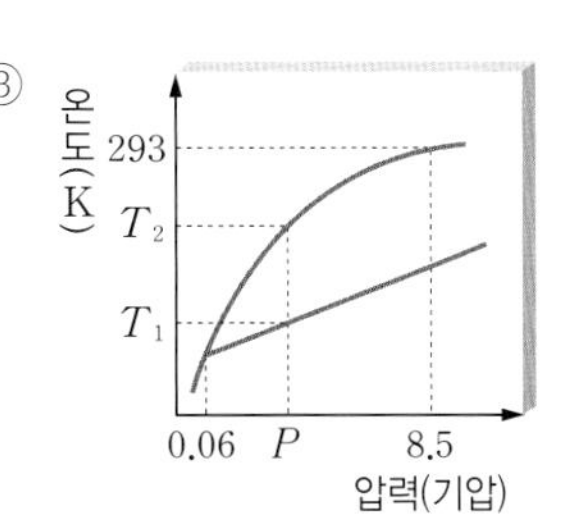

④
온도(K)　T_1　293　T_2　0.06　*P*　8.5　압력(기압)

⑤
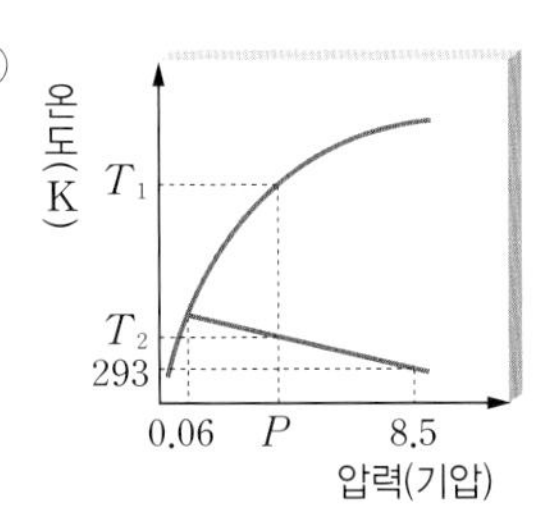

• 특정 압력에서의 끓는점은 특정 압력에서 증기 압력 곡선과 만나는 온도이고, 녹는점은 특정 압력에서 융해 곡선과 만나는 온도이다.

03

> 이산화 탄소의 상평형

그림은 서로 다른 온도의 강철 용기에서 CO_2가 상평형을 이루고 있는 상태를 나타낸 것이다.

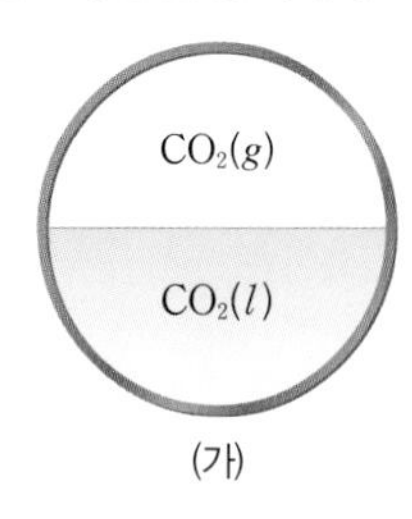

(가)

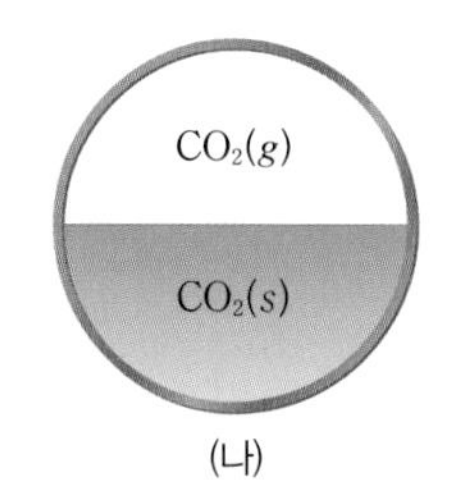

(나)

이에 대한 설명으로 옳은 것만을 보기에서 있는 대로 고른 것은?

보기
ㄱ. 온도는 (가)가 (나)보다 높다.
ㄴ. (가)에서 온도를 낮추면 $CO_2(g)$의 압력은 감소한다.
ㄷ. (나)에서 압력을 높이면 $CO_2(s)$의 양은 증가한다.

① ㄱ ② ㄷ ③ ㄱ, ㄴ ④ ㄴ, ㄷ ⑤ ㄱ, ㄴ, ㄷ

• (가)는 액체와 기체가 함께 존재하여 평형을 이루는 상태이고, (나)는 고체와 기체가 함께 존재하여 평형을 이루는 상태이다.

04

> 증기 압력 곡선과 상평형 그림

그림 (가)는 3가지 액체 A~C의 온도에 따른 증기 압력을 나타낸 것이고, (나)는 B의 상평형 그림이다.

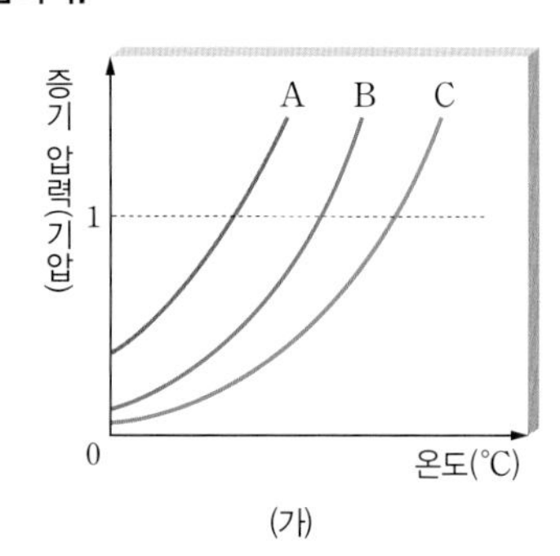

(가)

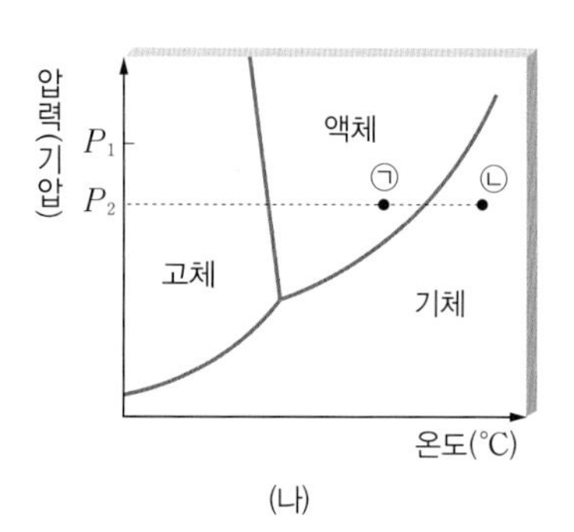

(나)

이에 대한 설명으로 옳은 것만을 보기에서 있는 대로 고른 것은?

보기
ㄱ. 분자 사이 인력은 A>B>C이다.
ㄴ. ㉠ → ㉡의 반응은 흡열 반응이다.
ㄷ. 액체 B의 끓는점과 어는점의 차는 P_2에서가 P_1에서보다 더 크다.

① ㄱ ② ㄴ ③ ㄱ, ㄴ ④ ㄱ, ㄷ ⑤ ㄴ, ㄷ

• 압력이 일정할 때 상평형 그림에서 융해 곡선과 만나는 점의 온도가 녹는점(어는점)이고, 증기 압력 곡선과 만나는 점의 온도가 끓는점이다.

05

> 이산화 탄소의 상평형

그림 (가)는 CO_2의 상평형 그림이고, (나)는 T K에서 꼭지로 연결된 2개의 강철 용기에 CO_2가 들어 있는 모습을 나타낸 것이다.

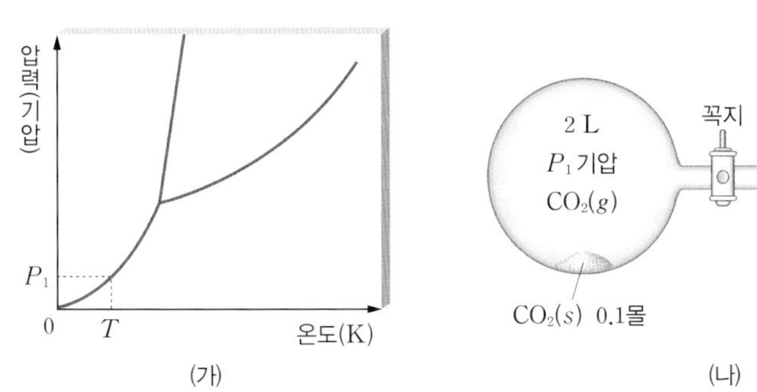

(가) (나)

이에 대한 설명으로 옳은 것만을 보기에서 있는 대로 고른 것은? (단, T K, P_1기압에서 기체 1몰의 부피는 18 L이고, $CO_2(s)$의 부피와 연결관의 부피는 무시한다.)

보기

ㄱ. $P_1 < P_2$이다.

ㄴ. 꼭지를 열어 두면 $CO_2(s)$의 양이 감소한다.

ㄷ. 꼭지를 열고 온도를 T K로 유지하면서 충분한 시간이 흐르면 $CO_2(g)$의 압력은 P_1 기압보다 크다.

① ㄱ ② ㄴ ③ ㄷ ④ ㄱ, ㄴ ⑤ ㄴ, ㄷ

• 평형이 깨지더라도 충분한 시간이 지난 후에는 다시 평형에 도달한다.

06

> 미지 물질의 상평형

그림 (가)는 물질 X의 상평형 그림을, (나)와 (다)는 실린더에 X를 넣어 압력이 다른 조건에서 평형에 도달한 상태를 각각 나타낸 것이다.

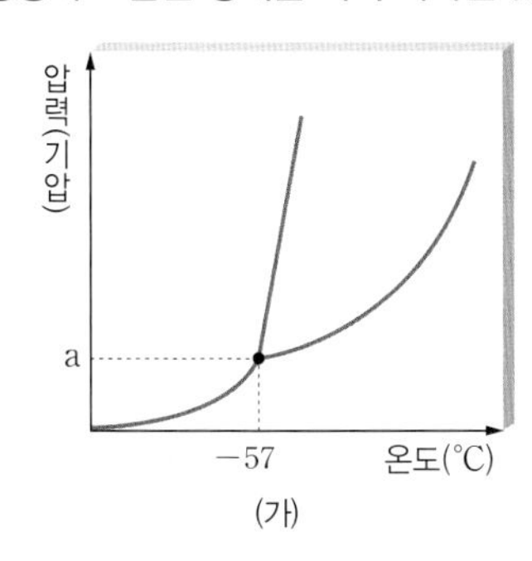

(가)

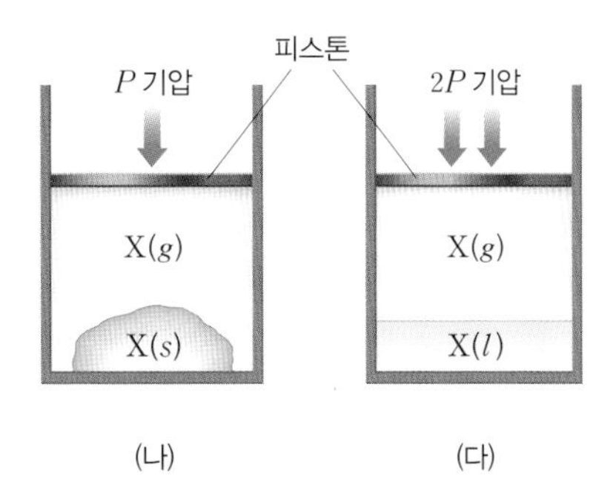

(나) (다)

이에 대한 설명으로 옳은 것만을 보기에서 있는 대로 고른 것은? (단, 피스톤의 질량과 마찰은 무시한다.)

보기

ㄱ. $a < P < 2a$이다.

ㄴ. (나)에서 온도가 일정할 때, 압력을 높이면 X(s)의 양은 증가한다.

ㄷ. (다)의 온도는 −57 ℃보다 높다.

① ㄴ ② ㄷ ③ ㄱ, ㄴ ④ ㄴ, ㄷ ⑤ ㄱ, ㄴ, ㄷ

• (나)는 고체와 기체 사이에 평형을 이룬 모습이고, (다)는 액체와 기체 사이에 평형을 이룬 모습이다.

02 산 염기 평형

학습 Point 산과 염기의 세기 > 다양성자산의 이온화 > 수용액의 pH > 중화 적정

1 산과 염기의 세기

산에는 염산, 황산, 질산, 아세트산 등이 있고, 염기에는 수산화 나트륨, 수산화 칼륨, 암모니아 등이 있다. 이러한 산과 염기는 종류에 따라 물에 녹아 이온화하는 정도가 각각 달라 산과 염기의 세기가 다르다.

1. 이온화도(α)

(1) **이온화도(α):** 전해질을 물에 녹였을 때, 이온화 평형을 이루는 수용액에서 용해된 전해질의 전체 양(mol)에 대한 이온화된 전해질 양(mol)의 비를 이온화도라고 하며, α로 표시한다.

$$\text{이온화도}(\alpha)=\frac{\text{이온화된 전해질 양(mol)}}{\text{용해된 전해질의 전체 양(mol)}}\ (0\le\alpha\le1)$$

이온화도는 농도와 온도의 영향을 받는다. 같은 온도에서 농도가 작을수록 이온화도가 커지고, 같은 농도에서 온도가 높을수록 이온화도가 커진다. 이를 오스트발트 희석률이라고 한다.

오스트발트 희석률

$HA + H_2O \rightleftharpoons H_3O^+ + A^-$

- H_2O을 가하면 농도가 묽어지고 평형이 정반응 쪽으로 이동하여 이온화도가 커진다.
- HA가 이온화되기 위해서는 H－A의 결합이 끊어져야 하므로 정반응은 흡열 반응이다. 따라서 온도를 높이면 정반응 쪽으로 평형이 이동하여 이온화도가 커진다.

(2) **산과 염기의 이온화도**

① **산의 세기:** 산 수용액은 H^+에 의해 산성을 나타낸다. 같은 양(mol)의 산을 물에 녹였을 때, 이온화도가 큰 산일수록 이온화 평형에서의 H^+의 평형 농도가 크므로 산성이 강하다.

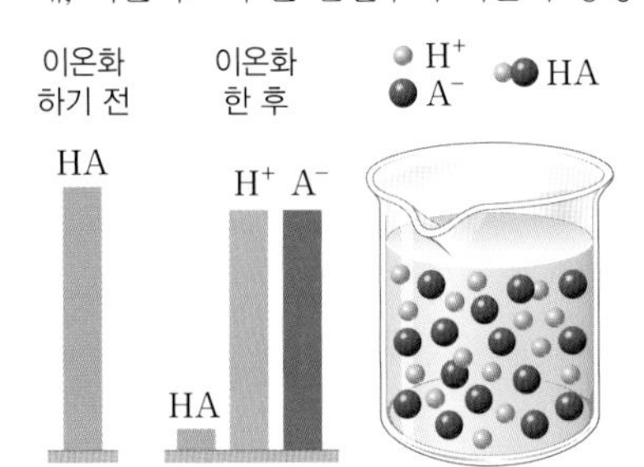

강산 _ 강산은 수용액에서 대부분 이온화하므로 대부분 이온 상태(H^+, A^-)로 존재한다.

이온화 하기 전 / 이온화 한 후 / H^+ / B^- / HB / HB / HB / H^+ B^-

약산 _ 약산은 수용액에서 일부만 이온화하므로 대부분 분자 상태(HB)로 존재한다.

▲ 강산과 약산의 이온화 모형

구분	강산			약산	
	HCl	HNO_3	H_2SO_4	CH_3COOH	H_2CO_3
이온화도	0.94	0.92	0.62	0.013	0.0017

▲ 산의 이온화도(25 ℃, 0.1 M)

염화 수소와 아세트산의 이온화도

25 ℃, 0.1 M 수용액에서 염화 수소의 경우 이온화도가 0.94로 분자 1000개가 물에 녹으면 940개가 이온화하지만, 아세트산의 경우 이온화도가 0.013으로 분자 1000개가 녹으면 13개가 이온화한다.

시선 집중 ★ 산의 세기 비교

강산일수록 물에 녹아 이온화가 잘 된다. 강산일수록 수용액 속 수소 이온의 농도가 크므로 전류의 세기를 측정하거나 금속과 반응하여 기체가 발생하는 정도를 비교하여 산의 세기를 확인할 수 있다.

❶ **전류의 세기:** 같은 몰 농도의 염산과 아세트산 수용액에서 전류의 세기를 측정하면 강산일수록 수용액에 존재하는 이온의 농도가 크므로 전류의 세기가 강하다.

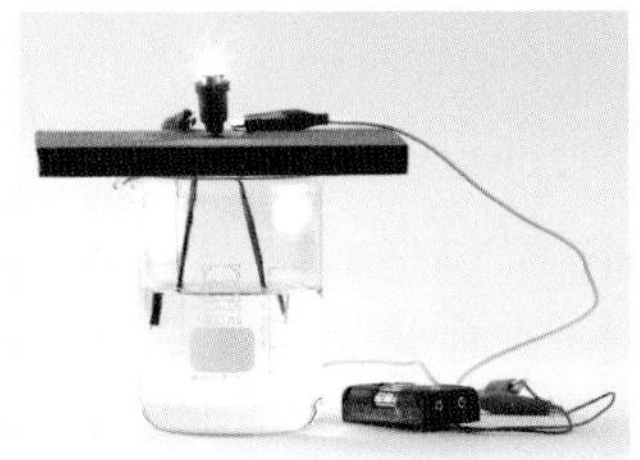

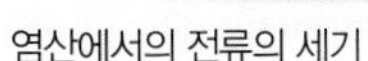

염산에서의 전류의 세기

아세트산에서의 전류의 세기

❷ **금속과의 반응 정도:** 같은 몰 농도의 산 수용액에 크기와 질량이 같은 금속을 넣으면 강산일수록 수소 이온의 농도가 크므로 수소 기체가 활발하게 발생한다.

염산에서의 기체의 발생 정도　　아세트산에서의 기체의 발생 정도

② 염기의 세기: 염기 수용액은 OH^-에 의해 염기성을 나타낸다. 같은 양(mol)의 염기를 물에 녹였을 때, 이온화도가 큰 염기일수록 이온화 평형에서의 OH^-의 평형 농도가 크므로 염기성이 강하다.

구분	강염기			약염기
	NaOH	KOH	$Ba(OH)_2$	NH_3
이온화도	0.91	0.91	0.77	0.013

▲ 염기의 이온화도(25 ℃, 0.1 M)

시선 집중 ★ 이온화도와 수용액 속 이온의 농도

이온화도를 이용하면 이온화 평형을 이루고 있는 수용액에서 수용액 속 이온의 몰 농도를 구할 수 있다.
산 HA가 수용액에서 다음과 같이 이온화 평형을 이룰 때,
$HA(aq) \rightleftharpoons H^+(aq) + A^-(aq)$
몰 농도가 C mol/L이고 HA의 이온화도가 α라면 $[H^+]$와 $[A^-]$는 $C\alpha$이다.

예제

0.1 M HA 수용액에서 산 HA의 이온화도가 0.01이다. 이 산 수용액에서 $[H^+]$를 구하시오.

해설 $[H^+] = C\alpha = 0.1 \times 0.01 = 1.0 \times 10^{-3}$ M

정답 1.0×10^{-3} mol/L

수소 이온과 하이드로늄 이온

산과 염기에 대한 아레니우스의 정의에서 산 HA는 수용액에서 H^+를 내놓는다.
$HA(aq) \longrightarrow H^+(aq) + A^-(aq)$
양성자 H^+는 반응성이 매우 큰 물질이기 때문에 수용액에서 단독으로 존재하지 않고 용매인 물 분자와 결합하여 하이드로늄 이온(H_3O^+) 형태로 존재한다.
$H^+ + H_2O \longrightarrow H_3O^+$

2. 산과 염기의 이온화 상수

(1) **산의 이온화 상수(K_a)**: 수용액 상태에서 산 HA는 물에 녹아 다음과 같이 이온화 평형을 이룬다.

$$HA(aq) + H_2O(l) \rightleftharpoons H_3O^+(aq) + A^-(aq)$$

이 반응의 평형 상수는 다음과 같다.

$$K = \frac{[H_3O^+][A^-]}{[HA][H_2O]}$$

여기서 물은 용매로 사용되었기 때문에 물의 농도는 거의 변하지 않는 상수로 볼 수 있다. 따라서 $K \times [H_2O] = K_a$라 놓으면 위의 평형 상수식은 다음과 같이 나타낼 수 있다.

$$K_a = K \times [H_2O] = \frac{[H_3O^+][A^-]}{[HA]}$$

이때 K_a를 산의 이온화 상수라고 하는데, K_a는 다른 평형 상수와 마찬가지로 온도에 의해서만 달라진다. 이온화 상수 K_a는 온도가 일정하면 산의 농도에 관계없이 항상 일정하며, K_a가 크면 강산이고 K_a가 작으면 약산이다.

산	이온화 평형	K_a(25 ℃)	산의 세기
아이오딘화 수소	$HI + H_2O \longrightarrow H_3O^+ + I^-$	$\sim10^{11}$	강하다.
브로민화 수소	$HBr + H_2O \longrightarrow H_3O^+ + Br^-$	$\sim10^{9}$	↑
과염소산	$HClO_4 + H_2O \longrightarrow H_3O^+ + ClO_4^-$	$\sim10^{7}$	
염산	$HCl + H_2O \longrightarrow H_3O^+ + Cl^-$	$\sim10^{7}$	
황산	$H_2SO_4 + H_2O \longrightarrow H_3O^+ + HSO_4^-$	$\sim10^{2}$	
질산	$HNO_3 + H_2O \longrightarrow H_3O^+ + NO_3^-$	20	
옥살산	$C_2H_2O_4 + H_2O \longrightarrow H_3O^+ + C_2HO_4^-$	5.4×10^{-2}	
아황산	$H_2SO_3 + H_2O \longrightarrow H_3O^+ + HSO_3^-$	1.7×10^{-2}	
황산수소 이온	$HSO_4^- + H_2O \longrightarrow H_3O^+ + SO_4^{2-}$	1.3×10^{-2}	
인산	$H_3PO_4 + H_2O \longrightarrow H_3O^+ + H_2PO_4^-$	7.1×10^{-3}	
아질산	$HNO_2 + H_2O \longrightarrow H_3O^+ + NO_2^-$	6.7×10^{-4}	
플루오린화 수소	$HF + H_2O \longrightarrow H_3O^+ + F^-$	6.7×10^{-4}	
폼산	$HCOOH + H_2O \longrightarrow H_3O^+ + HCOO^-$	1.8×10^{-4}	
아세트산	$CH_3COOH + H_2O \longrightarrow H_3O^+ + CH_3COO^-$	1.8×10^{-5}	
탄산	$H_2CO_3 + H_2O \longrightarrow H_3O^+ + HCO_3^-$	4.4×10^{-7}	
황화 수소	$H_2S + H_2O \longrightarrow H_3O^+ + HS^-$	1.0×10^{-7}	
사이안화 수소	$HCN + H_2O \longrightarrow H_3O^+ + CN^-$	6.2×10^{-10}	
암모늄 이온	$NH_4^+ + H_2O \longrightarrow H_3O^+ + NH_3$	5.7×10^{-10}	
탄산수소 이온	$HCO_3^- + H_2O \longrightarrow H_3O^+ + CO_3^{2-}$	4.7×10^{-11}	
황화수소 이온	$HS^- + H_2O \longrightarrow H_3O^+ + S^{2-}$	1.3×10^{-13}	약하다.

▲ 여러 가지 산의 이온화 평형과 이온화 상수

(2) **염기의 이온화 상수(K_b)**: 수용액 상태에서 염기 B는 물에 녹아 다음과 같이 이온화 평형을 이룬다.

$$B(aq) + H_2O(l) \rightleftharpoons BH^+(aq) + OH^-(aq),\ K = \frac{[BH^+][OH^-]}{[B][H_2O]}$$

수용액에서 물의 농도

물 1 L의 양(mol)이 $\frac{1000\ g}{18\ g/mol} = 55.6\ mol$이므로 $[H_2O] = 55.6\ mol/L$이다.

아세트산의 이온화 상수(K_a)

$$CH_3COOH + H_2O \rightleftharpoons CH_3COO^- + H_3O^+$$

$$K = \frac{[CH_3COO^-][H_3O^+]}{[CH_3COOH][H_2O]}$$

물의 농도는 거의 일정하므로 K_a는 다음과 같다.

$$K_a = \frac{[CH_3COO^-][H_3O^+]}{[CH_3COOH]}$$

이온화 상수(K_a)

K_a는 산의 세기를 나타내는 척도로, K_a가 클수록 $[H_3O^+]$와 $[A^-]$가 크고, K_a가 작을수록 $[H_3O^+]$와 $[A^-]$가 작다. K_a가 매우 크면 거의 대부분이 이온화하는 강산이고, K_a가 작으면 산 HA는 거의 이온화하지 않아 대부분이 HA 분자로 존재하는 약산이다.

물의 농도는 거의 일정하므로 염기의 이온화 상수 K_b는 다음과 같다.

$$K_b=\frac{[BH^+][OH^-]}{[B]}$$

일정한 온도에서 염기의 이온화 상수도 염기의 농도에 관계없이 항상 일정하며, K_b가 클수록 강염기이고, K_b가 작을수록 약염기이다.

염기	이온화 평형	K_b(25 ℃)
메틸아민	$CH_3NH_2 + H_2O \rightleftharpoons CH_3NH_3^+ + OH^-$	3.7×10^{-4}
암모니아	$NH_3 + H_2O \rightleftharpoons NH_4^+ + OH^-$	1.8×10^{-5}
하이드라진	$N_2H_4 + H_2O \rightleftharpoons N_2H_5^+ + OH^-$	1.7×10^{-6}
하이드록실아민	$NH_2OH + H_2O \rightleftharpoons NH_3OH^+ + OH^-$	1.1×10^{-8}
피리딘	$C_5H_5N + H_2O \rightleftharpoons C_5H_5NH^+ + OH^-$	1.7×10^{-9}
아닐린	$C_6H_5NH_2 + H_2O \rightleftharpoons C_6H_5NH_3^+ + OH^-$	3.8×10^{-10}

▲ 여러 가지 약염기의 이온화 평형과 이온화 상수

(3) 이온화도와 이온화 상수의 관계: 처음 농도가 C mol/L인 약산 HA 수용액의 K_a와 α의 관계는 다음과 같다.

$$HA(aq) + H_2O(l) \rightleftharpoons H_3O^+(aq) + A^-(aq)$$

	HA	+	H_2O	$\rightleftharpoons$	H_3O^+	+	A^-
처음 농도(M)	C				0		0
이온화 농도(M)	$-C\alpha$				$+C\alpha$		$+C\alpha$
평형 농도(M)	$C-C\alpha$				$C\alpha$		$C\alpha$

이온화 상수 $K_a=\frac{[H_3O^+][A^-]}{[HA]}=\frac{(C\alpha)^2}{C(1-\alpha)}=\frac{C\alpha^2}{1-\alpha}$이다.

그런데 약산의 경우에는 α의 값이 매우 작으므로 $1-\alpha \fallingdotseq 1$이다. 따라서 K_a는 다음과 같다.

$$K_a=\frac{C\alpha^2}{1-\alpha}\fallingdotseq C\alpha^2,\ \alpha=\sqrt{\frac{K_a}{C}}$$

약산 HA 수용액의 평형 상태에서의 H_3O^+의 농도는 다음과 같다.

$$[H_3O^+]=C\alpha=C\times\sqrt{\frac{K_a}{C}}=\sqrt{K_aC}$$

예제

어떤 온도에서 0.1 M 아세트산 수용액의 이온화도를 0.01이라 할 때, K_a, $[H_3O^+]$, $[CH_3COOH]$, $[CH_3COO^-]$를 각각 구하시오.

해설 아세트산 수용액은 다음과 같이 이온화 평형을 이룬다.

	CH_3COOH	+	H_2O	$\rightleftharpoons$	CH_3COO^-	+	H_3O^+
처음 농도(M)	0.1				0		0
이온화 농도(M)	$-(0.1\times0.01)$				$+(0.1\times0.01)$		$+(0.1\times0.01)$
평형 농도(M)	$0.1\times(1-0.01)$				0.1×0.01		0.1×0.01

$$K_a=\frac{[CH_3COO^-][H_3O^+]}{[CH_3COOH]}=\frac{(0.001)^2}{0.1\times(1-0.01)}=1.01\times10^{-5}$$

정답 $K_a=1.01\times10^{-5}$, $[H_3O^+]=0.001$ M, $[CH_3COOH]=0.099$ M, $[CH_3COO^-]=0.001$ M

암모니아의 이온화 상수(K_b)

$NH_3 + H_2O \rightleftharpoons NH_4^+ + OH^-$

$K=\frac{[NH_4^+][OH^-]}{[NH_3][H_2O]}$

물의 농도는 거의 일정하므로 K_b는 다음과 같다.

$K_b=\frac{[NH_4^+][OH^-]}{[NH_3]}$

C mol/L HA 수용액의 $[H_3O^+]$

- 강산($\alpha \fallingdotseq 1$)
  K_a= 매우 크다.
  $[H_3O^+]=C$
- 약산($\alpha \fallingdotseq 0$)
  $K_a=C\alpha^2$
  $[H_3O^+]=\sqrt{K_aC}$

3. 짝산과 짝염기

(1) 브뢴스테드·로리 정의

① 산: 양성자(H^+)를 내놓는 분자 또는 이온 ➡ 양성자 주개

② 염기: 양성자(H^+)를 받아들이는 분자 또는 이온 ➡ 양성자 받개

예 염화 수소(HCl)와 물(H_2O)의 반응에서 정반응의 경우에는 염화 수소가 양성자(H^+)를 내놓으므로 염화 수소는 산으로 작용하고, 물은 H^+를 받아들이므로 염기로 작용한다. 역반응의 경우에는 하이드로늄 이온(H_3O^+)이 H^+를 내놓으므로 하이드로늄 이온이 산으로 작용하고, 염화 이온(Cl^-)은 H^+를 받아들이므로 염기로 작용한다.

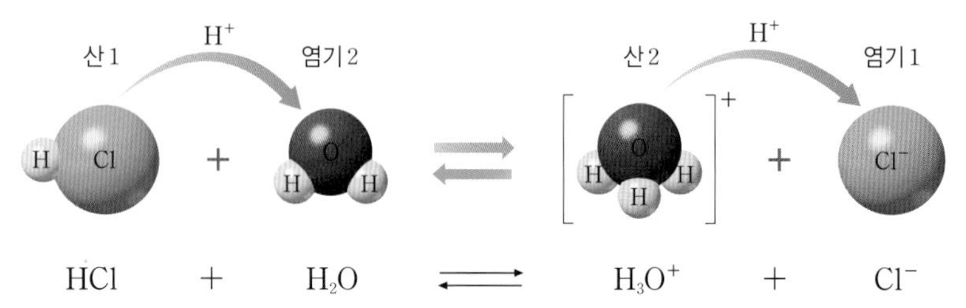

$$HCl + H_2O \rightleftharpoons H_3O^+ + Cl^-$$

▲ 염화 수소(HCl)와 물의 반응

(2) 짝산과 짝염기: H^+의 이동에 의하여 산과 염기로 되는 한 쌍의 물질을 짝산-짝염기라고 한다.

$$\text{짝산} \rightleftharpoons \text{짝염기} + H^+$$

산이 H^+를 내놓아 생성된 물질이 그 산의 짝염기이고, 염기가 H^+를 받아 생성된 물질이 그 염기의 짝산이다.

(짝산 - 짝염기)

산 1 + 염기 2 ⇌ 염기 1 + 산 2

(짝산 - 짝염기)

(3) 양쪽성 물질: 염화 수소와 물의 반응에서 물은 염기로 작용하지만, 암모니아와 물의 반응에서 물은 산으로 작용한다.

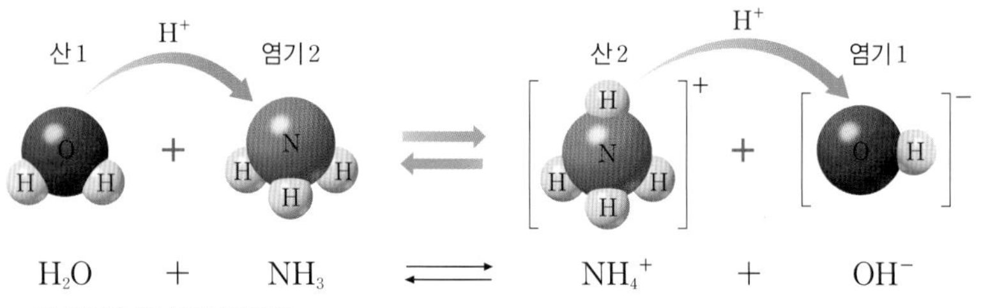

$$H_2O + NH_3 \rightleftharpoons NH_4^+ + OH^-$$

▲ 암모니아(NH_3)와 물의 반응

이와 같이 물은 염기로도 작용하고 산으로도 작용하는데, 물과 같이 한 물질이 산으로 작용하기도 하고 염기로 작용하기도 하는 것을 양쪽성 물질이라고 한다. 즉, 양쪽성 물질은 H^+를 내놓을 수도 있고 비공유 전자쌍을 포함하여 H^+를 받을 수도 있는 물질이다.

예 H_2O, HS^-, HCO_3^-, HSO_4^-, $H_2PO_4^-$ 등

K_a와 K_b

- 두 개 이상의 화학 반응식을 더하여 전체 반응을 만들었을 때 전체 반응의 평형 상수는 항상 각 반응의 평형 상수의 곱과 같다.
  K(전체 반응의 평형 상수) $= K_1 \times K_2 \times K_3 \cdots$
- 모든 짝산-짝염기에 대해 산의 이온화 상수와 염기의 이온화 상수의 곱은 항상 물의 이온화 상수와 같다.
  $K_a \times K_b = K_w$

짝산-짝염기 관계

염화 수소가 물에 녹아 이온화 평형을 이룰 때 짝산-짝염기 관계는 다음과 같다.

- $HCl + H_2O \rightleftharpoons H_3O^+ + Cl^-$
- HCl와 Cl^-: HCl의 짝염기는 Cl^-이고, Cl^-의 짝산은 HCl이다.
- H_3O^+과 H_2O: H_3O^+의 짝염기는 H_2O이고, H_2O의 짝산은 H_3O^+이다.

4. 산과 염기의 상대적 세기

이온화 상수를 이용하여 여러 가지 산이나 염기의 세기를 비교할 수 있으며, 산 염기 반응에서 짝산-짝염기 관계에 있는 산과 염기의 상대적인 세기도 비교할 수 있다.

(1) **산의 이온화 상수 K_a가 큰 경우:** 산의 세기가 강하다. ➡ 그 짝염기의 세기는 약하다.

예 $HCl + H_2O \rightleftharpoons H_3O^+ + Cl^-$ K_a: 매우 크다.
(산, 염기, 산, 염기)

K_a가 매우 크므로 정반응 쪽으로 평형이 치우쳐 산의 세기가 강하다. 따라서 산의 세기는 $HCl > H_3O^+$이고, 산의 세기가 강할수록 그 짝염기의 세기는 약하므로 짝염기의 세기는 $H_2O > Cl^-$이다.

(2) **산의 이온화 상수 K_a가 작은 경우:** 산의 세기가 약하다. ➡ 그 짝염기의 세기는 강하다.

예 $CH_3COOH + H_2O \rightleftharpoons H_3O^+ + CH_3COO^-$ $K_a = 1.8 \times 10^{-5}$
(산, 염기, 산, 염기)

K_a가 작으므로 역반응 쪽으로 평형이 치우쳐 산의 세기가 약하다. 따라서 산의 세기는 $CH_3COOH < H_3O^+$이고, 짝염기의 세기는 $H_2O < CH_3COO^-$이다.

짝산과 짝염기의 세기
산과 염기의 세기는 H^+를 주고받는 능력에 의해 결정된다. 이러한 경쟁 관계로 브뢴스테드·로리의 산 염기 반응은 강산과 강염기가 반응하여 약산과 약염기가 생성되는 쪽으로 반응이 진행된다. 또한 브뢴스테드·로리의 산 염기 반응에서 산의 세기가 강할수록 그 짝염기의 세기는 약해지고, 산의 세기가 약할수록 그 짝염기의 세기는 강해진다.

시선 집중 ★ 산의 이온화 상수 K_a와 염기의 이온화 상수 K_b의 관계

짝산-짝염기 관계에 있는 NH_4^+과 NH_3는 수용액에서 다음과 같은 이온화 평형을 이룬다.

$$NH_4^+(aq) + H_2O(l) \rightleftharpoons NH_3(aq) + H_3O^+(aq) \quad K_a = \frac{[NH_3][H_3O^+]}{[NH_4^+]}$$

$$NH_3(aq) + H_2O(l) \rightleftharpoons NH_4^+(aq) + OH^-(aq) \quad K_b = \frac{[NH_4^+][OH^-]}{[NH_3]}$$

두 반응을 합하면 물의 자동 이온화 반응이 되며, 이때의 물의 이온화 상수 K_w는 다음과 같다.

$$2H_2O(l) \rightleftharpoons H_3O^+(aq) + OH^-(aq) \quad K_w = [H_3O^+][OH^-]$$

이때 각 반응의 평형 상수를 곱하면 물의 자동 이온화 상수와 같다.

$$K_a \times K_b = \frac{[NH_3][H_3O^+]}{[NH_4^+]} \times \frac{[NH_4^+][OH^-]}{[NH_3]} = [H_3O^+][OH^-] = K_w$$

일정한 온도에서 $K_a \times K_b = K_w$는 항상 일정하므로 짝산의 K_a가 커지면 그 짝염기의 K_b는 작아진다. 즉, 짝산의 세기가 커질수록 짝염기의 세기는 작아진다. 일반적으로 산, 염기의 이온화 상수를 나타낼 때 보통은 산의 K_a만 나타내는데, K_b는 다음 관계식을 통해 구할 수 있다.

$$K_b = \frac{K_w}{K_a}$$

산의 세기에 영향을 미치는 요인
산 HA가 수용액에서 해리되는 반응의 화학 반응식은 다음과 같다.
$HA \rightleftharpoons H^+ + A^-$
이 반응은 다음과 같이 2단계로 나누어 생각할 수 있다.
1단계_원자 사이의 결합이 끊어진다.
$HA \longrightarrow H + A$
2단계_원자 사이에 전자가 이동한다.
$H + A \longrightarrow H^+ + A^-$
산의 세기는 복잡한 요인으로 결정되지만 대부분은 결합 에너지와 수소와 결합한 원소의 전기 음성도에 따라 결정된다.

5. 산의 세기에 영향을 미치는 요인

산의 세기가 강할수록 산이 물에 녹아 이온화가 잘 된다. 산이 물에 녹아 이온화될 때는 원자 사이의 결합(H-A)이 끊어져야 하며, 원자 사이에 전자가 이동해야 한다. 이러한 이유로 산의 세기는 대부분 결합 에너지와 수소와 결합한 원소의 전기 음성도에 의해 결정된다.

(1) **결합 에너지:** 같은 족 원소의 수소 화합물에서 결합 에너지가 작을수록 산의 세기가 강하다.

수소 화합물	HF	HCl	HBr	HI
결합 에너지(KJ/mol)	570	431	366	298
산의 세기	작다. →			크다.

산의 세기에 영향을 미치는 요인-결합 에너지

산(HA)의 세기 →

HF	≪	HCl	<	HBr	<	HI
570		431		366		298

← HA 결합 에너지(kJ/mol)

(2) **전기 음성도**

수소와 결합한 원소의 전기 음성도가 클수록 산의 세기가 강하다.

① **같은 주기 원소들의 수소 화합물에서 산의 세기:** 주기율표의 같은 주기에 속한 원소들의 수소 화합물에서는 결합 에너지의 차가 작으므로 수소와 결합한 원소의 전기 음성도가 산의 세기에 영향을 미치는 가장 중요한 요인이 된다.

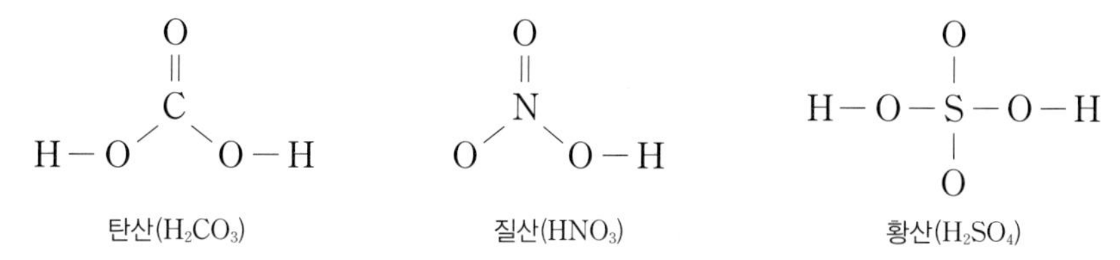

수소 화합물	NH_3	H_2O	HF
수소와 결합한 원소의 전기 음성도	3.0	3.5	4.0
산의 세기	작다. →		크다.

② **산소산에서 산의 세기:** H_2CO_3, HNO_3, H_2SO_4 등의 산소산에서는 수소가 모두 산소와 결합하므로 결합 에너지가 같다. 따라서 산소가 결합한 중심 원자의 전기 음성도가 산의 세기에 가장 큰 영향을 끼친다. 이러한 이유로 전기 음성도가 작은 C가 중심 원자인 탄산(H_2CO_3)은 약산이고, 전기 음성도가 큰 N, S이 중심 원자인 질산(HNO_3)과 황산(H_2SO_4)은 강산이다.

탄산(H_2CO_3) 질산(HNO_3) 황산(H_2SO_4)

• HOI, HOBr, HOCl의 경우에 산의 세기는 HOI<HOBr<HOCl이다.
이는 전기 음성도가 I<Br<Cl이므로 HOI<HOBr<HOCl의 순서로 수소로부터 전자를 빼앗기 쉽기 때문이다.

• HOCl, HOClO, $HOClO_2$, $HOClO_3$의 경우에는 산소 원자 수가 많을수록 강산이다.
산소 원자는 전기 음성도가 커서 그 수가 많을수록 수소로부터 전자를 빼앗기 쉽기 때문이다.

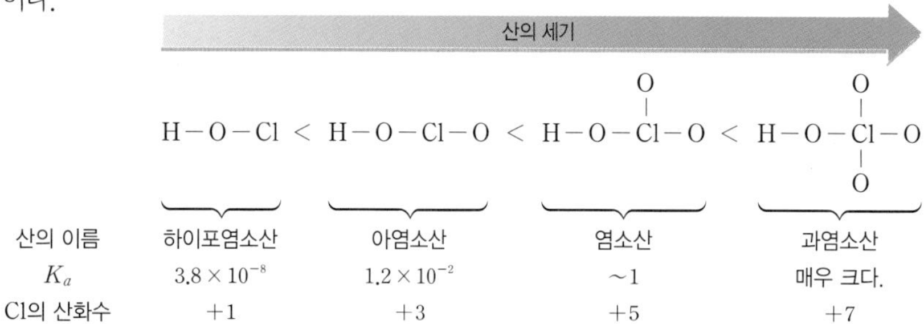

예제

다음 두 산의 세기를 각각 부등호로 비교하시오.

(1) CH_3COOH과 CF_3COOH (2) H_2SO_4과 H_2SO_3 (3) HNO_3과 HNO_2

해설 (1) F의 전기 음성도가 H의 전기 음성도보다 크기 때문에 CF_3COOH가 더 강한 산이다.
(2) H_2SO_4이 H_2SO_3보다 전기 음성도가 큰 산소 원자가 1개 더 많기 때문에 H_2SO_4이 더 강한 산이다.
(3) HNO_3이 HNO_2보다 전기 음성도가 큰 산소 원자가 1개 더 많기 때문에 HNO_3이 더 강한 산이다.

정답 (1) $CF_3COOH > CH_3COOH$ (2) $H_2SO_4 > H_2SO_3$ (3) $HNO_3 > HNO_2$

산의 세기에 영향을 미치는 요인-전기 음성도

산(HA)의 세기 →

NH_3 < H_2O < HF
3.0 3.5 4.0

전기 음성도 →

산의 세기에 영향을 미치는 요인-전기 음성도

산(HA)의 세기 →

H−O−I<H−O−Br<H−O−Cl
K_a 2.3×10^{-11} 2.0×10^{-9} 3.8×10^{-8}
2.5 2.8 3.0

전기 음성도 →

2 다양성자산의 이온화

다양성자산은 여러 단계를 거쳐 이온화하여 평형을 이루므로, 각 단계별로 이온화 상수가 존재한다.

1. 이양성자산(H_2A)의 단계별 이온화

H_2A는 단계적으로 이온화하여 평형을 이루며, 단계별 이온화 상수 K_{a1}, K_{a2}는 다음과 같다.

$$H_2A(aq) + H_2O(l) \rightleftharpoons H_3O^+(aq) + HA^-(aq),\ K_{a1} = \frac{[H_3O^+][HA^-]}{[H_2A]}$$

$$HA^-(aq) + H_2O(l) \rightleftharpoons H_3O^+(aq) + A^{2-}(aq),\ K_{a2} = \frac{[H_3O^+][A^{2-}]}{[HA^-]}$$

H_2A 전체의 이온화 상수식은 다음과 같다.

$$H_2A(aq) + 2H_2O(l) \rightleftharpoons 2H_3O^+(aq) + A^{2-}(aq),\ K_a = \frac{[H_3O^+]^2[A^{2-}]}{[H_2A]}$$

K_a를 K_{a1}, K_{a2}와 비교하면 $K_a = K_{a1} \times K_{a2}$가 성립한다.

2. 단계별 이온화 상수의 비교

단계별 이온화 상수 값은 항상 $K_{a1} > K_{a2}$ … 순으로 작아진다. 이는 산에서 수소 이온을 한 개씩 떼어낸다고 할 때, 첫 번째 수소 이온을 떼어낼 때보다 두 번째 수소 이온을 떼어낼 때 더 많은 에너지가 필요하여 수소 이온을 떼어내기가 점점 어려워진다는 것을 의미한다. 즉, 다양성자산에서 수소 이온이 많이 떨어진 상태일수록 산의 세기가 점점 약해진다.

산(화학식)	K_{a1}	K_{a2}	K_{a3}
황산(H_2SO_4)	$\sim 10^2$	1.3×10^{-2}	
아황산(H_2SO_3)	1.7×10^{-2}	6.3×10^{-8}	
인산(H_3PO_4)	7.1×10^{-3}	6.2×10^{-8}	4.8×10^{-13}
탄산(H_2CO_3)	4.4×10^{-7}	4.7×10^{-11}	
황화 수소(H_2S)	1.0×10^{-7}	1.3×10^{-13}	

예제

0.04 M H_2CO_3 수용액에 존재하는 $[H_2CO_3]$, $[H_3O^+]$, $[HCO_3^-]$, $[CO_3^{2-}]$를 각각 구하시오. (단, H_2CO_3의 $K_{a1} = 4.4\times10^{-7}$, $K_{a2} = 4.7\times10^{-11}$이다.)

해설 2가 산인 탄산은 다음과 같이 이온화한다.

1단계: $H_2CO_3 + H_2O \rightleftharpoons H_3O^+ + HCO_3^-\ K_{a1}$ 2단계: $HCO_3^- + H_2O \rightleftharpoons H_3O^+ + CO_3^{2-}\ K_{a2}$

K_{a1}이 K_{a2}에 비해 매우 크므로 H_3O^+은 첫 번째 단계에서 모두 생성된다고 가정한다.

	$H_2CO_3 + H_2O$	$\rightleftharpoons H_3O^+$	$+ HCO_3^-$
처음 농도(M)	0.04	0	0
반응 농도(M)	$-x$	$+x$	$+x$
평형 농도(M)	$0.04-x$	x	x

$$K_{a1} = \frac{[H_3O^+][HCO_3^-]}{[H_2CO_3]} = \frac{x^2}{0.04-x}$$

그런데 탄산은 이온화 정도가 매우 작으므로 $0.04-x \fallingdotseq 0.04$이고, $\frac{x^2}{0.04} = 4.4\times10^{-7}$, $x = 1.3\times10^{-4}$ M이다.

$[H_2CO_3] = 0.04 - 1.3\times10^{-4} \fallingdotseq 0.04$ M

HCO_3^-에 의해 2차 이온화되는 양은 매우 적으므로 $[H_3O^+] = [HCO_3^-] \fallingdotseq 1.3\times10^{-4}$ M이다.

$$K_{a2} = \frac{[H_3O^+][CO_3^{2-}]}{[HCO_3^-]} = [CO_3^{2-}] = 4.7\times10^{-11}\ M$$

정답 $[H_2CO_3] = 0.04$ M, $[H_3O^+] = 1.3\times10^{-4}$ M, $[HCO_3^-] = 1.3\times10^{-4}$ M, $[CO_3^{2-}] = 4.7\times10^{-11}$ M

다양성자산

해리할 수 있는 양성자(H^+)를 2개 이상 포함하고 있는 산을 다양성자산이라고 한다. 예를 들면 H_2CO_3, H_2S, H_2SO_4은 이양성자산이고, H_3PO_4은 삼양성자산이다.

아황산(H_2SO_3)

H_2SO_3은 가상의 물질로, 실제로는 존재할 수 없는 화합물이다. H_2SO_3에서 주어진 K_{a1}의 값은 실제로는 다음과 같은 평형에서의 평형 상수 값이다.

$SO_2 + 2H_2O \rightleftharpoons H_3O^+ + HSO_3^-$

탄산(H_2CO_3)의 해리

H_3O^+은 첫 번째 단계에서 모두 생성된다는 가정을 살펴보면 다음과 같다.

$[CO_3^{2-}] = 4.7\times10^{-11}$ M $\ll 1.3\times10^{-4}$ M $= [HCO_3^-]$이므로 두 번째 이온화가 $[HCO_3^-]$와 $[H_3O^+]$에 영향을 끼치지 않는다는 가정이 옳다는 것을 알 수 있다. 즉, HCO_3^-에 의해 생성되는 $[H_3O^+] = 4.7\times10^{-11}$ M이므로 H_2CO_3에 의해 생성되는 $[H_3O^+] = 1.3\times10^{-4}$ M에 비해 무시할 수 있을 정도로 작다.

3 수용액의 pH

강산과 강염기는 수용액에서 거의 100 % 이온화하지만, 약산과 약염기는 수용액에서 일부만 이온화하므로 같은 농도의 수용액이라도 강산과 약산의 pH가 다르며, 강염기와 약염기의 pH가 다르다.

1. 수소 이온 농도 지수, pH

1909년 덴마크의 화학자 쇠렌센(Sörensen, S. P. L., 1868~1939)은 H_3O^+의 농도를 편리하게 나타내는 방법으로 수소 이온 농도 지수(pH)를 제안하였다.

$$pH=\log\frac{1}{[H_3O^+]}=-\log[H_3O^+]=-\log 10^{-pH}$$

25 ℃ 순수한 물이나 중성 용액에서 $[H_3O^+]=1.0\times10^{-7}$ mol/L이므로 pH는 7이다.

$pH=-\log[H_3O^+]=-\log(1.0\times10^{-7})=7$

pH는 $[H_3O^+]$가 클수록 작아지고, $[H_3O^+]$가 작을수록 커진다.

2. pH와 pOH

pH를 정의한 것과 같은 방법으로 pOH를 정의하면 다음과 같다.

$pOH=\log\frac{1}{[OH^-]}=-\log[OH^-]$, $pOH=-\log[OH^-]=-\log(1.0\times10^{-7})=7$

25 ℃ 순수한 물이나 중성 용액에서 $[OH^-]=1.0\times10^{-7}$ mol/L이므로 pOH=7이다.

pOH는 $[OH^-]$가 클수록 작아지고, $[OH^-]$가 작을수록 커진다.

25 ℃에서 $K_w=[H_3O^+][OH^-]=1.0\times10^{-14}$이므로 양변에 $-\log$를 취하면

$(-\log[H_3O^+])+(-\log[OH^-])=-\log(1.0\times10^{-14})$에서 pH+pOH=14가 된다.

25 ℃에서 산성, 중성, 염기성 용액을 pH와 pOH를 이용해서 나타내면 다음과 같다.

- 산성 용액 : $pH<7$, $pOH>7$, $pH+pOH=14$
- 중성 용액 : $pH=7$, $pOH=7$, $pH+pOH=14$
- 염기성 용액 : $pH>7$, $pOH<7$, $pH+pOH=14$

25 ℃ 수용액에서 pH와 pOH의 합은 항상 14이므로 pH가 커지면 pOH는 작아진다.

3. 수용액의 액성과 pH

25 ℃에서 산성 용액은 $[H_3O^+]$가 1×10^{-7} M보다 크므로 pH가 7보다 작고, 염기성 용액은 $[H_3O^+]$가 1×10^{-7} M보다 작으므로 pH가 7보다 크다. 따라서 pH가 작을수록 산성이 강해지고, pH가 클수록 염기성이 강해진다.

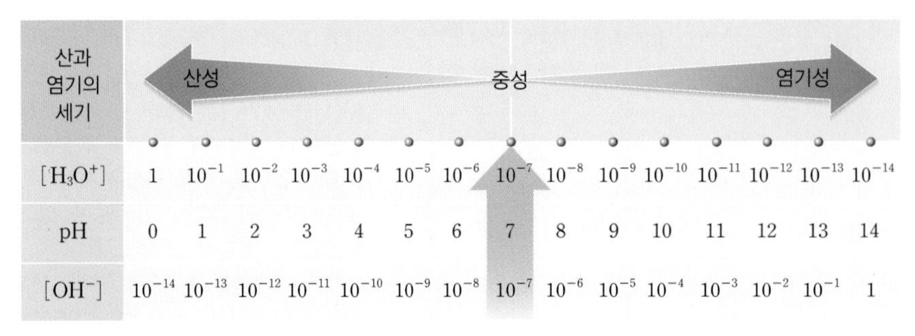

▲ 수용액의 액성과 pH (단, 온도는 25 ℃)

수소 이온 농도 지수(pH)

- $pH=-\log[H_3O^+]$이므로 pH가 1씩 감소할 때마다 $[H_3O^+]$는 10배가 된다.
  $[H_3O^+]=1.0\times10^{-2}$ M일 때
  $pH=-\log(1.0\times10^{-2})=2$이고,
  $[H_3O^+]=1.0\times10^{-1}$ M일 때
  $pH=-\log(1.0\times10^{-1})=1$이다.
  반면에 pH가 1씩 감소할 때마다 $[OH^-]$는 $\frac{1}{10}$이 된다.
- pH 1인 용액을 $\frac{1}{100}$로 묽히면 pH 3이 되지만, pH 5인 용액을 $\frac{1}{1000}$로 묽혀도 pH 8이 되지 않는다. 왜냐하면 pH가 7보다 작은 산성 용액을 아무리 묽혀도 중성에 가까워질 뿐 pH가 7보다 큰 염기성 용액이 되는 것은 아니기 때문이다.

온도에 따른 물의 이온화 상수(K_w)

물의 자동 이온화 반응에서 온도에 따른 평형 상수는 다음과 같다. 우리가 알고 있는 pH의 범위는 25 ℃ 기준일 때의 pH이고, 실제로는 온도에 따라 pH의 범위가 달라지며, 같은 수용액의 pH를 다른 온도에서 측정한다면 pH 값은 달라진다.

온도(℃)	K_w
0	1.1×10^{-15}
10	2.9×10^{-15}
20	6.8×10^{-15}
25	1.0×10^{-14}
30	1.5×10^{-14}
40	2.9×10^{-14}
50	5.5×10^{-14}
60	9.6×10^{-14}

4. 수용액에서의 pH 계산

(1) **강산과 강염기 수용액의 pH:** 강산 또는 강염기는 수용액에서 거의 100 % 이온화하여 이온화 평형을 이루기 때문에 수용액의 $[H_3O^+]$ 또는 $[OH^-]$가 산 또는 염기의 초기 농도와 같다.

$HA(aq) + H_2O(l) \longrightarrow H_3O^+(aq) + A^-(aq)$

따라서 산의 초기 농도를 C mol/L라고 하면 $[H_3O^+]=[A^-]=C$ mol/L가 되고,

$pH=-\log[H_3O^+]=-\log C$가 된다.

예제

1. 25 ˚C에서 0.02 M HNO_3 수용액의 pH를 구하시오. (단, log2=0.3이다.)

해설 HNO_3은 강산으로 100 % 이온화하므로 $[H_3O^+]=0.02$ M이다.
$pH=-\log[H_3O^+]=-\log0.02=2-\log2=1.7$

정답 1.7

2. 25 ˚C에서 0.005 M $Ca(OH)_2$ 수용액의 pH와 pOH를 구하시오.

해설 $Ca(OH)_2$은 강염기로 100 % 이온화되며, 2가 염기이므로 $[OH^-]=0.005\times2=0.01$ M이다. 따라서 pOH =2이고, pH=14−2=12이다.

정답 pH=12, pOH=2

(2) **약산과 약염기 수용액의 pH:** 약산이나 약염기는 수용액에서 일부만 이온화하기 때문에 산의 이온화 상수나 염기의 이온화 상수를 이용해서 pH를 구한다.

처음 농도가 C mol/L인 약산 HA의 이온화 상수를 K_a라고 하면 다음과 같다.

	$HA(aq) + H_2O(l)$	$\rightleftharpoons H_3O^+(aq)$	$+ A^-(aq)$
처음 농도(M)	C	0	0
이온화 농도(M)	$-x$	$+x$	$+x$
평형 농도(M)	$C-x$	x	x

$K_a=\dfrac{[H_3O^+][A^-]}{[HA]}=\dfrac{x^2}{C-x}$이다.

그런데 약산의 경우에는 x가 매우 작으므로 $C-x≒C$이다.

$K_a=\dfrac{x^2}{C}$, $[H_3O^+]=x=\sqrt{K_aC}$

$pH=-\log[H_3O^+]=-\dfrac{1}{2}\log(K_aC)$

이때 산의 이온화도를 α라고 하면 $x=[H_3O^+]=C\alpha$이다. 따라서 $pH=-\log C\alpha$이다.

예제

25 ˚C에서 0.1 M CH_3COOH 수용액의 이온화도가 0.01이다.

(1) 이 수용액의 pH를 구하시오.

(2) CH_3COOH의 이온화 상수 K_a를 구하시오.

해설 (1) $[H_3O^+]=C\alpha$이므로 $pH=-\log C\alpha=-\log(10^{-3})=3$

(2) $CH_3COOH(aq) + H_2O(l) \rightleftharpoons CH_3COO^-(aq) + H_3O^+(aq)$

$K_a=\dfrac{[H_3O^+][CH_3COO^-]}{[CH_3COOH]}=\dfrac{(C\alpha)^2}{C(1-\alpha)}=\dfrac{C\alpha^2}{1-\alpha}$이다.

약산의 경우는 $1-\alpha≒1$이므로,

$K_a=C\alpha^2=10^{-5}$이다.

정답 (1) 3 (2) 10^{-5}

수용액의 pH 구하기

- 산성 수용액에서는 먼저 $[H_3O^+]$를 구한 다음, $pH=-\log[H_3O^+]$에 $[H_3O^+]$를 대입하여 구할 수 있다.
- 염기성 수용액에서는 먼저 $[OH^-]$를 구한 다음, $K_w=[H_3O^+][OH^-]$를 이용하여 $[H_3O^+]$를 계산하여 pH를 구하거나, pOH를 먼저 계산한 다음, pH+pOH =14를 이용하여 pH를 구할 수 있다.

중화 적정

산을 염기로 적정하거나, 염기를 산으로 적정할 때 중화점에서 pH가 작게 변할 수도 있고, 급격하게 변할 수도 있다. 중화점에서 pH 변화는 중화 적정에 사용한 산과 염기의 세기에 따라 그 변화의 정도가 다르다.

1. 중화 반응의 양적 관계

심화 104~105쪽

(1) **중화 반응:** 산과 염기를 반응시키면 산의 음이온과 염기의 양이온이 결합하여 염을 만들고, H^+과 OH^-이 결합하여 물을 만드는 반응이 일어나는데 이를 중화 반응이라고 한다.

예 염산과 수산화 나트륨 수용액이 중화 반응하면 중성인 염화 나트륨과 물이 생성된다.

$$HCl(aq) + NaOH(aq) \longrightarrow NaCl(aq) + H_2O(l)$$

산　　　염기　　　염　　　물

(2) **중화 반응의 양적 관계:** 중화 반응의 알짜 이온 반응식은 다음과 같다.

$$H^+(aq) + OH^-(aq) \longrightarrow H_2O(l)$$

H^+과 OH^-의 계수비가 1 : 1이므로 중화 반응이 완결되려면 H^+의 양(mol)과 OH^-의 양(mol)이 같아야 한다.

① 산의 가수를 n, 몰 농도를 M이라 하면 산 V mL 속에 포함된 H^+의 양(mol)$=\dfrac{nMV}{1000}$이다.

② 염기의 가수를 n', 몰 농도를 M'라 하면 염기 V' mL 속에 포함된 OH^-의 양(mol)$=\dfrac{n'M'V'}{1000}$이다.

③ 중화 반응은 산의 H^+의 양(mol)과 염기의 OH^-의 양(mol)이 같아야 완결되므로 중화 반응이 완결되면 다음과 같은 관계식이 성립한다.

$$nMV = n'M'V'$$

(n, n': 산, 염기의 가수, M, M': 산, 염기의 몰 농도, V, V': 산, 염기의 부피)

④ **산이나 염기를 수용액으로 넣지 않고 직접 용질로 넣은 경우:** n'가의 염기 w g을 중화시키는 데 몰 농도가 M인 n가의 산 V mL가 소모되었다면 다음과 같은 관계식이 성립한다.

- H^+의 양(mol)$=\dfrac{nMV}{1000}$
- OH^-의 양(mol)$=n' \times \dfrac{w}{\text{화학식량}}$

$\therefore \dfrac{nMV}{1000} = n' \times \dfrac{w}{\text{화학식량}}$

예제

2 g의 NaOH(*s*)을 중화시키는 데 필요한 1.0 M HCl(*aq*)의 부피를 구하시오. (단, NaOH의 화학식량은 40이다.)

해설 $\dfrac{nMV}{1000} = \dfrac{n' \times w}{\text{화학식량}}$에서 $\dfrac{1 \times 1 \times V}{1000} = \dfrac{1 \times 2}{40}$, $V = 50$ mL

정답 50 mL

중화 적정

중화 반응을 이용하여 산, 염기 용액의 농도를 알아내는 방법

중화 반응과 평형 상수

- 강산과 강염기의 중화 반응은 물의 자동 이온화 반응의 역반응이기 때문에 중화 반응의 평형 상수 K_n은 K_w의 역수이다.
  $H^+ + OH^- \longrightarrow H_2O$
  $K_n = \dfrac{1}{K_w} = 1.0 \times 10^{14}$
- 중화 반응의 평형 상수는 매우 크기 때문에 강산과 강염기의 중화 반응은 100 % 정반응 쪽으로 진행된다는 것을 알 수 있다.
- 묽은 염산과 암모니아수의 중화 반응이나 수산화 나트륨 수용액과 아세트산 수용액의 중화 반응의 경우에도 K_n 값이 1.8×10^9 정도의 매우 큰 값을 가지기 때문에 거의 100 % 정반응으로 진행된다.

산과 염기의 가수

산 또는 염기 1몰이 내놓을 수 있는 H^+이나 OH^-의 양(mol)

중화 반응과 산 염기의 세기

HCl 1몰을 중화하는 데 필요한 NaOH의 양(mol)도 1몰, CH_3COOH 1몰을 중화하는 데 필요한 NaOH도 1몰이다.

CH_3COOH의 경우 이온화도가 작아 H^+을 조금만 내놓는다고 생각할 수 있지만 그렇지 않다. 아세트산의 이온화 평형은 다음과 같다.

$$CH_3COOH(aq) \rightleftharpoons CH_3COO^-(aq) + H^+(aq)$$

염기가 첨가되면 $H^+ + OH^- \longrightarrow H_2O$의 중화 반응이 일어나므로 수용액 속 H^+이 제거된다. 그러면 평형 이동 원리에 의해 평형이 정반응 쪽으로 이동하여 H^+이 계속 생성되고 결국 염기가 존재하는 한 아세트산은 모두 이온화된다. 따라서 산 염기 중화 반응의 양적 관계에서는 약산이나 약염기의 이온화도를 고려할 필요가 없고, 모두 이온화도가 1인 것으로 계산한다.

2. 중화점의 확인

(1) 지시약의 이용

① **지시약의 원리:** 어떤 지시약의 산성형을 HIn, 그 짝염기형을 In^-라 하면 수용액에서 산 염기 평형은 다음과 같다.

$$HIn(aq) + H_2O(l) \rightleftharpoons H_3O^+(aq) + In^-(aq),\ K_a = \frac{[H_3O^+][In^-]}{[HIn]}$$

산성 용액에서는 르샤틀리에 원리에 의해 평형이 역반응 쪽으로 이동하므로 지시약이 주로 산성형인 HIn 형태로 존재하고, 염기성 용액에서는 평형이 정반응 쪽으로 이동하므로 지시약이 주로 염기성형인 In^-의 형태로 존재한다. 따라서 HIn과 In^-의 색깔이 서로 다른 물질이 지시약으로 이용될 수 있다.

② **여러 가지 지시약의 변색 범위:** 지시약은 종류에 따라 다양한 색을 나타낸다. 지시약의 색이 변하는 pH의 범위를 변색 범위라고 하는데, 지시약의 종류에 따라 변색 범위가 서로 다르므로 가장 적당한 지시약을 선택하는 것이 중요하다.

지시약 \ pH	산성 ← 중성 → 염기성 (0 1 2 3 4 5 6 7 8 9 10 11 12 13 14)	변색 범위
메틸 오렌지 용액	빨간색 (주황색) 노란색	3.1~4.4
리트머스 용액	빨간색 (보라색) 파란색	4.3~8.0
브로모티몰 블루 (BTB) 용액	노란색 (초록색) 파란색	6.2~7.6
페놀프탈레인 용액	무색 (분홍색) 붉은색	8.2~10.0

③ **지시약을 이용한 중화점의 확인:** 일반적으로 강산과 강염기의 중화 적정인 경우 중화점에서 지시약의 색 변화가 뚜렷하게 나타나므로 중화점을 비교적 쉽게 확인할 수 있다. 그러나 강산과 약염기 또는 약산과 강염기의 중화 적정인 경우 중화점에서 혼합 용액의 액성이 중성이 아니므로 적당한 지시약을 선택해야 한다. 약산과 약염기의 중화 적정에서는 중화점 부근에서 pH의 변화가 작으므로 지시약을 사용하여 중화점을 확인하기가 어렵다.

염기 \ 산	강산	약산
강염기	메틸 오렌지, 페놀프탈레인	페놀프탈레인, 페놀 레드
약염기	메틸 오렌지, 메틸 레드	없음

▲ 중화 적정에서 사용 가능한 지시약

(2) 중화열의 이용:
중화 반응이 일어날 때 반응하는 수소 이온(H^+)과 수산화 이온(OH^-)의 양이 최대인 중화점에서 열이 가장 많이 발생하므로 중화점에서 혼합 용액의 온도가 가장 높다는 것을 이용하면 중화점을 확인할 수 있다.

$H^+(aq) + OH^-(aq) \longrightarrow H_2O(l),\ \Delta H = -55.8\ kJ$

일정량의 산(염기) 수용액을 염기(산) 수용액으로 중화할 때 온도가 점점 올라가다가 중화점에서 최고 온도를 나타내고, 그 이후에는 중화 반응이 일어나지 않고 중화점 온도보다 낮은 온도의 용액이 첨가되므로 온도가 점점 내려간다. 따라서 혼합 용액의 온도가 최고일 때가 중화점이다.

지시약
수용액의 pH에 따라 색깔이 변하여 중화 반응이 일어나는 것을 눈으로 직접 확인할 수 있게 해 주는 물질을 지시약이라고 한다. 지시약은 그 자체가 약한 산성 또는 약한 염기성을 띠는 유기 화합물이며, 물질이 지시약으로 이용되기 위해서는 산성형과 그 짝염기형의 색깔이 서로 달라야 한다.

중화 적정에서의 온도 변화

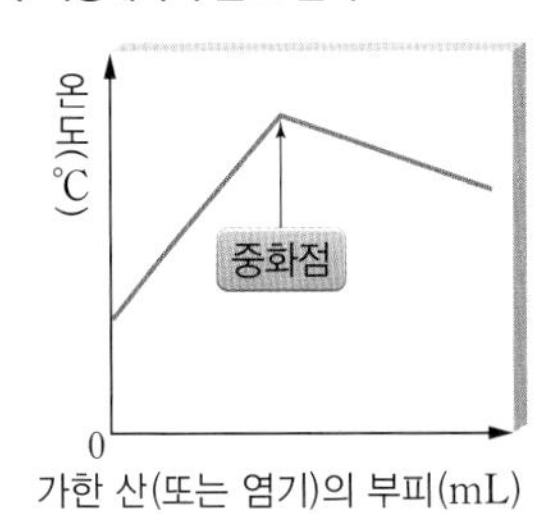

(3) 전류의 세기 변화 이용

① 강산을 강염기로 적정하는 경우: $H_2SO_4(aq)$과 $Ba(OH)_2(aq)$의 반응과 같이 중화 반응 결과 물에 녹지 않는 염이 생성될 때에는 중화 반응이 진행됨에 따라 용액 속 이온 수가 감소하므로 전류의 세기가 감소하다가 중화점에 도달하면 전류가 거의 흐르지 않는다.

$H_2SO_4(aq) + Ba(OH)_2(aq) \longrightarrow BaSO_4(s) + 2H_2O(l)$

$HCl(aq)$과 $NaOH(aq)$의 중화 반응에서는 생성된 염이 물에 잘 녹고 산과 염기의 가수가 같으므로 중화 반응이 일어나도 용액 속 이온 수는 변하지 않는다.

$HCl(aq) + NaOH(aq) \longrightarrow NaCl(aq) + H_2O(l)$

그러나 이 경우에도 전류의 세기가 감소하는데, 전류의 세기가 점점 감소하는 이유는 다음과 같다.

- 중화점에 이를 때까지는 물이 생성되며, 첨가한 염기 수용액의 양이 증가한다. 따라서 혼합 용액의 부피가 늘어나 상대적으로 이온의 농도가 감소하므로 전류의 세기가 점점 약해진다.
- H^+이나 OH^-의 전기 전도도가 Na^+이나 Cl^-의 전기 전도도보다 크다. 이온의 전기 전도도 비는 $H^+ : OH^- :$ 기타 이온$=4:2:1$이다. 실제로는 이 요인이 중화점에서 전류의 세기가 약해지는 주원인이다.

② 강산을 약염기로 적정하는 경우: 중화점에 도달할 때까지 전류의 세기가 점점 약해지다가 중화점을 지나면 거의 일정하게 유지된다. 이것은 약염기의 이온화도가 작기 때문이다.

③ 약산을 강염기로 적정하는 경우: 중화점에 도달할 때까지 전류의 세기가 서서히 증가하다가 중화점을 지나면 급격하게 증가한다.

④ 약산을 약염기로 적정하는 경우: 중화점에 도달할 때까지 전류의 세기가 서서히 증가하다가 중화점을 지나면 감소하다가 거의 일정하게 유지된다.

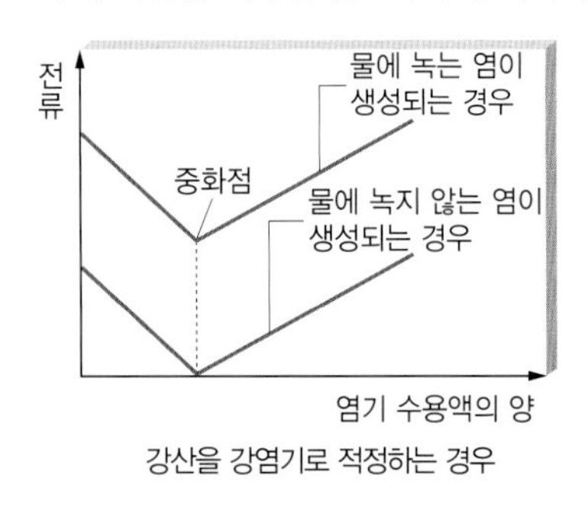

강산을 강염기로 적정하는 경우

전류
중화점
염기 수용액의 양
강산을 약염기로 적정하는 경우

전류
중화점
염기 수용액의 양
약산을 강염기로 적정하는 경우

전류
중화점
염기 수용액의 양
약산을 약염기로 적정하는 경우

▲ **중화 적정에서 전류의 세기 변화**

3. 중화 적정 곡선

산과 염기의 중화 적정에서 가해 준 염기 또는 산 수용액의 부피에 따른 용액의 pH 변화를 나타낸 그래프를 중화 적정 곡선이라고 한다.

(1) 강산을 강염기로 적정(묽은 염산+수산화 나트륨 수용액)

$HCl(aq) + NaOH(aq) \longrightarrow NaCl(aq) + H_2O(l)$

강산을 강염기로 적정하면 중화점에서 pH가 급격히 변하게 되는데, 그 범위는 pH 4~10 정도이다. 대부분의 지시약은 변색 범위가 이에 해당되므로 중화점을 확인하기 위한 지시약을 선택하기 쉽고, 메틸 오렌지 용액이나 페놀프탈레인 용액 등이 사용된다.

(2) 강산을 약염기로 적정(묽은 염산+암모니아수)

$HCl(aq) + NH_3(aq) \longrightarrow NH_4^+(aq) + Cl^-(aq)$

강산을 약염기로 적정하면 중화점에서 pH가 7보다 작으므로 지시약의 변색 범위가 산성 쪽에 있는 메틸 오렌지 용액이 이용된다. 이 경우 페놀프탈레인 용액은 사용할 수 없다.

(3) 약산을 강염기로 적정(아세트산 수용액+수산화 나트륨 수용액)

$CH_3COOH(aq) + NaOH(aq) \longrightarrow CH_3COONa(aq) + H_2O(l)$

약산을 강염기로 적정하면 중화점에서 pH가 7보다 크므로 지시약의 변색 범위가 염기성 쪽에 있는 페놀프탈레인 용액이 이용된다. 이 경우 메틸 오렌지 용액은 사용할 수 없다.

(4) 약산을 약염기로 적정(아세트산 수용액+암모니아수)

$CH_3COOH(aq) + NH_3(aq) \longrightarrow CH_3COO^-(aq) + NH_4^+(aq)$

약산을 약염기로 적정하면 중화점에서의 pH 변화가 작기 때문에 적당한 지시약을 선택할 수 없다. 따라서 지시약을 사용할 수 없으며, 중화점에서의 pH는 거의 7이다.

중화 적정과 지시약

어떤 지시약의 변색 범위에서 적정 곡선의 pH 변화가 급격할 때 이 지시약을 중화 적정에 사용할 수 있다. 예를 들면, 강산을 강염기로 적정할 때 페놀프탈레인 용액의 변색 범위에서 적정 곡선의 pH 변화가 급격하다. 즉, 강염기로 적정할 때 페놀프탈레인 용액을 지시약으로 사용할 수 있다. 그러나 약염기로 적정할 때는 페놀프탈레인 용액의 변색 범위에서 적정 곡선의 pH 변화가 급격하지 않으므로 페놀프탈레인 용액을 지시약으로 사용할 수 없다.

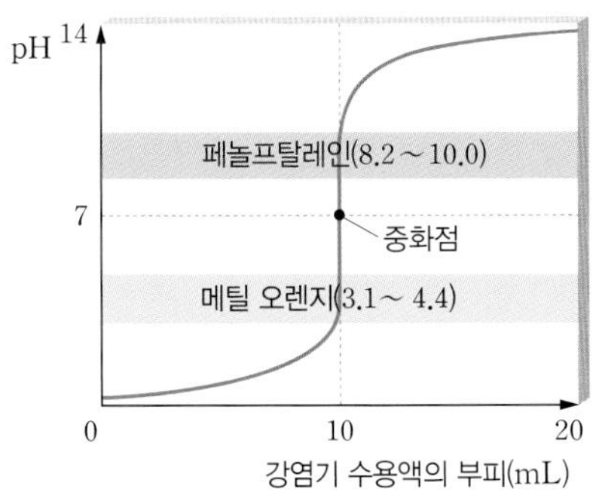

(1) 강산을 강염기로 중화 적정

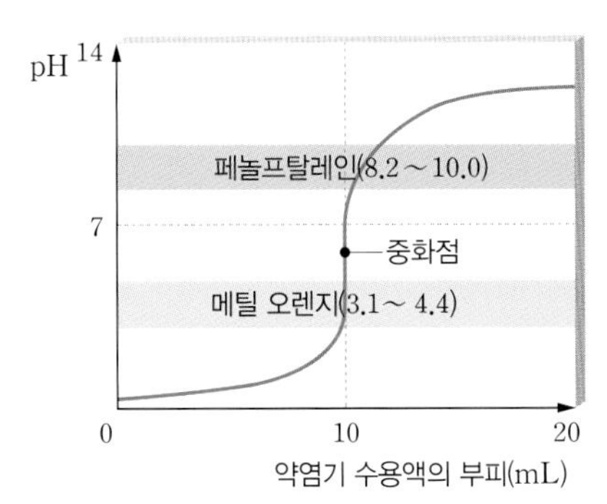

(2) 강산을 약염기로 중화 적정

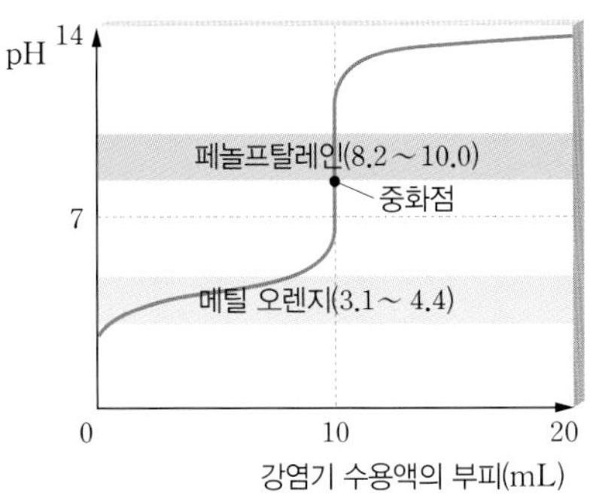

(3) 약산을 강염기로 중화 적정

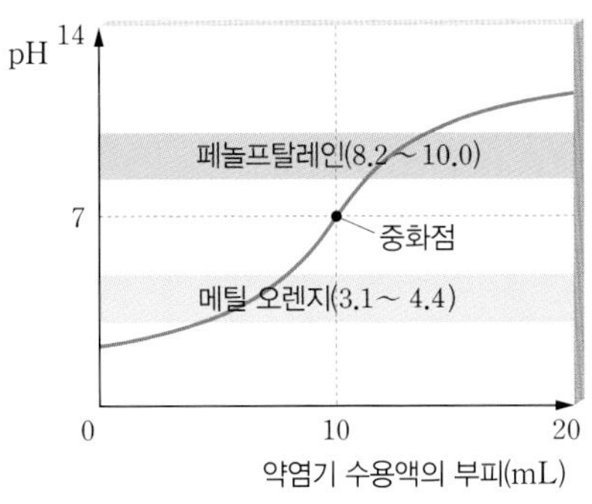

(4) 약산을 약염기로 중화 적정

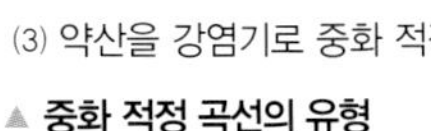
▲ 중화 적정 곡선의 유형

중화 적정에서 pH 계산

강산을 강염기로 중화 적정할 경우와 약산을 강염기로 중화 적정할 경우 pH를 계산해 보자.

❶ 강산을 강염기로 중화 적정할 때

0.1 M HCl(*aq*) 40 mL를 0.1 M NaOH(*aq*)으로 중화 적정할 때 몇 가지 지점에서 수용액의 pH를 계산하면 다음과 같다.

(1) NaOH(*aq*)을 첨가하기 전(초기)

HCl는 강산이므로 $[H_3O^+]=0.1$ M이다. 따라서 $pH=-\log(0.1)=1.00$이다.

(2) NaOH(*aq*)을 10.0 mL 넣었을 때(중화점 전)

혼합 용액 속 $[H_3O^+]$를 M''라 하면 다음과 같은 식이 성립한다.

$$M''(V+V')=nMV-n'M'V',\ M''=\frac{nMV-n'M'V'}{V+V'}$$

$$M''=[H_3O^+]=\frac{(0.1\times40.0-0.1\times10.0)}{50.0}=6.00\times10^{-2}\ M$$

따라서 $pH=-\log(6.00\times10^{-2})=2-\log2-\log3=1.22$이다.

(3) NaOH(*aq*)을 40.0 mL 넣었을 때(중화점)

$NaOH(aq)+HCl(aq) \longrightarrow NaCl(aq)+H_2O(l)$에서 수용액 속에 NaCl만 존재한다.

따라서 혼합 용액의 액성은 중성이고, $pH=7.00$이다.

(4) NaOH(*aq*)을 60.0 mL 넣었을 때(중화점 후)

$[OH^-]$를 M''라 하면 다음과 같은 식이 성립한다.

$$M''(V+V')=n'M'V'-nMV,\ M''=\frac{n'M'V'-nMV}{V+V'}$$

$$M''=[OH^-]=\frac{(0.1\times60.0-0.1\times40.0)}{100.0}=2.00\times10^{-2}\ M$$

따라서 $pOH=-\log(2.00\times10^{-2})=2-\log2=1.70$이므로 $pH=14-pOH=12.3$이다.

❷ 강염기를 강산으로 중화 적정할 때

강염기를 강산으로 중화 적정할 때는 강산을 강염기로 중화 적정하는 것과 매우 비슷하다. 이때는 pH가 높은 값에서부터 시작하여 중화점에서 pH가 7을 거쳐 낮아진다. 강산을 강염기로 적정할 때의 산과 염기, H_3O^+과 OH^-의 역할이 서로 바뀌게 된다. 초기 강염기의 pH는 $[OH^-]$를 이용하여 구하고, 강산이 첨가될 때마다 중화 반응한 만큼의 OH^-이 감소한다. 중화점 이전까지는 OH^-의 양(mol)이 더 많으므로 혼합 용액 속 $[OH^-]$를 이용하여 pH를 구한다. 중화점에서는 pH가 7이 되며, 중화점 이후에는 OH^-이 모두 반응하여 혼합 용액에 남아 있지 않으므로 중화점 이후 첨가된 H_3O^+의 양(mol)으로 pH를 구한다.

중화 반응이 완결되지 않은 경우 $[H^+]$와 $[OH^-]$

산과 염기의 가수 n, n'

산과 염기의 몰 농도 M, M'

산과 염기의 부피 V, V'

① 과량의 산에 소량의 염기를 넣었을 때 혼합 용액 속 $[H_3O^+]$

전체 H_3O^+의 양(mol)=초기 H_3O^+의 양(mol)−넣어 준 OH^-의 양(mol)

혼합 용액 속 $[H_3O^+]$를 M''라고 할 때 다음과 같은 식이 성립한다.

$M''(V+V')=nMV-n'M'V'$

② 과량의 염기에 소량의 산을 넣었을 때 혼합 용액 속 $[OH^-]$

전체 OH^-의 양(mol)=초기 OH^-의 양(mol)−넣어 준 H_3O^+의 양(mol)

혼합 용액 속 $[OH^-]$를 M''라고 할 때 다음과 같은 식이 성립한다.

$M''(V+V')=n'M'V'-nMV$

③ 약산을 강염기로 중화 적정할 때

K_a가 1.80×10^{-5}인 0.1 M $CH_3COOH(aq)$ 40.0 mL를 0.1 M $NaOH(aq)$으로 중화 적정할 때 몇 가지 지점에서 수용액의 pH를 계산하면 다음과 같다.

(1) $NaOH(aq)$을 첨가하기 전(초기)

CH_3COOH은 약산이므로 $[H_3O^+]=\sqrt{K_aC}$이다.

$$pH=-\log[H_3O^+]=-\frac{1}{2}\log(K_aC)=-\frac{1}{2}\log(1.80\times10^{-6})=2.87$$

(2) $NaOH(aq)$을 10.0 mL 넣었을 때(중화점 전)

이온화 상수가 K_a인 약산 HA의 수용액에서 이온화 평형은 다음과 같다.

$$HA(aq)+H_2O(l) \rightleftarrows H_3O^+(aq)+A^-(aq),\ K_a=\frac{[H_3O^+][A^-]}{[HA]}$$

$[H_3O^+]=K_a\frac{[HA]}{[A^-]}$이고, 양변에 $-\log$를 취하면 다음과 같다.

$$-\log[H_3O^+]=-\log K_a-\log\frac{[HA]}{[A^-]} \Rightarrow pH=pK_a+\log\frac{[A^-]}{[HA]}$$

이 식을 헨더슨-하셀바흐 식(Henderson-Hasselbalch equation)이라고 한다. 이 식은 약산과 그 짝염기가 존재하는 혼합 용액의 pH를 구하는 데 유용하다.

0.1 M $NaOH(aq)$ 10 mL에 들어 있는 OH^-의 양은 $0.1\times0.01=1\times10^{-3}$ mol이고, CH_3COOH의 양은 $0.1\times0.04=4\times10^{-3}$ mol이다. 중화 반응이 일어나면 OH^- 한 개당 한 개의 CH_3COO^-이 생성되므로 1×10^{-3} mol의 CH_3COO^-이 생성된다. 따라서 남아 있는 CH_3COOH의 양은 $4\times10^{-3}-1\times10^{-3}=3\times10^{-3}$ mol이다. 전체 부피는 0.05 L이므로 $\frac{[A^-]}{[HA]}=\frac{[CH_3COO^-]}{[CH_3COOH]}=\frac{1}{3}$이다.

따라서 혼합 용액의 $pH=pK_a+\log\frac{[CH_3COO^-]}{[CH_3COOH]}=-\log(1.80\times10^{-5})+\log\frac{1}{3}=4.74-0.48=4.26$이다.

(3) $NaOH(aq)$을 40.0 mL 넣었을 때(중화점)

CH_3COOH이 완전히 중화되므로 4×10^{-3} mol의 CH_3COONa이 생성된다. 수용액의 전체 부피는 80 mL가 되므로 $[CH_3COO^-]=\frac{4\times10^{-3}}{8\times10^{-2}}=0.05$ M이다.

$[OH^-]=\sqrt{K_bC}$이므로 pOH는 다음과 같다.

$$pOH=-\log[OH^-]=-\frac{1}{2}\log(K_bC)=-\frac{1}{2}\log\left(\frac{K_wC}{K_a}\right)$$

$$=-\frac{1}{2}\log\frac{1.0\times10^{-14}\times0.05}{1.8\times10^{-5}}=5.28 \Rightarrow pH=14-pOH=14-5.28=8.72$$

(4) $NaOH(aq)$을 60.0 mL 넣었을 때(중화점 후)

$[OH^-]$를 M''라 하면 $M''(V+V')=n'M'V'-nMV$에서

$$M''=[OH^-]=\frac{(0.1\times60.0-0.1\times40.0)}{100}=2.00\times10^{-2}\ M$$

따라서 $pOH=-\log(2.00\times10^{-2})=2-\log2=1.70$이므로 $pH=14-pOH=12.3$이다.

헨더슨-하셀바흐 식

약산 HA가 수용액에서 이온화 평형을 이룰 때 $\frac{[HA]}{[A^-]}$의 비를 알면 pH를 쉽게 계산할 수 있다.

$$HA+H_2O \rightleftarrows H_3O^++A^-$$

$$pH=pK_a+\log\frac{[A^-]}{[HA]}=pK_a+\log\frac{[염기]}{[산]}$$

이 식을 이용할 때는 A^-과 HA의 평형 농도가 각각의 초기 농도와 같다고 가정한다.

HCl과 CH_3COOH을 각각 NaOH으로 적정할 때 적정 곡선

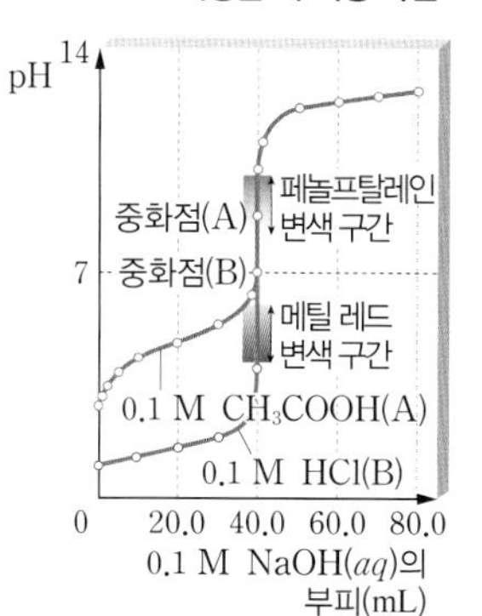

CH_3COOH을 NaOH으로 적정하면 중화점이 A이고, HCl을 NaOH으로 적정하면 중화점이 B이다. CH_3COOH을 NaOH으로 적정할 때 페놀프탈레인은 적당한 지시약이지만, 메틸 레드는 사용할 수 없다. HCl을 NaOH으로 적정할 때는 페놀프탈레인과 메틸 레드 모두 적당한 지시약이다.

> 정답과 해설 165쪽

02 산 염기 평형

① 산과 염기의 세기

1. 산과 염기의 이온화도

- (❶): 전해질이 이온화되는 비율 $=\dfrac{\text{이온화된 전해질의 양(mol)}}{\text{용해된 전해질의 전체 양(mol)}}$
- 같은 양(mol)의 산이나 염기를 물에 녹였을 때 이온화도가 (❷)수록 강산이나 강염기이다.

2. 산과 염기의 이온화 상수 산과 염기의 이온화 반응에 대한 평형 상수 K_a, K_b는 온도에 의해서만 달라진다.

- K_a, K_b가 (❸)수록 강산, 강염기이다.
- K_a, K_b가 (❹)수록 약산, 약염기이다.

3. 이온화도와 이온화 상수의 관계 농도가 C mol/L인 약산 HA의 이온화도 α와 이온화 상수 K_a라 할 때

이온화 상수 $K_a=\dfrac{[H_3O^+][A^-]}{[HA]}=\dfrac{(C\alpha)^2}{C(1-\alpha)}=\dfrac{C\alpha^2}{1-\alpha}$

4. 산과 염기의 상대적 세기 강산인 HCl는 이온화 상수가 매우 커서 물에 녹아 거의 100 % 이온화한다.

$HCl + H_2O \rightleftharpoons H_3O^+ + Cl^-$

산 염기 산 염기

이 반응에서 K_a가 매우 크기 때문에 평형은 (❺) 쪽으로 치우쳐 산의 세기는 $HCl>H_3O^+$이고, 짝염기의 세기는 $H_2O>Cl^-$이다. 모든 산과 염기 반응은 항상 약산과 약염기가 생성되는 쪽으로 반응이 진행된다.

② 다양성자산의 이온화

다양성자산의 이온화 해리될 수 있는 양성자(H^+)를 2개 이상 포함하고 있는 산을 다양성자산이라고 한다. 다양성자산은 여러 단계를 거쳐 이온화되며, 각 단계별 이온화 상수 값은 $K_{a1}>K_{a2}>\cdots$ 순으로 작아진다.

③ 수용액의 pH

1. 수소 이온 농도 지수(pH)

$pH=\log\dfrac{1}{[H_3O^+]}=$(❻), $pOH=\log\dfrac{1}{[OH^-]}=-\log[OH^-]$

2. 수용액의 액성과 pH, pOH 25 ℃ 수용액에서 pH<7이면 (❼), pH=7이면 (❽), pH>7이면 (❾) 용액이다.

④ 중화 적정

1. 중화 반응에서의 양적 관계

- 산과 염기가 완전히 중화되려면 산의 H^+의 양(mol)과 염기의 OH^-의 양(mol)이 (❿)야 한다.
- 중화점에서는 다음과 같은 양적 관계가 성립한다.

$$nMV=n'M'V'$$

(n, n': 산, 염기의 가수, M, M': 산, 염기의 몰 농도, V, V': 산, 염기의 부피)

2. 중화 적정 곡선 중화 적정에서 가해 준 염기 수용액 또는 산 수용액의 부피에 따른 용액의 (⓫) 변화를 나타낸 그래프를 중화 적정 곡선이라고 한다. 이 곡선은 산과 염기의 세기에 따라 모양이 달라진다.

01 25 ℃에서 HA(aq)은 다음과 같이 이온화 평형을 이룬다.

$$HA(aq) + H_2O(l) \rightleftharpoons H_3O^+(aq) + A^-(aq)$$

0.01 M HA(aq)의 이온화도 α가 0.2라고 할 때 이온화 상수 K_a를 구하시오.

02 25 ℃에서 아세트산(CH_3COOH)의 K_a는 1.8×10^{-5}이다. 같은 온도에서 아세트산 나트륨(CH_3COONa) 0.1몰과 아세트산 0.1몰을 증류수에 녹여 1 L 혼합 용액을 만들었을 때, 용액 중의 $[H_3O^+]$를 구하시오.

03 다음 반응에서 브뢴스테드·로리의 짝산–짝염기 관계에 해당하는 물질끼리 모두 짝 지어 쓰시오. (단, 답은 2쌍)

$$NH_4^+ + CO_3^{2-} \rightleftharpoons NH_3 + HCO_3^-$$

04 표는 25 ℃에서 몇 가지 산의 이온화 상수(K_a)와 그 짝염기를 나타낸 것이다.

짝산	산의 이온화 상수(K_a)	짝염기
HF	6.7×10^{-4}	F^-
H_3PO_4	7.1×10^{-3}	$H_2PO_4^-$
CH_3COOH	1.8×10^{-5}	CH_3COO^-
H_2CO_3	4.4×10^{-7}	HCO_3^-

표에서 주어진 물질 중 (가) 가장 강한 산과 (나) 짝염기 중 가장 강한 염기를 각각 쓰시오.

05 다음은 산 HA와 HB의 이온화 반응식과 K_a 값을 나타낸 것이다.

- $HA(aq) + H_2O(l) \rightleftharpoons H_3O^+(aq) + A^-(aq)$ $\quad K_a = 2.0 \times 10^{-10}$
- $HB(aq) + H_2O(l) \rightleftharpoons H_3O^+(aq) + B^-(aq)$ $\quad K_a' = 4.0 \times 10^{-8}$

다음 물음에 답하시오. (단, $\log 2 = 0.3$이다.)

(1) HA(aq)에서 [HA]가 $[A^-]$의 10배일 때 pH를 구하시오.

(2) pH=5.4인 HB(aq)에서 HB의 이온화도를 구하시오.

06 25 ℃에서 농도가 0.01 M인 약염기 수용액에서 약염기 BOH의 이온화도(α)가 0.01이다. 이 용액에서 $[H_3O^+]$와 $[OH^-]$를 각각 구하시오. (단, 25 ℃에서 물의 이온화 상수 $K_w = 1.0 \times 10^{-14}$이다.)

07 다음은 25 ℃에서 탄산의 단계별 이온화 반응식과 이온화 상수를 나타낸 것이다.

[1단계] $H_2CO_3 + H_2O \rightleftharpoons H_3O^+ + HCO_3^-$ $\quad K_{a1} = 4 \times 10^{-7}$

[2단계] $HCO_3^- + H_2O \rightleftharpoons H_3O^+ + CO_3^{2-}$ $\quad K_{a2} = 5 \times 10^{-11}$

이에 대한 설명으로 옳은 것만을 보기에서 있는 대로 고르시오.

보기

ㄱ. 짝염기의 세기는 $CO_3^{2-} > H_2O > HCO_3^-$이다.

ㄴ. HCO_3^-은 양쪽성 물질이다.

ㄷ. $H_2CO_3 + 2H_2O \rightleftharpoons 2H_3O^+ + CO_3^{2-}$ 반응의 이온화 상수(K_a)는 2×10^{-17}이다.

08 다음은 25 ℃에서 아세트산(CH_3COOH), 탄산(H_2CO_3), 황화 수소(H_2S)의 이온화 반응식과 이온화 상수(K_a)를 나타낸 것이다.

- $CH_3COOH + H_2O \rightleftharpoons CH_3COO^- + H_3O^+$ $K_a = 1.8 \times 10^{-5}$
- $H_2CO_3 + H_2O \rightleftharpoons HCO_3^- + H_3O^+$ $K_a = 4.4 \times 10^{-7}$
- $H_2S + H_2O \rightleftharpoons HS^- + H_3O^+$ $K_a = 1.0 \times 10^{-7}$

이에 대한 설명으로 옳은 것은 ○, 옳지 않은 것은 ×를 표시하시오.

(1) CH_3COOH은 H_2S보다 약한 산이다. ( )
(2) HCO_3^-은 CH_3COO^-보다 강한 염기이다. ( )
(3) pH는 0.1 M H_2CO_3 수용액이 0.1 M H_2S 수용액보다 크다. ( )
(4) 25 ℃에서 CH_3COO^-의 K_b는 1.8×10^{-9}이다. ( )
(5) 25 ℃에서 HS^-의 K_b는 1.0×10^{-7}보다 크다. ( )
(6) H_2O은 세 반응에서 모두 염기로 작용한다. ( )
(7) HCO_3^-의 짝산은 H_3O^+이다. ( )

09 25 ℃에서 다음 용액의 pH를 구하시오.

(1) 0.2 M HCl(aq)(단, log2=0.3)
(2) 0.01 M CH_3COOH(aq)($\alpha = 1.0 \times 10^{-2}$)
(3) 0.01 M NaOH(aq)
(4) 0.1 M NH_3(aq)($\alpha = 1.0 \times 10^{-2}$)

10 약산 HA의 이온화 상수 K_a는 1.0×10^{-5}이다.

(1) 0.1 M HA 수용액에서의 $\frac{[A^-]}{[HA]}$를 구하시오.
(2) 0.1 M HA 수용액의 pH를 구하시오.

11 0.1 M HNO_3(aq) 10 mL와 0.1 M H_2SO_4(aq) 20 mL가 혼합되어 있는 용액을 0.1 M NaOH(aq)으로 적정하였다. 중화 반응이 완결될 때까지 소모되는 NaOH(aq)의 부피(L)를 구하시오.

12 그림은 산 HA, HB 수용액 20 mL를 0.1 M NaOH 수용액으로 각각 중화시켰을 때 얻어진 중화 적정 곡선을 나타낸 것이다.

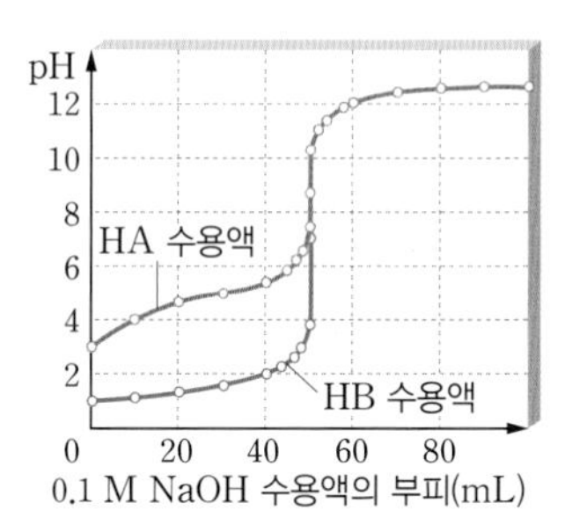

이에 대한 설명으로 옳은 것만을 보기에서 있는 대로 고르시오.

보기
ㄱ. HA와 HB의 초기 농도는 같다.
ㄴ. HA가 HB보다 산의 이온화 상수가 크다.
ㄷ. 중화점에서 각 혼합 용액의 pH는 같다.

13 그림은 AOH 수용액 50 mL와 BOH 수용액 50 mL에 0.1 M HCl 수용액을 조금씩 가할 때 pH 변화를 나타낸 것이다.

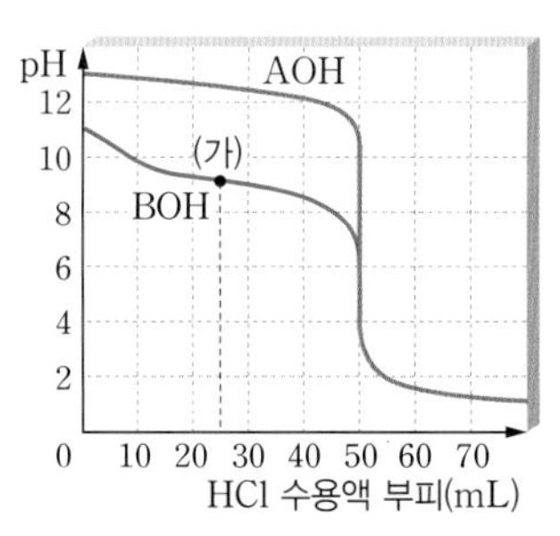

이에 대한 설명으로 옳은 것은 ○, 옳지 않은 것은 ×를 표시하시오. (단, 수용액의 온도는 25 ℃로 일정하다.)

(1) AOH(aq)과 BOH(aq)의 몰 농도는 같다.( )
(2) BOH의 이온화도는 0.001이다. ( )
(3) (가)에서 용액의 pH는 9이다. ( )
(4) 염기의 세기는 AOH가 BOH보다 크다. ( )
(5) AOH의 이온화도는 0.1이다. ( )
(6) BOH의 이온화 상수는 10^{-5}이다. ( )
(7) AOH(aq)을 HCl(aq)으로 적정할 때 중화점은 페놀프탈레인으로 찾을 수 있다. ( )

> 정답과 해설 167쪽

01
> 짝산과 짝염기

다음은 25 ˚C에서 플루오린화 수소(HF)의 이온화 반응식과 이온화 상수를 나타낸 것이다.

$$HF(aq) + H_2O(l) \rightleftharpoons F^-(aq) + H_3O^+(aq) \quad K_a = 6.7 \times 10^{-4}$$

이에 대한 설명으로 옳은 것만을 보기에서 있는 대로 고른 것은?

보기
ㄱ. F^-은 H_3O^+의 짝염기이다.
ㄴ. H_2O은 염기로 작용한다.
ㄷ. HF는 H_3O^+보다 약한 산이다.

① ㄱ ② ㄴ ③ ㄱ, ㄴ ④ ㄱ, ㄷ ⑤ ㄴ, ㄷ

• H^+의 이동에 의해 산과 염기로 되는 한 쌍의 물질을 짝산-짝염기라고 한다.
짝산 $\rightleftharpoons$ 짝염기 + H^+

02
> 이온화 상수와 산 염기 세기

다음은 탄산 칼슘($CaCO_3$)의 용해와 관련된 이온화 반응식과 이온화 상수를 나타낸 것이다.

(가) $CaCO_3(s) \rightleftharpoons Ca^{2+}(aq) + CO_3^{2-}(aq)$
(나) $CO_3^{2-}(aq) + H_2O(l) \rightleftharpoons HCO_3^-(aq) + OH^-(aq) \quad K_b = 2.1 \times 10^{-4}$
(다) $HCO_3^-(aq) + H_2O(l) \rightleftharpoons H_2CO_3(aq) + OH^-(aq) \quad K_b = 2.3 \times 10^{-8}$

(가)~(다)에 대한 설명으로 옳은 것만을 보기에서 있는 대로 고른 것은?

보기
ㄱ. OH^-은 HCO_3^-보다 강한 염기이다.
ㄴ. 용액의 pH가 커지면 $CaCO_3$의 용해도가 증가한다.
ㄷ. (나) 반응에서 H_2O과 HCO_3^-은 모두 산으로 작용한다.

① ㄱ ② ㄴ ③ ㄱ, ㄴ ④ ㄱ, ㄷ ⑤ ㄴ, ㄷ

• 산의 이온화 상수 K_a가 클수록 강한 산이고, 염기의 이온화 상수 K_b가 클수록 강한 염기이다.

03

> 짝산과 짝염기의 세기

다음은 25 ℃에서 산 HA와 염기 B의 이온화 반응식과 이온화 상수를 나타낸 것이다.

$HA(aq) + H_2O(l) \rightleftharpoons H_3O^+(aq) + A^-(aq) \quad K_a = 2 \times 10^{-5}$

$B(aq) + H_2O(l) \rightleftharpoons HB^+(aq) + OH^-(aq) \quad K_b = x$

이에 대한 설명으로 옳은 것만을 보기에서 있는 대로 고른 것은? (단, 염기의 세기는 $A^- < B$이며, 25 ℃에서 물의 이온화 상수(K_w)는 1×10^{-14}이다.)

보기

ㄱ. HB^+이 HA보다 강한 산이다.

ㄴ. $HA(aq)$의 농도가 0.1 M일 때 이온화도(α)는 1×10^{-2}이다.

ㄷ. x는 5×10^{-10}보다 크다.

① ㄱ ② ㄷ ③ ㄱ, ㄴ ④ ㄱ, ㄷ ⑤ ㄴ, ㄷ

• 산의 이온화 반응에 대한 평형 상수 K_a가 클수록 강한 산이고, K_a가 작을수록 약한 산이다.

04

> 산 염기 평형

다음은 25 ℃에서 산 HA, HB, HC 수용액 중 2가지를 각각 혼합했을 때 수용액에서 일어나는 반응의 화학 반응식과 평형 상수(K)를 나타낸 것이다.

• $HB(aq) + A^-(aq) \rightleftharpoons B^-(aq) + HA(aq) \quad K_1 < 1$

• $HA(aq) + C^-(aq) \rightleftharpoons A^-(aq) + HC(aq) \quad K_2 < 1$

• $HB(aq) + C^-(aq) \rightleftharpoons B^-(aq) + HC(aq) \quad K_3$

이에 대한 설명으로 옳은 것만을 보기에서 있는 대로 고른 것은?

보기

ㄱ. 산의 세기는 HB>HC이다.

ㄴ. K_3는 1보다 작다.

ㄷ. 염기의 세기는 $C^- > A^-$이다.

① ㄱ ② ㄴ ③ ㄷ ④ ㄱ, ㄴ ⑤ ㄴ, ㄷ

• 산과 염기가 반응할 때 항상 약한 산, 약한 염기가 생성되는 쪽으로 반응이 진행된다.

05

> 중화 적정 곡선

그림은 25 ℃에서 염기 수용액 $BOH(aq)$ 50 mL를 1.0 M $HCl(aq)$으로 적정하여 얻은 중화 적정 곡선이다.

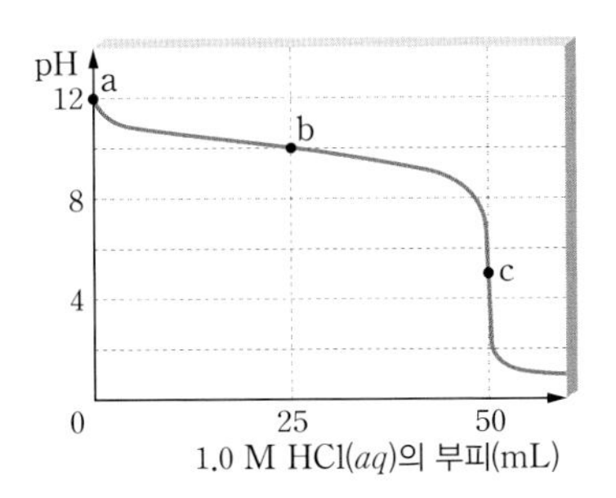

이에 대한 설명으로 옳은 것만을 보기에서 있는 대로 고른 것은? (단, 수용액의 온도는 일정하다.)

보기

ㄱ. a점에서 BOH의 이온화도는 10^{-3}이다.

ㄴ. 염기 BOH의 이온화 상수는 $K_b=1\times10^{-4}$이다.

ㄷ. c점에서 $[H_3O^+]>[OH^-]$이다.

① ㄱ ② ㄴ ③ ㄷ ④ ㄱ, ㄷ ⑤ ㄴ, ㄷ

- c점의 pH는 7보다 작으므로 산성 용액이다.

고난도

06

> 중화 적정 곡선

그림 (가)와 (나)는 $HA(aq)$ 100 mL와 $HB(aq)$ 100 mL를 0.1 M $NaOH(aq)$으로 각각 적정하여 얻은 중화 적정 곡선이다.

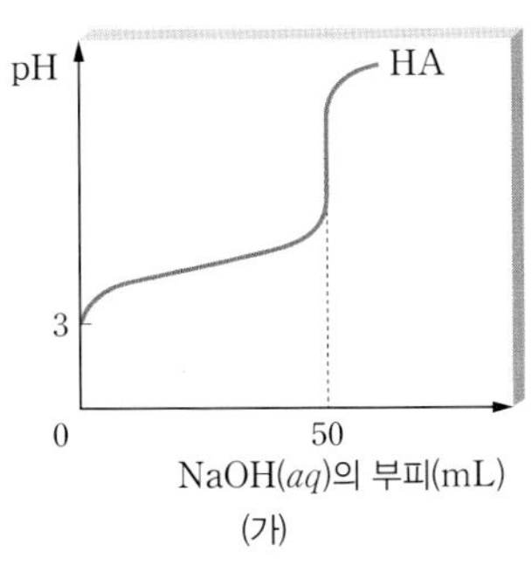

(가)

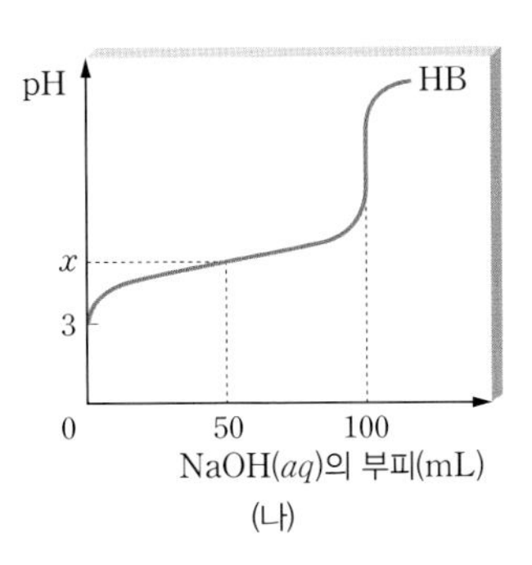

(나)

이에 대한 설명으로 옳은 것만을 보기에서 있는 대로 고른 것은? (단, 수용액의 온도는 25 ℃로 일정하고, $\log 2=0.3$이다.)

보기

ㄱ. 적정 전 초기 몰 농도 [HA]=2[HB]이다.

ㄴ. $x<5$이다.

ㄷ. K_a의 값은 HA가 HB의 2배이다.

① ㄱ ② ㄴ ③ ㄷ ④ ㄱ, ㄴ ⑤ ㄴ, ㄷ

- $HA(aq)$ 100 mL에 $NaOH(aq)$ 50 mL를 가하였더니 중화점에 도달하였고, $HB(aq)$ 100 mL에 $NaOH(aq)$ 100 mL를 가하였더니 중화점에 도달하였다.

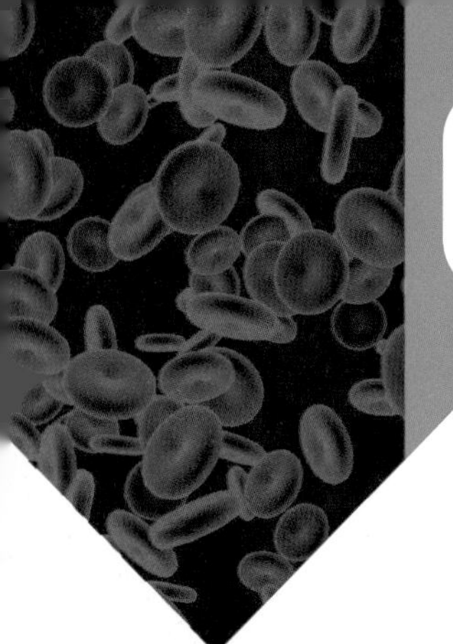

03 완충 용액

학습 Point 염(salt) > 염의 가수 분해 > 공통 이온 효과 > 완충 용액

1 염의 가수 분해

염은 주로 산과 염기의 중화 반응에 의해 생기는 화합물로, 염의 종류에 따라 염을 녹인 수용액이 중성일 수도, 산성일 수도, 염기성일 수도 있다.

1. 염

염은 산과 염기의 중화 반응에 의해 생기는 화합물로, 염기의 양이온(Na^+, K^+, Ca^{2+} 등의 금속 이온이나 NH_4^+)과 산의 음이온(F^-, Cl^-, S^{2-} 등의 비금속 이온이나 SO_4^{2-}, NO_3^-, CO_3^{2-} 등)으로 이루어진다.

염기의 양이온 + 산의 음이온 → 염

$NaOH$(염기) + HCl(산) ⟶ $NaCl$(염) + H_2O

$Ba(OH)_2$(염기) + H_2SO_4(산) ⟶ $BaSO_4$(염) + $2H_2O$

(1) **염의 생성:** 염은 중화 반응뿐만 아니라 여러 가지 다른 반응에서도 생성된다.

① 산과 염기의 중화 반응: 산 + 염기 ⟶ 염 + 물

$HCl + KOH \longrightarrow KCl + H_2O$

$HNO_3 + NaOH \longrightarrow NaNO_3 + H_2O$

② 금속과 산의 반응: 금속+산 ⟶ 염 + 수소

$Fe + 2HCl \longrightarrow FeCl_2 + H_2\uparrow$

$Zn + H_2SO_4 \longrightarrow ZnSO_4 + H_2\uparrow$

③ 산과 금속 산화물의 반응: 산 + 금속 산화물 ⟶ 염 + 물

$H_2SO_4 + Na_2O \longrightarrow Na_2SO_4 + H_2O$

$2HCl + MgO \longrightarrow MgCl_2 + H_2O$

④ 염기와 비금속 산화물의 반응: 염기 + 비금속 산화물 ⟶ 염 + 물

$2NaOH + CO_2 \longrightarrow Na_2CO_3 + H_2O$

⑤ 금속 산화물과 비금속 산화물의 반응: 금속 산화물 + 비금속 산화물 ⟶ 염

$CaO + CO_2 \longrightarrow CaCO_3$

⑥ 염과 염의 앙금 생성 반응: 염1 + 염2 ⟶ 염3 + 염4(앙금)

$NaCl + AgNO_3 \longrightarrow NaNO_3 + AgCl\downarrow$

$BaCl_2 + Na_2SO_4 \longrightarrow 2NaCl + BaSO_4\downarrow$

염기의 양이온 예
Li^+, Na^+, K^+, Ca^{2+}, Mg^{2+}, Fe^{2+}, NH_4^+

산의 음이온 예
F^-, Cl^-, S^{2-}, NO_3^-, CO_3^{2-}, SO_4^{2-}, CH_3COO^-

염의 이름
음이온의 이름을 먼저 읽고, 다음에 양이온의 이름을 읽는다.
- $NaNO_3$(질산 나트륨)
- $AgNO_3$(질산 은)
- $NaCl$(염화 나트륨)
- K_2CO_3(탄산 칼륨)
- $CaCO_3$(탄산 칼슘)

(2) **염과 산 또는 염기와의 반응:** 염이 산 또는 염기와 반응할 때에는 항상 약산이나 약염기 또는 휘발성 산이 생성되는 쪽으로 반응이 진행된다.

① $CaCO_3 + 2HCl \longrightarrow CaCl_2 + H_2O + CO_2$

탄산 칼슘과 염산이 반응하면 약산인 탄산($H_2O + CO_2$)이 생성되는 쪽으로 반응이 진행된다.

② $NH_4Cl + NaOH \longrightarrow NaCl + NH_3 + H_2O$

염화 암모늄과 수산화 나트륨이 반응하면 약염기인 암모니아(NH_3)가 생성되는 쪽으로 반응이 진행된다.

③ $2NaCl + H_2SO_4 \longrightarrow Na_2SO_4 + 2HCl$

염화 나트륨과 황산이 반응하면 휘발성 산인 염화 수소(HCl)가 생성되는 쪽으로 반응이 진행된다.

(3) **염의 용해성:** 염은 대부분 녹는점이 높은 이온 결정이다.

① 전하가 작은 양이온(Na^+, K^+, NH_4^+)이나 음이온(Cl^-, NO_3^-, CH_3COO^-)으로 구성된 염은 이온 결합력이 약해 대부분 물에 잘 녹는 경향을 보인다.

② 전하가 큰 Ca^{2+}, Ba^{2+}이나 SO_4^{2-}, CO_3^{2-}으로 구성된 염은 이온 결합력이 커서 물에 잘 녹지 않는 경향을 보인다.

음이온 / 양이온	NO_3^- (질산 이온)	Cl^- (염화 이온)	SO_4^{2-} (황산 이온)	CO_3^{2-} (탄산 이온)
Na^+ (나트륨 이온)	$NaNO_3$ (질산 나트륨)	NaCl (염화 나트륨)	Na_2SO_4 (황산 나트륨)	Na_2CO_3 (탄산 나트륨)
NH_4^+ (암모늄 이온)	NH_4NO_3 (질산 암모늄)	NH_4Cl (염화 암모늄)	$(NH_4)_2SO_4$ (황산 암모늄)	$(NH_4)_2CO_3$ (탄산 암모늄)
Ca^{2+} (칼슘 이온)	$Ca(NO_3)_2$ (질산 칼슘)	$CaCl_2$ (염화 칼슘)	$CaSO_4$ (황산 칼슘)	$CaCO_3$ (탄산 칼슘)
Ba^{2+} (바륨 이온)	$Ba(NO_3)_2$ (질산 바륨)	$BaCl_2$ (염화 바륨)	$BaSO_4$ (황산 바륨)	$BaCO_3$ (탄산 바륨)
Ag^+ (은 이온)	$AgNO_3$ (질산 은)	AgCl (염화 은)	Ag_2SO_4 (황산 은)	Ag_2CO_3 (탄산 은)

▲ **물에 대한 염의 용해성** □ 물에 잘 녹음. ■ 물에 잘 녹지 않음.

(4) **염의 분류:** 염은 정염, 산성염, 염기성염으로 분류할 수 있다. 이러한 염의 분류는 편의상의 분류이며, 큰 의미를 가지지 않는다. 더불어 염의 분류는 염을 녹인 수용액의 액성과도 관계가 없다. 예를 들면, 산성염이라도 종류에 따라 염을 녹인 수용액의 액성이 산성이 될 수도 있고, 염기성이 될 수도 있다.

① 정염(중성염): 산의 수소 이온이 완전히 금속 이온으로 치환된 염을 정염이라고 한다.

예 NaCl, Na_2CO_3, $(NH_4)_2SO_4$, $BaSO_4$

② 산성염: 산의 수소 이온이 일부 남아 있는 염을 수소염 또는 산성염이라고 한다.

예 $NaHSO_4$, $NaHCO_3$, Na_2HPO_4

③ 염기성염: 염기의 수산화 이온이 일부 남아 있는 염을 염기성염이라고 한다.

예 $Ca(OH)Cl$, $Mg(OH)Cl$

염과 산 또는 염기의 반응

- 강산 + 약산의 염 $\longrightarrow$ 강산의 염 + 약산
- 강염기 + 약염기의 염 $\longrightarrow$ 강염기의 염 + 약염기
- 휘발성 산의 염 + 비휘발성 산 $\longrightarrow$ 비휘발성 산의 염 + 휘발성 산

염의 분류

- $NaHSO_4$은 물에 녹아 이온화할 수 있는 수소 이온(H^+)이 존재하므로 산성염이다.

  $NaHSO_4 \longrightarrow Na^+ + H^+ + SO_4^{2-}$
- $Ca(OH)Cl$은 물에 녹아 이온화할 수 있는 수산화 이온(OH^-)이 존재하므로 염기성염이다.

  $Ca(OH)Cl \longrightarrow Ca^{2+} + OH^- + Cl^-$

염의 액성

$NaHSO_4$과 $NaHCO_3$은 모두 산의 수소 이온이 일부 남아 있으므로 산성염이다. 그러나 $NaHSO_4$ 수용액은 산성이고, $NaHCO_3$ 수용액은 염기성으로, 수용액의 액성이 서로 다르다. 염이 물에 녹은 수용액의 액성을 정확하게 이해하려면 염의 가수분해를 알아야 한다.

2. 염의 가수 분해

염이 수용액에서 이온화할 때 생기는 이온 중의 일부가 물과 반응하여 수소 이온(H^+)이나 수산화 이온(OH^-)을 생성함으로써 수용액의 액성이 산성이나 염기성으로 변하게 되는데, 이 반응을 염의 가수 분해라고 한다.

예 아세트산 나트륨(CH_3COONa) 수용액의 액성: 아세트산 나트륨을 물에 녹이면 다음과 같이 CH_3COO^-과 Na^+이 생성된다.

• 이온화: CH_3COONa(염) ⟶ CH_3COO^-(음이온) + Na^+(양이온)

이때 생성된 음이온인 CH_3COO^-이 H_2O과 반응하여 OH^-을 생성하므로 이 수용액은 염기성을 나타낸다.

• 가수 분해: $CH_3COO^- + H_2O \longrightarrow CH_3COOH + OH^-$(염기성)

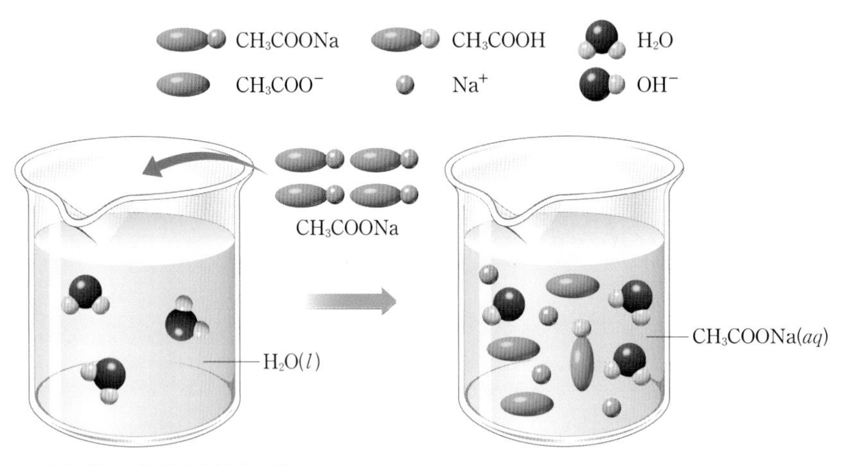

▲ 아세트산 나트륨의 가수 분해 모형

(1) **강산과 강염기가 반응하여 생성된 염:** 약산 또는 약염기가 중화 반응을 하여 생성된 염은 가수 분해된다. 그러나 강산과 강염기가 중화 반응을 하여 생성된 염은 물에 녹아 이온화되기는 하지만 가수 분해되지 않는다. 따라서 강산과 강염기가 반응하여 생성된 염을 물에 녹이면 정염의 경우 중성, 산성염의 경우 산성, 염기성염의 경우 염기성을 나타낸다.

① 정염의 수용액: $NaCl \longrightarrow Na^+ + Cl^-$ (중성)

② 산성염의 수용액: $NaHSO_4 \longrightarrow Na^+ + H^+ + SO_4^{2-}$ (산성)

③ 염기성염의 수용액: $Ca(OH)Cl \longrightarrow Ca^{2+} + OH^- + Cl^-$ (염기성)

④ 강산과 강염기가 반응하여 생성된 염을 물에 녹였을 때 중성을 나타내는 염에는 KCl, $NaNO_3$, K_2SO_4 등이 있고, 산성을 나타내는 염에는 $KHSO_4$, $NaHSO_4$ 등이 있다. 또, 염기성을 나타내는 염에는 $Ba(OH)Cl$ 등이 있다.

(2) **강산과 약염기가 반응하여 생성된 염:** 가수 분해되어 산성을 나타내며, 대표적으로 염화 암모늄(NH_4Cl)이 있다.

① 이온화: NH_4Cl(염) ⟶ NH_4^+(양이온) + Cl^-(음이온)

② 가수 분해: NH_4^+(양이온) + $H_2O \longrightarrow NH_3 + H_3O^+$(산성)

③ 강산과 약염기가 반응하여 생성된 염에는 $(NH_4)_2SO_4$, $CuSO_4$, NH_4Cl, $Zn(NO_3)_2$, $MgCl_2$, $FeSO_4$, NH_4NO_3 등이 있다.

CH_3COONa의 가수 분해

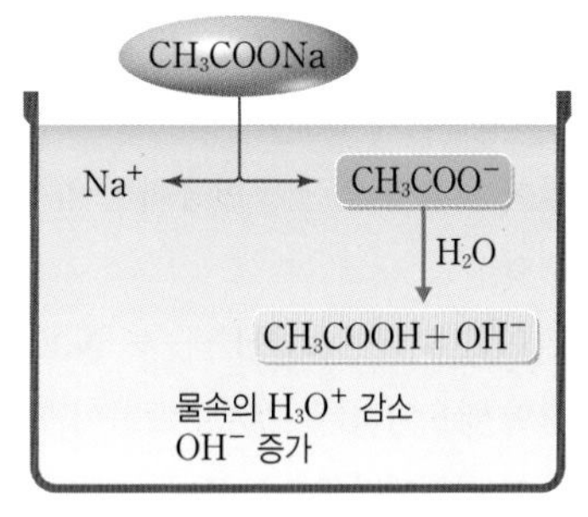

아세트산 나트륨이 물에 녹으면 모두 이온화되어 CH_3COO^-과 Na^+이 생성되고, CH_3COO^- 중 일부가 물과 반응하여 OH^-을 생성하므로 염기성 용액이 된다.

NH_4Cl의 가수 분해

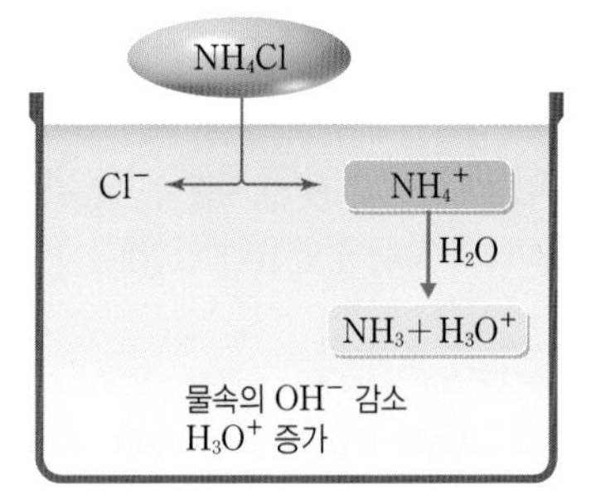

염화 암모늄이 물에 녹으면 모두 이온화되어 NH_4^+과 Cl^-이 생성되고, NH_4^+ 중 일부가 물과 반응하여 H_3O^+을 생성하므로 산성 용액이 된다.

강산과 강염기가 반응하여 생성된 염

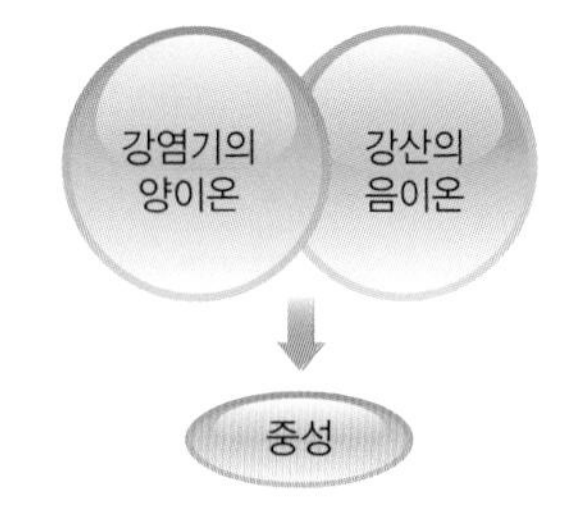

강산과 약염기가 반응하여 생성된 염

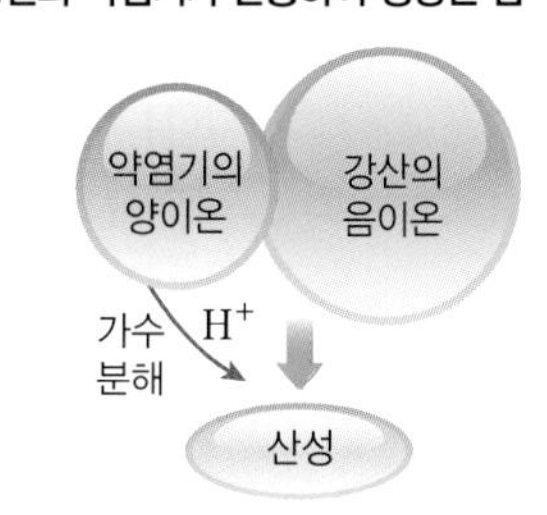

(3) **약산과 강염기가 반응하여 생성된 염:** 가수 분해되어 염기성을 나타내며, 대표적으로 탄산수소 나트륨($NaHCO_3$)이 있다.

① 이온화: $NaHCO_3 \longrightarrow Na^+ + HCO_3^-$

② 가수 분해: $HCO_3^- + H_2O \longrightarrow H_2CO_3 + OH^-$

③ 약산과 강염기가 반응하여 생성된 염에는 Na_2CO_3, $NaHCO_3$, CH_3COONa, KCN, K_3PO_4, K_2HPO_4 등이 있다.

약산과 강염기가 반응하여 생성된 염

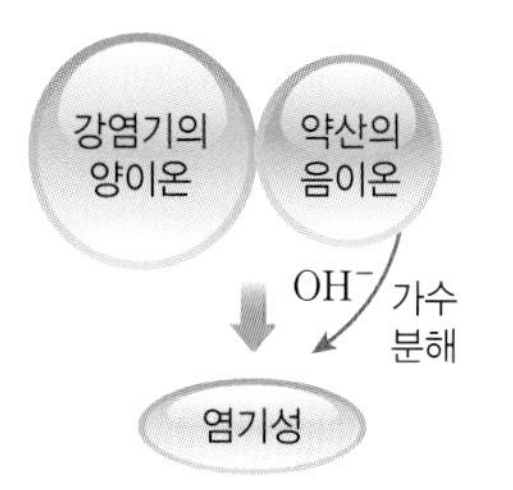

(4) **약산과 약염기가 반응하여 생성된 염:** 가수 분해되어 중성에 가까운 용액이 된다.

① 이온화: $CH_3COONH_4 \longrightarrow CH_3COO^- + NH_4^+$

② 가수 분해: $CH_3COO^- + H_2O \longrightarrow CH_3COOH + OH^-$

$NH_4^+ + H_2O \longrightarrow NH_3 + H_3O^+$

$CH_3COO^- + NH_4^+ + 2H_2O \longrightarrow CH_3COOH + OH^- + NH_3 + H_3O^+$

③ CH_3COO^-과 NH_4^+은 산과 염기의 세기가 비슷하므로 중성에 가까운 용액이 된다.

약산과 약염기가 반응하여 생성된 염

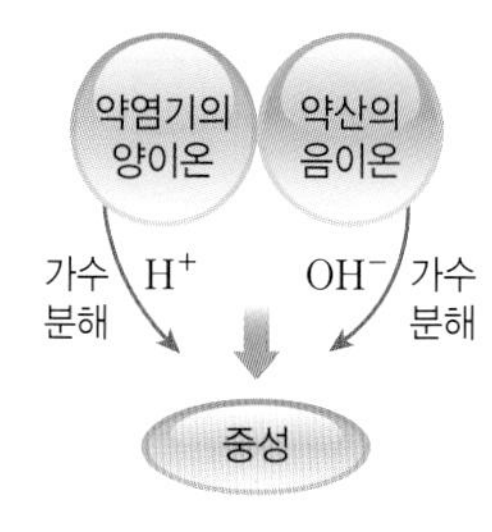

(5) **여러 가지 이온들의 수용액에서의 액성**

액성 \ 이온	양이온	음이온
산성	Ag^+, NH_4^+, Cu^{2+}, Fe^{2+}, Mg^{2+}, Al^{3+}	HSO_4^-, $H_2PO_4^-$
중성	Li^+, Na^+, K^+, Ca^{2+}, Ba^{2+}	Cl^-, Br^-, I^-, NO_3^-, ClO_4^-, SO_4^{2-}
염기성	없다.	F^-, CO_3^{2-}, S^{2-}, PO_4^{3-}, CH_3COO^-, CN^-, HS^-, HCO_3^-, HPO_4^{2-}

약산과 약염기에 의해 생성된 염

약산과 약염기에 의해 생성된 염을 물에 녹였을 때 수용액의 액성은 그 염을 구성하는 이온들의 K_a와 K_b를 비교하면 알 수 있다.

- $K_a > K_b$인 경우: 수용액의 pH가 7보다 작아지고 수용액은 산성이 된다.
- $K_a < K_b$인 경우: 수용액의 pH가 7보다 커지고 수용액은 염기성이 된다.
- $K_a = K_b$인 경우: 수용액의 pH가 7이 되고 수용액은 중성이 된다.

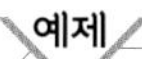

25 ℃에서 다음의 염을 녹인 수용액의 pH가 7보다 작은 것은?

① K_2SO_4　② NH_4NO_3　③ Na_2CO_3
④ $NaCl$　⑤ CH_3COONa

해설 강산과 약염기의 반응으로 생성된 염은 수용액에서 산성을 나타내므로 pH가 7보다 작다.
정답 ②

3. 염의 수용액의 pH 계산

염이 이온화하여 생성된 약산의 음이온은 가수 분해되어 염기성 용액을 만들고, 약염기의 양이온은 가수 분해되어 산성 용액을 만든다는 것을 이용한다.

(1) **0.1 M CH_3COONa 수용액의 pH 계산**

① CH_3COOH의 이온화 상수(K_a)는 2×10^{-5}이다.

② CH_3COONa은 수용액에서 100 % 이온화하므로 $[CH_3COO^-]$는 0.1 M이다.

$CH_3COONa \longrightarrow CH_3COO^- + Na^+$

이 반응에서 Na^+은 가수 분해되지 않는 이온이므로 고려할 필요가 없다.

③ CH_3COO^-이 가수 분해되는 반응식과 이온화 상수는 다음과 같다.

$CH_3COO^- + H_2O \rightleftharpoons CH_3COOH + OH^-$

$K_b = \dfrac{[CH_3COOH][OH^-]}{[CH_3COO^-]}$ …… (가)

CH_3COOH이 이온화하는 반응은 다음과 같다.

$$CH_3COOH + H_2O \rightleftharpoons CH_3COO^- + H_3O^+$$

$$K_a = \frac{[CH_3COO^-][H_3O^+]}{[CH_3COOH]} \cdots\cdots (나)$$

(가)와 (나)에서 $K_a \times K_b = [H_3O^+][OH^-] = K_w$이고, CH_3COOH의 K_a는 2×10^{-5}이므로 K_b는 다음과 같다.

$K_b = \frac{K_w}{K_a} = \frac{1\times10^{-14}}{2\times10^{-5}} = \frac{1}{2}\times10^{-9}$이다.

$$[OH^-] = \sqrt{K_bC} = \sqrt{2^{-1}\times10^{-9}\times0.1} = (2^{\frac{1}{2}})^{-1}\times10^{-5}$$

$$[H_3O^+] = \frac{1\times10^{-14}}{(2^{\frac{1}{2}})^{-1}\times10^{-5}} = 2^{\frac{1}{2}}\times10^{-9}$$

$$pH = -\log(2^{\frac{1}{2}}\times10^{-9}) = -\frac{1}{2}\log2 + 9$$

$\log2 = 0.3$이므로 $pH = 8.85$이다.

약산의 음이온과 약염기의 양이온

- 약산의 음이온: 브뢴스테드·로리의 정의에서 약산의 짝염기에 해당하며, 가수 분해되어 염기성 용액을 만든다.
- 약염기의 양이온: 브뢴스테드·로리의 정의에서 약염기의 짝산에 해당하며, 가수 분해되어 산성 용액을 만든다.
- 짝산과 짝염기의 이온화 상수 사이의 관계 ➡ $K_a \times K_b = K_w$

완충 용액

건강한 사람은 혈액의 pH가 7.3~7.4 정도로 일정하게 유지된다. 혈액의 pH가 일정한 범위를 넘어서게 되면 생명이 위험해질 수도 있는데, 음식물을 먹거나 운동을 하는 등의 다양한 요인에 의해 혈액의 pH가 변할 수 있는 상황이 만들어지려 할 때에도 우리 몸속 혈액의 pH는 일정하게 유지된다.

1. 공통 이온 효과

산이나 염기와 같은 전해질이 물속에서 이온화하여 평형 상태에 있을 때 외부 조건이 변화하면 르샤틀리에 원리에 의해 그 변화를 없애려는 쪽으로 평형이 이동한다. 전해질 수용액에 존재하는 이온과 같은 이온을 포함하는 물질을 수용액에 첨가할 때 그 공통 이온이 감소하는 방향으로 평형이 이동하는 것을 공통 이온 효과라고 한다.

(1) **아세트산의 이온화 평형에서 공통 이온 효과:** 아세트산 수용액은 다음과 같은 이온화 평형을 이룬다.

$$CH_3COOH(aq) \rightleftharpoons CH_3COO^-(aq) + H^+(aq)$$

① **아세트산 나트륨의 이온화:** 이온화 평형 상태에 있는 아세트산 수용액에 아세트산 나트륨(CH_3COONa)을 첨가하면 아세트산 나트륨은 수용액에서 완전히 이온화하므로 아세트산 이온(CH_3COO^-)의 양이 증가한다.

$$CH_3COONa(aq) \longrightarrow CH_3COO^-(aq) + Na^+(aq)$$

② **공통 이온 효과:** 아세트산의 이온화 평형 상태에서 아세트산 나트륨의 이온화로 공통 이온인 CH_3COO^-이 증가하면 아세트산의 이온화 평형이 르샤틀리에 원리에 의해 역반응 쪽으로 이동하여 새로운 평형에 도달한다.

공통 이온

$$CH_3COOH \rightleftharpoons CH_3COO^- + H^+$$
$$CH_3COONa \longrightarrow CH_3COO^- + Na^+$$

공통 이온

(2) **폼산의 이온화 평형에서 공통 이온 효과:** 폼산 수용액은 다음과 같은 이온화 평형을 이룬다.

$$HCOOH(aq) \rightleftharpoons HCOO^-(aq) + H^+(aq)$$

① **염화 수소의 이온화:** 이온화 평형 상태에 있는 폼산 수용액에 염화 수소를 가하면 염화 수소는 다음과 같이 완전히 이온화하므로 수용액 속 H^+의 농도가 증가한다.

$HCl(aq) \longrightarrow H^+(aq) + Cl^-(aq)$

② **공통 이온 효과:** 폼산의 이온화 평형 상태에서 염화 수소의 이온화로 공통 이온인 H^+의 농도가 증가하면 폼산의 이온화 평형이 르샤틀리에 원리에 의해 역반응 쪽으로 이동하여 새로운 평형에 도달한다.

2. 완충 용액

심화 121~122쪽

약산에 그 짝염기를 넣은 용액이나, 약염기에 그 짝산을 넣은 용액은 산이나 염기를 가하여도 공통 이온 효과에 의해 용액의 pH가 거의 변하지 않는데, 이러한 용액을 완충 용액이라고 한다.

(1) **완충 용액의 원리:** 아세트산 수용액에 아세트산 나트륨을 넣은 용액은 수용액에서 다음과 같이 이온화한다.

$CH_3COOH(aq) \rightleftharpoons CH_3COO^-(aq) + H^+(aq)$ (약산이므로 조금 이온화)

$CH_3COONa(aq) \longrightarrow CH_3COO^-(aq) + Na^+(aq)$ (염이므로 완전히 이온화)

① **이 용액에 산을 첨가할 때:** 용액 속 H^+의 양이 증가한다.

➡ H^+이 CH_3COO^-과 반응하여 CH_3COOH이 생성되는 역반응이 일어난다.

➡ 증가한 H^+의 양이 감소하므로 용액의 pH는 거의 일정하게 유지된다.

② **이 용액에 염기를 첨가할 때:** 용액 속 OH^-의 양이 증가하면 OH^-과 H^+의 중화 반응이 일어나 H^+의 양이 감소한다.

➡ CH_3COOH이 이온화되어 H^+과 CH_3COO^-이 생성되는 정반응이 일어난다.

➡ H^+의 양이 증가하므로 pH가 거의 일정하게 유지된다.

완충 용액

완충 용액은 의학용이나 실험용으로 많이 이용되기 때문에 pH에 따라 정확히 사용할 수 있도록 완충 용액 제품이 시중에서 판매되고 있다. 적절한 pK_a를 갖는 완충 용액을 선택한 다음, $\frac{염기}{산}$의 비율을 조절하여 원하는 pH의 완충 용액을 제조한다.

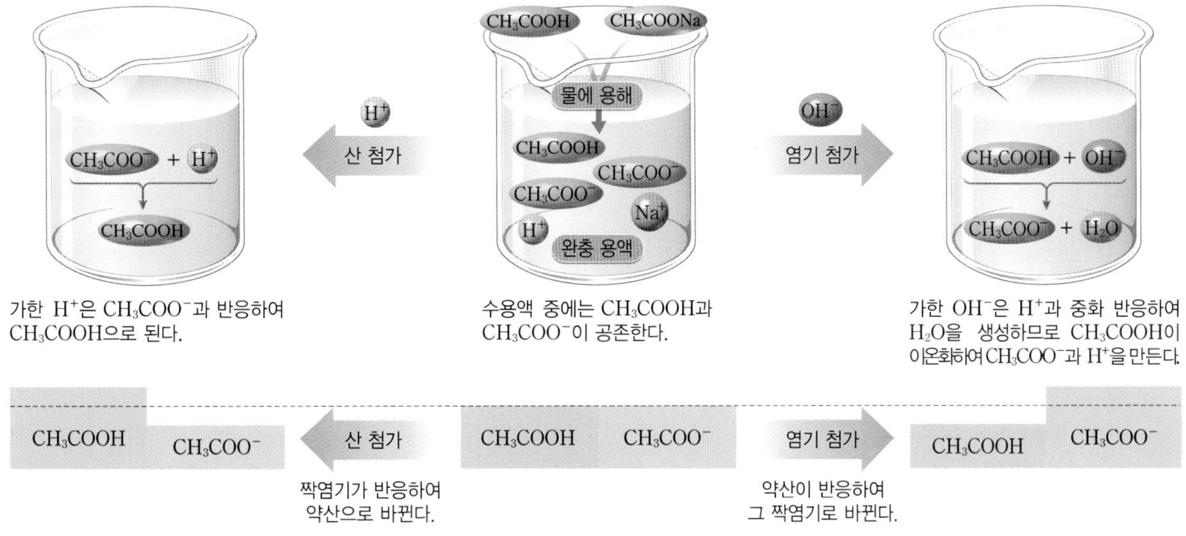

▲ **완충 용액의 완충 작용 모형**

(2) **완충 용액의 pH:** 완충 용액의 pH는 헨더슨-하셀바흐 식으로부터 구할 수 있다.

$$pH=pK_a+\log\frac{[A^-]}{[HA]}$$

예를 들면, pK_a가 4.75인 CH_3COOH 수용액에서 CH_3COOH과 CH_3COONa의 농도가 각각 0.05 M이 되도록 만들면 이 완충 용액의 pH는 다음과 같다.

$$pH=pK_a+\log\frac{[CH_3COO^-]}{[CH_3COOH]}=4.75$$

만일 $[CH_3COO^-]=2[CH_3COOH]$인 완충 용액을 만들면 완충 용액의 pH는 다음과 같다.

$$pH=pK_a+\log\frac{[CH_3COO^-]}{[CH_3COOH]}=4.75+0.30=5.05$$

아세트산 완충 용액에서 알 수 있듯이 약산과 그 짝염기의 농도를 적당히 조절하면 약산의 pK_a 값과 비슷한 pH를 갖는 완충 용액을 만들 수 있다.

완충 용액의 성분	산의 pK_a	pH 범위
$CH_3COOH+CH_3COONa$	4.75	3.7~5.6
$NaH_2PO_4+Na_2HPO_4$	7.21	5.8~8.0
$H_2CO_3+HCO_3^-$	6.46	5.6~7.4
NH_3+NH_4Cl	9.25	8.0~11.0

▲ **몇 가지 완충 용액의 pH 범위**

예제

다음 물음에 답하시오.

(1) 약산인 폼산(HCOOH) 1.0몰과 그 염인 폼산 나트륨(HCOONa) 0.50몰을 물에 녹여 1.0 L로 만든 완충 용액의 pH를 구하시오. (단, 폼산의 $K_a=2.0\times10^{-4}$이다.)

(2) (1)의 완충 용액에 염화 수소 0.2몰을 가할 때 용액의 pH를 구하시오.

해설 (1)

	$HCOOH(aq)$ + $H_2O(l)$ ⇌	$H_3O^+(aq)$ +	$HCOO^-(aq)$
초기 농도(M)	1.0	0	0.5
농도 변화(M)	$-x$	$+x$	$+x$
평형 농도(M)	$1.0-x$	x	$0.5+x$

$$K_a=\frac{[H_3O^+][HCOO^-]}{[HCOOH]}=\frac{x(0.5+x)}{1.0-x}=2.0\times10^{-4}$$

x는 1.0이나 0.5에 비해 상대적으로 매우 작으므로 이 식은 다음과 같이 근사식으로 나타낼 수 있다.

$$K_a=\frac{[H_3O^+][HCOO^-]}{[HCOOH]}\fallingdotseq\frac{x(0.5)}{1.0}=2.0\times10^{-4}$$

$x=[H_3O^+]=4.0\times10^{-4}$ M이고, $pH=-\log(4.0\times10^{-4})=3.4$이다.

✣ 다른 풀이 : 헨더슨-하셀바흐 식을 이용하면 다음과 같다.

$$pH=pK_a+\log\frac{[HCOO^-]}{[HCOOH]}=-\log(2\times10^{-4})-\log2=3.4$$

(2) 강산인 염화 수소는 묽은 수용액 상태에서 완전히 이온화한다.

$$HCl \longrightarrow H^+ + Cl^-$$

따라서 0.2몰의 HCl로부터 0.2몰의 H^+이 생성된다. 0.2몰의 H^+이 0.2몰의 $HCOO^-$과 반응하여 HCOOH 0.2몰이 생성되므로 폼산과 폼산 이온의 농도는 다음과 같다.

$[HCOOH]=1.0+0.2=1.2$ M, $[HCOO^-]=0.5-0.2=0.3$ M

따라서 혼합 용액의 pH는 다음과 같다.

$$pH=pK_a+\log\frac{[HCOO^-]}{[HCOOH]}=-\log(2\times10^{-4})-\log4=3.1$$

정답 (1) 3.4 (2) 3.1

완충 용액의 pH

완충 용액의 pH는 용액의 양과는 관계가 없다. 즉, 완충 용액에 증류수를 넣어도 완충 용액의 pH는 변하지 않는다. 이것은 분자에 있는 염기의 농도와 분모에 있는 산의 농도가 모두 같은 비율로 작아지기 때문이다.

아스피린

아스피린은 성분에 산성 물질이 포함되어 있어 그대로 복용하면 위벽을 상하게 할 수 있다. 따라서 아스피린을 비롯한 많은 약들은 체액의 pH를 크게 변화시키지 않고 완충 작용을 할 수 있도록 제조되고 있다.

완충 용액에 염화 수소를 가할 때의 pH 변화

예제에서와 같이 완충 용액에 0.2몰의 염화 수소를 넣으면 pH가 0.3 정도밖에 변하지 않는다. 이에 비해서 증류수 1.0 L에 0.2몰의 염화 수소를 넣으면 pH는 7에서 $0.7(-\log2\times10^{-1}=1-\log2)$로 변하므로 pH가 6.3 정도 변하게 된다. 이와 같이 완충 용액은 염산을 가해도 pH가 크게 변하지 않고 거의 일정하게 유지된다.

(3) **완충 용량:** 완충 용량이란 완충 용액에 강산이나 강염기를 넣어 주었을 때 pH의 변화에 저항하는 정도를 나타내는 것으로, 완충 용액의 농도가 클수록 완충 용량은 커지게 된다.

① 완충 용액의 농도는 약산과 그 짝염기의 농도를 합한 것이다.

예 0.1 M 아세트산 완충 용액이라면 용액 1 L 속에 0.05몰의 아세트산(CH_3COOH)과 0.05몰의 아세트산 나트륨(CH_3COONa)이 녹아 있는 것이다.

② 완충 능력의 척도인 완충 용량은 약산과 그 짝염기의 농도비에 따라 달라지며, 약산과 그 짝염기의 농도가 같을 때 가장 크다. 즉, pH가 pK_a와 같을 때 완충 용량이 가장 커지게 된다.

$$pH = pK_a + \log\frac{[A^-]}{[HA]} = pK_a + \log 1 = pK_a$$

③ CH_3COOH과 CH_3COONa을 대략 같은 농도로 혼합하면 완충 용액이 만들어진다. 이때 CH_3COOH과 CH_3COONa의 농도비는 같더라도 각각의 절대 농도에 따라서 완충 용액의 효과가 달라진다.

④ 완충 용액을 희석하는 경우 완충 용액의 pH는 거의 변하지 않지만 완충 용량은 작아진다.

(4) **혈액의 완충 작용:** 완충 용액은 pH가 거의 일정하게 유지되려는 성질을 가지므로 혈액 속에서도 이온의 용해도를 조절할 때나 생화학적·생리적 과정 등에서 pH를 일정하게 유지할 때 매우 중요한 역할을 한다. 대부분의 생명체에서 혈액의 pH가 조금이라도 변하면 생명에 지장을 줄 수 있기 때문에 H^+과 OH^-의 농도를 일정하게 유지하는 것은 매우 중요하다. 사람의 혈액은 탄산, 인산과 단백질의 조합으로, pH 7.35~7.45로 일정하게 유지되어야 한다. 혈액의 pH가 6.8 이하이거나 7.8 이상일 경우 사람은 즉시 사망에 이를 수 있다.

① **탄산수소 이온(HCO_3^-)에 의한 완충 작용:** 혈액에서 완충 작용을 하는 가장 중요한 물질은 탄산(H_2CO_3)과 탄산수소 나트륨($NaHCO_3$)이다. 세포 외액에서 약산인 탄산(H_2CO_3)과 약산의 염인 탄산수소 나트륨($NaHCO_3$)에 의한 완충 작용은 다음과 같다.

$$H_2O(l) + CO_2(g) \rightleftharpoons H_2CO_3(aq) \rightleftharpoons H^+(aq) + HCO_3^-(aq)$$

• H^+이 증가하면 $H^+ + HCO_3^- \longrightarrow H_2CO_3$의 반응이 일어난다.

HCO_3^- + H^+ → H_2CO_3

▲ H^+이 첨가되었을 때의 완충 작용

• OH^-이 증가하면 $OH^- + H_2CO_3 \longrightarrow H_2O + HCO_3^-$의 반응이 일어난다.

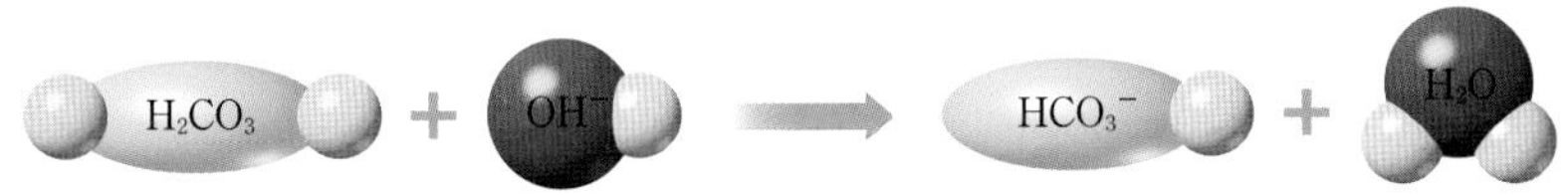

▲ OH^-이 첨가되었을 때의 완충 작용

• 혈액 속에 산성 물질이 들어오면 탄산수소 이온(HCO_3^-)과 중화 반응을 일으키고, 염기성 물질이 들어오면 탄산(H_2CO_3)과 중화 반응을 일으키므로 혈액의 pH는 변하지 않고 거의 일정하게 유지된다.

포도당(링거) 주사액, 생리 식염수

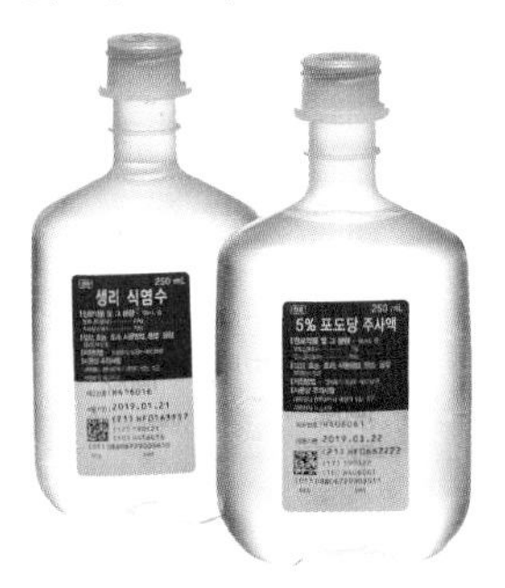

환자들에게 투여되는 포도당(링거) 주사액이나 생리 식염수는 전해질의 농도와 pH를 사람의 체액과 똑같게 만든 것이다.

H^+이 첨가되었을 때의 완충 작용

$CO_2 + H_2O \rightleftharpoons H_2CO_3 \rightleftharpoons H^+ + HCO_3^-$

• H^+이 증가하면 $H^+ + HCO_3^- \longrightarrow H_2CO_3$의 반응이 일어난다.

➡ 심한 운동으로 젖산이 생성되면 젖산의 H^+이 혈액 속에 녹아 들어가 HCO_3^-과 반응하여 H_2CO_3을 생성하므로 혈액의 H^+ 농도는 감소한다. 따라서 젖산이 생겨 혈액 속에 녹아 들어가더라도 혈액의 pH는 거의 변하지 않는다.

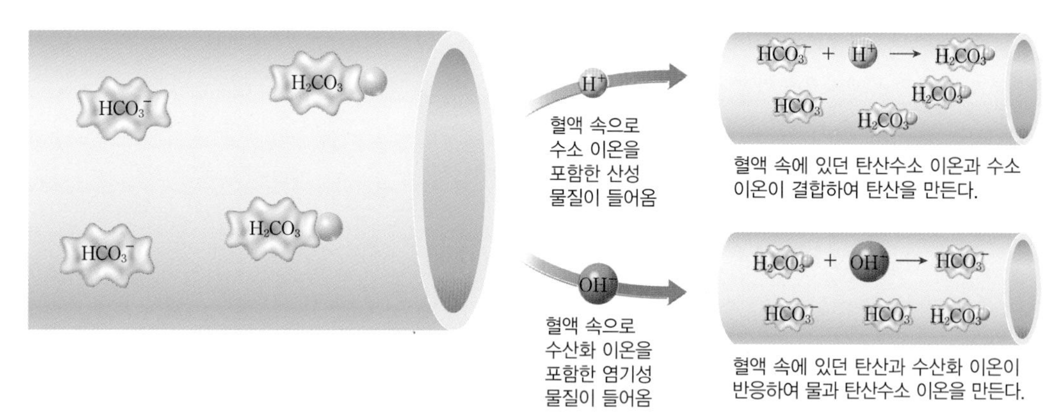

▲ 혈액의 완충 작용 모형

이와 같은 반응으로 증가하는 수소 이온이나 수산화 이온을 바로 제거함으로써 완충 작용을 하게 된다. 정상적인 산-염기 균형을 유지하기 위한 탄산과 탄산수소 이온의 비율은 $H_2CO_3 : HCO_3^- = 1 : 20$이다.

② **인산수소 이온(HPO_4^{2-})에 의한 완충 작용:** 약산인 NaH_2PO_4과 그 염인 Na_2HPO_4에 의해서도 완충 작용이 일어난다.

$H_2PO_4^-(aq) \rightleftharpoons H^+(aq) + HPO_4^{2-}(aq)$

혈액에 산성 물질이 들어오면 H^+이 HPO_4^{2-}과 반응하여 소모되고, 염기성 물질이 들어오면 OH^-이 $H_2PO_4^-$과 중화 반응하여 소모되므로 혈액의 pH는 거의 일정하게 유지된다. 탄산수소 이온에 의한 완충 작용이 주로 세포 외액에서 이루어지는 반면 인산수소 이온에 의한 완충 작용은 주로 세포 내에서 이루어진다.

③ **단백질에 의한 완충 작용:** 단백질은 아미노산들의 펩타이드 결합으로 형성된 물질이다. 아미노산은 아미노기($-NH_2$)와 카복실기($-COOH$)를 함께 가지고 있으며, 수용액의 액성에 따라 다음과 같이 존재 형태가 달라진다.

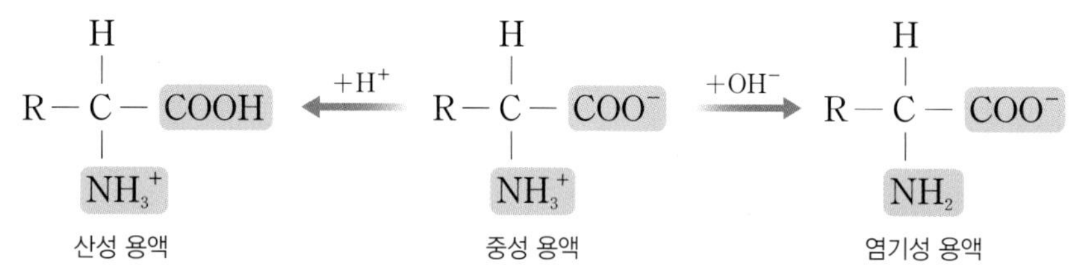

- 산성 용액에서는 수소 이온(H^+)의 농도가 크기 때문에 중성 상태의 아미노산이 수소 이온을 받아들여서 수소 이온 농도가 감소한다.
- 염기성 용액에서는 수산화 이온(OH^-)의 농도가 크기 때문에 아미노기에 붙어 있던 수소 이온이 수산화 이온과 반응하여 수산화 이온의 농도가 감소한다.
- 단백질에 의한 완충 작용은 세포 내외에서 광범위하게 이루어지며, 단백질은 체내에서 가장 뛰어난 완충제 역할을 한다.
- 순수한 물 1 L의 pH를 7에서 2로 변화시킬 수 있는 양의 염산을 혈액 1 L에 넣어 주면 pH는 7.4에서 7.2로 바뀔 정도로 혈액의 완충 능력은 뛰어나다.

아미노산의 구조식

$$R-\overset{\displaystyle H}{\underset{\displaystyle NH_2}{C}}-COOH$$

카복실기 (COOH), 아미노기 (NH_2)

차이를 만드는

완충 용액으로서의 혈액

완충 용액의 pH는 거의 일정하게 유지되려는 성질이 있으며, 인체 내의 대표적인 완충 용액에는 혈액이 있다. 혈액에서는 pH가 어떻게 조절되는지 알아보자.

생명체에서 일어나는 화학 반응은 pH에 매우 민감하다. 예를 들면, 중요한 생화학 반응에서 촉매 역할을 하는 많은 효소들은 좁은 범위 내의 pH에서만 효과적이다. 이러한 이유로 인체는 조직 세포로 물질을 운반하는 액체 내에 매우 복잡한 완충계를 유지하고 있다. 산소를 몸 구석구석까지 운반하는 혈액은 생명체에 있어 완충 용액의 역할이 매우 중요하다는 것을 보여주는 예이다.

인간 혈액의 정상적인 pH 값은 7.35~7.45이다. 이 범위에서 약간만 벗어나도 세포막의 안정도, 단백질의 구조, 효소의 활성도 등에 매우 심각한 영향을 미친다. 만약에 pH 값이 6.8보다 작거나 7.8보다 크면 생명을 잃는다. pH가 7.35보다 작아지면 산혈증이라 하고, pH가 7.45보다 커지면 알칼리혈증이라고 한다. 일반적으로 산혈증이 더 잘 일어나는데, 그 이유는 체내에서 일어나는 일반적인 물질 대사에 의하여 여러 가지 산들이 만들어지기 때문이다.

혈액의 pH를 조절하는 데 이용되는 완충계는 탄산－탄산수소 이온 완충계이다. 탄산(H_2CO_3)과 탄산수소 이온(HCO_3^-)은 짝산－짝염기 관계이다. 탄산은 이산화 탄소 기체와 물로 분해되며, 이 완충계의 평형식은 다음과 같다.

$$H^+(aq) + HCO_3^-(aq) \rightleftharpoons H_2CO_3(aq) \rightleftharpoons H_2O(l) + CO_2(g)$$

이 평형식에서 주목할 것은 다음과 같다.

첫째, 탄산이 이양성자산이지만 이 평형에서 탄산 이온(CO_3^{2-})은 중요하지 않다.

둘째, 이 평형식의 한 성분인 CO_2는 기체인데, 인체로 하여금 평형을 조절하는 메커니즘을 갖도록 한다. 즉, 호흡을 통하여 CO_2를 방출함으로써 평형을 오른쪽으로 이동시키고, 산을 소비하도록 한다.

셋째, 혈액 내의 완충계는 pH 7.4에서 작동하는데, 이 값은 H_2CO_3의 pK_a값(생리학적인 온도에서 6.1)으로부터 상당히 멀리 떨어져 있다. 완충계가 pH 7.4를 갖기 위해서는 염기와 산의 농도비$\left(\frac{[\text{염기}]}{[\text{산}]}\right)$가 약 20이어야 한다. 정상적인 혈장의 HCO_3^-과 H_2CO_3의 농도는 0.024 M과 0.0012 M이다. 결과적으로 이 완충계는 염기보다는 여분의 산을 중화시킬 수 있는 큰 용량을 가지고 있다.

탄산－탄산수소 이온 완충계의 pH를 조절하는 주요 기관은 폐와 신장이며, 뇌의 어떤 수용체는 인체의 H^+과 CO_2의 농도에 매우 민감하다. CO_2의 농도가 증가하면 위 평형식에서 평형이 왼쪽으로 이동하고, 이는 H^+이 더 많이 생성되도록 한다. 뇌의 수용체는 이를 인지하여 호흡을 빠르고 깊게 하도록 만들고, 폐에서 CO_2의 제거 속도를 증가시켜 평형을 오른쪽으로 이동시킨다. 혈액의 pH가 너무 높아질 때 신장은 혈액으로부터 HCO_3^-을 제거한다. 이렇게 되면 평형이 왼쪽으로 이동하여 H^+의 농도가 증가하므로 혈액의 pH는 감소한다.

산증과 산혈증
혈액의 pH가 낮아지는 방향으로 변하는 병적 과정을 산증이라 하고, pH가 단순히 7.35를 밑도는 것을 산혈증이라고 한다.

산혈증의 원인
호흡기 질환이나 호흡 중추의 기능 저하에 의해 폐의 환기 기능이 약화되면 혈액의 CO_2 부분 압력이 높아져 pH가 작아진다.

차이를 만드는

심화

혈장의 pH 조절

혈장은 혈액 속의 적혈구, 백혈구, 혈소판 등을 제외한 액체 성분으로, 담황색을 띠는 중성의 액체이다. 이러한 혈장에서도 pH는 일정하게 유지된다. 혈장에서는 pH가 어떻게 조절되는지 알아보자.

혈장에서 pH가 조절되는 원리는 조직 세포에 O_2가 운반되는 현상과 직접적인 관계가 있다. 적혈구에 포함되어 있는 헤모글로빈 단백질은 산소를 운반하며, 헤모글로빈(Hb)이 H^+과 O_2에 가역적으로 결합하는 방식으로 H^+과 O_2는 Hb을 두고 경쟁하는데, 다음과 같은 반응식으로 나타낼 수 있다.

$$HbH^+ + O_2 \rightleftharpoons HbO_2 + H^+$$

폐를 통해 혈액으로 유입된 산소는 적혈구로 들어가 Hb과 결합한다. 혈액이 산소의 농도가 낮은 조직 세포에 도달하면 위 화학 반응식에서 평형은 역반응 쪽으로 이동하여 산소를 내놓는다.

인체가 힘든 운동을 하는 동안에는 다음과 같은 세 가지 요인이 함께 작용하여 활동 중인 조직 세포로 O_2를 운반한다. 각 요인의 역할은 화학 평형 상태에서 르샤틀리에 원리를 적용하면 이해할 수 있다.

$HbH^+ + O_2 \rightleftharpoons HbO_2 + H^+$

① O_2가 소비되는 현상은 평형이 역반응 쪽으로 이동하는 원인이 되어 더 많은 O_2가 조직 세포로 공급되도록 한다.

② 신진 대사에 의하여 생산되는 많은 양의 CO_2는 $[H^+]$를 증가시키므로 평형이 역반응 쪽으로 이동하는 원인이 되어 O_2가 조직 세포로 공급된다.

③ 정반응이 발열 반응이므로 신체의 온도가 올라가면 평형이 역반응 쪽으로 이동하여 O_2가 조직 세포로 공급된다.

이 요인들은 조직에서 O_2를 방출시킬 뿐만 아니라, pH를 감소시켜 심장 박동 수의 증가를 유도해 더 많은 O_2를 공급한다.

평형 이동과 pH 변화가 이렇게 정교하게 연결되지 않는다면, 조직 세포에서 O_2의 양이 급격하게 감소하여 더 이상 활동하는 것이 불가능하다. 이처럼 혈액의 완충 작용과 CO_2의 발산을 통해, 혈액의 pH가 너무 감소하여 산혈증이 초래되는 일이 생기지 않도록 기본적인 pH를 유지하는 것이 필수적이다.

◀ **인체가 운동을 하는 동안 O_2의 소비와 생성**
인체가 심한 운동을 하면 O_2가 많이 소비되지만, 르샤틀리에 원리에 의해 체내에서 O_2가 다시 생성되므로 일정한 O_2 농도를 유지할 수 있다.

적혈구
혈액의 주요 성분 중 하나로 산소를 운반하는 역할을 한다.

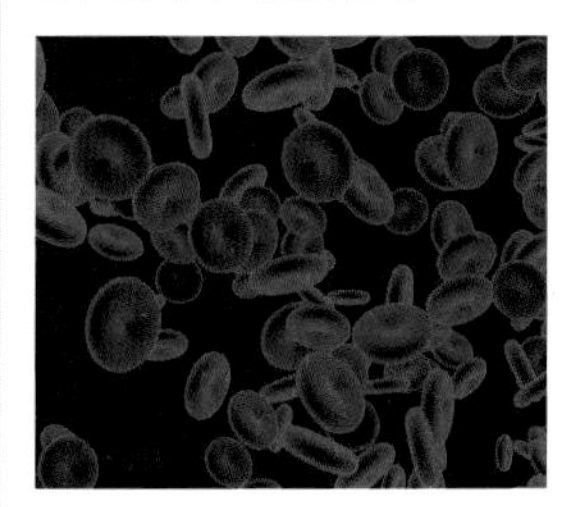

> 정답과 해설 169쪽

03 완충 용액

1 염의 가수 분해

1. **염** 중화 반응에 의해 생기는 화합물로, 염기의 (❶)과 산의 (❷)으로 이루어진다.

2. **염의 용해성** 염은 대부분 녹는점이 높은 이온 결정이다.

• 전하가 작은 양이온(Na^+, NH_4^+)이나 음이온(Cl^-, NO_3^-)으로 구성된 염은 이온 결합력이 약해 대부분 물에 잘 녹는 경향이 있다.

• Ca^{2+}, Ba^{2+}이나 SO_4^{2-}, CO_3^{2-}으로 구성된 염은 이온 결합력이 커서 물에 잘 녹지 않는 경향이 있다.

3. **염의 (❸)** 염이 이온화할 때 생기는 이온 중 일부가 물과 반응하여 수소 이온(H^+)이나 수산화 이온(OH^-)을 내놓아 수용액이 산성이나 염기성으로 되는 것을 말한다.

• 강산과 강염기가 반응하여 생성된 염: 물에 녹아 이온화하지만 가수 분해되지 않는다. 따라서 강산과 강염기가 반응하여 생성된 염을 물에 녹이면 정염의 경우 (❹), 산성염의 경우 (❺), 염기성염의 경우 (❻)을 나타낸다.

• 강산과 약염기가 반응하여 생성된 염: 가수 분해되어 (❼)을 나타낸다.

예 $NH_4Cl \longrightarrow NH_4^+ + Cl^-$ ➡ 가수 분해: $NH_4^+ + H_2O \longrightarrow NH_3 + H_3O^+$

• 약산과 강염기가 반응하여 생성된 염: 가수 분해되어 (❽)을 나타낸다.

예 $NaHCO_3 \longrightarrow Na^+ + HCO_3^-$ ➡ 가수 분해: $HCO_3^- + H_2O \longrightarrow H_2CO_3 + OH^-$

• 약산과 약염기가 반응하여 생성된 염: 가수 분해되어 중성에 가까운 용액이 된다.

2 완충 용액

1. **공통 이온 효과** 아세트산 수용액 $CH_3COOH(aq) \rightleftharpoons CH_3COO^-(aq) + H^+(aq)$

평형 상태의 아세트산 수용액에 CH_3COONa을 첨가하면 르샤틀리에 원리에 의해 평형이 (❾) 쪽으로 이동한다. 이때 CH_3COO^-은 공통 이온이고, 공통 이온에 의한 평형 이동을 공통 이온 효과라고 한다.

2. (❿) 약산에 그 짝염기를 넣은 용액이나, 약염기에 그 짝산을 넣은 용액으로, 산이나 염기를 가해도 공통 이온 효과에 의해 pH가 거의 변하지 않는 용액을 말한다.

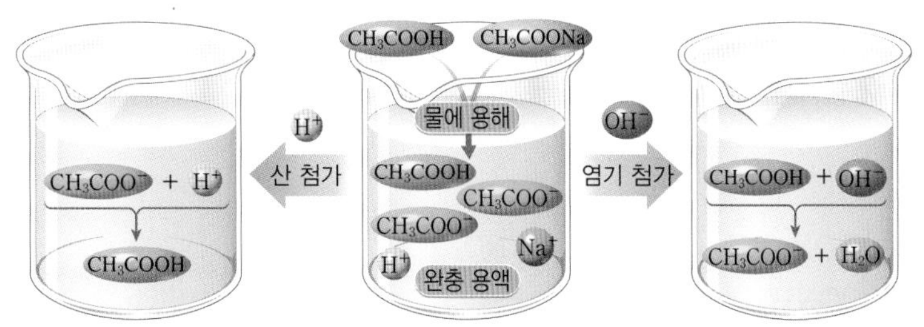

가한 H^+은 CH_3COO^-과 반응하여 CH_3COOH으로 된다.

수용액 중에는 CH_3COOH과 CH_3COO^-이 공존한다.

가한 OH^-은 H^+과 중화 반응하여 H_2O을 생성하므로 CH_3COOH이 이온화하여 CH_3COO^-과 H^+을 만든다.

3. **혈액의 완충 작용** 인체의 혈액은 탄산, 인산, 단백질이 완충 작용을 하여 pH가 7.35~7.45로 일정하게 유지된다.

• HCO_3^-에 의한 완충 작용: $H_2O + CO_2 \rightleftharpoons H_2CO_3 \rightleftharpoons H^+ + HCO_3^-$

• HPO_4^{2-}에 의한 완충 작용: $H_2PO_4^- \rightleftharpoons H^+ + HPO_4^{2-}$

• 단백질에 의한 완충 작용: 아미노산에서 $-NH_2$와 $-COOH$의 존재 형태가 달라진다.

01 염에 대한 설명으로 옳은 것만을 보기에서 있는 대로 고르시오.

보기
ㄱ. 산성염의 수용액은 산성이다.
ㄴ. 염은 대부분 이온이 결합하여 생성된다.
ㄷ. 강산과 강염기가 반응하여 생성된 염은 가수 분해된다.
ㄹ. 강산과 약염기가 반응하여 생성된 염의 수용액은 염기성이다.

02 다음 보기의 화합물을 각각 정염, 산성염, 염기성염으로 구분하시오.

보기
ㄱ. $Ca(OH)Cl$　ㄴ. CH_3COONa
ㄷ. $(NH_4)_2SO_4$　ㄹ. $NaHCO_3$

(1) 정염
(2) 산성염
(3) 염기성염

03 다음 보기의 화합물을 물에 녹였을 때 수용액이 띠는 액성이 산성인지, 염기성인지, 중성인지 구분하시오.

보기
ㄱ. $NaCl$　ㄴ. NH_4Cl　ㄷ. KCN
ㄹ. $(NH_4)_2SO_4$　ㅁ. $MgCl_2$　ㅂ. KNO_3
ㅅ. CH_3COONH_4　ㅇ. Na_2CO_3

(1) 산성
(2) 염기성
(3) 중성

04 25 °C에서 NH_3의 $K_b=1\times10^{-5}$이라고 한다면 이때 0.1 M NH_4Cl 수용액의 pH를 구하시오. (단, 25 °C에서 물의 이온화 상수 $K_w=1\times10^{-14}$이다.)

05 다음은 아세트산 수용액의 이온화 평형을 나타낸 것이다.

$$CH_3COOH(aq) + H_2O(l) \rightleftharpoons CH_3COO^-(aq) + H_3O^+(aq)$$

수용액에 존재하는 아세트산 이온의 전체 개수가 증가하는 경우를 보기에서 있는 대로 고르시오. (단, 온도와 압력은 일정하다.)

보기
ㄱ. $HCl(aq)$을 넣는다.
ㄴ. $NaOH(aq)$을 넣는다.
ㄷ. 수용액에 $CH_3COOH(aq)$을 넣는다.
ㄹ. 수용액에 $CH_3COONa(aq)$을 넣는다.

06 다음과 같이 A~C의 세 가지 용액을 만들었다.

- A: $CH_3COONa(s)$ 0.1몰을 물에 녹여 2 L 용액을 만들었다.
- B: $CuSO_4(s)$ 0.2몰을 물에 녹여 1 L 용액을 만들었다.
- C: $KCl(s)$ 0.1몰을 물에 녹여 1 L 용액을 만들었다.

용액 A~C에 대한 설명으로 옳은 것만을 보기에서 있는 대로 고르시오.

보기
ㄱ. pH를 비교하면 A>C>B이다.
ㄴ. 전기 전도도를 비교하면 B>C>A이다.
ㄷ. A에서 이온 농도를 비교하면 $CH_3COO^- > Na^+$이다.
ㄹ. B에서 이온 농도를 비교하면 $Cu^{2+} < SO_4^{2-}$이다.

07 완충 용액이 생성되는 경우를 보기에서 있는 대로 고르시오.

보기
ㄱ. $HCl(aq) + NaOH(aq)$
ㄴ. $H_2SO_4(aq) + NaHSO_4(aq)$
ㄷ. $H_2CO_3(aq) + NaHCO_3(aq)$
ㄹ. $NH_3(aq) + NH_4Cl(aq)$

08 25 ˚C에서 0.1 M HA 수용액의 pH가 3.0이었다.

(1) 이 온도에서 0.1 M HA의 이온화 상수 K_a와 이온화도 α를 구하시오.

(2) 0.1 M HA 수용액 100 mL에 이 산의 나트륨염인 NaA 0.1 M 수용액 100 mL를 가했을 때 이 용액의 pH를 구하시오.

09 그림은 HX, HY, HZ 수용액의 몰 농도에 따른 pH를 나타낸 것이다.

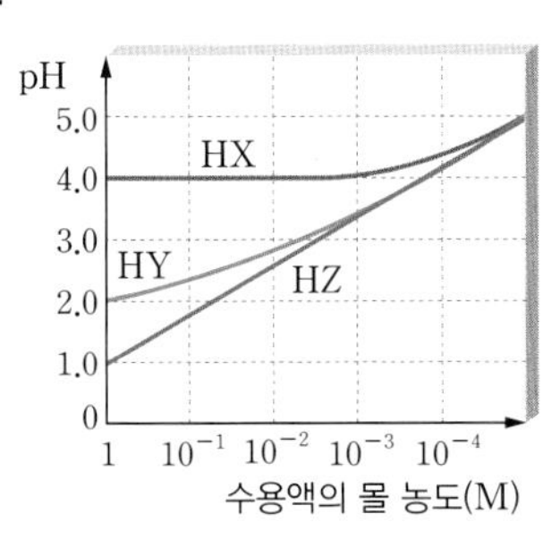

이에 대한 설명으로 옳은 것만을 보기에서 있는 대로 고르시오.

보기
ㄱ. 산의 세기는 HX > HY > HZ 순이다.
ㄴ. 0.01 M에서 HX의 이온화도는 0.01이다.
ㄷ. HY와 NaOH을 혼합하면 완충 용액이 생성된다.

10 아세트산(CH_3COOH)과 아세트산 나트륨(CH_3COONa)을 사용하여 pH가 5.75로 유지되는 완충 용액을 만들려고 한다. 아세트산과 아세트산 나트륨을 어떤 몰비로 섞어야 하는지 구하시오. (단, 아세트산의 pK_a=4.75이다.)

11 CH_3COOH은 물에 녹아 다음과 같은 이온화 평형을 이룬다.

$$CH_3COOH(aq) + H_2O(l) \rightleftharpoons CH_3COO^-(aq) + H_3O^+(aq) \quad K_a = 2.0 \times 10^{-5}$$

다음은 CH_3COOH과 CH_3COONa으로 만든 2가지 완충 용액이다.

(가) CH_3COOH 0.01몰과 CH_3COONa 0.01몰을 물에 녹여 완충 용액 100 mL를 만들었다.
(나) CH_3COOH 0.1몰과 CH_3COONa 0.1몰을 물에 녹여 완충 용액 100 mL를 만들었다.

이 완충 용액에 대한 설명으로 옳은 것은 ○, 옳지 않은 것은 ×를 표시하시오. (단, log2=0.3이다.)

(1) (가) 용액의 pH는 5.3이다. (　　)
(2) (가) 용액에 NaOH(s)을 소량 넣어 주면 [CH_3COO^-]가 증가한다. (　　)
(3) (가) 용액이 (나) 용액보다 완충 용량이 더 크다. (　　)
(4) (가) 용액과 (나) 용액의 pH는 같다. (　　)

12 다음은 혈액의 pH를 일정하게 유지하는 데 관여하는 주요 반응이다.

(가) $CO_2(g) \rightleftharpoons CO_2(aq)$
(나) $CO_2(aq) + H_2O(l) \rightleftharpoons H_2CO_3(aq)$
(다) $H_2CO_3(aq) + H_2O(l) \rightleftharpoons H_3O^+(aq) + HCO_3^-(aq)$

이에 대한 설명으로 옳은 것만을 보기에서 있는 대로 고르시오.

보기
ㄱ. 격렬한 운동을 한 후 혈액 내 HCO_3^-의 농도는 증가한다.
ㄴ. H_2CO_3 수용액과 $KHCO_3$ 수용액의 혼합 용액은 완충 용액이다.
ㄷ. 혈액 중으로 소량의 염기가 유입되면 (다)의 평형이 역반응 쪽으로 이동한다.

고난도

01

> 염의 가수 분해

표는 25 ℃에서 산 HA, 염기 MOH, 염 MA 수용액의 몰 농도와 pH를 나타낸 것이다. (단, 25 ℃에서 물의 이온화 상수(K_w)는 1.0×10^{-14}이다.)

수용액	HA(*aq*)	MOH(*aq*)	MA(*aq*)
몰 농도(M)	0.1	0.1	0.1
pH	x	13	9

x는?

① 2　② 3　③ 4　④ 5　⑤ 6

• 강산과 약염기가 반응하여 생성된 염은 가수 분해되어 산성을 나타내며, 약산과 강염기가 반응하여 생성된 염은 가수 분해되어 염기성을 나타낸다.

02

> 중화 적정과 염의 가수 분해

그림은 25 ℃에서 HA(*aq*) 50 mL를 0.1 M NaOH(*aq*)으로 적정할 때의 중화 적정 곡선을 나타낸 것이다.

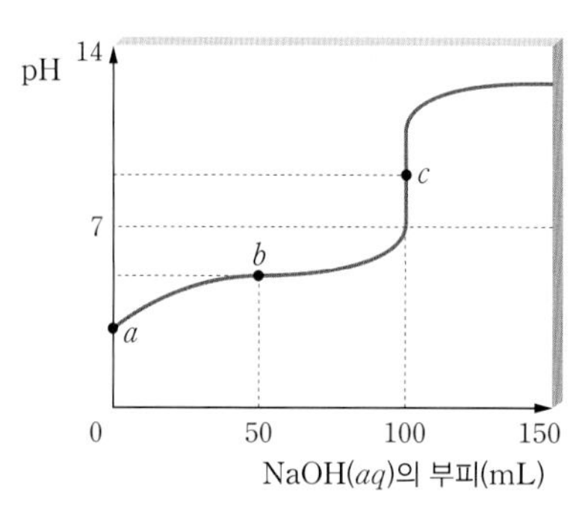

이에 대한 설명으로 옳은 것만을 보기에서 있는 대로 고른 것은? (단, 25 ℃에서 HA의 이온화 상수(K_a)는 5.0×10^{-6}이다.)

보기

ㄱ. a점에서 산 HA의 이온화도(α)는 0.01이다.
ㄴ. b점에서의 용액은 완충 용액이다.
ㄷ. c점에서는 $[Na^+]=[A^-]$이다.

① ㄱ　② ㄴ　③ ㄷ　④ ㄱ, ㄴ　⑤ ㄴ, ㄷ

• 완충 용액은 약산에 그 짝염기를 넣은 용액이나, 약염기에 그 짝산을 넣은 용액으로, 산이나 염기를 가해도 pH가 거의 변하지 않는 용액이다.

03

> 중화 적정과 염의 가수 분해

표는 25 ˚C에서 0.1 M 산 HA(aq) 100 mL에 0.1 M NaOH(aq)을 넣은 결과이다.

용액	0.1 M NaOH(aq)의 부피(mL)	혼합 용액	
		부피(mL)	$\frac{[H_3O^+]}{[OH^-]}$
(가)	0	100	1.0×10^{8}
(나)	50	150	
(다)	100	200	

이에 대한 설명으로 옳은 것만을 보기에서 있는 대로 고른 것은? (단, 25 ˚C에서 물의 이온화 상수(K_w)는 1.0×10^{-14}이고, 모든 수용액의 온도는 일정하다.)

보기

ㄱ. HA의 이온화 상수 $K_a=10^{-5}$이다.

ㄴ. (나)의 pH는 5이다.

ㄷ. (다)에서 $\frac{[H_3O^+]}{[OH^-]}=2\times10^{-4}$이다.

① ㄱ ② ㄷ ③ ㄱ, ㄴ ④ ㄴ, ㄷ ⑤ ㄱ, ㄴ, ㄷ

• 중화점에 도달하기 전에는 산의 이온화 평형에 의해 pH가 결정되고, 중화점에서는 염의 가수 분해에 의해 pH가 결정된다.

04

> 중화 적정과 염의 가수 분해

다음은 25 ˚C에서 약산 수용액 (가)와 혼합 수용액 (나)에 대한 자료이다.

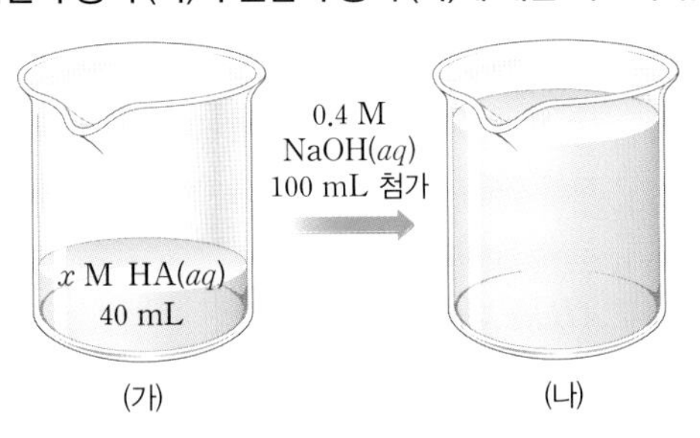

수용액	(가)	(나)
$\frac{[A^-]}{[HA]}$	0.001	1

이에 대한 설명으로 옳은 것만을 보기에서 있는 대로 고른 것은? (단, 25 ˚C에서 물의 이온화 상수는 1.0×10^{-14}이고, 모든 수용액의 온도는 일정하다.)

보기

ㄱ. x는 2이다.

ㄴ. 0.2 M HA(aq) 10 mL를 0.4 M NaOH(aq)으로 적정할 때 중화점에서 $\frac{[A^-]}{[HA]}$ $=400$이다.

ㄷ. (가)와 (나) 용액에 각각 소량의 염산을 가하면 pH 변화는 (가) 용액이 더 크다.

① ㄱ ② ㄴ ③ ㄱ, ㄴ ④ ㄱ, ㄷ ⑤ ㄴ, ㄷ

• 완충 용량은 약산과 그 짝염기의 농도가 같을 때 가장 크다.

정답과 해설 172쪽

01

반응열의 종류와 헤스 법칙

다음은 25 ℃, 1기압에서 몇 가지 반응의 열화학 반응식이다.

- $C(s, \text{흑연}) + O_2(g) \longrightarrow CO_2(g)$ $\Delta H_1 = a$ kJ
- $2H_2(g) + O_2(g) \longrightarrow 2H_2O(l)$ $\Delta H_2 = b$ kJ
- $C_4H_8(g) + 6O_2(g) \longrightarrow 4CO_2(g) + 4H_2O(l)$ $\Delta H_3 = c$ kJ

이에 대한 설명으로 옳은 것만을 보기에서 있는 대로 고른 것은?

보기

ㄱ. $C(s, \text{흑연})$의 연소 엔탈피는 a kJ/mol이다.

ㄴ. $H_2O(l)$의 분해 엔탈피는 $2b$ kJ/mol이다.

ㄷ. $C_4H_8(g)$의 표준 생성 엔탈피는 $(2a+b+c)$ kJ/mol이다.

① ㄱ ② ㄷ ③ ㄱ, ㄴ ④ ㄱ, ㄷ ⑤ ㄴ, ㄷ

• 연소 엔탈피는 물질 1몰이 완전히 연소할 때의 반응 엔탈피이고, 분해 엔탈피는 화합물 1몰이 성분 원소로 분해될 때의 반응 엔탈피이다. 표준 생성 엔탈피는 표준 상태에서 어떤 화합물 1몰이 가장 안정한 원소로부터 생성될 때의 반응 엔탈피이다.

02

헤스 법칙

그림은 25 ℃, 1기압에서 몇 가지 반응의 반응 엔탈피(ΔH)를 나타낸 것이다.

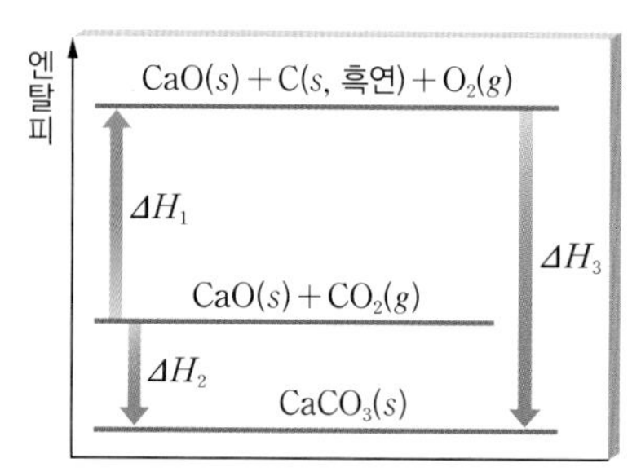

이에 대한 설명으로 옳은 것만을 보기에서 있는 대로 고른 것은?

보기

ㄱ. $\Delta H_3 = \Delta H_2 - \Delta H_1$이다.

ㄴ. $CaCO_3(s)$의 표준 생성 엔탈피는 ΔH_2이다.

ㄷ. $CO_2(g)$의 표준 생성 엔탈피는 $-\Delta H_1$이다.

① ㄱ ② ㄴ ③ ㄱ, ㄴ ④ ㄱ, ㄷ ⑤ ㄴ, ㄷ

• $CaCO_3(s)$의 표준 생성 엔탈피는 칼슘, 탄소, 산소가 반응하여 탄산칼슘 1몰을 생성할 때의 반응 엔탈피이다.

03

> 헤스 법칙

그림은 25 ℃, 1기압에서 황(S)과 관련된 3가지 반응과 이 반응의 반응 엔탈피(ΔH)를 나타낸 것이다.

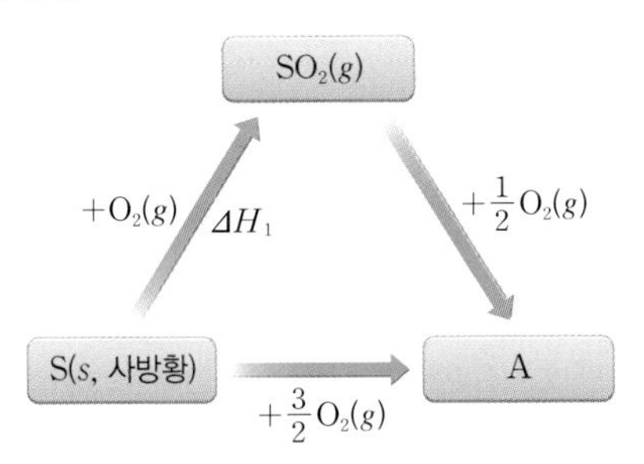

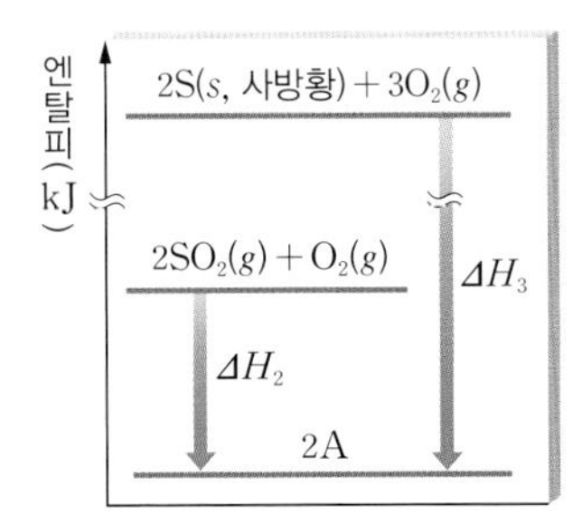

이에 대한 설명으로 옳은 것만을 보기에서 있는 대로 고른 것은? (단, 25 ℃에서 S(s, 사방황)은 S의 동소체 중 가장 안정하고, 황 산화물은 모두 기체이다.)

보기

ㄱ. $\Delta H_1 = \Delta H_3 - \Delta H_2$이다.

ㄴ. S(s, 사방황)이 산소와 반응하여 $SO_2(g)$이 생성될 때 열이 방출된다.

ㄷ. $SO_2(g) + \frac{1}{2}O_2(g) \longrightarrow$ A 반응에서 반응물의 결합 에너지 합이 생성물의 결합 에너지 합보다 크다.

① ㄱ ② ㄴ ③ ㄷ ④ ㄱ, ㄷ ⑤ ㄴ, ㄷ

반응 엔탈피는 생성물의 엔탈피 합에서 반응물의 엔탈피 합을 빼거나 반응물의 결합 에너지 합에서 생성물의 결합 에너지 합을 빼서 구한다.

04

> 평형 상수와 반응의 진행 방향 예측

다음은 기체 A가 반응하여 기체 B와 C를 생성하는 반응의 열화학 반응식과 온도 T에서 농도로 정의된 평형 상수(K)이다.

$$2A(g) \rightleftharpoons B(g) + C(g),\ \Delta H > 0,\ K = \frac{9}{16}$$

표는 온도 T에서 2 L의 강철 용기 속에 들어 있는 물질 A(g)~C(g)의 양(mol)을 나타낸 것이다. 실험 Ⅱ의 평형 상태에서 A의 몰 분율은 x이다.

실험	기체의 양(mol)		
	A	B	C
Ⅰ	0.6	0.6	0.3
Ⅱ	0.5	0.5	0.5

이에 대한 설명으로 옳은 것만을 보기에서 있는 대로 고른 것은?

보기

ㄱ. 반응 지수(Q)는 실험 Ⅰ > 실험 Ⅱ이다.

ㄴ. 실험 Ⅰ의 경우 정반응이 역반응보다 우세하게 진행된다.

ㄷ. 실험 Ⅱ에서 온도를 $2T$로 높인 후 새로운 평형 상태가 되었을 때 A의 몰 분율은 x보다 크다.

① ㄱ ② ㄴ ③ ㄷ ④ ㄱ, ㄷ ⑤ ㄴ, ㄷ

반응 지수 Q와 평형 상수 K를 비교하면 반응의 진행 방향을 예측할 수 있다.

- $Q < K$ ➡ 정반응이 우세하게 진행
- $Q = K$ ➡ 평형
- $Q > K$ ➡ 역반응이 우세하게 진행

05

> 평형 이동 원리

다음은 기체 A가 반응하여 기체 B를 생성하는 열화학 반응식을 나타낸 것이다.

$$2A(g) \rightleftharpoons B(g),\ \Delta H<0$$

표는 압력이 일정하게 유지되는 실린더에서 A(g)가 반응할 때 초기 상태와 평형 상태 Ⅰ, Ⅱ에서 B(g)의 질량 백분율(%)과 평형 상수(K)를 나타낸 것이다.

상태	온도(K)	B의 질량 백분율(%)	평형 상수(K)
초기	T_1	0	
평형 Ⅰ	T_1	50	K_1
평형 Ⅱ	T_2	20	K_2

이에 대한 설명으로 옳은 것만을 보기에서 있는 대로 고른 것은?

보기

ㄱ. $T_1>T_2$이다.

ㄴ. $K_1>K_2$이다.

ㄷ. 평형 Ⅱ에서 A의 몰 분율은 $\frac{1}{3}$이다.

① ㄴ ② ㄷ ③ ㄱ, ㄴ ④ ㄱ, ㄷ ⑤ ㄴ, ㄷ

반응계의 온도를 높이면 흡열 반응 쪽으로 평형이 이동하고, 반응계의 온도를 낮추면 발열 반응 쪽으로 평형이 이동한다.

06

> 평형 이동 원리

다음은 A와 B가 반응하여 C를 생성하는 열화학 반응식과 농도로 정의되는 평형 상수(K)이다.

$$A(g)+B(g) \rightleftharpoons C(g),\ \Delta H,\ K$$

표는 300 K에서 압력이 일정하게 유지되는 실린더에 기체 A, B를 넣어 도달한 평형 (가)와 온도를 400 K으로 높여 새롭게 도달한 평형 (나)에 존재하는 물질의 몰비를 나타낸 것이다.

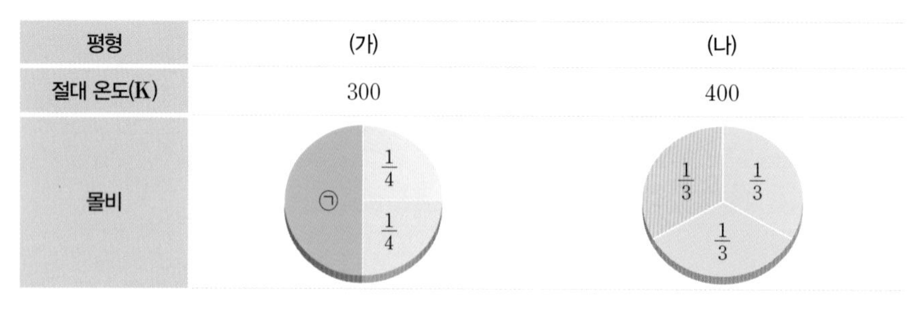

평형	(가)	(나)
절대 온도(K)	300	400
몰비	㉠, $\frac{1}{4}$, $\frac{1}{4}$	$\frac{1}{3}$, $\frac{1}{3}$, $\frac{1}{3}$

이에 대한 설명으로 옳은 것만을 보기에서 있는 대로 고른 것은? (단, (가)에서 평형 상수는 $K_{(가)}$이고, (나)에서의 평형 상수는 $K_{(나)}$이다.)

보기

ㄱ. ㉠에 해당하는 물질은 A(g)이다.

ㄴ. $\Delta H>0$이다.

ㄷ. $\frac{K_{(가)}}{K_{(나)}}=2$이다.

① ㄱ ② ㄴ ③ ㄷ ④ ㄱ, ㄷ ⑤ ㄴ, ㄷ

이상 기체 방정식을 이용하면 기체의 몰 농도는 $\frac{n}{V}=\frac{P}{RT}$로 나타낼 수 있다.

07

> 상평형 그림의 이해

그림은 이산화 탄소(CO_2)의 상평형 그림을, 표는 온도와 압력에 따른 CO_2의 안정한 상을 나타낸 것이다. $t_1 < t_0$이다.

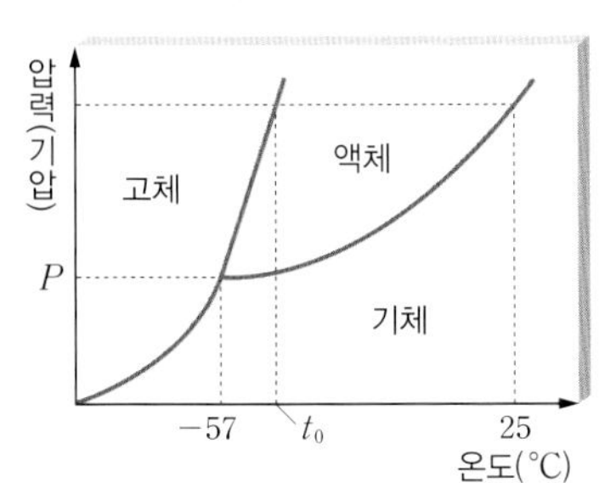

온도(°C)	압력(기압)	안정한 상
t_1	P_1	액체
t_1	P_2	액체, 고체

이에 대한 설명으로 옳은 것만을 보기에서 있는 대로 고른 것은?

보기

ㄱ. $P_1 > P$이다.

ㄴ. $P_1 > P_2$이다.

ㄷ. 25 ℃, P_1기압에서 $CO_2(l) \longrightarrow CO_2(g)$ 반응은 자발적으로 진행된다.

① ㄱ ② ㄴ ③ ㄷ ④ ㄱ, ㄷ ⑤ ㄴ, ㄷ

• 온도와 압력에 따른 물질의 상태를 나타낸 그래프를 상평형 그림이라고 한다. 상평형 그림에서 물질의 세 가지 상태가 함께 존재하여 평형을 이루는 지점을 3중점이라고 하며, 3중점을 제외하고 곡선 상의 위치에서는 2가지 상태가 함께 존재하여 평형을 이룬다.

08

> 물질의 가열 곡선과 상평형 그림

그림 (가)는 물질 A의 상평형 그림을, (나)는 P_1기압과 P_2기압에서 같은 질량의 A를 각각 가열할 때 시간에 따른 온도를 나타낸 것이다. 물질 A의 비열은 액체 상태에서 가장 크다.

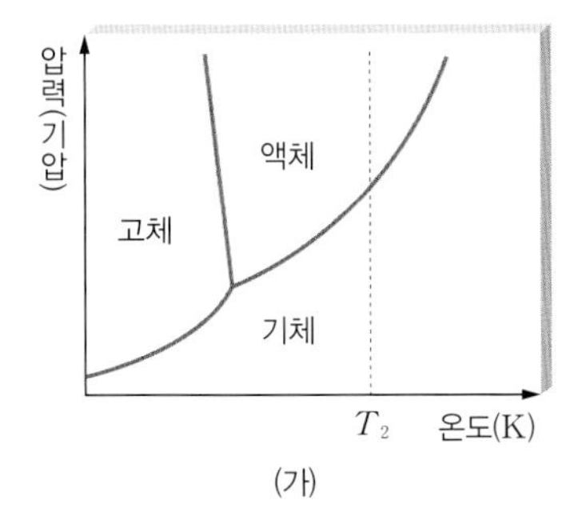

(가)

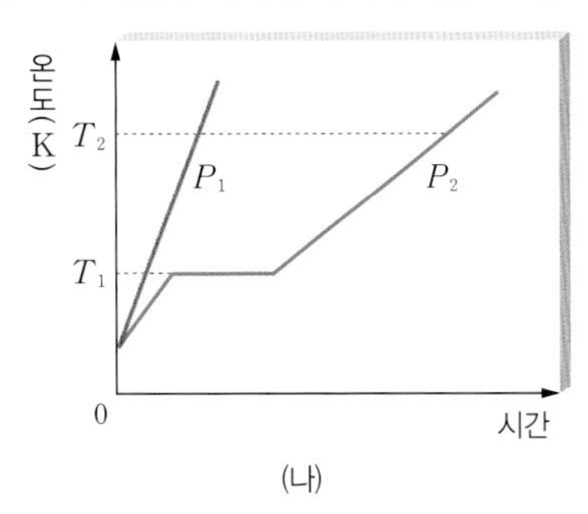

(나)

이에 대한 설명으로 옳은 것만을 보기에서 있는 대로 고른 것은?

보기

ㄱ. $P_1 < P_2$이다.

ㄴ. T_1 K, P_1기압에서 A는 액체 상태이다.

ㄷ. P_2기압에서 A의 끓는점은 T_1 K이다.

① ㄱ ② ㄴ ③ ㄷ ④ ㄱ, ㄷ ⑤ ㄴ, ㄷ

• 물질의 가열 곡선에서 기울기가 클수록 비열이 작다.

09

> 중화 반응

그림은 25 °C에서 0.1 M HA(aq) 5 mL에 x M NaOH(aq) 5 mL를 첨가한 것을 나타낸 것이다.

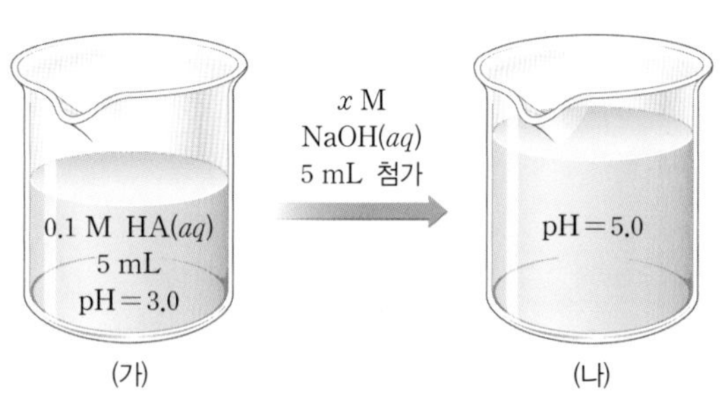

이에 대한 설명으로 옳은 것만을 보기에서 있는 대로 고른 것은? (단, 수용액의 온도는 일정하며, 25 °C에서 물의 이온화 상수 $K_w=1.0\times10^{-14}$이다.)

보기

ㄱ. (가)에서 HA의 이온화도(α)는 0.01이다.
ㄴ. x는 0.1이다.
ㄷ. (나)에 x M NaOH(aq) 5 mL를 더 가했을 때 혼합 용액의 pH는 9이다.

① ㄱ ② ㄴ ③ ㄱ, ㄴ ④ ㄱ, ㄷ ⑤ ㄴ, ㄷ

• 약산 수용액에서 농도가 C mol/L이고, 이온화도가 α일 때, 수용액의 pH는 다음과 같이 구할 수 있다.

$$pH=-\log[H_3O^+]=-\frac{1}{2}\log K_aC=-\log C\alpha$$

10

> 중화 반응

표는 25 °C에서 강산 HX(aq)과 약산 HY(aq)을 x M NaOH(aq)으로 각각 적정한 자료이다. 25 °C에서 HY의 이온화 상수(K_a)는 2×10^{-5}이다.

실험	수용액	용질		산 수용액의 부피 (mL)	중화점까지 가한 x M NaOH(aq)의 부피 (mL)
		질량(g)	화학식량		
Ⅰ	HX(aq)	a	$100a$	100	50
Ⅱ	HY(aq)	b	c	100	100

이에 대한 설명으로 옳은 것만을 보기에서 있는 대로 고른 것은? (단, 수용액의 온도는 일정하고, 25 °C에서 물의 이온화 상수(K_w)는 1×10^{-14}이다.)

보기

ㄱ. $c=50b$이다.
ㄴ. 초기 상태의 HY(aq)에서 이온화도(α)는 10^{-2}이다.
ㄷ. 실험 Ⅱ의 중화점에서 pH는 7보다 크다.

① ㄴ ② ㄷ ③ ㄱ, ㄴ ④ ㄱ, ㄷ ⑤ ㄱ, ㄴ, ㄷ

• C mol/L인 약산 수용액에서 약산의 이온화도를 α라 할 때 약산의 이온화 상수 K_a는 다음과 같이 구할 수 있다.
$K_a=C\alpha^2$

11

> 중화 적정 곡선

그림은 25 °C에서 몰 농도가 같은 약산 HA(aq) 60 mL와 약산 HB(aq) V mL를 0.2 M NaOH(aq)으로 각각 적정하여 얻은 중화 적정 곡선이다. 25 °C에서 적정 전 HA와 HB의 이온화도는 0.01, 0.001이다.

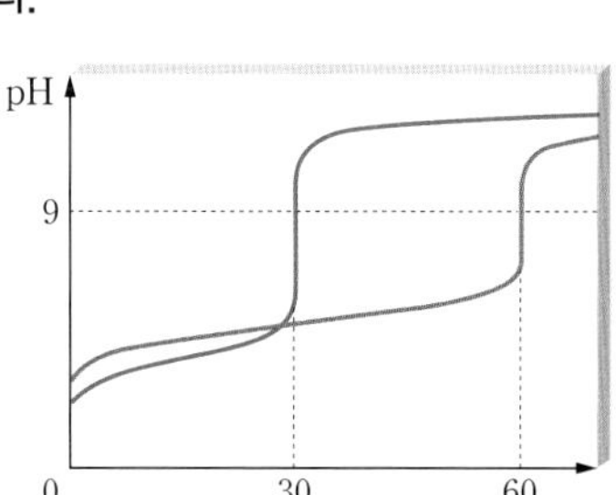

이에 대한 설명으로 옳은 것만을 보기에서 있는 대로 고른 것은?(단, 수용액의 온도는 일정하며, 25 °C에서 물의 이온화 상수 $K_w = 1.0 \times 10^{-14}$이다.)

보기

ㄱ. 적정 전 HA(aq)의 농도는 0.2 M이다.

ㄴ. 적정 전 HB(aq)의 pH는 4.0이다.

ㄷ. HB(aq) V mL에 NaOH(aq) 30 mL를 첨가했을 때 $\frac{[B^-]}{[HB]} = 1$인 완충 용액이 형성된다.

① ㄱ ② ㄴ ③ ㄷ ④ ㄱ, ㄷ ⑤ ㄴ, ㄷ

- 완충 용액은 약산에 그 짝염기, 또는 약염기에 그 짝산이 혼합된 용액으로, 산이나 염기를 가하여도 pH가 거의 일정하게 유지된다.

12

> 중화 반응과 염의 가수 분해

그림은 25 °C에서 약산 HA(aq) 20 mL에 0.1 M NaOH(aq) 10 mL를 첨가한 것을 나타낸 것이다.

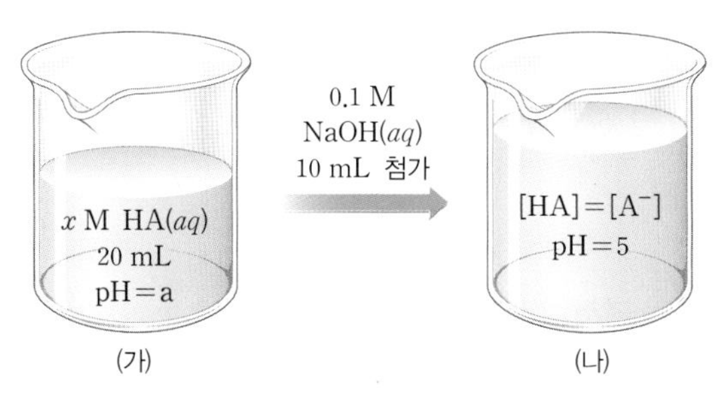

이에 대한 설명으로 옳은 것만을 보기에서 있는 대로 고른 것은?(단, 수용액의 온도는 일정하며, 25 °C에서 물의 이온화 상수(K_w)는 1.0×10^{-14}이고, $\log 2 = 0.3$이다.)

보기

ㄱ. $x = 0.1$이다.

ㄴ. a=2이다.

ㄷ. 0.1 M NaA(aq)의 pH=9이다.

① ㄱ ② ㄴ ③ ㄱ, ㄴ ④ ㄱ, ㄷ ⑤ ㄴ, ㄷ

- $[HA] = [A^-]$인 경우는 중화 반응이 중화점의 절반 정도 진행된 것을 의미한다.

01

그림은 메테인의 연소 반응을 분자 모형을 사용하여 나타낸 것이고, 표는 몇 가지 결합의 결합 에너지를 나타낸 것이다.

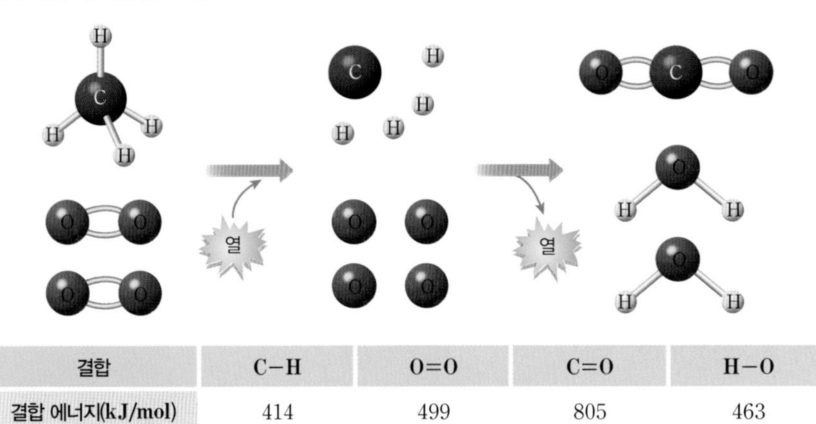

결합	C−H	O=O	C=O	H−O
결합 에너지(kJ/mol)	414	499	805	463

(1) 위 자료를 참고하여 메테인 연소 반응의 열화학 반응식을 쓰고, 반응 엔탈피를 구하시오. (단, 풀이 과정을 반드시 포함한다.)

(2) 25 ℃, 1기압에서 메테인 1.6 g이 완전히 연소할 때 발생하는 열량을 구하고, 그 과정을 서술하시오. (단, 원자량은 H 1, C 12, O 16이다.)

KEY WORDS
(1) 결합 에너지를 이용한 반응 엔탈피 계산
(2) 분자량, 양(mol)

02

표는 어떤 반응이 평형 상태에 도달했을 때 온도와 압력에 따른 생성물의 수득률을 나타낸 것이다.

압력(기압) \ 온도(℃)	100	200	300
300	50 %	60 %	75 %
400	25 %	35 %	48 %
500	10 %	35 %	31 %

(1) 이 반응에서 정반응은 발열 반응인지 흡열 반응인지를 쓰고, 그 이유를 서술하시오.

(2) 온도와 압력에 따른 평형 상수 값의 변화를 서술하시오.

KEY WORDS
(1) 화학 반응에서의 열 출입, 수득률
(2) 온도에 따른 평형 상수
압력에 따른 평형 상수
평형 이동

03

그림은 27 ℃로 유지되는 8.2 L의 용기 안에서 A(g)가 분해되어 B(g)와 C(g)를 생성할 때 시간에 따른 각 물질의 양(mol) 변화를 나타낸 것이다.

$$aA(g) \rightleftharpoons bB(g) + cC(g)$$ (단, a, b, c는 반응 계수)

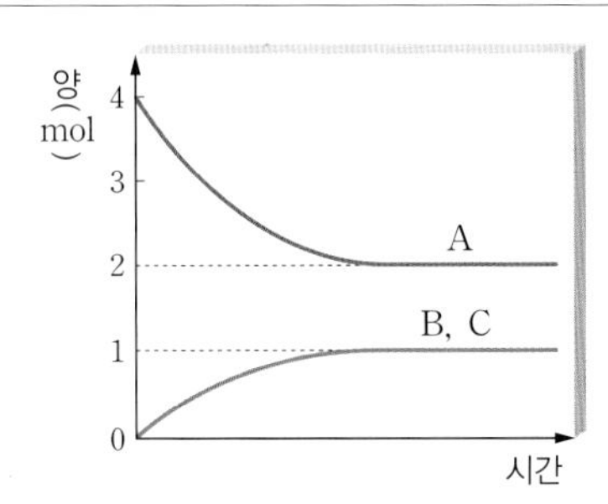

(1) a : b : c의 값을 구하시오.

---

(2) 용기 속에 A, B, C를 각각 1몰씩 더 넣어주었을 때 새로운 평형 상태에서 용기 안의 전체 압력을 구하고, 그 과정을 서술하시오. (단, 기체 상수 R는 0.082 atm·L/(mol·K)이다.)

KEY WORDS
(1) 화학 반응식에서의 반응 계수
(2) 반응 지수, 평형 상수, 평형 이동, 이상 기체 방정식

04

NO_2 기체와 N_2O_4 기체는 다음과 같이 평형을 이룬다.

$$2NO_2(g) \rightleftharpoons N_2O_4(g)$$
적갈색 무색

그림과 같이 NO_2와 N_2O_4가 평형 상태에 있는 투명한 실린더에 순간적으로 힘을 가하여 기체의 부피를 반으로 줄였다.

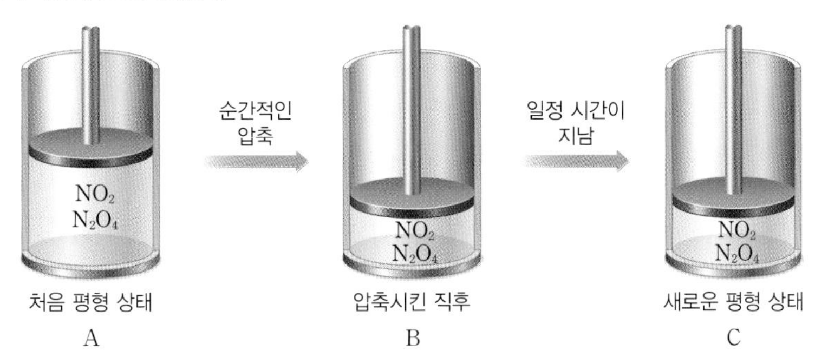

A, B, C 상태에 따라 실린더의 측면에서 기체의 색깔을 관찰하였을 때 색깔의 진한 정도를 부등호로 비교하고, 그 이유를 서술하시오.

KEY WORDS
• 압력, 평형 이동

05 그림 (가)는 물의 상평형 그림에서 온도와 압력에 따른 물(H_2O)의 3가지 상태 X~Z를, (나)는 X~Z 중 한 상태에서 물 분자의 결합 모형을 나타낸 것이다.

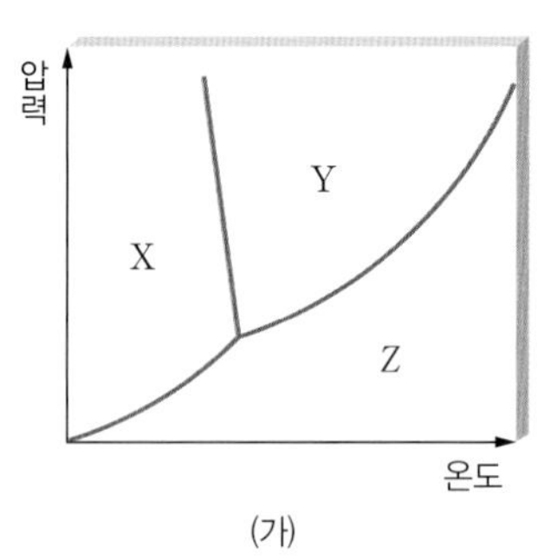

(가)

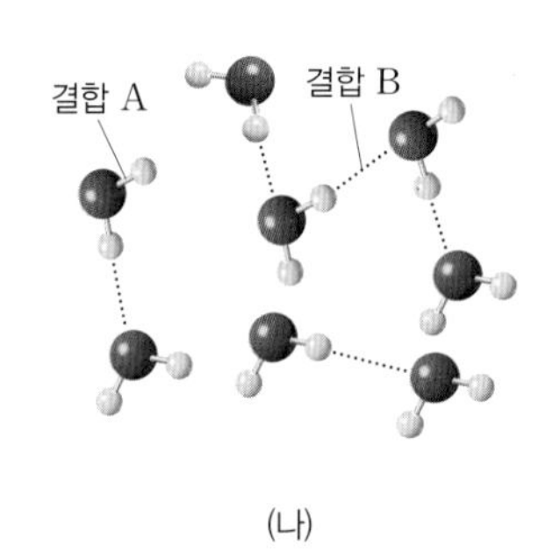

(나)

(1) 물질의 세 가지 상태 중 (나)의 상태를 쓰고, 그림 (가)의 X, Y, Z 상태 중 어디에 해당하는지 고르시오.

(2) X → Y, Y → X의 상태 변화가 일어날 때 결합 A와 결합 B의 수의 변화를 쓰고, 그 이유를 서술하시오.

KEY WORDS
(2) 공유 결합, 수소 결합

06 이산화 탄소 기체가 물에 녹으면 다음과 같이 이온화한다.

- $CO_2(g) + H_2O(l) \rightleftharpoons H_2CO_3(aq)$
- $H_2CO_3(aq) + H_2O(l) \rightleftharpoons HCO_3^-(aq) + H_3O^+(aq)$ $K_{a1}=4.4\times10^{-7}$
- $HCO_3^-(aq) + H_2O(l) \rightleftharpoons CO_3^{2-}(aq) + H_3O^+(aq)$ $K_{a2}=4.7\times10^{-11}$

(1) $H_2CO_3(aq) + 2H_2O(l) \rightleftharpoons 2H_3O^+(aq) + CO_3^{2-}(aq)$ 반응의 이온화 상수 값을 구하고, 풀이 과정을 서술하시오.

(2) 탄산음료의 병뚜껑을 열었더니 거품이 발생하였다. 이때 K_{a2}와 pH의 크기 변화를 쓰고, 그 이유를 서술하시오. (단, 온도는 일정하다.)

KEY WORDS
(1) 다양성자산의 평형 상수
(2) 압력, 온도, 평형 상수, 평형 이동

07

25 °C에서 약산인 0.1 M HA(aq) 25 mL를 강염기인 0.1 M NaOH(aq)으로 적정할 때, 다음 각 지점에서 혼합 용액의 pH를 구하시오. (단, 수용액의 온도는 일정하며, 25 °C에서 HA의 $K_a = 1.69 \times 10^{-5}$이고, $\log 1.3 = 0.11$, $\log 1.69 = 0.23$, $\log 1.96 = 0.29$, $\log 2 = 0.3$, $\log 3 = 0.48$, $\log 5.4 = 0.73$이다.)

KEY WORDS
헨더슨-하셀바흐 식

(1) NaOH(aq)을 가하기 전

(2) NaOH(aq) 10 mL를 가했을 때

(3) NaOH(aq) 12.5 mL를 가했을 때

(4) NaOH(aq) 25 mL를 가했을 때

(5) NaOH(aq) 26 mL를 가했을 때

08

그림은 25 °C에서 어떤 염기 BOH(aq) 50 mL를 1.0 M HCl(aq)으로 중화 적정하여 얻은 중화 적정 곡선이다.

KEY WORDS
(2) 약염기, 짝산, 완충 용액

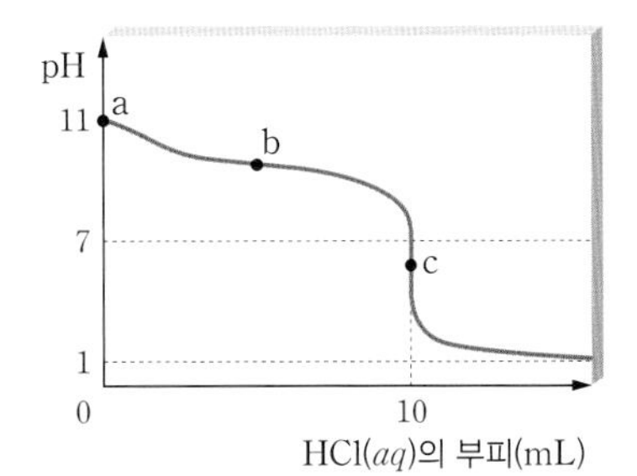

(1) a점에서 BOH의 이온화도와 이온화 상수 값을 구하시오. (단, 풀이 과정을 포함하며, 25 °C에서 물의 이온화 상수(K_w)는 1.0×10^{-14}이다.)

(2) b점에서의 pH 변화가 c점에서의 pH 변화에 비해 작은 이유를 서술하시오.

예시 문제

다음 제시문을 읽고 물음에 답하시오.

(제시문 1) 화학 반응을 기술하는 데 있어 중요한 두 가지 요소는 반응 속도 상수(k)와 평형 상수(K_{eq})이다. 반응 속도 상수는 생성물이 얼마나 빨리 생성되는지를 결정하며, 평형 상수는 반응이 완료되어 동적 평형이 이루어졌을 때 반응물과 생성물의 농도 비율(생성물 농도÷반응물 농도)을 나타낸다.

(제시문 2) 반응물이 전이 상태를 거쳐 생성물로 바뀌는 과정에서의 에너지 변화를 나타낸 그림을 에너지 경로도(그림 1)라고 하며, 반응 속도 상수와 평형 상수는 에너지 경로도에 의해 결정된다.

반응 온도가 일정하게 유지될 때, 반응 속도 상수는 활성화 에너지의 크기에 의해 지배된다. 즉, 활성화 에너지가 작으면 반응 속도 상수가 크고, 활성화 에너지가 크면 반응 속도 상수가 작다.

평형 상수는 반응물과 생성물 사이의 에너지 차이인 반응 엔탈피(ΔH)에 의해 결정된다. 반응물과 생성물의 엔트로피(무질서도) 차이를 무시할 수 있다면, 평형 상수는 발열 반응인 경우 크고 흡열 반응인 경우 작다.

반응 속도 상수와 평형 상수는 온도에 따라 변하며 다음과 같은 함수로 나타낼 수 있다.

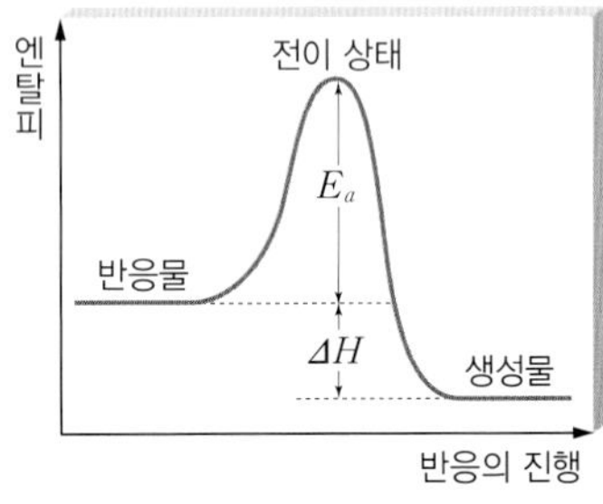

[그림 1]

반응 속도 상수 $k = A \times 10^{-0.05\frac{E_a}{T}}$

평형 상수 $K_{eq} = B \times 10^{-0.05\frac{\Delta H}{T}}$

A, B는 상수, T는 절대 온도이다.

(제시문 3) 반응물 A가 두 종류의 생성물 B와 C를 가역적인 반응 경로를 통하여 동시에 생성하는 반응을 연구하였다. 실험 초기에 반응물 A만을 반응 용기에 넣어 반응을 진행시키고, 시간에 따른 농도 [B]와 [C]를 동시에 측정하여 그림 3과 같은 실험 결과를 얻었다. 두 반응 모두 발열 반응이고, 실험 도중 온도는 300 K를 유지하였다.

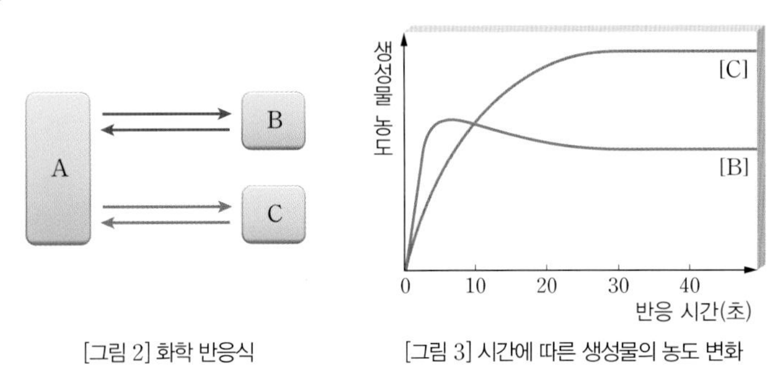

[그림 2] 화학 반응식 [그림 3] 시간에 따른 생성물의 농도 변화

출제 의도
화학 평형을 이해하여 반응물이나 생성물의 상대적 에너지와 농도 변화에 적용할 수 있는지를 평가한다.

1 제시문과 [그림 3]에서 제시한 실험 결과에 근거하여 B → C 반응의 ΔH가 음의 값을 갖는지 양의 값을 갖는지를 서술하시오.

2 [그림 3]에서 완전한 평형(평형 1)에 도달한 후 반응 용기의 온도를 300 K에서 400 K으로 순간적으로 증가시켜 그 온도로 유지하면 B와 C의 농도가 변한다. 그 이후, 오랜 시간이 흘러 새로운 평형(평형 2)에 도달했을 때, 평형 2에서의 농도 [B], [C]의 변화를 그래프에 모식적으로 나타내고, 평형 1에서의 농도 [B], [C]와 어떻게 다른지를 제시문에 근거하여 서술하시오.

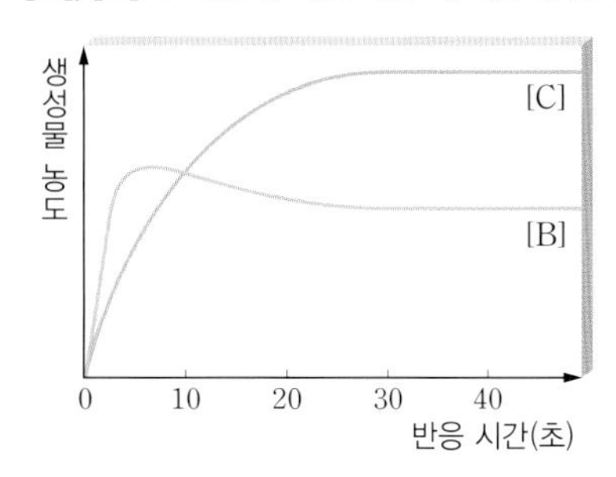

문제 해결 과정

1 [그림 3]으로부터 A → B 반응에서의 반응 엔탈피(ΔH)와 A → C 반응에서의 반응 엔탈피(ΔH) 값을 정량적으로 비교하여 B → C 반응에서의 반응 엔탈피(ΔH) 값의 부호를 결정한다.

2 온도가 높아질 때 제시문에 주어진 반응 속도 상수 값과 평형 상수 값이 커지는지, 작아지는지를 판단한 후에 그 결과를 [그림 3]에 적용한다.

예시 답안

1 [그림 3]을 통해 평형 상수는 A → C 반응의 평형 상수가 A → B 반응의 평형 상수보다 크다는 것을 알 수 있다. 따라서 엔트로피를 무시하면 평형 상수 $K_{eq}=B\times10^{-0.05\frac{\Delta H}{T}}$ 로 표시되므로 A → C 반응의 반응 엔탈피(ΔH)가 A → B 반응보다 작다는 것을 알 수 있다. 따라서 B → C 반응의 반응 엔탈피(ΔH)는 음의 부호를 갖는다.

2 온도가 높아지면 반응 속도 상수가 커지고, 평형 상수가 작아진다. 따라서 온도가 300 K에서 400 K으로 높아지면 다음 그림과 같이 평형에 도달하는 데 걸리는 시간이 짧아지고, 새로운 평형 상태에서의 B와 C의 농도는 작아진다.

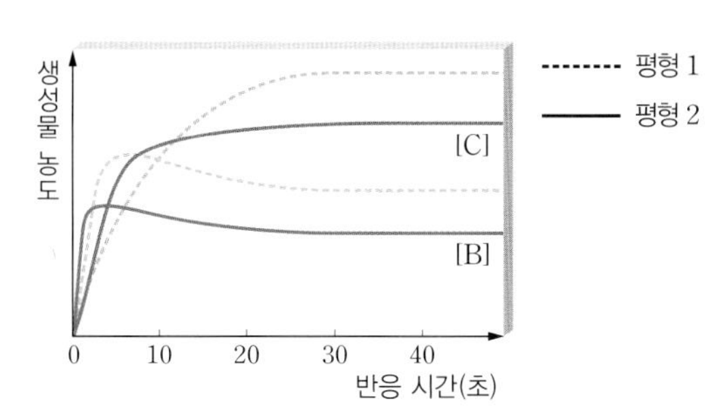

문제 해결을 위한 배경 지식

- **발열 반응과 흡열 반응:** 발열 반응에서는 주위로 에너지를 방출하여 엔탈피가 감소하므로 $\Delta H<0$이고, 흡열 반응에서는 주위로부터 에너지를 흡수하므로 $\Delta H>0$이다.
- **온도와 평형 상수:** 화학 반응에서 평형 상수 K와 절대 온도 사이에는 다음과 같은 관계식이 성립한다.

  $K=ke^{-\frac{\Delta H}{T}}$(단, k는 비례 상수)

  발열 반응에서는 $\Delta H<0$이므로 온도가 높아지면 K 값이 감소하고, 흡열 반응에서는 $\Delta H>0$이므로 온도가 높아지면 K 값이 증가한다.

실전 문제

정답과 해설 180쪽

1 다음 제시문을 읽고 물음에 답하시오.

(가) 화학 반응이 일어날 때에는 반응물을 이루는 원자 사이의 결합이 끊어지고 생성물을 이루는 원자 사이의 결합이 형성된다. 화학 반응에서 출입하는 열에너지를 반응 엔탈피(ΔH)라고 하며, 결합 에너지를 이용하여 다음과 같이 구할 수 있다.

$$\Delta H \approx \sum \text{반응물의 결합 에너지} - \sum \text{생성물의 결합 에너지}$$

1840년 헤스는 여러 가지 화학 반응에서의 반응 엔탈피(ΔH)를 측정하여 '반응 엔탈피는 화학 반응이 한 단계에서 일어나든지 여러 단계를 걸쳐 일어나든지 같다.'는 사실을 발표하였는데, 이를 헤스 법칙이라고 한다.

(나) 물질은 온도와 압력에 따라 상태가 변한다. 물질의 상태와 온도, 압력의 관계를 나타낸 그림을 상평형 그림이라고 하는데, 다음은 물과 이산화 탄소의 상평형 그림을 나타낸 것이다. 물의 상평형 그림에서 3중점은 0.0098 ℃, 0.006기압이고, 이산화 탄소의 상평형 그림에서 3중점은 −56.6 ℃, 5.1기압이다.

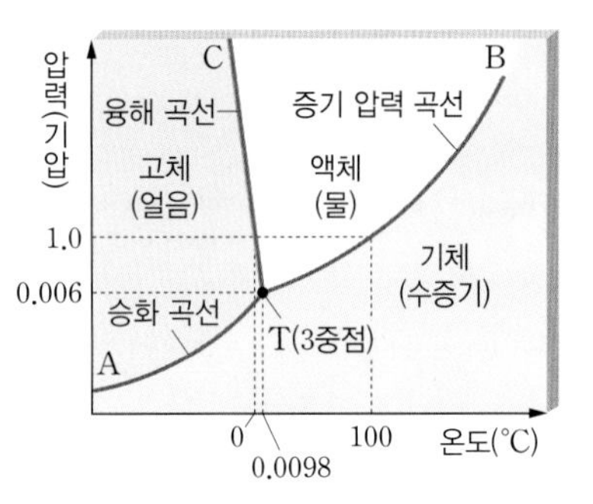

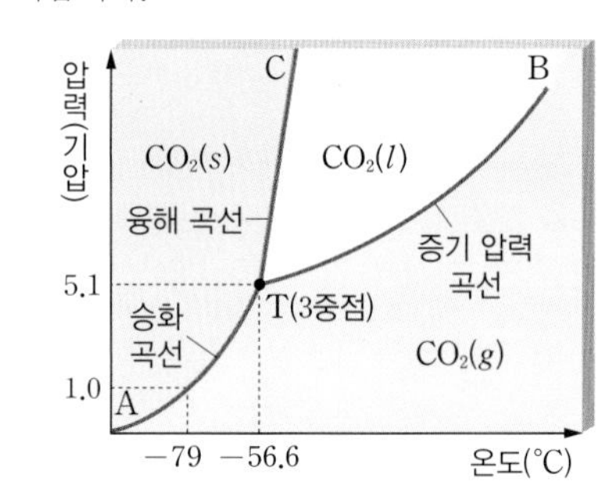

(다) 몇 가지 물질들의 물리적 특성과 결합의 결합 에너지는 다음과 같다.

물질	C_3H_8	O_2	H_2O	CO_2
끓는점(℃, 1기압)	−47.6	−183	100	−
기화열(kJ/mol)	16	7	44	16.7

결합	H−H	C−H	C−C	C=C	C≡C
결합 에너지(kJ/mol)	436	414	347	605	842
결합	C−O	C=O	O−H	O−O	O=O
결합 에너지(kJ/mol)	350	805	463	140	499

(가), (나), (다)를 이용하여 25 ℃, 1기압에서 프로페인 1몰이 완전 연소할 때의 열화학 반응식을 완성하고, 이 반응이 부피가 일정한 용기 안에서 일어날 때 계의 압력 변화와 엔트로피 변화를 서술하시오.

답안

출제 의도

결합 에너지를 이용하여 화학 반응에서의 반응 엔탈피를 구할 수 있는지와 끓는점 자료로부터 물질의 안정적인 상태를 판단할 수 있는지를 평가한다.

문제 해결을 위한 배경 지식

- **열화학 반응식:** 화학 반응식에 엔탈피 변화를 표시해서 나타낸 식을 의미한다.
- **엔트로피:** 물질의 무질서도를 의미하며, 기체의 분자 수가 늘어날수록 증가한다.

2 다음 제시문을 읽고 물음에 답하시오.

(가) 탄소 원자가 기본 골격을 이루고 여기에 수소, 산소, 질소 등의 여러 가지 원자가 결합한 화합물을 탄소 화합물이라고 한다. 탄소 화합물의 한 종류인 아미노산은 중심 탄소 원자에 아미노기($-NH_2$), 카복실기($-COOH$), 곁사슬($-R$)을 가지고 있다.
브뢴스테드·로리 정의에 따르면 아미노산의 카복실기는 산으로 작용할 수 있고, 아미노산의 아미노기는 염기로 작용할 수 있다.

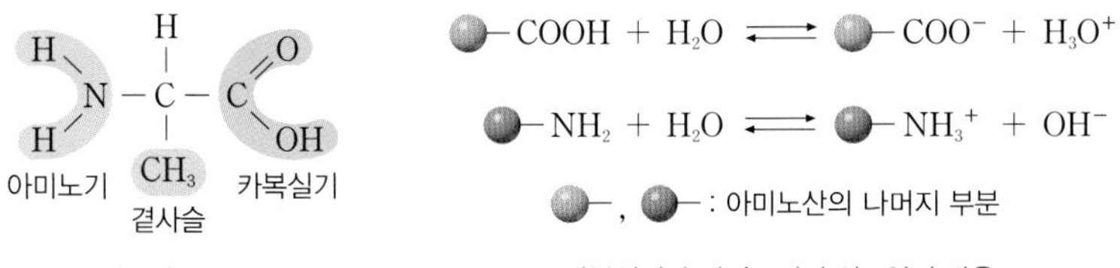

아미노산의 구조 카복실기와 아미노기의 산 · 염기 반응

(나) 화학 반응에서 정반응과 역반응이 평형 상태에 있을 때 농도, 압력, 온도 등을 변화시키면 그 변화를 감소시키는 방향으로 평형이 이동하여 새로운 평형에 도달한다. 이 법칙을 평형 이동 법칙(르샤틀리에 원리)이라고 한다.

알라닌은 단백질의 구성 성분으로, 바이타민의 중요한 성분이기도 하다. 이러한 알라닌은 명주실에 풍부하며, 1879년 명주실에서 최초로 분리되었다.

```
            CH3
 H           |      O
   \         |    //
     N  −  C  −  C
   /         |     \
 H           |      OH
             H
```

중성 수용액에서 알라닌의 구조와 여기에 $HCl(aq)$을 첨가하였을 때 알라닌의 구조를 각각 제시하고, 그 구조 변화 이유를 평형 이동 법칙을 근거로 서술하시오.

답안

출제 의도
아미노산의 중성, 산성, 염기성에서의 존재 형태를 파악하고 있는지를 평가한다.

문제 해결을 위한 배경 지식
- **평형 이동의 원리:** 농도가 증가하면 농도가 감소하는 쪽으로 평형이 이동한다.
- **아미노산:** 아미노산은 조건에 따라 카복실기의 H^+가 아미노기로 이동하여 배위 결합을 형성할 수 있다.

HighTop

answers & solutions

2권

II 반응 엔탈피와 화학 평형 144
용어 찾아보기 181

Ⅱ 반응 엔탈피와 화학 평형

1. 반응 엔탈피

01 화학 반응과 열의 출입

개념 모아 정리하기 019쪽

❶반응계	❷주위	❸방출	❹감소
❺흡수	❻증가	❼ΔH	❽ >
❾ <	❿ <	⓫ >	⓬생성
⓭연소	⓮분해	⓯용해	⓰중화

개념 기본 문제 020~021쪽

01 (1) ㄱ, ㄷ, ㄹ (2) ㄴ, ㅁ **02** ㄱ, ㄴ, ㄷ **03** −566 kJ
04 ㄱ, ㄴ **05** ㄷ, ㄹ **06** ㄱ, ㄴ **07** −902 kJ
08 184.9 kJ/mol **09** (1) $2N_2H_4(l)+N_2O_4(g) \longrightarrow 3N_2(g)+4H_2O(l)$ (2) −1255.5 kJ (3) 62.775 kJ
10 ㄱ **11** ㄱ, ㄷ

01 발열 반응은 에너지를 주위로 방출하는 반응으로, 철의 부식, 도시가스의 연소, 산과 염기의 중화 반응 등이 발열 반응에 해당한다.
흡열 반응은 주위로부터 에너지를 흡수하는 반응으로, 식물의 광합성, 탄산수소 나트륨의 분해 등이 흡열 반응에 해당한다.

02 열화학 반응식으로부터 반응열의 크기, 반응물과 생성물의 종류, 반응물과 생성물의 상태 등을 알 수 있다. 반응물과 생성물의 엔탈피 차는 알 수 있으나 반응물과 생성물의 엔탈피는 알 수 없다.

03 $CO_2(g) \longrightarrow CO(g)+\frac{1}{2}O_2(g)$, ΔH_1 ·············· ①
$2CO(g)+O_2(g) \longrightarrow 2CO_2(g)$, ΔH_2 ·············· ②
② 반응은 ① 반응의 역반응이면서 반응식의 계수를 2배로 한 것이다. 따라서 ΔH_2는 ΔH_1의 부호를 바꾸고 2배를 한 값과 같다.
$\Delta H_2=-\Delta H_1\times2=(-283\ \text{kJ})\times2=-566\ \text{kJ}$

04 ㄱ. 흡열 반응의 경우 주위로부터 에너지를 흡수하여 엔탈피가 증가하므로 $\Delta H>0$이다.
ㄴ. 2몰의 수소 기체가 연소하여 2몰의 물이 생성될 때에는 571.6 kJ의 에너지를 방출한다. 하지만 2몰의 수소 기체가 연소하여 2몰의 수증기가 생성될 때에는 483.6 kJ의 에너지를 방출한다. 이와 같이 같은 종류의 물질이라도 물질의 상태에 따라 반응 엔탈피 값은 다르다.
바로 알기 ㄷ. 발열 반응에서는 생성물이 반응물보다 엔탈피가 작으므로 생성물이 더 안정하고, 흡열 반응에서는 반응물이 생성물보다 엔탈피가 작으므로 반응물이 더 안정하다. 따라서 $\Delta H<0$인 발열 반응에서는 생성물이 반응물보다 더 안정하다.

05 ㄷ, ㄹ. 생성물 C의 엔탈피가 반응물 (A+B)의 엔탈피보다 크므로 흡열 반응이다. 반응이 일어날 때는 Q만큼의 에너지를 흡수한다.
바로 알기 ㄱ. 흡열 반응에서는 $\Delta H>0$이다.
ㄴ. 흡열 반응은 주위로부터 에너지를 흡수하는 반응으로, 반응이 일어날 때 주위의 온도가 낮아진다.

06 질소와 산소가 반응하여 일산화 질소가 생성되는 반응의 열화학 반응식은 다음과 같다.
$N_2(g)+O_2(g) \longrightarrow 2NO(g)$, $\Delta H=182.6\ \text{kJ}$ ······ ①
ㄱ. $2NO(g) \longrightarrow N_2(g)+O_2(g)$ 반응은 ① 반응의 역반응이다. 따라서 $2NO(g) \longrightarrow N_2(g)+O_2(g)$ 반응의 반응 엔탈피(ΔH)는 −182.6 kJ이다.
ㄴ. 질소 기체와 산소 기체가 반응하여 일산화 질소 기체가 생성되는 반응의 ΔH는 182.6 kJ로, $\Delta H>0$이다. 따라서 이 반응은 흡열 반응이다.
바로 알기 ㄷ. 일산화 질소 2몰이 생성될 때의 반응 엔탈피는 182.6 kJ이다. 따라서 일산화 질소 1몰이 생성될 때의 반응 엔탈피는 $\frac{182.6\ \text{kJ}}{2}=91.3\ \text{kJ}$이므로 일산화 질소 1몰이 분해될 때의 반응 엔탈피는 −91.3 kJ이다. 따라서 91.3 kJ의 에너지를 방출한다.

07 반응 엔탈피는 생성물의 표준 생성 엔탈피의 합에서 반응물의 표준 생성 엔탈피의 합을 뺀 값이다.
$\Delta H=\sum H^\circ_{f(생성물)}-\sum H^\circ_{f(반응물)}$
$=\{6\times\Delta H^\circ_{f(H_2O)}+4\times\Delta H^\circ_{f(NO)}\}$
$-\{4\times\Delta H^\circ_{f(NH_3)}+5\times\Delta H^\circ_{f(O_2)}\}$

$=\{6\times(-241.8)+4\times(91.3)\}-\{4\times(-45.9)+5\times 0\}$
$=-902$ kJ

08 반응 엔탈피는 생성물의 표준 생성 엔탈피 합에서 반응물의 표준 생성 엔탈피 합을 뺀 값이다.

$\Delta H=\sum H^\circ_{f(생성물)}-\sum H^\circ_{f(반응물)}$

$C_3H_4(g)$의 연소 반응을 화학 반응식으로 나타내면 다음과 같다.

$C_3H_4(g)+4O_2(g) \longrightarrow 3CO_2(g)+2H_2O(l),\ \Delta H=-1937$ kJ

$\Delta H=\sum H^\circ_{f(생성물)}-\sum H^\circ_{f(반응물)}$
$=\{3\times\Delta H^\circ_{f(CO_2)}+2\times\Delta H^\circ_{f(H_2O)}\}-\{\Delta H^\circ_{f(C_3H_4)}+4\times\Delta H^\circ_{f(O_2)}\}$
$=\{3\times(-393.5)+2\times(-285.8)\}-\{\Delta H^\circ_{f(C_3H_4)}+4\times(0\ \text{kJ/mol})\}$
$=-1937$ kJ/mol
$\because\ \Delta H^\circ_{f(C_3H_4)}=184.9$ kJ/mol

C_3H_4의 표준 생성 엔탈피는 184.9 kJ/mol이다.

09 (1) 반응물은 $N_2H_4(l)$과 $N_2O_4(g)$이고, 생성물은 $N_2(g)$와 $H_2O(l)$이므로 화학 반응식을 완성하면 다음과 같다.

$2N_2H_4(l)+N_2O_4(g) \longrightarrow 3N_2(g)+4H_2O(l),\ \Delta H=x$ kJ

(2) $\Delta H=\sum H^\circ_{f(생성물)}-\sum H^\circ_{f(반응물)}$
$=\{3\times\Delta H^\circ_{f(N_2)}+4\times\Delta H^\circ_{f(H_2O)}\}-\{2\times\Delta H^\circ_{f(N_2H_4)}+\Delta H^\circ_{f(N_2O_4)}\}$
$=\{(3\times 0)+(4\times(-285.8))\}-\{(2\times 50.6)+11.1\}$
$=-1255.5$ (kJ)

(3) N_2H_4의 화학식량은 32이므로 $N_2H_4(l)$ 3.2 g은 0.1몰에 해당한다. $N_2H_4(l)$ 2몰이 반응할 때 발생하는 열에너지가 1255.5 kJ이므로 0.1몰이 반응할 때 발생하는 열에너지는 다음과 같다.

2 mol : 1255.5 kJ $=$ 0.1 mol : x, $x=62.775$ kJ

10 ㄱ. 주어진 그래프에서 $H_2O(g)$의 생성 반응은 다음과 같다.

$2H_2(g)+O_2(g) \longrightarrow 2H_2O(g),\ \Delta H=-483.6$ kJ

$H_2O(g)$ 2몰이 생성될 때에는 483.6 kJ의 에너지를 방출하므로 $H_2O(g)$ 1몰이 생성될 때에는 241.8 kJ의 에너지를 방출한다. 따라서 $H_2O(g)$의 생성 엔탈피는 -241.8 kJ/mol이다.

바로 알기 ㄴ. 주어진 그래프에서 $H_2O(l)$의 생성 반응은 다음과 같다.

$2H_2(g)+O_2(g) \longrightarrow 2H_2O(l),\ \Delta H=-571.6$ kJ

$H_2O(l)$ 2몰이 생성될 때에는 571.6 kJ의 에너지를 방출하므로 $H_2O(l)$ 1몰이 생성될 때에는 285.8 kJ의 에너지를 방출한다. 따라서 $H_2O(l)$의 생성 엔탈피는 -285.8 kJ/mol이다. 분해 엔탈피는 생성 엔탈피와 부호만 다르므로 $H_2O(l)$의 분해 엔탈피는 285.8 kJ/mol이다.

ㄷ. 그래프 상에서 $2H_2O(l)$와 $2H_2O(g)$ 사이의 에너지 차는 88 kJ이다. 이를 열화학 반응식으로 나타내면 다음과 같다.

$2H_2O(g) \longrightarrow 2H_2O(l),\ \Delta H=-88$ kJ

따라서 $H_2O(g) \longrightarrow H_2O(l)$ 반응의 반응 엔탈피(ΔH)는 $-88\times\frac{1}{2}=-44$ kJ이다.

11 ㄱ. 분해 엔탈피는 화합물 1몰이 가장 안정한 성분 원소로 분해될 때의 반응 엔탈피이다. 따라서 $CH_4(g)$의 분해 엔탈피는 $CH_4(g)$ 1몰이 $C(s)$와 $H_2(g)$로 분해될 때의 반응 엔탈피이므로 ΔH_1은 $CH_4(g)$의 분해 엔탈피이다.

ㄷ. 중화 엔탈피는 산의 H^+ 1몰과 염기의 OH^- 1몰이 중화하여 $H_2O(l)$ 1몰이 생성될 때의 반응 엔탈피이다. 중화 엔탈피는 산과 염기의 종류에 관계없이 -55.8 kJ이다. ΔH_3은 염산과 수산화 나트륨 수용액의 반응에서의 반응 엔탈피이므로 중화 엔탈피이다.

바로 알기 ㄴ. 생성 엔탈피는 화합물 1몰이 가장 안정한 성분 원소로부터 생성될 때의 반응 엔탈피이다.

ΔH_2는 $CaCO_3(s)$이 생성되는 반응의 반응 엔탈피이지만, 가장 안정한 성분 원소로부터 생성되는 반응이 아니므로 ΔH_2는 $CaCO_3(s)$의 생성 엔탈피가 아니다.

ㄹ. ΔH_4는 $C_2H_2(g)$ 2몰이 연소할 때의 반응 엔탈피이므로 $C_2H_2(g)$의 연소 엔탈피는 $\frac{\Delta H_4}{2}$이다. 연소는 열을 방출하는 반응이므로 연소 엔탈피는 항상 0보다 작다.

개념 적용 문제 022~023쪽

01 ④ **02** ① **03** ③ **04** ①

01 ㄱ. 철과 산소의 반응(ⓐ)은 발열 반응, 드라이아이스의 승화(ⓑ)와 질산 암모늄의 용해(ⓒ)는 흡열 반응이다.
ㄷ. 질산 암모늄(NH_4NO_3)이 용해되는 반응은 흡열 반응으로, $\Delta H>0$이다. 즉, 반응 후인 $NH_4NO_3(aq)$의 엔탈피가 반응 전 $NH_4NO_3(s)$의 엔탈피보다 크기 때문에 반응이 진행되면 엔탈피가 증가한다.
바로 알기 ㄴ. 열을 방출하는 반응은 $\Delta H<0$이고, 열을 흡수하는 반응은 $\Delta H>0$이므로 ⓑ는 $\Delta H>0$이다.

02 ㄱ. $\Delta H<0$이므로 $NaOH(s)$의 용해는 발열 반응이다.
바로 알기 ㄴ. 발열 반응이 일어날 때는 주위로 열을 방출하므로 주위의 온도가 높아진다.
ㄷ. 발열 반응인 경우 반응물의 엔탈피가 생성물의 엔탈피보다 크다. 따라서 $NaOH(s)$의 엔탈피가 $NaOH(aq)$의 엔탈피보다 크다.

03 ㄱ. $\Delta H>0$이므로 반응 (가)는 흡열 반응이다.
ㄴ. 반응 (가)는 25 ℃, 1기압에서 $N_2(g)$와 $O_2(g)$가 반응하여 $N_2O_4(g)$ 1몰이 생성되는 반응이므로, 반응 (가)의 반응 엔탈피 a kJ은 $N_2O_4(g)$의 표준 생성 엔탈피이다.
바로 알기 ㄷ. 반응 (나)의 반응 엔탈피는 25 ℃, 1기압에서 $N_2(g)$와 $O_2(g)$가 반응하여 $N_2O(g)$ 2몰이 생성될 때의 반응 엔탈피이다. $N_2O(g)$의 표준 생성 엔탈피는 가장 안정한 성분 원소로부터 $N_2O(g)$ 1몰이 생성될 때의 반응 엔탈피이므로 $\frac{b}{2}$ kJ/mol이다.

04 ㄱ. 주어진 그래프에서 $H_2O_2(l)$의 분해 반응을 열화학 반응식으로 나타내면 다음과 같다.
$2H_2O_2(l) \longrightarrow 2H_2(g)+2O_2(g)$, $\Delta H=375.4$ kJ
$H_2O_2(l)$ 2몰이 분해되는 반응에서의 반응 엔탈피는 375.4 kJ이다.
분해 엔탈피는 화합물 1몰이 가장 안정한 성분 원소로 분해될 때의 반응 엔탈피이므로, $H_2O_2(l)$의 분해 엔탈피는 $\frac{375.4\text{ kJ}}{2\text{ mol}}$ $=187.7$ kJ/mol이다.
바로 알기 ㄴ. 주어진 그래프에서 $H_2O(g)$의 생성 반응을 화학 반응식으로 나타내면 다음과 같다.
$2H_2(g)+2O_2(g) \longrightarrow 2H_2O(g)+O_2(g)$
양변에서 $O_2(g)$를 빼면 다음과 같다.
$2H_2(g)+O_2(g) \longrightarrow 2H_2O(g)$

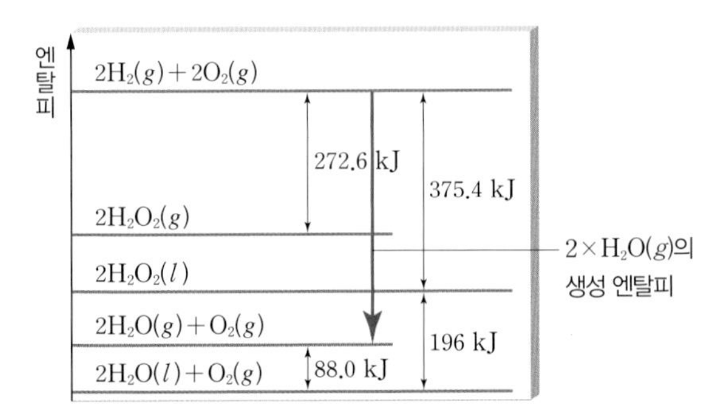

이 반응의 반응 엔탈피는 전체 엔탈피에서 88.0 kJ을 뺀 값과 같으므로 $\Delta H=-483.4$ kJ이다. 따라서 $H_2O(g)$ 1몰이 생성될 때의 반응 엔탈피인 $H_2O(g)$의 생성 엔탈피는 다음과 같다.
$\frac{-483.4\text{ kJ}}{2\text{ mol}}=-241.7$ kJ/mol
ㄷ. 주어진 그래프에서 $H_2O(l)$의 기화를 열화학 반응식으로 나타내면 다음과 같다.
$2H_2O(l)+O_2(g) \longrightarrow 2H_2O(g)+O_2(g)$, $\Delta H=88.0$ kJ
양변에서 $O_2(g)$를 빼면 다음과 같다.
$2H_2O(l) \longrightarrow 2H_2O(g)$, $\Delta H=88.0$ kJ
$H_2O(l)$ 2몰이 기화할 때 88.0 kJ의 에너지를 흡수하므로, $H_2O(l)$ 1몰이 기화하는 데 필요한 에너지는 44.0 kJ이다.

02 헤스 법칙

탐구 확인 문제 031쪽

01 ④

01 주어진 그래프에서의 반응을 열화학 반응식으로 나타내면 다음과 같다.
$NaOH(s)+H_2O(l)+HCl(aq)$
$\longrightarrow NaOH(aq)+HCl(aq)$, ΔH_1 …… ①
$NaOH(aq)+HCl(aq) \longrightarrow NaCl(aq)+H_2O(l)$, ΔH_2 …… ②
$NaOH(s)+H_2O(l)+HCl(aq)$
$\longrightarrow NaCl(aq)+H_2O(l)$, ΔH_3 …… ③

각 반응을 정리하면 다음과 같다.

$NaOH(s) \longrightarrow NaOH(aq)$, ΔH_1 ······················· ①

$NaOH(aq) + HCl(aq) \longrightarrow NaCl(aq) + H_2O(l)$, ΔH_2 ······ ②

$NaOH(s) + HCl(aq) \longrightarrow NaCl(aq) + H_2O(l)$, ΔH_3 ······ ③

ㄴ. $NaOH(s)$이 $NaOH(aq)$이 되는 반응은 반응 ①에 해당하므로 $NaOH(s)$의 용해 엔탈피는 ΔH_1이다.

ㄷ. 중화 엔탈피는 산이나 염기의 종류에 관계없이 -55.8 kJ/mol이다. 따라서 $NaOH(aq)$ 대신 $KOH(aq)$이 $HCl(aq)$과 반응하여도 반응 엔탈피는 -55.8 kJ로 같다. 즉, 중화 엔탈피는 ΔH_2이다.

바로 알기 ㄱ. 반응 ①과 반응 ②를 합하면 반응 ③이 되므로 반응 엔탈피 관계는 $\Delta H_1 + \Delta H_2 = \Delta H_3$이다.

ㄹ. $NaOH(s)$과 $HCl(aq)$의 반응은 반응 ③에 해당한다. 따라서 ΔH_3은 $NaOH(s)$의 용해 엔탈피와 $NaOH(aq)$과 $HCl(aq)$ 반응의 중화 엔탈피를 합한 값이다.

집중 분석

032~033쪽

유제 1 ㄷ　　유제 2 ⑤

유제 1 수소와 염소가 반응하여 염화 수소가 생성되는 반응의 열화학 반응식은 다음과 같다.

$H_2(g) + Cl_2(g) \longrightarrow 2HCl(g)$, ΔH

ㄷ. 결합 에너지가 클수록 결합의 세기가 강하다. 따라서 주어진 결합 중 H－H 결합의 결합 에너지가 가장 크므로 H－H 결합이 가장 강한 결합이다.

바로 알기 ㄱ. 반응물의 결합 에너지 합에서 생성물의 결합 에너지 합을 빼면 반응 엔탈피 ΔH를 구할 수 있다.

ΔH＝H－H 결합 에너지＋Cl－Cl 결합 에너지 －2×H－Cl 결합 에너지

$\Delta H = (436+243)-(2\times432) = -185$ kJ

ㄴ. $HCl(g)$의 분해 반응은 다음과 같이 나타낼 수 있다.

$2HCl(g) \longrightarrow H_2(g) + Cl_2(g)$

그래프에서 $2HCl(g)$의 엔탈피가 $\{H_2(g)+Cl_2(g)\}$의 엔탈피보다 작다. 따라서 $HCl(g)$의 분해 반응은 에너지를 흡수하는 흡열 반응이다.

유제 2 **1단계**_$C_2H_5OH(l)$은 구하려는 열화학 반응식에서 반응물, 주어진 첫번째 열화학 반응식에서 생성물이므로 부호는 '－'이고, 계수는 서로 같으므로 1이다.

$\Delta H = -\Delta H_1$

2단계_$CO_2(g)$는 구하려는 열화학 반응식에서 생성물, 주어진 두 번째 열화학 반응식에서도 생성물이므로 부호는 '＋'이고, 계수를 맞추기 위해 2를 곱한다.

$\Delta H = -\Delta H_1 + 2\Delta H_2$

3단계_$H_2O(l)$은 구하려는 열화학 반응식에서 생성물, 주어진 세 번째 열화학 반응식에서도 생성물이므로 부호는 '＋'이고, 계수를 맞추기 위해 3을 곱한다.

$\Delta H = -\Delta H_1 + 2\Delta H_2 + 3\Delta H_3$

개념 모아 정리하기

035쪽

❶ 간이 열량계 ❷ 통열량계 ❸ 결합 에너지 ❹ 반응물 ❺ 생성물 ❻ 헤스 법칙 ❼ －110.5

개념 기본 문제

036~037쪽

01 1361.6 kJ/mol **02** 391 kJ/mol **03** －241 kJ/mol **04** 605 kJ/mol **05** ㄱ **06** (1) × (2) ○ (3) ○ (4) ○ (5) ○ **07** ㄷ **08** 131.3 kJ **09** －278.8 kJ/mol **10** 492.7 kJ **11** ㄱ, ㄷ

01 에탄올이 연소할 때 발생하는 열은 모두 통과 물이 흡수하므로 발생한 열량(Q)은 다음과 같이 구할 수 있다.

Q＝물이 흡수한 열량＋통이 흡수한 열량

$= (c_{물} \times m_{물} \times \Delta t) + (C_{통} \times \Delta t)$

여기서 $c_{물}$은 물의 비열, $m_{물}$은 물의 질량, Δt는 온도 변화, $C_{통}$는 통열량계의 열용량이므로 각각의 값을 대입한다.

$Q = (4.2\ J/g\cdot°C \times 300\ g \times 10\ °C) + (1700\ J/°C \times 10\ °C)$

$= 29,600\ J = 29.6\ kJ$

에탄올의 분자량이 46이므로 에탄올 1 g은 $\frac{1}{46}$몰이다. 따라서 몰당 반응열을 구하면 $\dfrac{29.6\ kJ}{\frac{1}{46}\ mol} = 1361.6\ kJ/mol$ 이다.

02 NH_3에서 N－H의 결합은 3개가 존재하므로, $2NH_3$에서 N－H 결합은 6개가 존재한다. 따라서 N－H의 결합 에너지를 x라고 할 때 NH_3의 생성 반응의 반응 엔탈피는 다음과 같이 구할 수 있다.

ΔH＝3×H－H 결합 에너지＋N≡N 결합 에너지
－6×N－H 결합 에너지
$=(3\times436+947)-(6\times x)=-91.8,\ x=391.1$
소숫점 첫째 자리에서 반올림하면 391 kJ이 된다.

03 $H_2O(g)$의 생성 엔탈피를 나타내는 열화학 반응식은 다음과 같다.

$H_2(g)+\frac{1}{2}O_2(g) \longrightarrow H_2O(g),\ \Delta H=?$

이 반응의 반응 엔탈피(ΔH)는 다음과 같이 구할 수 있다.

ΔH＝(H－H 결합 에너지＋$\frac{1}{2}$×O＝O 결합 에너지)
－(2×O－H 결합 에너지)
$=(436+\frac{1}{2}\times498)-(2\times463)=-241$(kJ)

04 에틸렌의 구조식은 다음과 같다.

```
H       H
 \     /
  C = C
 /     \
H       H
```

C_2H_4에는 1개의 C＝C 결합과 4개의 C－H 결합이 있다. 따라서 에틸렌의 해리 에너지는 다음과 같이 구할 수 있다.
에틸렌의 해리 에너지＝
C＝C 결합 에너지＋4×C－H 결합 에너지
C＝C 결합 에너지를 x라 하면 x는 다음과 같이 구할 수 있다.
$2245=x+4\times410$
$x=605$(kJ)

05 ㄱ. $2H(g)+F_2(g) \longrightarrow 2H(g)+2F(g)$ 반응에서 흡수되는 에너지가 $F_2(g)$의 결합 에너지이다. 따라서 $F_2(g)$의 결합 에너지는 159 kJ/mol이다.

바로 알기 ㄴ. $2HF(g) \longrightarrow 2H(g)+2F(g)$ 반응에서 흡수되는 에너지 1140 kJ은 2몰의 H－F 결합이 끊어질 때 흡수되는 에너지이다. 따라서 H－F의 결합 에너지는 $\frac{1140}{2}$ ＝570(kJ/mol)이다.

ㄷ. $H_2(g)+F_2(g) \longrightarrow 2HF(g)$ 반응의 반응 엔탈피(ΔH)는 다음과 같이 구할 수 있다.

ΔH＝(H－H의 결합 에너지＋F－F의 결합 에너지)
－(2×H－F의 결합 에너지)
＝436 kJ＋159 kJ－1140 kJ＝－545 kJ

ㄹ. 반응 엔탈피(ΔH)＝반응물의 결합 에너지 합－생성물의 결합 에너지 합이며, $\Delta H<0$이므로 반응물의 결합 에너지 합보다 생성물의 결합 에너지 합이 더 크다.

06 ⑴ (가)는 결합이 끊어지는 흡열 반응이다. 따라서 (가)의 $\Delta H_1>0$이다.

⑵ (나)에서 C－H 결합이 끊어지고 H－Br 결합이 생성되므로 410－366＝44 kJ의 열을 흡수한다. 따라서 (나)의 $\Delta H_2=44$ kJ이다.

⑶ (다)에서 Br－Br 결합이 끊어지고 C－Br 결합이 생성되므로 ΔH_3은 194－290＝－96 kJ이다. $\Delta H_3<0$이므로 발열 반응이며, 96 kJ의 열이 발생한다.

⑷ $RCH_3+Br_2 \longrightarrow RCH_2Br+HBr$의 반응은 (나)와 (다) 반응의 합이므로 이 반응의 반응 엔탈피는 $\Delta H_2+\Delta H_3$으로 구할 수 있다.

(나) $RCH_3+\cancel{Br} \longrightarrow \cancel{RCH_2}+HBr,\ \Delta H_2=44$ kJ
(다) $\cancel{RCH_2}+Br_2 \longrightarrow RCH_2Br+\cancel{Br},$
$\Delta H_3=-96$ kJ

$RCH_3+Br_2 \longrightarrow RCH_2Br+HBr,\ \Delta H=-52$ kJ
$\Delta H<0$이므로 이 반응은 발열 반응이다.

[다른 풀이] 반응물의 C－H, Br－Br 결합이 끊어지고 C－Br, H－Br 결합이 생성되므로 $\Delta H=(410+194)-(290+366)=-52$ kJ이다.

⑸ C－H의 결합 에너지가 410 kJ/mol이므로 $CH_4(g)$의 해리 에너지는 4×410＝1640 kJ/mol이다.

07 각 반응을 다음과 같이 정리한다.

P → Q, $\Delta H_1=-134$ kJ ······ ①
Q → S, $\Delta H_2=92$ kJ ······ ②
R → S, $\Delta H_3=-75$ kJ ······ ③
P → R, $\Delta H_4=?$

ㄷ. S → P 반응은 －②식＋(－①식)으로 구할 수 있다.

S → Q, $-\Delta H_2$
＋) Q → P, $-\Delta H_1$

S → P, $-(\Delta H_1+\Delta H_2)$
따라서 $\Delta H=-(-134+92)=42$ kJ이다.

바로 알기 ㄱ. P → R의 반응은 ①식＋②식－③식이므로 $\Delta H=-134+92-(-75)=33$ kJ이다.

ㄴ. R → Q 반응은 ③식−②식이므로 $\Delta H=-75-92=-167$ kJ이다. R → Q 반응의 반응 엔탈피 $\Delta H<0$이므로 발열 반응이다.

08 구하려는 열화학 반응식을 (가), 주어진 열화학 반응식을 각각 ①~③식으로 나타내면 다음과 같다.

$C(s)+H_2O(g) \longrightarrow CO(g)+H_2(g)$, ΔH ………… (가)

$C(s)+O_2(g) \longrightarrow CO_2(g)$, $\Delta H=-393.5$ kJ …… ①

$2H_2(g)+O_2(g) \longrightarrow 2H_2O(g)$, $\Delta H=-483.6$ kJ … ②

$2CO(g)+O_2(g) \longrightarrow 2CO_2(g)$, $\Delta H=-566.0$ kJ … ③

첫 번째로, $C(s)$는 (가)식에서 반응물, ①식에서 반응물이므로 부호는 '+'이고, 계수는 서로 같으므로 1이다.

(가)=①

두 번째로, $H_2(g)$는 (가)식에서 생성물, ②식에서 반응물이므로 부호는 '−'이고, 계수를 맞추기 위해 $\frac{1}{2}$을 곱한다.

(가)=①식$-\left(\frac{1}{2}\times\right.$②식$\left.\right)$

세 번째로, $CO(g)$는 (가)식에서 생성물, ③식에서 반응물이므로 부호는 '−'이고, 계수를 맞추기 위해 $\frac{1}{2}$을 곱한다.

따라서 (가)식은 ①식$-\left(\frac{1}{2}\times\right.$②식$\left.\right)-\left(\frac{1}{2}\times\right.$③식$\left.\right)$으로 구할 수 있다.

$C(s)+O_2(g) \longrightarrow CO_2(g)$, $\Delta H=-393.5$ kJ ……… ①

$H_2(g)+\frac{1}{2}O_2(g) \longrightarrow H_2O(g)$,

−) $\Delta H=-\frac{483.6}{2}$ kJ……… $\frac{1}{2}\times$②

$CO(g)+\frac{1}{2}O_2(g) \longrightarrow CO_2(g)$,

−) $\Delta H=-\frac{566.0}{2}$ kJ……… $\frac{1}{2}\times$③

$C(s)+H_2O(g) \longrightarrow H_2(g)+CO(g)$,

$\Delta H=131.3$ kJ

09 $CH_3OH(l)$ 생성 반응의 열화학 반응식은 다음과 같다.

$C(s)+2H_2(g)+\frac{1}{2}O_2(g) \longrightarrow CH_3OH(l)$,

$\Delta H=?$ ……… (가)

$CH_3OH(l)$의 연소 엔탈피는 -686.3 kJ/mol이므로 이를 열화학 반응식으로 나타내면 다음과 같다.

$CH_3OH(l)+\frac{3}{2}O_2(g) \longrightarrow 2H_2O(l)+CO_2(g)$,

$\Delta H=-686.3$ kJ ……… ①

$CO_2(g)$의 생성 엔탈피는 -393.5 kJ/mol이므로 이를 열화학 반응식으로 나타내면 다음과 같다.

$C(s)+O_2(g) \longrightarrow CO_2(g)$, $\Delta H=-393.5$ kJ …… ②

$H_2O(l)$의 생성 엔탈피는 -285.8 kJ/mol이므로 이를 열화학 반응식으로 나타내면 다음과 같다.

$H_2(g)+\frac{1}{2}O_2(g) \longrightarrow H_2O(l)$, $\Delta H=-285.8$ kJ … ③

첫 번째로, $C(s)$는 (가)식에서 반응물, ②식에서 반응물이므로 부호는 '+'이고, 계수는 서로 같으므로 1이다.

(가)=②

두 번째로, $H_2(g)$는 (가)식에서 반응물, ③식에서 반응물이므로 부호는 '+'이고, 계수를 맞추기 위해 2를 곱한다.

(가)=②+(2×③)

세 번째로, $CH_3OH(l)$은 (가)식에서 생성물, ①식에서 반응물이므로 부호는 '−'이고, 계수는 서로 같으므로 1이다.

(가)=②+(2×③)−①

따라서 $CH_3OH(l)$의 생성 반응식 (가)는 ②식+(2×③식)−①식으로 구할 수 있다.

$C(s)+O_2(g) \longrightarrow CO_2(g)$, $\Delta H=-393.5$ kJ

+) $2H_2(g)+O_2(g) \longrightarrow 2H_2O(l)$, $\Delta H=-571.6$ kJ

$CH_3OH(l)+\frac{3}{2}O_2(g) \longrightarrow 2H_2O(l)+CO_2(g)$,

−) $\Delta H=-686.3$ kJ

$C(s)+\frac{1}{2}O_2(g)+2H_2(g) \longrightarrow CH_3OH(l)$,

$\Delta H=-393.5+(-571.6)-(-686.3)=-278.8$ kJ

10 구하려는 열화학 반응식을 (가), 주어진 열화학 반응식을 각각 ①, ②식으로 나타낸다.

$Fe_2O_3(s)+3C(s) \longrightarrow 2Fe(s)+3CO(g)$, $\Delta H=?$

……… (가)

$2Fe(s)+\frac{3}{2}O_2(g) \longrightarrow Fe_2O_3(s)$,

$\Delta H_1=-824.2$ kJ ……… ①

$C(s)+\frac{1}{2}O_2(g) \longrightarrow CO(g)$,

$\Delta H_2=-110.5$ kJ ……… ②

우선 첫번째로, $Fe_2O_3(s)$은 (가)식에서 반응물, ①식에서 생성물이므로 부호는 '−'이고, 계수는 서로 같으므로 1이다.

$\Delta H=-\Delta H_1$

두 번째로, $C(s)$는 (가)식에서 반응물, ②식에서 반응물이므로 부호는 '+'이고 계수를 맞추기 위해 3을 곱한다.

$\Delta H = -\Delta H_1 + 3\Delta H_2$

(가)식은 (3×②식)−①식으로 구할 수 있다.

$3C(s) + \frac{3}{2}O_2(g) \longrightarrow 3CO(g)$,

$3\Delta H_2 = 3\times(-110.5)$ kJ

$-)\ 2Fe(s) + \frac{3}{2}O_2(g) \longrightarrow Fe_2O_3(s)$, $\Delta H_1 = -824.2$ kJ

$Fe_2O_3(s) + 3C(s) \longrightarrow 2Fe(s) + 3CO(g)$,

$\Delta H = 492.7$ kJ

11 주어진 그래프에서 나타나는 열화학 반응식을 각각 ①과 ② 식으로 정리하면 다음과 같다.

$H_2O(l) \longrightarrow H_2(g) + \frac{1}{2}O_2(g)$, $\Delta H = a$ kJ ………… ①

$H_2(g) + \frac{1}{2}O_2(g) \longrightarrow H_2O(g)$, $\Delta H = b$ kJ ………… ②

ㄱ. 물이 분해되는 반응의 열화학 반응식은 ①식으로, 물이 분해되는 반응은 에너지를 흡수하는 흡열 반응이고, ②식은 에너지를 방출하는 발열 반응이다. 따라서 $a>0$, $b<0$이다.

ㄷ. $H_2O(g)$의 엔탈피는 $H_2O(l)$의 엔탈피보다 크므로, $H_2O(l)$이 기화할 때는 에너지를 흡수한다.

바로 알기 ㄴ. $H_2O(l)$의 기화 반응식은 (①+②)식과 같다. 따라서 기화 엔탈피 $\Delta H = (a+b)$ kJ/mol이다.

개념 적용 문제

038~041쪽

01 ④ **02** ③ **03** ③ **04** ④ **05** ③ **06** ①
07 ⑤ **08** ①

01 실험 Ⅰ에서 1 M $HCl(aq)$ 25 mL에는 H^+ 0.025몰이 들어 있고, 0.5 M $NaOH(aq)$ 50 mL에는 OH^- 0.025몰이 들어 있다. 따라서 실험 Ⅰ에서는 H^+ 0.025몰과 OH^- 0.025몰이 반응하여 H_2O 0.025몰이 생성된다.

$HCl(aq) + NaOH(aq) \longrightarrow NaCl(aq) + H_2O(l)$

실험 Ⅱ에서 0.5 M $HCl(aq)$ 50 mL에는 H^+ 0.025몰이 들어 있고, $NaOH(s)$ 1 g은 $\frac{1}{40} = 0.025$몰이다. 따라서 실험 Ⅱ에서도 H^+ 0.025몰과 OH^- 0.025몰이 반응하여 H_2O 0.025몰이 생성된다.

ㄴ. 중화 엔탈피는 산의 H^+ 1몰과 염기의 OH^- 1몰이 반응하여 $H_2O(l)$ 1몰이 생성될 때의 반응 엔탈피이다. 실험 Ⅰ에서 산과 염기가 반응하여 $H_2O(l)$ 0.025몰이 생성될 때의 반응 엔탈피(ΔH)는 $-Q_1$이므로, 중화 엔탈피(ΔH)는 $-40Q_1$이다.

ㄷ. 실험 Ⅰ에서 $H_2O(l)$ 0.025몰이 생성되고, 실험 Ⅱ에서 $H_2O(l)$ 0.025몰이 생성되므로 두 실험에서 생성된 전체 $H_2O(l)$의 양은 0.050몰이다.

바로 알기 ㄱ. Q_1은 산의 H^+과 염기의 OH^-이 반응하여 $H_2O(l)$ 0.025몰이 생성될 때 발생하는 열량이고, Q_2는 산의 H^+과 염기의 OH^-이 반응하여 $H_2O(l)$ 0.025몰이 생성될 때 발생하는 열량과 $NaOH(s)$이 용해될 때 발생하는 열량을 합한 값이다. 따라서 $Q_1 < Q_2$이다.

02 $N_2H_4(g)$의 생성 반응은 다음과 같이 나타낼 수 있다.

$N_2(g) + 2H_2(g) \longrightarrow N_2H_4(g)$, $\Delta H = 93$ kJ

반응 엔탈피는 반응물의 결합 에너지 합에서 생성물의 결합 에너지 합을 뺀 값이므로 N−H 결합 에너지를 x라 하면

ΔH = {N≡N 결합 에너지+(2×H−H 결합 에너지)}
−{N−N 결합 에너지+4×N−H 결합 에너지}

$= \{947 + (2\times436)\} - (162 + 4x) = 93$ kJ

따라서 N−H 결합 에너지(x)는 391 kJ/mol이다.

$N_2H_2(g)$의 구조식은 H−N=N−H이며, $N_2H_2(g)$의 생성 반응은 다음과 같이 나타낼 수 있다.

$N_2(g) + H_2(g) \longrightarrow N_2H_2(g)$, ΔH

따라서 $N_2H_2(g)$의 표준 생성 엔탈피는 다음과 같이 구할 수 있다.

ΔH = (N≡N 결합 에너지+H−H 결합 에너지)
−(N=N 결합 에너지+2×N−H 결합 에너지)

$\Delta H = (947 + 436) - \{419 + (2\times391)\} = 182$ kJ

따라서 $N_2H_2(g)$의 표준 생성 엔탈피는 182 kJ/mol이다.

03 그래프에서 주어진 열화학 반응식을 나타내면 다음과 같다.

$H_2(g) + O_2(g) \longrightarrow H_2O_2(g)$, $\Delta H_1 = -136$ kJ

$H_2(g) + O_2(g) \longrightarrow 2H(g) + O_2(g)$, $\Delta H_2 = 436$ kJ

$H_2(g) + O_2(g) \longrightarrow H_2(g) + 2O(g)$, $\Delta H_3=498$ kJ

ΔH_2는 수소 분자가 각 원자로 나뉘었을 때의 반응 엔탈피이므로 H−H 결합 에너지는 ΔH_2이고, ΔH_3은 산소 분자가 각 원자로 나뉘었을 때의 반응 엔탈피이므로 O=O 결합 에너지는 ΔH_3이다.

ㄱ. $H_2O_2(g)$의 생성 엔탈피가 ΔH_1이므로, $H_2O_2(g)$의 분해 엔탈피는 $-\Delta H_1$이다. 따라서 $H_2O_2(g)$의 분해 엔탈피는 136 kJ/mol이다.

ㄴ. $H_2O_2(g)$ 분자에는 O−H 결합 2개와 O−O 결합 1개가 존재한다. 따라서 O−O 결합 에너지를 x라고 가정하면 $H_2O_2(g)$의 생성 엔탈피와 결합 에너지의 관계는 다음과 같다.

ΔH_1=반응물의 결합 에너지 합−생성물의 결합 에너지 합

=(H−H 결합 에너지+O=O 결합 에너지)

−(2×O−H 결합 에너지+O−O 결합 에너지)

$-136=(436+498)-(2\times463+x)$, $x=144$

따라서 O−O 결합 에너지는 144 kJ/mol이다.

바로 알기 ㄷ. 결합 에너지가 클수록 강한 결합이다. H−H 결합 에너지는 436 kJ/mol이고, O−O 결합 에너지는 144 kJ/mol이므로 H−H 결합이 O−O 결합보다 더 강하다.

04 ㄱ. 연소 엔탈피는 어떤 물질 1몰이 완전 연소할 때의 반응 엔탈피이다. $C_3H_8(g)$ 1몰이 연소할 때 a kJ의 열이 발생하므로 $C_3H_8(g)$의 연소 엔탈피는 a kJ/mol이다.

ㄴ. $C_3H_8(g)$의 생성 엔탈피는 다음 화학 반응에서의 반응 엔탈피이다.

$3C(s, \text{흑연}) + 4H_2(g) \longrightarrow C_3H_8(g)$, ΔH

구하려는 열화학 반응식을 (가)식, 주어진 열화학 반응식을 ①~③식으로 나타내면 다음과 같다.

$3C(s, \text{흑연}) + 4H_2(g) \longrightarrow C_3H_8(g)$, ΔH ············ (가)

$C_3H_8(g) + 5O_2(g) \longrightarrow 3CO_2(g) + 4H_2O(l)$,

$\Delta H=a$ kJ ········· ①

$C(s, \text{흑연}) + O_2(g) \longrightarrow CO_2(g)$, $\Delta H=b$ kJ ········· ②

$2H_2(g) + O_2(g) \longrightarrow 2H_2O(l)$, $\Delta H=c$ kJ ············ ③

(가)식은 (3×②식)+(2×③식)−①식이므로 (가)에서의 반응 엔탈피(ΔH)는 $(3b+2c-a)$ kJ이다.

바로 알기 ㄷ. $H_2O(l)$ 2몰이 생성될 때의 반응 엔탈피는 c kJ이다. 분해 엔탈피는 화합물 1몰이 가장 안정한 성분 원소로 분해될 때의 반응 엔탈피로, 생성 엔탈피와 부호만 다르다. 따라서 $H_2O(l)$의 분해 엔탈피는 $-\frac{c}{2}$ kJ/mol이다.

05 그래프에서 주어진 열화학 반응식을 나타내면 다음과 같다.

$2NO(g) + N_2(g) + O_2(g) \longrightarrow 2NO_2(g) + N_2(g)$, ΔH_1

$2N_2O(g) + O_2(g) \longrightarrow 2N_2(g) + 2O_2(g)$, ΔH_2

$2N_2(g) + 2O_2(g) \longrightarrow 2NO(g) + N_2(g) + O_2(g)$, ΔH_3

위 열화학 반응식을 정리하여 각 열화학 반응식을 ①~③식으로 나타내면 다음과 같다.

$2NO(g) + O_2(g) \longrightarrow 2NO_2(g)$, ΔH_1 ········· ①

$2N_2O(g) \longrightarrow 2N_2(g) + O_2(g)$, ΔH_2 ········· ②

$N_2(g) + O_2(g) \longrightarrow 2NO(g)$, ΔH_3 ············ ③

ㄷ. $NO_2(g) + N_2O(g) \longrightarrow 3NO(g)$ 반응의 반응식은 $\left(\frac{1}{2}\times②\text{식}\right)+③\text{식}-\left(\frac{1}{2}\times①\right)$식으로 구할 수 있다. 따라서 이 반응의 반응 엔탈피 $\Delta H=\frac{1}{2}(\Delta H_2+2\Delta H_3-\Delta H_1)$이다.

바로 알기 ㄱ. $N_2O(g)$의 생성 엔탈피는 다음 화학 반응에서의 반응 엔탈피이다.

$N_2(g) + \frac{1}{2}O_2(g) \longrightarrow N_2O(g)$

따라서 $N_2O(g)$의 생성 엔탈피는 $-\frac{\Delta H_2}{2}$이다.

ㄴ. $NO(g)$의 분해 엔탈피는 다음 화학 반응에서의 반응 엔탈피이다.

$NO(g) \longrightarrow \frac{1}{2}N_2(g) + \frac{1}{2}O_2(g)$

따라서 $NO(g)$의 분해 엔탈피는 $-\frac{\Delta H_3}{2}$이다.

06 주어진 반응 엔탈피와 관련된 화학 반응식은 다음과 같다.

$2C(s, \text{흑연}) + H_2(g) \longrightarrow C_2H_2(g)$, $\Delta H=227$ kJ

$C_2H_2(g) + \frac{5}{2}O_2(g) \longrightarrow 2CO_2(g) + H_2O(g)$,

$\Delta H=a$ kJ

$6C(s, \text{흑연}) + 3H_2(g) \longrightarrow C_6H_6(g)$, $\Delta H=83$ kJ

$C_6H_6(g) + \frac{15}{2}O_2(g) \longrightarrow 6CO_2(g) + 3H_2O(g)$,

$\Delta H=b$ kJ

ㄱ. $(b-3a)$ kJ인 반응은 다음과 같다.

$C_6H_6(g) + \frac{15}{2}O_2(g) \longrightarrow 6CO_2(g) + 3H_2O(g)$,

$\Delta H=b$ kJ

$3C_2H_2(g) + \frac{15}{2}O_2(g) \longrightarrow 6CO_2(g) + 3H_2O(g)$,

−) $3\times\Delta H=3a$ kJ

$C_6H_6(g) \longrightarrow 3C_2H_2(g)$, $\Delta H=(b-3a)$ kJ

반응 엔탈피는 생성물의 엔탈피 합에서 반응물의 엔탈피 합을 뺀 값과 같으므로 $C_6H_6(g)$이 $C_2H_2(g)$이 되는 반응의 반응 엔탈피는 다음과 같다.

$\varDelta H$=생성물의 표준 생성 엔탈피 합−반응물의 표준 생성 엔탈피 합

$=3\times227-83=598(kJ)$

즉, $C_6H_6(g) \longrightarrow 3C_2H_2(g)$의 반응 엔탈피$=(b-3a)$ kJ $=598$ kJ이다.

바로 알기 ㄴ. $3C_2H_2(g) \longrightarrow C_6H_6(g)$의 반응 엔탈피 $\varDelta H$는 −598 kJ이다.

ㄷ. 반응 엔탈피는 반응물의 결합 에너지 합에서 생성물의 결합 에너지를 뺀 값이다. 또, 분자 해리 에너지는 분자에 존재하는 모든 결합을 끊어 원자 상태로 만드는 데 필요한 에너지이므로 $3C_2H_2(g) \longrightarrow C_6H_6(g)$ 반응의 반응 엔탈피 $\varDelta H=-598$ kJ은 다음과 같이 나타낼 수 있다.

−598 kJ=3×반응물($C_2H_2(g)$)의 해리 에너지 −생성물($C_6H_6(g)$)의 해리 에너지

$C_6H_6(g)$의 해리 에너지=3×$C_2H_2(g)$의 해리 에너지 +598 kJ

$C_6H_6(g)$의 해리 에너지는 $C_2H_2(g)$의 해리 에너지의 3배보다 598 kJ 더 크다.

07 화학 반응 전후 물질을 이루는 원자의 종류와 수는 변하지 않으므로 그래프에서 생성물인 CO_2와 H_2O의 분자 수를 통해 반응물은 분자식이 $C_3H_6(g)$임을 알 수 있다.

ㄱ. 그래프에서 ㉠의 연소 엔탈피 절댓값이 ㉡의 연소 엔탈피의 절댓값보다 크므로 ㉠은 $B(g)$이다.

ㄴ. $A(g)$의 생성 엔탈피는 0 kJ/mol보다 크므로 $A(g)$의 가장 안정한 성분 원소로부터 $A(g)$가 생성되는 반응은 흡열 반응이고 $A(g)$의 생성 엔탈피는 18 kJ/mol이므로 $B(g)$의 생성 엔탈피는 18 kJ/mol+{$A(g)$의 연소 엔탈피와 $B(g)$의 연소 엔탈피 차}이다. 따라서 $B(g)$의 생성 엔탈피 x는 18 kJ/mol+(2091 kJ/mol−2058 kJ/mol)=51 kJ/mol이다.

ㄷ. $A(g)$의 연소 반응을 열화학 반응식으로 나타내면 다음과 같다.

$$C_3H_6(g)+\frac{9}{2}O_2(g) \longrightarrow 3CO_2(g)+3H_2O(l),\quad \varDelta H=-2058\text{ kJ}$$

$\varDelta H$=생성물의 표준 생성 엔탈피 합 −반응물의 표준 생성 엔탈피 합

$=(3\times\varDelta H_{f(CO_2)}+3\times\varDelta H_{f(H_2O)})-(\varDelta H_{f(C_3H_6)}+\frac{9}{2}\times\varDelta H_{f(O_2)})$

$=(3\times(-394)+3\times\varDelta H_{f(H_2O)})-(18+0)=-2058(kJ)$

따라서 $\varDelta H_{f(H_2O)}$는 −286(kJ)이므로 $H_2O(l)$의 생성 엔탈피는 −286 kJ/mol이다.

08 주어진 화학 반응식은 모두 각 물질의 분해 반응이며, 각 반응의 반응 엔탈피는 분해 엔탈피이다.

ㄱ. $\varDelta H_3$은 $C_3H_8(g)$의 분해 엔탈피이고, 분해 엔탈피는 생성 엔탈피와 부호가 반대이다. $C_3H_8(g)$의 생성 엔탈피는 0 kJ/mol보다 작으므로 $\varDelta H_3>0$이다.

바로 알기 ㄴ. $C_3H_4(g)$의 표준 생성 엔탈피 $\varDelta H_{f(C_3H_4)}$와 $C_3H_6(g)$의 표준 생성 엔탈피 $\varDelta H_{f(C_3H_6)}$는 모두 양의 값이고 $\varDelta H_{f(C_3H_4)}>\varDelta H_{f(C_3H_6)}$이다. 한편, $\varDelta H_1$은 $C_3H_4(g)$의 분해 엔탈피이고, $\varDelta H_2$는 $C_3H_6(g)$의 분해 엔탈피인데, 분해 엔탈피는 생성 엔탈피와 부호만 반대이므로 절댓값은 $|\varDelta H_1|>|\varDelta H_2|$이다.

ㄷ. $C_3H_8(g)$의 표준 생성 엔탈피는 25 °C, 1기압에서 $C_3H_8(g)$을 이루는 가장 안정한 원소로부터 $C_3H_8(g)$ 1몰이 생성될 때의 반응 엔탈피이다. 따라서 $C_3H_8(g)$의 표준 생성 엔탈피는 $-\varDelta H_3$이다.

2. 화학 평형과 평형 이동

01 화학 평형

개념 모아 정리하기 055쪽

❶가역 ❷비가역 ❸같아 ❹ =
❺일정 ❻역수 ❼정반응 ❽역반응
❾ < ❿ = ⓫ >

개념 기본 문제 056~057쪽

01 ㄷ, ㄹ **02** ㄴ **03** ㄱ, ㄴ **04** ① 정반응 속도 ② 역반응 속도 ③ 생성물의 농도 ④ 반응물의 농도 **05** (1) CO 0.7몰, H_2 2.1몰, CH_4 0.3몰, H_2O 0.3몰 (2) $[CO]=0.07$ M, $[H_2]=0.21$ M, $[CH_4]=0.03$ M, $[H_2O]=0.03$ M

06 (1) $K=\frac{[NO_2]^2}{[NO]^2[O_2]}$ (2) $K=\frac{[SO_3]^2}{[SO_2]^2[O_2]}$ (3) $K=\frac{1}{[NH_3][HCl]}$
(4) $K=\frac{[NO_2]^2}{[N_2][O_2]^2}$ (5) $K=\frac{[Zn^{2+}]}{[Cu^{2+}]}$ (6) $K=\frac{[CH_3COO^-][H_3O^+]}{[CH_3COOH]}$

07 0.2 M **08** $2A(g)+B(g) \rightleftharpoons 2C(g)$, $K=2.5$
09 (1) 8 (2) 정반응 **10** 정반응, 0.75 M **11** (1) × (2) ○ (3) ○ **12** (1) × (2) × (3) ○

01 비가역 반응은 역반응이 거의 무시될 정도로 적게 일어나는 반응으로, 비가역 반응에는 기체 발생 반응, 앙금 생성 반응, 산과 염기의 중화 반응, 연소 반응 등이 있다. ㄷ은 연소 반응, ㄹ은 산과 염기의 중화 반응에 해당한다.

02 ㄴ. 화학 평형 상태에서는 반응물과 생성물이 함께 존재하고, 화학 평형이 이루어지는 반응은 정반응과 역반응이 모두 일어날 수 있는 가역 반응이다.

바로 알기 ㄱ. 화학 평형을 이루고 있는 어떤 반응이 있을 때, 그 반응의 온도와 압력 조건이 변하면 평형이 달라진다. 즉, 온도가 달라지면 반응물이나 생성물의 평형 농도는 달라진다.

ㄷ. 화학 평형 상태는 동적 평형 상태로, 반응이 정지된 것이 아니라 정반응 속도와 역반응 속도가 같아 겉으로 보기에 변화가 없는 것처럼 보이는 상태이다.

ㄹ. 화학 평형 상태에서 반응물의 농도와 생성물의 농도는 일정하게 유지될 뿐, 반응물의 농도와 생성물의 농도가 같다는 것을 의미하는 것은 아니다.

03 ㄱ. 화학 평형 상태는 가역 반응에서 정반응 속도와 역반응 속도가 같아 겉으로 보기에는 반응이 일어나지 않는 것처럼 보이는 상태이다. 정반응 속도와 역반응 속도가 같으므로 $N_2O_4(g)$의 생성 속도와 분해 속도는 같다.

ㄴ. 화학 평형 상태에서는 온도와 압력이 변하지 않으면 반응물의 농도와 생성물의 농도가 일정하게 유지된다. 따라서 $NO_2(g)$의 농도와 $N_2O_4(g)$의 농도는 일정하게 유지된다.

바로 알기 ㄷ. 화학 반응식의 계수비는 평형 상태에서 존재하는 반응물과 생성물의 농도비가 아니라, 평형에 도달하기까지 감소하거나 증가하는 반응물과 생성물의 농도비이다. 따라서 계수비가 2 : 1인 것은 용기 속 $NO_2(g)$와 $N_2O_4(g)$의 농도비가 2 : 1이 아니라, $NO_2(g)$의 농도 감소량이 $N_2O_4(g)$의 농도 증가량의 2배임을 의미한다.

04 (가)는 시간에 따른 정반응 속도와 역반응 속도 변화를 나타낸 것이고, (나)는 시간에 따른 반응물의 농도와 생성물의 농도 변화를 나타낸 것이다.

① 정반응 속도는 반응 초기에는 빠르지만, 반응이 진행됨에 따라 생성물의 농도는 커지고, 반응물의 농도는 작아지므로 점점 느려진다.

② 역반응 속도는 반응 초기에는 0이지만, 반응이 진행되면서 생성물의 농도가 진해지므로 역반응 속도가 점점 빨라진다.

③ 생성물의 농도는 반응이 진행됨에 따라 점점 증가하다가 평형 상태에 이르면 일정해진다.

④ 반응물의 농도는 반응이 진행됨에 따라 점점 감소하다가 평형 상태에 이르면 일정해진다.

05 (1)

	$CO(g)$	+ $3H_2(g)$	$\rightleftharpoons$ $CH_4(g)$	+ $H_2O(g)$
초기(mol)	1	3	0	0
반응(mol)	$-x$	$-3x$	$+x$	$+x$
평형(mol)	$1-x$	$3-3x$	x	x

생성된 수증기가 0.3몰이므로 $x=0.3$이다. 따라서 평형 상태에서 각 물질의 양(mol)은 다음과 같다.

CO의 양(mol)$=1-0.3=0.7$ mol

H_2의 양(mol)$=3-3\times0.3=2.1$ mol

CH_4의 양(mol)$=0.3$ mol

H_2O의 양(mol)$=0.3$ mol

(2) 몰 농도는 $\frac{\text{양(mol)}}{\text{부피(L)}}$이고, 반응 용기의 부피가 10 L이므로

각 물질의 몰 농도(M)는 다음과 같다.

$[CO]=\frac{0.7}{10}=0.07$ M

$[H_2]=\frac{2.1}{10}=0.21$ M

$[CH_4]=\frac{0.3}{10}=0.03$ M

$[H_2O]=\frac{0.3}{10}=0.03$ M

06 평형 상수식을 표시할 때에는 화학 반응식의 계수를 지수로 한 반응물의 몰 농도 곱이 분모가 되고, 화학 반응식의 계수를 지수로 한 생성물의 몰 농도 곱이 분자가 된다. 고체나 용매로 사용된 물은 평형 상수식에 표현하지 않는다.

$a\mathrm{A} + b\mathrm{B} \rightleftharpoons c\mathrm{C} + d\mathrm{D}$, $K=\frac{[\mathrm{C}]^c[\mathrm{D}]^d}{[\mathrm{A}]^a[\mathrm{B}]^b}$

07 실험 결과 표에서 반응식의 계수비가 A : B : C=1 : 1 : 1임을 알 수 있다. 예를 들면, 실험 1에서 A 0.2몰이 감소하고, B 0.2몰과 C 0.2몰이 생성되었으므로 화학 반응식은 다음과 같다.

$\mathrm{A} \rightleftharpoons \mathrm{B} + \mathrm{C}$

A가 0.8 M이 되었으므로 B와 C는 0.8 M씩 반응했다. 따라서 B와 C의 평형 상태에서 농도는 다음과 같이 구할 수 있다.

	A ⇌	B +	C
초기(M)	0	1.0	1.0
반응(M)	+0.8	−0.8	−0.8
평형(M)	0.8	0.2	0.2

B와 C의 평형 상태에서 농도는 모두 0.2 M이다.

08 A, B의 처음 농도가 0.4 M, 0.5 M인데, A, B, C의 평형 농도가 0.2 M, 0.4 M, 0.2 M이므로 A, B, C의 반응 농도는 0.2 M, 0.1 M, 0.2 M이다. 따라서 화학 반응식의 계수비는 A : B : C=2 : 1 : 2이다.

	2A(g) +	B(g) ⇌	2C(g)
초기(M)	0.4	0.5	0
반응(M)	−0.2	−0.1	0.2
평형(M)	0.2	0.4	0.2

$K=\frac{[\mathrm{C}]^2}{[\mathrm{A}]^2[\mathrm{B}]}=\frac{[0.2]^2}{[0.2]^2[0.4]}=2.5$

09 (1) 수소와 아이오딘으로부터 아이오딘화 수소가 생성되는 반응의 화학 반응식은 다음과 같다.

$H_2(g) + I_2(g) \rightleftharpoons 2HI(g)$

$[H_2]$, $[I_2]$, $[HI]$의 평형 농도가 각각 0.2 M, 0.1 M, 0.4 M이므로 이 화학 반응에서의 평형 상수는 다음과 같이 구할 수 있다.

$K=\frac{[HI]^2}{[H_2][I_2]}=\frac{(0.4)^2}{(0.2)\times(0.1)}=8$

(2) 주어진 농도를 평형 상수식에 대입하여 얻은 반응 지수 Q는 다음과 같다.

$Q=\frac{\left(\frac{4}{10}\right)^2}{\left(\frac{3}{10}\right)\times\left(\frac{2}{10}\right)}=\frac{8}{3}$

반응 지수 Q가 평형 상수 $K=8$과 같아지기 위해서는 생성물의 농도가 커져야 하므로, 이 반응은 정반응 쪽으로 진행된다.

10 2 L의 강철 용기에 A, B, C가 각각 1몰씩 들어 있으므로 각 물질의 몰 농도(M)는 다음과 같다.

몰 농도(M)$=\frac{1\ \mathrm{mol}}{2\ \mathrm{L}}=0.5$ M

밀폐된 용기 속 A, B, C의 몰 농도(M)는 각각 0.5 M이므로 반응 지수 $Q=\frac{[\mathrm{C}]^2}{[\mathrm{A}][\mathrm{B}]}=\frac{(0.5)^2}{(0.5)\times(0.5)}=1$이다.

이 반응의 평형 상수 K는 4이므로, 반응 지수와 평형 상수를 비교하면 평형 상수가 더 크다는 것을 알 수 있다. 따라서 이 반응은 정반응이 우세하게 진행되는 반응이다.

이 반응이 평형 상태를 이룰 때, 반응한 A의 몰 농도를 x M이라고 가정하면 C의 몰 농도(M)는 다음과 같이 구할 수 있다.

	A +	B ⇌	2C
초기(M)	0.5	0.5	0.5
반응(M)	$-x$	$-x$	$+2x$
평형(M)	$0.5-x$	$0.5-x$	$0.5+2x$

평형 상수는 $K=\frac{[\mathrm{C}]^2}{[\mathrm{A}][\mathrm{B}]}=\frac{(0.5+2x)^2}{(0.5-x)\times(0.5-x)}=4$이다.

따라서 $x=\frac{1}{8}$이므로 평형 상태에서 C의 몰 농도는 $0.5+2\times\frac{1}{8}=0.75$ M이다.

11 (1) A, B가 각각 1몰씩 감소할 때 C 2몰이 증가하므로 화학 반응식의 계수비는 $a : b : c=1 : 1 : 2$이다.

(2) 화학 반응식을 나타내면 다음과 같다.

$\mathrm{A}(g) + \mathrm{B}(g) \rightleftharpoons 2\mathrm{C}(g)$

이 반응의 평형 상수 K는 다음과 같다.

$$K=\frac{[C]^2}{[A][B]}=\frac{\left(\frac{2}{8.2}\right)^2}{\left(\frac{1}{8.2}\right)\left(\frac{1}{8.2}\right)}=4$$

(3) 평형 상태에서 물질의 양(mol)을 모두 합하면 4몰이므로, $PV=nRT$ 식을 이용하여 전체 압력을 구하면 다음과 같다.

$$P=\frac{4\times0.082\times300}{8.2}=12\text{기압}$$

즉, 평형 상태에서 용기 안 기체의 전체 압력은 12기압이다.

12 (1) A, B, C 1몰씩을 더 넣어줄 때 반응 지수 Q는 다음과 같다.

$$Q=\frac{\left(\frac{3}{8.2}\right)^2}{\left(\frac{2}{8.2}\right)\left(\frac{2}{8.2}\right)}=\frac{3^2}{2\times2}=\frac{9}{4}$$

반응 지수 Q가 평형 상수 K보다 작으므로 반응은 정반응 쪽으로 진행된다.

(2) 온도가 일정하게 유지되므로 새로운 평형 상태에서도 평형 상수는 4로 일정하다.

(3) 반응물의 계수 합과 생성물의 계수가 같으므로 반응 전후에 전체 물질의 양(mol)은 변하지 않는다. 따라서 새로운 평형 상태에서 용기 속에 존재하는 물질의 양을 모두 합하면 7몰이 된다. $PV=nRT$ 식을 이용하여 전체 압력을 구하면 다음과 같다.

$$P=\frac{7\times0.082\times300}{8.2}=21$$

즉, 새로운 평형 상태에서 용기 안 기체의 전체 압력은 21기압이다.

개념 적용 문제

058~061쪽

01 ① **02** ⑤ **03** ③ **04** ③ **05** ⑤ **06** ④
07 ② **08** ③

01 ㄱ. $A(g)+3B(g) \rightleftarrows 2C(g)$ 반응에서 반응한 $A(g)$의 양(mol)을 x라고 가정하면 다음과 같은 양적 관계가 성립한다.

	$A(g)$	+ $3B(g)$	$\rightleftarrows$ $2C(g)$
초기(mol)	0.02	0.04	0
반응(mol)	$-x$	$-3x$	$+2x$
평형(mol)	$0.02-x$	$0.04-3x$	$2x$

평형 상태에서 $A(g)$의 양(mol)은 $0.02-x=0.01$ mol이므로 반응한 $A(g)$의 양(mol) $x=0.01$ mol이다. 따라서 평형 상태에서 $B(g)$의 양(mol)은 $0.04-(3\times0.01)=0.01$(mol)이다.

바로 알기 ㄴ. 강철 용기의 부피는 2 L이고 평형 상태에서 $A(g)$, $B(g)$, $C(g)$의 양은 각각 0.01몰, 0.01몰, 0.02몰이므로 각 물질의 평형 농도(M)는 다음과 같다.

$A(g)$의 평형 농도(M): $\frac{0.01\text{ mol}}{2\text{ L}}=0.005$ M

$B(g)$의 평형 농도(M): $\frac{0.01\text{ mol}}{2\text{ L}}=0.005$ M

$C(g)$의 평형 농도(M): $\frac{0.02\text{ mol}}{2\text{ L}}=0.01$ M

평형 상수 $K=\frac{[C]^2}{[A][B]^3}=\frac{(0.01)^2}{(0.005)(0.005)^3}=160000$이다.

ㄷ. 강철 용기의 부피는 2 L로 일정하므로 평형 상태에서 용기 안의 전체 압력은 기체의 양(mol)에 의해 결정된다.
따라서 반응 전 전체 기체의 양은 0.06몰이고, 반응 후 전체 기체의 양은 0.04몰이므로 평형 상태에서 용기 안의 전체 압력은 반응 전의 $\frac{2}{3}$이다.

02 평형 상태에서의 몰 농도로부터 반응 농도를 구할 수 있다.

	$aA_2(g)$	+ $B_2(g)$	$\rightleftarrows$ $bX(g)$
초기(M)	3.0	4.0	0
반응(M)	−2.0	−1.0	+2.0
평형(M)	1.0	3.0	2.0

$A_2(g)$, $B_2(g)$, $X(g)$는 2 : 1 : 2의 비로 반응한다. 화학 반응식의 계수비는 반응 몰비와 같으므로, $a=2$, $b=2$이다.

$2A_2(g)+B_2(g) \rightleftarrows 2X(g)$

ㄴ. 평형 상태에서 $A_2(g)$의 몰 농도는 1.0 M, $B_2(g)$의 몰 농도는 3.0 M, $X(A_2B)$의 몰 농도는 2.0 M이다. 따라서 25 ℃에서 이 반응의 평형 상수 $K=\frac{[X]^2}{[A_2]^2[B_2]}=\frac{(2.0)^2}{(1.0)^2(3.0)}=\frac{4}{3}$이다.

ㄹ. 1 L 용기에 A_2, B_2, X 기체를 각각 1몰씩 넣었을 때 초

기 농도는 각각 1 M이며, 반응 지수 $Q=1$이므로 평형 상수 K와 반응 지수 Q를 비교하면 $Q<K$이므로 정반응 쪽으로 반응이 진행된다.

바로 알기 ㄱ. 생성물 X 2몰은 A_2 2몰과 B_2 1몰로 이루어져 있으므로 분자식이 A_2B이다.

ㄷ. $0\sim t$초까지는 반응물의 농도가 감소하고 생성물의 농도가 증가하므로 정반응이 우세하게 진행된다. 이는 정반응 속도가 역반응 속도보다 빠르기 때문으로, t초 이후 각 물질의 농도가 일정하게 유지되는 것은 정반응 속도와 역반응 속도가 같아져 평형 상태에 도달했기 때문이다.

03 반응 초기 $A(g)$ 1몰과 $B(g)$ 3몰을 넣고 반응시킨 결과 $C(g)$ n몰이 생성되었다. 따라서 이 반응의 양적 관계는 다음과 같다.

	$A(g)$	+	$B(g)$	$\rightleftarrows$	$2C(g)$
초기(mol)	1		3		
반응(mol)	$-\frac{n}{2}$		$-\frac{n}{2}$		$+n$
평형 Ⅰ(mol)	$1-\frac{n}{2}$		$3-\frac{n}{2}$		n

여기서 $A(g)$ 2몰을 추가하였더니 $C(g)$ n몰이 더 생성되면서 평형 Ⅱ에 도달하였다.

	$A(g)$	+	$B(g)$	$\rightleftarrows$	$2C(g)$
초기(mol)	$1-\frac{n}{2}+2$		$3-\frac{n}{2}$		n
반응(mol)	$-\frac{n}{2}$		$-\frac{n}{2}$		$+n$
평형 Ⅱ(mol)	$3-n$		$3-n$		$2n$

평형 Ⅰ과 Ⅱ는 모두 같은 온도에서의 평형 상태이므로, 평형 상수가 같다.

따라서 평형 Ⅰ에서의 평형 상수 $\dfrac{n^2}{\left(1-\frac{n}{2}\right)\times\left(3-\frac{n}{2}\right)}$과 평형 Ⅱ에서의 평형 상수 $\dfrac{(2n)^2}{(3-n)\times(3-n)}$은 서로 같다.

$$\frac{n^2}{\left(1-\frac{n}{2}\right)\times\left(3-\frac{n}{2}\right)}=\frac{(2n)^2}{(3-n)\times(3-n)}$$

따라서 $n=\frac{3}{2}$이므로 평형 Ⅰ에서의 평형 상수에 대입하면 평형 상수 $K=\dfrac{\left(\frac{3}{2}\right)^2}{\left(\frac{1}{4}\right)\times\left(\frac{9}{4}\right)}=4$이다.

04 실험 Ⅰ과 실험 Ⅱ에서 생성물인 $B(aq)$와 $C(aq)$의 농도가 모두 같은 양이 증가하였으므로 b와 c는 서로 같다는 것을 알 수 있다. 두 실험에서 온도는 일정하므로 실험 Ⅰ과 실험 Ⅱ에서 평형 상수는 모두 같다.

$K=\dfrac{[B]^b[C]^c}{[A]}$에서 b와 c는 같으므로 $\dfrac{([B]\times[C])^b}{[A]}$이다.

$\dfrac{(0.2\times0.2)^b}{0.8}=\dfrac{(0.1\times0.1)^b}{0.2}$, $b=1$, $c=1$이다.

완성된 화학 반응식을 이용하면 실험 Ⅰ에서 $A(aq)$의 초기 농도 x는 평형 상태의 몰 농도로부터 구할 수 있다.

	$A(aq)$	$\rightleftarrows$	$B(aq)$	+	$C(aq)$
초기(M)	x		0		0
반응(M)	-0.2		$+0.2$		$+0.2$
평형(M)	0.8		0.2		0.2

B와 C가 0.2 M씩 생성되었으므로 생성된 양은 0.2 M이고, 화학 반응식에서 A, B, C의 반응 계수는 모두 1로 같으므로 반응한 A의 양도 0.2 M임을 알 수 있다. 따라서 $x-0.20=0.80$이므로 $x=1.00$이다.

실험 Ⅱ에서의 y는 다음과 같이 구할 수 있다.

	$A(aq)$	$\rightleftarrows$	$B(aq)$	+	$C(aq)$
초기(M)	y		0		0
반응(M)	-0.1		$+0.1$		$+0.1$
평형(M)	0.2		0.1		0.1

실험 Ⅰ의 결과와 같은 방식으로 풀어 보면 $y=0.3$이다.

ㄷ. 실험 Ⅲ에서 반응 지수 $Q=\dfrac{(1.00\times1.00)}{1.00}=1$이다. 온도는 일정하므로 반응 지수 Q와 평형 상수 K를 비교하면 $Q>K$이므로 실험 Ⅲ의 초기 상태에서는 역반응이 우세하게 진행된다.

바로 알기 ㄱ. $x=1.00$, $y=0.30$이므로 $x+y=1.30$이다.

ㄴ. 평형 상수 $K=\dfrac{(0.1\times0.1)}{0.2}=0.05$이다.

05 ㄱ. 화학 반응 전후 원자의 종류와 개수는 달라지지 않는다. A, B, C의 분자량을 각각 M_A, M_B, M_C라고 할 때, 다음 반응에서의 분자량 관계는 다음과 같다.

$2A(g) \rightleftarrows B(g)+C(g)$

$2M_A=M_B+M_C$, 즉, $M_A=\dfrac{M_B+M_C}{2}$이다.

분자량은 B가 C의 2배이므로 $M_B=2M_C$이다. 따라서 $M_A=\dfrac{3M_C}{2}$이다. 따라서 분자량비는 $M_A:M_B:M_C=$

$\frac{3M_C}{2} : 2M_C : M_C = 3 : 4 : 2$이다.

ㄴ. (가)에서 반응 지수 $Q=\frac{1\times1}{2^2}=\frac{1}{4}$, $Q<K$이므로 정반응이 우세하게 진행된다. 따라서 $2A(g) \rightleftharpoons B(g) + C(g)$ 반응에서 생성된 $B(g)$의 양(mol)을 x라고 가정하면 다음과 같은 양적 관계가 성립한다.

	$2A(g)$	$\rightleftharpoons$	$B(g)$	+	$C(g)$
초기(M)	2		1		1
반응(M)	$-2x$		$+x$		$+x$
평형(M)	$2-2x$		$1+x$		$1+x$

이 반응의 평형 상수는 $K=\frac{[B][C]}{[A]^2}=\frac{(1+x)(1+x)}{(2-2x)^2}=4$이므로 $x=\frac{3}{5}$이다. 따라서 평형 상태인 (나)에서 $B(g)$의 양(mol)은 $1+x=1+\frac{3}{5}=\frac{8}{5}$ mol이다.

ㄷ. 평형 상태에서 각 물질의 양은 $A(g)$ $\frac{4}{5}$몰, $B(g)$ $\frac{8}{5}$몰, $C(g)$ $\frac{8}{5}$몰이고, A의 몰 분율은 $\frac{\text{A의 양(mol)}}{\text{전체 물질의 양(mol)}}$으로 구할 수 있다. 따라서 (가)에서 A의 몰 분율은 $\frac{2}{2+1+1}=\frac{1}{2}$, (나)에서 A의 몰 분율은 $\frac{\frac{4}{5}}{\frac{4}{5}+\frac{8}{5}+\frac{8}{5}}=\frac{1}{5}$이다. 즉, A의 몰 분율은 (가)에서가 (나)에서보다 크다.

06 ㄱ. 평형 상태에서 기체 A의 몰 분율이 0.5이고 $A(g)$의 양이 3몰이므로, 평형 상태에서 전체 기체의 양은 6몰이다. 또, 부피가 일정하게 유지될 때 용기 안의 압력은 전체 기체의 양(mol)에 비례하므로 초기 상태와 평형 상태에서의 전체 압력비가 4 : 3일 때 전체 기체의 몰비도 4 : 3이다. 따라서 초기 상태의 전체 기체의 양은 8몰이고, A의 몰 분율은 0.5이므로 A와 B는 모두 4몰씩 존재한다. 이 반응에서 반응한 A의 양(mol)을 x라 하면 양적 관계는 다음과 같다.

	$A(g)$	+	$3B(g)$	$\rightleftharpoons$	$cC(g)$
초기(mol)	4		4		
반응(mol)	$-x$		$-3x$		$+cx$
평형(mol)	3		$4-3x$		cx

따라서 $x=1$이고, 평형 상태에서 $B(g)$는 1몰이 존재한다. 평형 상태에서 전체 기체의 양이 6몰이므로 $C(g)$의 양은 2몰이다. 따라서 반응 계수 $c=2$이다.

ㄷ. 강철 용기 안 기체의 부분 압력은 기체의 양(mol)에 비례하며 평형 상태에서 $C(g)$의 몰 분율은 $\frac{1}{3}$이므로 $C(g)$의 부분 압력은 3기압$\times\frac{1}{3}=1$기압이다.

바로 알기 ㄴ. 평형 상태에서 각 물질의 양은 $A(g)$ 3몰, $B(g)$ 1몰, $C(g)$ 2몰이므로 각 물질의 농도는 다음과 같다.

$A(g)$의 평형 농도(M): $\frac{3\text{ mol}}{1\text{ L}}=3$ M

$B(g)$의 평형 농도(M): $\frac{1\text{ mol}}{1\text{ L}}=1$ M

$C(g)$의 평형 농도(M): $\frac{2\text{ mol}}{1\text{ L}}=2$ M

평형 상수 $K=\frac{[C]^2}{[A][B]^3}=\frac{2^2}{3\times1^3}=\frac{4}{3}$이다.

07 (가) 용기에 B 0.4몰을 추가한 후 평형에 도달했을 때 B 0.4몰과 C 0.8몰이 존재하므로 이때 반응한 B의 양(mol)을 x라 하면 다음과 같은 양적 관계가 성립한다.

	$A(g)$	+	$B(g)$	$\rightleftharpoons$	$cC(g)$
초기(mol)	0.6		0.6		0.6
반응(mol)	$-x$		$-x$		$+cx$
평형(mol)	$0.6-x$		$0.6-x=0.4$		$0.6+cx=0.8$

$x=0.2$, $c=1$이므로 (나)에서 각 물질의 양은 A 0.4몰, B 0.4몰, C 0.8몰이다.

ㄷ. (나)에서 C의 몰 분율은 0.5이고, (다)에서 C의 몰 분율은 0.4이다. (나)에서 온도만 높였더니 C의 양이 감소하였으므로 (나)의 상태에서 역반응이 우세하게 진행되어 (다)의 상태에 도달했음을 알 수 있다. 즉, 반응 결과 생성물의 양이 감소하고, 반응물의 양이 증가하므로 평형 상수는 (나)>(다)이다. 이때 온도가 같은 (가)와 (나)는 평형 상수가 같으므로 평형 상수는 (가)=(나)>(다)이다.

바로 알기 ㄱ. $c=1$이다.

ㄴ. A의 몰 분율은 (가) : (나)$=\frac{3}{7}:\frac{1}{4}=12:7$이다.

08 ㄱ. 2 L의 용기에는 ● 1몰, ▲ 3몰, ■ 2몰이 들어 있으므로 각 물질의 농도(M)는 다음과 같다.

●의 몰 농도(M): $\frac{1}{2}$ M

▲의 몰 농도(M): $\frac{3}{2}$ M

■의 몰 농도(M): $\frac{2}{2}=1$ M

이 반응의 평형 상수 K는 $\frac{16}{3}$이므로 $\frac{[C]^2}{[A][B]^3}=\frac{16}{3}$이 나오기 위해서는 A가 ▲, B가 ●, C가 ■이어야 한다.

ㄴ. V L의 용기에는 A(▲) 3몰, B(●) 4몰, C(■) 2몰이 들어 있으므로 각 물질의 농도(M)는 다음과 같다.

A(▲)의 몰 농도(M): $\frac{3}{V}$ M

B(●)의 몰 농도(M): $\frac{4}{V}$ M

C(■)의 몰 농도(M): $\frac{2}{V}$ M

온도가 일정하므로 평형 상수는 $\frac{16}{3}$으로 일정하다. 따라서 용기의 부피 V는 다음과 같이 구할 수 있다.

$$K=\frac{16}{3}=\frac{\left[\frac{2}{V}\right]^2}{\left[\frac{3}{V}\right]\left[\frac{4}{V}\right]^3}$$

$V=16$이다.

바로 알기 ㄷ. 반응 지수와 평형 상수를 비교하면 반응의 진행 방향을 예측할 수 있다. 두 용기에는 A(▲) 6몰, B(●) 5몰, C(■) 4몰이 들어 있고 전체 용기의 부피는 18 L이므로 전체 용기에서 각 물질의 농도(M)는 다음과 같다.

A(▲)의 몰 농도(M): $\frac{6}{18}$ M

B(●)의 몰 농도(M): $\frac{5}{18}$ M

C(■)의 몰 농도(M): $\frac{4}{18}$ M

반응 지수 Q는 $\frac{\left(\frac{4}{18}\right)^2}{\left(\frac{6}{18}\right)\left(\frac{5}{18}\right)^3}$이므로 반응 지수와 평형 상수를 비교하면 $Q>K$이다. 따라서 꼭지를 열면 용기 내에서는 역반응 쪽으로 반응이 진행된다. 이때 용기 내에는 C(■)가 생성되는 양이 감소하므로 C(■)의 몰 분율은 꼭지를 열기 전 C의 몰 분율인 $\frac{4}{15}$보다 작아진다.

02 평형 이동

개념 모아 정리하기 071쪽

❶ 완화	❷ 감소	❸ 증가	❹ 감소
❺ 증가	❻ 흡수	❼ 방출	❽ 감소
❾ 증가	❿ 증가	⓫ 증가	⓬ 증가
⓭ 증가	⓮ 정반응	⓯ 증가	⓰ 역반응
⓱ 감소			

개념 기본 문제 072~073쪽

01 (1) 역반응 (2) 일정하다. **02** (1) H_2 첨가 (2) 900 (3) $K=K'$ **03** ㄹ **04** (1) 정반응 (2) 일정하다. **05** (1) 증가한다. (2) 감소한다. (3) 일정하다. **06** (1) 감소한다. (2) $K>K'$ **07** ㄴ, ㄷ, ㄹ **08** (1) ○ (2) ○ (3) × (4) ○ (5) × **09** ㄱ, ㄴ **10** ㄱ, ㄴ, ㄹ

01 (1) $NaOH(aq)$을 넣으면 OH^-이 H^+과 중화 반응하여 H^+의 양이 줄어들므로 H^+의 양이 증가하는 역반응 쪽으로 반응이 진행되어 새로운 평형 상태에 도달한다.
(2) 온도가 일정하므로 새로운 평형에 도달해도 평형 상수는 변하지 않는다.

02 (1) (가)에서 수소 기체(H_2)의 농도만 증가한 것으로 보아 (가)에서 수소 기체를 첨가하였음을 알 수 있다.
(2) 처음 평형 상태에서 각 물질의 농도는 $[N_2]=0.4$ M, $[H_2]=0.1$ M, $[NH_3]=0.6$ M이므로 처음 평형 상태에서의 평형 상수 K는 다음과 같다.

$$K=\frac{[NH_3]^2}{[N_2][H_2]^3}=\frac{(0.6)^2}{(0.4)\times(0.1)^3}=900$$

(3) 평형 상수 K는 온도에 의해서만 달라진다. 따라서 온도가 일정하므로 처음 평형 상태에서의 평형 상수(K)와 나중 평형 상태에서의 평형 상수(K')는 같다.

03 평형 상태에서, 액체, 고체, 수용액은 압력의 영향을 받지 않는다. 압력을 증가시켰을 때 정반응 쪽으로 평형이 이동하는 반응은 화학 반응식에서 생성물 중 기체의 계수 합이 반응물 중 기체의 계수 합보다 작은 경우이다.

04 (1) 반응 용기의 부피를 2배가 되게 하였으므로 용기 속 기체

의 압력이 $\frac{1}{2}$로 되었다. 따라서 르샤틀리에 원리에 의해 압력이 커지는 쪽으로 평형이 이동하므로 평형은 정반응 쪽으로 이동한다.

(2) 평형 상수 K는 온도에 의해서만 달라지므로 변하지 않는다.

05 일정한 온도에서 반응 용기의 부피 증가는 압력 감소와 같은 효과를 나타낸다.

(1) 압력을 감소시키면 기체의 양이 증가하는 쪽으로 반응이 진행된다. 따라서 이 반응에서는 정반응 쪽으로 평형이 이동하므로 생성물인 $PCl_3(g)$과 $Cl_2(g)$의 양이 증가한다.

(2) 압력을 감소시키면 기체의 양이 증가하는 쪽으로 반응이 진행된다. 따라서 이 반응에서는 역반응 쪽으로 평형이 이동하므로 생성물인 $CaCO_3(s)$의 양이 감소한다.

(3) 화학 반응식의 양쪽에 기체의 계수 합이 4로 같으므로 평형은 압력 변화의 영향을 받지 않는다. 따라서 생성물인 $Fe_3O_4(s)$과 $H_2(g)$의 양(mol)은 변하지 않는다.

06 (1) 르샤틀리에 원리에 의해 온도를 높이면 흡열 반응 쪽으로 평형이 이동한다. 주어진 반응은 $\Delta H<0$인 발열 반응이므로 온도를 높이면 흡열 반응인 역반응 쪽으로 평형이 이동한다. 따라서 수소의 양(mol)은 감소한다.

(2) 역반응이 진행되면 반응물의 양이 증가하고, 생성물의 양이 감소한다. 따라서 나중 평형 상태에서의 평형 상수 K'은 처음 평형 상태에서의 평형 상수 K보다 작아진다.

07 ㄴ. $O_2(g)$를 첨가하면 $O_2(g)$의 양이 감소하는 쪽으로 반응이 진행되므로 역반응 쪽으로 평형이 이동한다.

ㄷ. 반응 용기의 부피 감소는 압력 증가 효과와 같다. 따라서 압력을 증가시키면 기체의 양이 감소하는 쪽으로 반응이 진행되므로 역반응 쪽으로 평형이 이동한다.

ㄹ. $SO_3(g)$을 제거하면 $SO_3(g)$의 양이 증가하는 쪽으로 반응이 진행되므로 역반응 쪽으로 평형이 이동한다.

바로 알기 ㄱ. SO_3의 분해 반응은 $\Delta H>0$인 흡열 반응이다. 반응계의 온도를 높이면 흡열 반응 쪽으로 반응이 진행되므로 정반응 쪽으로 평형이 이동한다.

08 (1) 실험 2와 실험 3을 비교하면 동일한 조건에서 온도만 높아질 때 평형 상수가 작아지므로 이 반응의 정반응은 발열 반응임을 알 수 있다.

(2) 500 K에서 $A(g)+B(g) \rightleftarrows C(g)$ 반응의 평형 상수 K는 다음과 같다.

$$K=\frac{[C]}{[A][B]}=3$$

2 L 용기 속에 A, B, C를 각각 1몰씩 넣었을 때 각 물질의 농도는 [A]=0.5 M, [B]=0.5 M, [C]=0.5 M이고, 이때의 반응 지수 Q는 다음과 같다.

$$Q=\frac{0.5}{0.5\times0.5}=2$$

따라서 $Q<K$이므로 정반응 쪽으로 반응이 진행된다.

(3) 600 K에서 $A(g)+B(g) \rightleftarrows C(g)$ 반응의 평형 상수 $K=2$이다. 600 K에서 2 L 용기 속에 A, B, C를 각각 1몰씩 넣으면 각 물질의 농도는 [A]=0.5 M, [B]=0.5 M, [C]=0.5 M이다. 따라서 $K=Q$이므로 평형은 이동하지 않는다.

(4) 발열 반응이므로 온도가 낮은 실험 1에서의 평형 상수는 실험 2에서의 평형 상수보다 크다.

(5) 실험 4의 온도는 실험 3의 온도와 같으므로 실험 4에서의 평형 상수는 실험 3에서의 평형 상수와 같다.

09 $Ag^{+}(aq)+Ce^{3+}(aq) \rightleftarrows Ag(s)+Ce^{4+}(aq)$ 반응은 $\Delta H<0$이므로 발열 반응이다.

ㄱ. 온도를 낮추면 발열 반응인 정반응 쪽으로 평형이 이동하므로 $Ag(s)$의 양이 증가한다.

ㄴ. 반응물인 Ce^{3+}의 농도를 증가시키면 정반응 쪽으로 평형이 이동하므로 $Ag(s)$의 양이 증가한다.

바로 알기 ㄷ. 생성물인 Ce^{4+}의 농도를 증가시키면 역반응 쪽으로 평형이 이동하므로 $Ag(s)$이 감소한다.

ㄹ. 가라앉은 $Ag(s)$은 고체이므로 일부를 제거해도 평형 이동에 영향을 끼치지 않는다.

10 ㄱ. 온도가 높아질수록 수득률이 감소하는 것으로 보아 암모니아의 합성 반응은 발열 반응이다. 따라서 생성물이 반응물보다 안정하다.

ㄴ. 압력이 증가할수록 수득률이 증가하므로 암모니아 합성 반응은 분자 수가 감소하는 반응이다.

ㄹ. 온도는 낮을수록, 압력은 높을수록 암모니아 합성 반응의 수득률은 증가한다.

바로 알기 ㄷ. 촉매는 반응에 필요한 에너지를 감소시켜서 정반응이 일어나는 속도와 역반응이 일어나는 속도를 빠르게 해 준다. 하지만 촉매는 평형 이동에 영향을 끼치지 못하며, 수득률을 변화시키지 못한다.

개념 적용 문제 074~077쪽

01 ④ **02** ③ **03** ② **04** ③ **05** ⑤ **06** ③
07 ⑤ **08** ③

01 화학 반응에서의 양적 관계를 이용하여 평형 상태에서 각 물질의 양(mol)을 구할 수 있다.

(가) → (나): A(g) 1몰이 반응하면 B(g) 2몰이 생성되는데, (가)에서 (나)로 평형이 이동할 때 생성물인 B(g)가 2몰 감소하므로 역반응이 진행되었음을 알 수 있다. B(g) 2몰이 감소하면 A(g) 1몰이 생성되므로 (나)에는 A(g) 3몰, B(g) 2 몰이 존재한다.

(나) → (다): A(g) 2몰을 추가하여 반응시키므로 A(g) 5몰과 B(g) 2몰이 존재하는 상태에서 반응이 진행된다. 반응 결과 A(g)는 1몰이 감소하므로 B(g)는 2몰이 생성된다. 따라서 (다)에는 A(g) 4몰, B(g) 4몰이 존재한다.

각 상태에서 각 물질의 양(mol)은 다음과 같다.

평형	A(g)의 양(mol)	B(g)의 양(mol)
(가)	2	4
(나)	$x=3$	2
(다)	4	$y=4$

온도가 일정하므로 (가)~(다)에서 평형 상수 K는 모두 같다. (가)에서 부피를 V, (나)에서 부피를 V', (다)에서 부피를 V''이라고 가정하면 다음과 같은 관계가 성립한다.

$$K=\frac{[B]^2}{[A]}=\frac{\left(\frac{4}{V}\right)^2}{\left(\frac{2}{V}\right)}=\frac{\left(\frac{2}{V'}\right)^2}{\left(\frac{3}{V'}\right)}=\frac{\left(\frac{4}{V''}\right)^2}{\left(\frac{4}{V''}\right)}$$

$$K=\frac{8}{V}=\frac{4}{3V'}=\frac{4}{V''}$$

따라서 각각의 부피는 평형 상수를 이용하여 다음과 같이 나타낼 수 있다.

$$V=\frac{8}{K},\ V'=\frac{4}{3K},\ V''=\frac{4}{K}$$

$V : V' : V''=6 : 1 : 3$이므로 (가)~(다) 중 (가)의 부피가 가장 크고, (나)의 부피가 가장 작다. 즉, (가)~(다)의 부피는 (나)<(다)<(가)이다.

02 $2A(g) \rightleftharpoons B(g)$ 반응에서 $\Delta H>0$이므로 이 반응의 정반응은 흡열 반응이다.

ㄷ. 온도를 낮추면 발열 반응인 역반응이 진행되어 반응물의 양이 많아지고 생성물의 양이 줄어든다. 따라서 평형 상수는 작아지므로 $K_1>K_2$이다.

바로 알기 ㄱ. $2A(g) \rightleftharpoons B(g)$ 반응에서는 A(g)와 B(g)는 2 : 1의 몰비로 반응한다. 강철 용기에 A(g)만 넣고 반응시키므로 반응한 A(g)의 양(mol)을 알면 생성된 B(g)의 양(mol)을 알 수 있다. 하지만 평형 상태에서 A의 농도 C_1 M만으로 반응한 A의 농도를 알 수 없으므로 B의 농도는 알 수 없다.

ㄴ. $2A(g) \rightleftharpoons B(g)$ 반응은 흡열 반응으로, 온도가 낮아지면 역반응 쪽으로 평형이 이동한다. 따라서 온도가 낮아지면 A(g)의 양이 증가하고, B(g)의 양이 감소하므로 A의 평형 농도는 $C_1<C_2$이다.

03 ㄴ. $N_2O_4(g)$가 분해되어 $NO_2(g)$가 생성되는 반응은 $\Delta H>0$이므로 흡열 반응이다. $N_2O_4(g)$가 분해되는 반응은 온도를 낮추면 발열 반응인 역반응이 진행되어 $N_2O_4(g)$가 증가하고, $NO_2(g)$가 감소한다. 따라서 (나)에서 온도를 낮추면 $N_2O_4(g)$의 몰 분율이 증가한다.

바로 알기 ㄱ. (가)의 피스톤은 고정되어 있지 않으므로 헬륨을 넣으면 부피가 증가하여 기체의 부분 압력이 감소한다. 기체의 부분 압력이 감소하면 기체 분자 수가 증가하는 쪽으로 반응이 진행되므로 정반응 쪽으로 평형이 이동한다.

ㄷ. 이 반응의 반응 지수 Q는 다음과 같이 구할 수 있다.

$$Q=\frac{[NO_2]^2}{[N_2O_4]}$$

반응 지수를 구할 때에는 각 물질의 몰 농도가 필요하다. (가)와 (나)에 각각 같은 양(mol)의 NO_2를 첨가하면 (가)에서는 실린더의 부피가 증가하고, (나)에서는 고정 장치로 인해 실린더의 부피가 일정하다. 따라서 (나)의 부피를 V라 하면, (가)는 V보다 부피가 크므로 $V+\alpha$라고 가정할 수 있다. 이때 (가)와 (나)에 각각 $NO_2(g)$ x몰을 첨가한다고 가정하면 (가)와 (나)에서의 반응 지수 $Q_{(가)}$와 $Q_{(나)}$는 다음과 같다.

$$Q_{(가)}=\frac{[NO_2]^2}{[N_2O_4]}=\frac{\left(\frac{b+x}{V+\alpha}\right)^2}{\left(\frac{a}{V+\alpha}\right)}$$

$$Q_{(나)}=\frac{[NO_2]^2}{[N_2O_4]}=\frac{\left(\frac{b+x}{V}\right)^2}{\left(\frac{a}{V}\right)}$$

반응 지수(Q)는 $Q_{(가)}<Q_{(나)}$이다.

04 과정 (가)에서 강철 용기에 기체 A 8몰을 넣어 평형 상태에 도달했을 때 기체 B 8몰이 생성되었다. 과정 (가)에서 반응한 기체 A의 양을 n몰이라고 가정하면 양적 관계는 다음과 같다.

	$A(g)$	$\rightleftharpoons$	$2B(g)$
처음(mol)	8		0
반응(mol)	$-n$		$+2n$
평형 I (mol)	a		8

따라서 $n=4$이고, $a=4$이다. 즉 평형 I 에서 강철 용기에는 A 4몰, B 8몰이 들어 있다.

과정 (가)에서 2 L의 강철 용기에 기체를 넣어 반응시켜 평형 I 에 도달하므로 평형 I 에서 각 물질의 농도(M)는 다음과 같다.

$[A]=\dfrac{4\text{ mol}}{2\text{ L}}=2\text{ M}$

$[B]=\dfrac{8\text{ mol}}{2\text{ L}}=4\text{ M}$

$[A]=2$ M, $[B]=4$ M을 대입하면 평형 I 에서 평형 상수는 $\dfrac{[B]^2}{[A]}=\dfrac{4^2}{2}=8$이다.

평형 II 에서 2 L의 강철 용기에는 A 9몰, B b몰이 들어 있으므로 각 물질의 농도(M)는 다음과 같다.

$[A]=\dfrac{9\text{ mol}}{2\text{ L}}=\dfrac{9}{2}\text{ M}$

$[B]=\dfrac{b\text{ mol}}{2\text{ L}}=\dfrac{b}{2}\text{ M}$

평형 I 과 평형 II 는 온도가 같으므로 두 평형에서의 평형 상수는 8로 같다.

평형 II 에서의 평형 상수$=\dfrac{[B]^2}{[A]}=\dfrac{\left(\dfrac{b}{2}\right)^2}{\dfrac{9}{2}}=8$

$b=12$이다.

과정 (나)에서 반응한 A의 양(mol)을 m이라고 가정하면 양적 관계는 다음과 같다.

	$A(g)$	$\rightleftharpoons$	$2B(g)$
처음(mol)	$4+x$		8
반응(mol)	$-m$		$+2m$
평형 II (mol)	9		12

따라서 $m=2$이고, $x=7$이다.

ㄷ. 평형 II 에서 B의 양은 12몰이고, 평형 III 에서 B의 양은 10몰이다. 과정 (다)에서 온도를 낮추었을 때 생성물의 양이 적어지는 역반응이 진행되었으므로 $A(g) \rightleftharpoons 2B(g)$ 반응은 흡열 반응이다.

바로 알기 ㄱ. 평형 I 에서 평형 상수는 8이다.

ㄴ. $a+b+x=4+12+7=23$이다.

05 부피가 일정할 때 기체의 압력은 기체의 양(mol)에 비례한다. $aX(g) \rightleftharpoons bY(g)$ 반응은 $\Delta H<0$이므로 발열 반응이다. $X(g)$를 제거한 순간, 전체 압력이 감소한 양은 $X(g)$의 부분 압력이 감소한 양과 같다. 따라서 그래프에서 주어진 기체의 부분 압력은 $Y(g)$의 부분 압력이다.

t_1초에서 온도를 변화시켰을 때 $Y(g)$의 부분 압력이 감소한 것으로 보아 역반응이 진행되었으며, t_1초에서 온도가 높아졌음을 알 수 있다.

평형 I 에서 온도를 높여 평형 II 에 도달하였고, 평형 II 에서 $X(g)$를 제거하여 평형 III 에 도달하였다. 평형 I 과 평형 II 에서의 평형 상수를 비교하면 평형 I 보다 평형 II 에서 반응물이 더 많고 생성물이 더 적으므로 평형 상수는 평형 I > 평형 II 이다. 평형 II 와 평형 III 에서는 온도가 일정하므로 평형 상수는 평형 II = 평형 III 이다. 따라서 평형 상수는 평형 I > 평형 II = 평형 III 이다.

06 ㄱ. 보일 법칙에 따르면 기체의 온도와 양이 일정할 때 기체의 압력과 부피를 곱한 값은 일정하다. (가)와 (나)는 기체의 양과 온도가 일정하므로 (나)에서 P_B는 0.6기압이어야 한다. 하지만 (나)에서 P_B는 0.4기압이므로 (가) → (나)가 될 때 역반응이 진행되었음을 알 수 있다. (가)에서 부피를 줄여 (나)가 되게 하므로 실린더 내의 전체 압력이 증가하고, 기체 분자 수가 감소하는 쪽으로 반응이 진행된다. 따라서 $2A(g) \rightleftharpoons bB(g)$ 반응에서 역반응이 일어날 때 기체 분자 수가 감소해야 하므로 $b>2$이어야 한다.

ㄴ. 기체의 양과 부피가 일정할 때 기체의 부분 압력은 절대 온도에 비례한다. (나), (다)는 기체의 양과 부피가 일정하므로 (나) → (다)가 될 때 온도를 낮추면 (다)에서 P_B는 감소하여야 한다. 하지만 (다)에서 P_B는 증가하므로 정반응 쪽으로 평형이 이동한 것을 알 수 있다. 따라서 온도를 낮추면 온도가 높아지는 쪽으로 반응이 진행되므로 $2A(g) \rightleftharpoons bB(g)$ 반응의 정반응은 발열 반응이다.

바로 알기 ㄷ. 발열 반응에서 온도가 높아지면 평형 상수 K가 작아지고, 온도가 낮아지면 평형 상수 K가 커진다. (나) → (다)가 될 때 온도가 낮아지면 평형 상수는 커지므로 $K_{(다)}$

가 $K_{(나)}$보다 크다. 따라서 $\frac{K_{(나)}}{K_{(다)}}<1$이다.

07 피스톤으로 분리된 밀폐 용기에서 $2A(g) \rightleftharpoons B(g) + C(g)$ 반응이 일어나는 부분을 (가), $2X(g) \rightleftharpoons Y(g)$ 반응이 일어나는 부분을 (나)라고 가정한다.

(나)에서 일어나는 $2X(g) \rightleftharpoons Y(g)$ 반응의 평형 상수 $K=0.05$이다.

$$K=\frac{[Y]}{[X]^2}=\frac{\left(\frac{0.2\ mol}{1\ L}\right)}{\left(\frac{n\ mol}{1\ L}\right)^2}=0.05$$

$n=2$이므로 (나)에는 $X(g)$ 2몰과 $Y(g)$ 0.2몰이 존재한다.

ㄴ. 평형 상태에서 (가) 부분과 (나) 부분의 압력은 서로 같다. 이때 온도와 압력이 같으므로 부피는 기체의 양(mol)에 비례한다. 평형 상태에서 (가)의 부피는 (나)의 부피의 2배이므로 (가) 부분에서 전체 기체의 양은 4.4몰이다. $2A(g) \rightleftharpoons B(g) + C(g)$ 반응은 반응 전후 전체 기체의 양이 변하지 않으므로 밀폐 용기에 처음 넣어 준 $A(g)$의 양도 4.4몰이다.

ㄷ. (가) 부분에서 일어나는 반응은 $\Delta H<0$인 발열 반응이므로 온도를 높여 주면 역반응 쪽으로 평형이 이동한다. 하지만 반응 전후 기체의 양은 변하지 않으므로 부피 변화는 없다.

(나) 부분에서 일어나는 반응은 $\Delta H>0$인 흡열 반응이므로 온도를 높여 주면 정반응 쪽으로 평형이 이동한다. 이 반응의 정반응은 기체의 양이 감소하는 반응으로, (나) 부분의 압력이 감소하게 되어 $2X(g) \rightleftharpoons Y(g)$ 반응이 일어나는 오른쪽으로 피스톤이 움직인다.

바로 알기 ㄱ. $n=2$이다.

08 과정 (나)에서 $A(g)$의 평형 농도가 0.6 M이므로, 1 L의 용기 Ⅰ에는 $A(g)$ 0.6 M×1 L=0.6 mol이 들어 있다. 과정 (다)에서 $A(g)$의 평형 농도가 0.2 M이므로, 3 L의 전체 용기에는 $A(g)$ 0.2 M×3 L=0.6 mol이 들어 있다. 즉, 부피가 증가하여 압력이 변해도 $A(g)$의 양(mol)이 그대로 유지되는 것으로 보아 평형이 이동하지 않았음을 알 수 있다. 즉, 전체 기체 분자 수가 변하지 않으므로 $c=2$이다.

따라서 완성된 화학 반응식은 다음과 같다.

$A(g) + B(g) \rightleftharpoons 2C(g)$

과정 (가)에서 용기 Ⅰ에는 $C(g)$ 1.4몰을 넣었고, 평형에 도달한 후 $A(g)$는 0.6몰이 존재하므로 역반응이 진행되었음을 알 수 있으며, 다음과 같은 양적 관계가 성립한다.

	$A(g)$	+	$B(g)$	$\rightleftharpoons$	$2C(g)$
초기(mol)	0		0		1.4
반응(mol)	+0.6		+0.6		−1.2
평형(mol)	0.6		0.6		0.2

과정 (나)에서 용기 Ⅰ에는 $A(g)$ 0.6몰, $B(g)$ 0.6몰, $C(g)$ 0.2몰이 존재한다. 또, 과정 (다)에서는 평형이 이동하지 않았으므로 용기 전체에는 여전히 $A(g)$ 0.6몰, $B(g)$ 0.6몰, $C(g)$ 0.2몰이 존재한다.

ㄷ. 실험에서는 온도가 일정하게 유지되므로 평형 상수가 일정하다. 따라서 평형 상수 K와 과정 (라)에서 $A(g)$와 $C(g)$를 추가하였을 때 반응 지수 Q는 다음과 같다.

$$K=\frac{[C]^2}{[A][B]}=\frac{(0.2)^2}{0.6\times0.6}=\frac{1}{9}$$

$$Q=\frac{[C]^2}{[A][B]}=\frac{\left(\frac{0.4}{3}\right)^2}{\left(\frac{0.8}{3}\right)\times\left(\frac{0.6}{3}\right)}=\frac{1}{3}$$

$K<Q$이므로 역반응이 우세하게 진행된다.

바로 알기 ㄱ. $c=2$이다.

ㄴ. 과정 (나)에서 용기 Ⅰ에는 $A(g)$ 0.6몰, $B(g)$ 0.6몰, $C(g)$ 0.2몰이 존재하므로 $C(g)$의 몰 분율은 다음과 같다.

$$C(g)\text{의 몰 분율}=\frac{0.2}{0.6+0.6+0.2}=\frac{1}{7}$$

3. 상평형과 산 염기 평형

01 상평형

개념 모아 정리하기 085쪽

❶기화 ❷액화 ❸융해 ❹응고
❺승화 ❻상평형 ❼증기 압력 곡선
❽승화 곡선 ❾3중점

개념 기본 문제 086쪽

01 (1) 고체 (2) 기체 (3) 액체 **02** 액화 **03** (1) AT 곡선
(2) BT 곡선 (3) CT 곡선 **04** ㄱ, ㄷ **05** (1) ○ (2) × (3) ×
(4) × (5) ○ (6) ○ (7) ○ (8) ○

01 (1) −70 ℃, 6기압에서 CO_2는 승화 곡선 위쪽에 위치하므로 고체 상태이다.
(2) 0 ℃, 1기압에서 CO_2는 승화 곡선과 증기 압력 곡선 아래쪽에 위치하므로 기체 상태이다.
(3) 30 ℃, 73기압에서 CO_2는 증기 압력 곡선 위쪽에 위치하므로 액체 상태이다.

02 그림에서 점 P의 상태는 기체이다. 이때 압력만 증가시키면 증기 압력 곡선을 지나 액체로 변한다.

03 (1) 추운 겨울 수도관 안에서 물이 얼어 얼음이 되면 부피가 증가하여 수도관이 얼어 터진다. 이는 물의 응고 때문에 나타나는 현상으로, 융해(용융) 곡선인 AT 곡선과 관련이 있다.
(2) 높은 산에서 밥을 하면 쌀이 설익는다. 이는 높은 산일수록 대기압이 낮아져 물의 끓는점이 낮아지기 때문에 나타나는 현상으로, 증기 압력 곡선인 BT 곡선과 관련이 있다.
(3) 동결 건조 방법은 매우 낮은 온도에서 물질 속 수분을 급속 냉동하여 모두 얼린 후, 압력을 낮춰 건조하는 방법으로 라면 수프나 우주 식품 등을 만들 때 이용하는 방법이다. 이 방법은 물질의 승화를 이용하는 방법으로, CT 곡선과 관련이 있다.

04 ㄱ. T점은 3중점으로, 물의 3중점인 0.006기압, 0.01 ℃에서는 물, 얼음, 수증기가 모두 함께 존재한다.
ㄷ. (가)는 고체 상태, (나)는 기체 상태이다. 분자 운동은 고체 상태일 때보다 기체 상태일 때가 더 활발하다.

바로 알기 ㄴ. 융해(용융) 곡선인 AT 곡선의 기울기가 음(−)의 값을 나타내므로 압력이 높아지면 녹는점과 어는점이 낮아지고, 증기 압력 곡선인 BT 곡선의 기울기가 양(+)의 값을 나타내므로 압력이 높아지면 끓는점이 높아진다.

05 (1) A는 물의 상평형 그림이고, B는 이산화 탄소의 상평형 그림이다. 같은 압력 조건에서 A의 끓는점은 B의 끓는점보다 매우 높다. 따라서 A의 분자 사이의 인력이 B의 분자 사이의 인력보다 크다.
(2) A는 고체의 밀도가 액체의 밀도보다 작다. 따라서 같은 부피 속에 들어 있는 분자 수는 액체 상태일 때가 더 많다.
(3) A는 압력이 높아질수록 녹는점이 낮아지고, 끓는점이 높아진다.
(4) B는 압력이 높아질수록 끓는점과 녹는점이 모두 높아진다.
(5) B는 1기압에서 고체에서 기체, 기체에서 고체로의 승화가 일어나므로 어는점이 존재하지 않는다.
(6) (나)는 증기 압력 곡선 상에 위치하므로 증발 속도와 응축 속도가 같은 동적 평형 상태이다.
(7) 액체가 액체와 기체가 평형을 이루는 상태가 되는 반응은 주위로부터 에너지를 흡수하는 흡열 반응이다. 따라서 반응 엔탈피 $\Delta H>0$이다.
(8) 액체와 기체가 평형을 이루는 상태에서 기체로 상태가 변하는 반응이므로 주위의 에너지를 흡수하는 반응이다. 따라서 반응 엔탈피 $\Delta H>0$이다.

개념 적용 문제 087~089쪽

01 ① **02** ③ **03** ⑤ **04** ② **05** ② **06** ④

01 ㄱ. 그림 (가)에서 T_1은 1기압에서의 끓는점으로, 1기압에서 액체와 기체가 평형을 이루는 온도이다.
그림 (나)에서 T_2는 1기압에서 증기 압력 곡선과 만나는 온도로, 액체와 기체가 평형을 이루는 온도이다.
따라서 T_1과 T_2는 모두 1기압에서 물질 X의 끓는점을 의미한다.
바로 알기 ㄴ. 그림 (가)에서 A는 고체 상태, B는 액체 상태이다. (나)에서 융해 곡선의 기울기가 음(−)의 값을 나타내

므로 물질의 밀도는 액체 상태일 때가 고체 상태일 때보다 크다.

ㄷ. 그림 (가)에서 B는 액체 상태이다.

02 주어진 자료를 해석하면 다음과 같다.

• 3중점에서의 압력은 0.06기압이다. ➡ 고체, 액체, 기체가 모두 함께 존재하는 온도와 압력으로, 증기 압력 곡선, 융해(용융) 곡선, 승화 곡선이 모두 만나는 지점에서의 압력은 0.06기압이다.

• P기압에서 녹는점은 T_1 K, 끓는점은 T_2 K이다. ➡ P기압일 때 증기 압력 곡선과 만날 때의 온도가 끓는점이고, 융해(용융) 곡선과 만날 때의 온도가 녹는점이다.

• 293 K에서 $X(l)$의 증기 압력은 8.5기압이다. ➡ 8.5기압, 293 K이 나타내는 점은 증기 압력 곡선 상의 점이다.

• 녹는점에서 압력을 낮추면 물질 X의 상태는 액체이다. ➡ 고체와 액체가 평형을 이루는 융해 곡선 상의 한 점에서 압력을 낮추면 액체 상태가 되어야 한다. 즉, 융해 곡선의 기울기가 양(+)의 값을 나타낸다.

위의 조건에 해당하는 그림은 ③이다.

03 이산화 탄소의 상평형 그림은 다음과 같다.

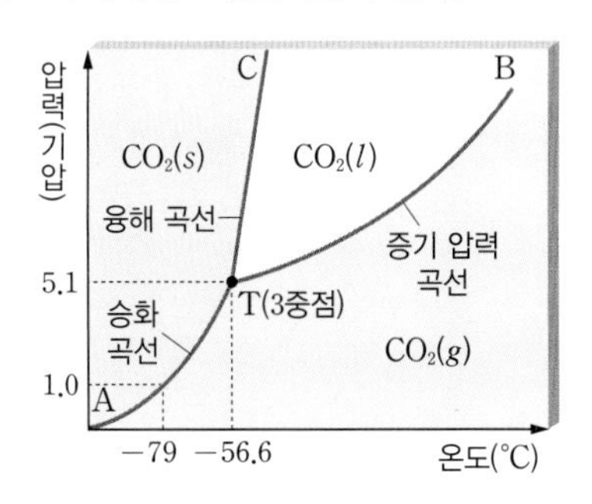

그림 (가)에서의 온도는 액체와 기체가 함께 존재하여 평형을 이루는 온도로, 증기 압력 곡선인 BT 곡선 상의 온도와 압력 중 하나이다. 또, 그림 (나)는 고체와 기체가 함께 존재하여 평형을 이루는 온도로, 승화 곡선인 AT 곡선 상의 온도와 압력 중 하나이다.

ㄱ. 3중점의 온도를 기준으로 온도가 낮은 쪽에 승화 곡선, 온도가 높은 쪽에 증기 압력 곡선이 위치하므로 (가)에서의 온도가 (나)에서의 온도보다 높다.

ㄴ. 증기 압력 곡선(액체와 기체가 평형을 이루고 있는 상태) 상의 한 점에서 온도를 낮추면 $CO_2(l)$가 된다. 따라서 (가)의 상태에서 온도를 낮추면 $CO_2(g)$의 압력은 감소한다.

ㄷ. 승화 곡선(고체와 기체가 평형을 이루고 있는 상태) 상의 한 점에서 압력을 높이면 $CO_2(s)$가 된다. 따라서 $CO_2(s)$의 양이 증가하고, $CO_2(g)$의 양은 감소한다.

04 ㄴ. 액체가 기체가 되는 반응은 열을 흡수하는 흡열 반응이다.

바로 알기 ㄱ. 같은 온도에서 증기 압력은 A>B>C이다. 증기 압력이 큰 물질일수록 분자 사이의 인력이 약한 물질이므로 분자 사이의 인력은 A<B<C이다.

ㄷ. B의 어는점은 P_1기압에서가 P_2기압에서보다 낮고, 끓는점은 P_1기압에서가 P_2기압에서보다 높다. 즉, 어는점과 끓는점 차는 P_1기압에서가 P_2기압에서보다 크다.

05 T K, P_1기압에서 기체 1몰의 부피는 18 L이다. 그림 (나)의 왼쪽 강철 용기에는 $CO_2(g)$ $\frac{1}{9}$몰이 들어 있고, 그림 (나)의 오른쪽 강철 용기에는 $CO_2(g)$ $\frac{1}{10}$몰이 들어 있다. 따라서 P_1기압은 2 L의 강철 용기 안에 $CO_2(g)$ $\frac{1}{9}$몰이 들어 있을 때의 압력이고, P_2기압은 2 L의 강철 용기 안에 $CO_2(g)$ $\frac{1}{10}$몰이 들어 있을 때의 압력이다.

ㄴ. 꼭지를 열면 두 강철 용기 내의 압력은 P_1기압보다 작아져 $CO_2(s)$의 승화가 일어나므로 $CO_2(s)$의 양이 감소한다.

바로 알기 ㄱ. 용기 안에 들어 있는 $CO_2(g)$의 양(mol)이 많을수록 압력이 크다. 따라서 $P_1>P_2$이다.

ㄷ. 온도를 일정하게 유지한 상태에서 꼭지를 열면, 꼭지를 연 순간에는 강철 용기 내의 전체 압력이 감소하지만 충분한 시간이 지나면 다시 동적 평형 상태에 도달하므로 P_1기압에 도달한다.

06 물질 X의 상평형 그림에서 3중점은 −57 ℃, a기압이다. 그림 (나)는 $X(s)$와 $X(g)$가 함께 존재하여 평형을 이루는 상태이고, 상평형 그림에서 승화 곡선 상의 온도와 압력 중 하나이다. 그림 (다)는 $X(l)$와 $X(g)$가 함께 존재하여 평형을 이루는 상태이고, 상평형 그림에서 증기 압력 곡선 상의 온도와 압력이다.

ㄴ. $X(s)$와 $X(g)$가 함께 존재하여 평형을 이루는 상태에서 압력을 높이면 $X(s)$가 된다. 따라서 (나)에서 압력을 높이면 $X(s)$의 양은 증가한다.

ㄷ. (다)는 증기 압력 곡선 상의 온도와 압력 중 하나이다. 따라서 (다)는 3중점보다 높은 온도와 높은 압력에서 평형을 이루고 있으므로 −57 ℃보다 온도가 높다.

바로 알기 ㄱ. (나)는 승화가 일어나는 조건으로, 3중점에서의 압력보다 압력이 낮으므로 $P<a$이다. (다)는 3중점의 압력보다 높은 압력이므로 $2P>a$이다. 따라서 $P<a<2P$이다.

02 산 염기 평형

개념 모아 정리하기 106쪽

❶ 이온화도 ❷ 클 ❸ 클 ❹ 작을
❺ 정반응 ❻ $-\log[H_3O^+]$ ❼ 산성
❽ 중성 ❾ 염기성 ❿ 같아 ⓫ pH

개념 기본 문제 107~108쪽

01 5×10^{-4} **02** $[H_3O^+]=1.8\times10^{-5}$ M **03** NH_4^+과 NH_3, CO_3^{2-}과 HCO_3^- **04** (가) H_3PO_4 (나) HCO_3^- **05** (1) 8.7 (2) 0.01 **06** $[H_3O^+]=1.0\times10^{-10}$ M, $[OH^-]=1.0\times10^{-4}$ M **07** ㄴ, ㄷ **08** (1) × (2) ○ (3) × (4) × (5) × (6) ○ (7) × **09** (1) 0.7 (2) 4 (3) 12 (4) 11 **10** (1) $\frac{1}{100}$ (2) 3 **11** 0.05 L **12** ㄱ **13** (1) ○ (2) × (3) ○ (4) ○ (5) × (6) ○ (7) ○

01 산 HA 수용액은 다음과 같이 이온화 평형을 이룬다.

$$HA(aq)+H_2O(l) \rightleftharpoons H_3O^+(aq)+A^-(aq)$$

몰 농도가 C mol/L이고 이온화도가 α인 산 HA의 이온화 상수는 다음과 같다.

$$K_a=\frac{[H_3O^+][A^-]}{[HA]}=\frac{C\alpha^2}{1-\alpha}$$

$\alpha=0.2$이므로 $K_a=\frac{C\alpha^2}{1-\alpha}=\frac{(0.01)\times(0.2)^2}{1-0.2}=5\times10^{-4}$

02 아세트산의 이온화 상수(K_a)는 다음과 같이 나타낼 수 있다.

$$K_a=\frac{[CH_3COO^-][H_3O^+]}{[CH_3COOH]}=1.8\times10^{-5}$$

아세트산 나트륨은 수용액에서 다음과 같이 완전히 이온화한다.

$$CH_3COONa \longrightarrow CH_3COO^- + Na^+$$

$[CH_3COOH]=0.1$ M

$[CH_3COONa]=[CH_3COO^-]=0.1$ M

$$K_a=\frac{0.1\times[H_3O^+]}{0.1}=1.8\times10^{-5}$$

$[H_3O^+]=1.8\times10^{-5}$ M

03 H^+의 이동에 의하여 산과 염기로 되는 한 쌍의 물질을 짝산-짝염기라고 한다.

$$NH_4^+ + CO_3^{2-} \rightleftharpoons NH_3 + HCO_3^-$$

(NH_4^+와 NH_3: 짝산-짝염기, CO_3^{2-}와 HCO_3^-: 짝염기-짝산)

04 K_a가 클수록 강산이고, K_a가 작을수록 약산이다. 따라서 주어진 물질 중에서 가장 강한 산은 K_a가 가장 큰 H_3PO_4이다. 강산의 짝염기는 약염기이고, 약산의 짝염기는 강염기이다. 따라서 주어진 짝염기 물질 중 가장 강한 염기는 K_a가 가장 작은 H_2CO_3의 짝염기인 HCO_3^-이다.

05 (1) HA 수용액은 다음과 같이 이온화 평형을 이룬다.

$$HA(aq)+H_2O(l) \rightleftharpoons H_3O^+(aq)+A^-(aq),\quad K_a=2.0\times10^{-10}$$

$$K_a=\frac{[H_3O^+][A^-]}{[HA]},\ [H_3O^+]=K_a\frac{[HA]}{[A^-]}$$

양변에 $-\log$를 붙이면 다음과 같다.

$$-\log[H_3O^+]=-\log K_a-\log\frac{[HA]}{[A^-]}$$

$$pH=-\log[H_3O^+]$$
$$=-\log K_a-\log\frac{[HA]}{[A^-]}=-\log K_a+\log\frac{[A^-]}{[HA]}$$

[HA]가 $[A^-]$의 10배이므로 $\frac{[A^-]}{[HA]}=\frac{1}{10}$이다. 따라서 이 수용액의 pH는 다음과 같다.

$$pH=-\log(2.0\times10^{-10})-\log10$$
$$=(10-\log2)-1=8.7$$

(2) HB 수용액은 다음과 같이 이온화 평형을 이룬다.

$$HB(aq)+H_2O(l) \rightleftharpoons H_3O^+(aq)+B^-(aq),\quad K_a'=4.0\times10^{-8}$$

$$K_a'=\frac{[B^-][H_3O^+]}{[HB]},\ [H_3O^+]=K_a'\frac{[HB]}{[B^-]}$$

양변에 $-\log$를 붙이면 다음과 같다.

$$-\log[H_3O^+]=-\log K_a'-\log\frac{[HB]}{[B^-]}=-\log K_a'+\log\frac{[B^-]}{[HB]}$$

$pH = pK_a' + \log\frac{[B^-]}{[HB]}$

$pK_a' = -\log(4.0\times10^{-8}) = 8-2\log2 = 7.4$이다.

$pH = pK_a' + \log\frac{[B^-]}{[HB]}$에 $pK_a' = 7.4$를 대입하면 $\frac{[B^-]}{[HB]} = \frac{1}{100}$이다.

따라서 HB의 이온화도는 0.01이다.

06 $BOH(aq)$의 농도는 0.01 M이고 BOH의 이온화도(α)는 0.01이므로 $[OH^-]$는 다음과 같다.

$[OH^-] = C\alpha = 0.01\times0.01 = 1.0\times10^{-4}$ M

$K_w = 1.0\times10^{-14} = [H_3O^+][OH^-]$

$[H_3O^+] = \frac{K_w}{[OH^-]} = \frac{1.0\times10^{-14}}{1.0\times10^{-4}} = 1.0\times10^{-10}$ M

07 ㄴ. H_2O은 1단계, 2단계에서 모두 염기로 작용하였고, HCO_3^-은 1단계에서 염기로, 2단계에서 산으로 작용하였다. 따라서 HCO_3^-은 양쪽성 물질이다.

ㄷ. 다단계 반응에서 전체 반응의 평형 상수는 각 단계별 평형 상수의 곱과 같다. 따라서 전체 반응의 이온화 상수는 다음과 같다.

$K_a = K_{a1}\times K_{a2} = 2.0\times10^{-17}$

바로 알기 ㄱ. 산의 세기는 $H_3O^+ > H_2CO_3 > HCO_3^-$이므로 짝염기의 세기는 $H_2O < HCO_3^- < CO_3^{2-}$이다.

08 (1) 이온화 상수 K_a는 CH_3COOH이 H_2S보다 크므로 CH_3COOH이 더 강한 산이다.

(2) CH_3COOH이 H_2CO_3보다 더 강한 산이므로 CH_3COO^-보다 HCO_3^-이 더 강한 염기이다.

(3) H_2CO_3이 H_2S보다 강한 산이므로 수용액의 pH는 H_2CO_3 수용액이 더 작다.

(4) 25 ℃에서 $K_a\times K_b = 1.0\times10^{-14}$이므로 CH_3COO^-의 K_b는 다음과 같다.

CH_3COO^-의 $K_b = \frac{K_w}{K_a} = \frac{1.0\times10^{-14}}{1.8\times10^{-5}} = \frac{1}{1.8}\times10^{-9}$

(5) 25 ℃에서 $K_a\times K_b = 1.0\times10^{-14}$이므로 HS^-의 K_b는 H_2S의 K_a인 1.0×10^{-7}과 같은 값을 가진다.

(6) 모든 반응에서 H_2O은 H^+를 받으므로 염기로 작용한 것이다.

(7) HCO_3^-의 짝산은 H_2CO_3이다.

09 (1) HCl은 강산이므로 $[H_3O^+] = 0.2$ M이다.

$pH = -\log(0.2) = -\log(2\times10^{-1})$
$= 1-\log2 = 1-0.3 = 0.7$

(2) $[H_3O^+] = C\alpha = 0.01\times1.0\times10^{-2} = 1.0\times10^{-4}$

$pH = -\log(1.0\times10^{-4}) = 4$

(3) NaOH은 강염기이므로 $[OH^-] = 0.01$ M이다.

$pOH = -\log(0.01) = 2$

$pH = 14-2 = 12$

(4) $[OH^-] = C\alpha = 0.1\times1.0\times10^{-2} = 1.0\times10^{-3}$

$[H_3O^+] = \frac{K_w}{[OH^-]} = \frac{1.0\times10^{-14}}{1.0\times10^{-3}} = 1.0\times10^{-11}$

$pH = -\log(1.0\times10^{-11}) = 11$

10 $HA(aq)$은 다음과 같이 이온화 평형을 이룬다.

$HA(aq) + H_2O(l) \rightleftharpoons H_3O^+(aq) + A^-(aq)$

$K_a = \frac{[A^-][H_3O^+]}{[HA]} = 1.0\times10^{-5}$

(1) 약산 $HA(aq)$의 농도를 C mol/L라 하고, 이온화도를 α라 하면 $[H_3O^+]$는 다음과 같다.

$[H_3O^+] = C\alpha = \sqrt{K_aC} = \sqrt{1.0\times10^{-5}\times0.1} = 1.0\times10^{-3}$

$K_a = \frac{[A^-][H_3O^+]}{[HA]} \Rightarrow \frac{K_a}{[H_3O^+]} = \frac{[A^-]}{[HA]}$

$\frac{[A^-]}{[HA]} = \frac{K_a}{[H_3O^+]} = \frac{1.0\times10^{-5}}{1.0\times10^{-3}} = \frac{1}{100}$

(2) $[H_3O^+] = 1.0\times10^{-3}$ M이므로 $pH = -\log(10^{-3}) = 3$이다.

11 산의 H^+의 양(mol)과 염기의 OH^-의 양(mol)이 같아질 때 혼합 용액이 완전히 중화되어 반응이 완결된다. 따라서 0.1 M $HNO_3(aq)$ 10 mL와 0.1 M $H_2SO_4(aq)$ 20 mL가 섞인 혼합 용액을 적정한다면 반응이 완결되는 데 필요한 OH^-의 부피를 V라고 할 때 다음과 같은 관계가 성립한다.

H^+의 양(mol) = OH^-의 양(mol)

$1\times0.1\times10 + 2\times0.1\times20 = 1\times0.1\times V$, $V = 50$ mL

12 ㄱ. HA 수용액 20 mL, HB 수용액 20 mL는 각각 0.1 M NaOH 수용액 50 mL를 가하였을 때 완전히 중화된다. 따라서 두 용액의 초기 농도는 서로 같다.

바로 알기 ㄴ. 각 용액의 초기 pH는 HA가 3, HB가 1이다. pH가 작을수록 강한 산이므로 HB가 HA보다 강한 산이다. 이온화 상수가 클수록 산의 세기가 강하므로 이온화 상수는 HB가 HA보다 크다.

ㄷ. HA 수용액과 NaOH 수용액의 반응에서 중화점의 pH는 7보다 크고, HB 수용액과 NaOH 수용액의 반응에서 중화점의 pH는 7이다.

13 (1) AOH 수용액 50 mL와 BOH 수용액 50 mL를 완전히 중화시키는 데 사용되는 0.1 M HCl 수용액의 부피가 50 mL로 같으므로 AOH 수용액과 BOH 수용액의 몰 농도는 0.1 M로 같다.

(2) BOH 수용액의 pH=11이므로 $[OH^-]=1\times10^{-3}$ M이다.

$[OH^-]=C\alpha=0.1\times\alpha=1\times10^{-3}$이므로 이온화도 $\alpha=0.01$이다.

(3) $K_b=\frac{[B^+][OH^-]}{[BOH]}$에서 $[OH^-]=K_b\frac{[BOH]}{[B^+]}$이다.

(가)점의 용액은 중화 반응이 절반 정도 진행된 상태로, $[BOH]=[B^+]$이므로 $[OH^-]=K_b$이다.

$K_b=C\alpha^2=0.1\times(0.01)^2=10^{-5}$이므로 $[OH^-]=1\times10^{-5}$ M이다. 따라서 pH=9이다.

(4) pH가 클수록 OH^-을 잘 내놓으므로 염기의 세기는 AOH가 BOH보다 크다.

(5) AOH의 pH=13이므로 $[OH^-]=1\times10^{-1}$ M이다. 따라서 이온화도는 1이다.

(6) BOH의 이온화 상수는 $K_b=C\alpha^2=10^{-5}$이다.

(7) AOH 수용액은 강염기 수용액이므로 강산인 HCl 수용액으로 중화 적정할 때 중화점을 찾기 위한 지시약으로 페놀프탈레인을 사용할 수 있다.

개념 적용 문제 109~111쪽

01 ⑤ **02** ④ **03** ② **04** ② **05** ⑤ **06** ③

01 ㄴ. 물(H_2O)이 H^+를 받으면 염기로 작용한 것이고, H_2O이 H^+를 내놓으면 산으로 작용한 것이다. 주어진 화학 반응에서 H_2O은 HF로부터 H^+를 받으므로 염기로 작용한 것이다.

ㄷ. 산의 세기는 이온화도나 이온화 상수가 클수록 강하다. 주어진 자료에서 HF가 산으로 작용하는 정반응의 이온화 상수(K_a)는 6.7×10^{-4}으로 1보다 작다. 따라서 H_3O^+이 산으로 작용하는 역반응의 이온화 상수(K_a^{-1})는 $K_a^{-1}=\frac{1}{K_a}=\frac{1}{6.7\times10^{-4}}>1$이므로 $K_a^{-1}>K_a$이다. 따라서 이온화 상수가 작은 HF가 이온화 상수가 더 큰 H_3O^+보다 약한 산이다.

바로 알기 ㄱ. 짝산-짝염기 관계는 H^+를 주고받는 관계이다. HF와 F^-이 짝산-짝염기 관계이고, H_3O^+과 H_2O이 짝산-짝염기 관계이다.

02 ㄱ. (다) 반응에서 K_b가 매우 작으므로 평형은 역반응 쪽으로 치우친다. 그러므로 OH^-은 HCO_3^-보다 강한 염기이다.

ㄷ. (나) 반응에서 H_2O과 HCO_3^-은 모두 H^+을 내놓는 산으로 작용한다.

바로 알기 ㄴ. 용액의 pH가 커지면 OH^-의 양이 증가하므로 (나) 반응에서 평형이 역반응 쪽으로 이동하여 CO_3^{2-}의 농도가 증가한다. CO_3^{2-}의 농도가 증가하면 (가) 반응에서 평형이 역반응 쪽으로 이동하므로 $CaCO_3$의 용해도가 감소한다.

03 ㄷ. 산 HA의 이온화 상수 K_a는 2×10^{-5}이고, 염기 A^-의 이온화 상수 K_b는 $\frac{K_w}{K_a}=\frac{1\times10^{-14}}{2\times10^{-5}}=5\times10^{-10}$이다. 염기의 세기는 $A^-<B$이고 염기의 이온화 상수가 클수록 강한 염기이므로 염기 B의 이온화 상수 x는 염기 A^-의 이온화 상수 5×10^{-10}보다 크다.

바로 알기 ㄱ. HA와 A^-이 짝산-짝염기 관계이고, B와 HB^+이 짝산-짝염기 관계이다. 염기의 세기는 $A^-<B$이므로 그 짝산인 HA와 HB^+의 세기는 $HA>HB^+$이다. 따라서 HA가 더 강한 산이다.

ㄴ. 약산의 농도를 C mol/L라 하고 이온화도를 α라 하면 이온화도와 이온화 상수의 관계는 다음과 같다.

$$K_a=C\alpha^2,\ \alpha=\sqrt{\frac{K_a}{C}}$$

$HA(aq)$의 농도가 0.1 M이고, $K_a=2\times10^{-5}$이므로 HA의 이온화도(α)는 다음과 같다.

$$\alpha=\sqrt{\frac{2\times10^{-5}}{10^{-1}}},\ \alpha=\sqrt{2}\times10^{-2}$$

04 평형 상수가 크면 평형은 정반응 쪽으로 치우치고, 평형 상수가 작으면 평형은 역반응 쪽으로 치우친다. 또, 산의 세기가 강할수록 그 짝염기의 세기는 약하고, 염기의 세기가 강할수록 그 짝산의 세기는 약하다.

$HB(aq)+A^-(aq) \rightleftharpoons B^-(aq)+HA(aq)\ \ K_1<1$

$K_1<1$이므로 역반응 쪽으로 평형이 치우친다. 따라서 산의 세기는 HA>HB이고, 염기의 세기는 $A^-<B^-$이다.

$HA(aq)+C^-(aq) \rightleftharpoons A^-(aq)+HC(aq)\ \ K_2<1$

$K_2<1$이므로 역반응 쪽으로 평형이 치우친다. 따라서 산의

세기는 HA<HC이고 염기의 세기는 $A^- > C^-$이다.

ㄴ. 산의 세기는 HB보다 HC가 강하므로 $HB(aq) + C^-(aq) \rightleftharpoons B^-(aq) + HC(aq)$ 반응에서 평형은 역반응 쪽으로 치우친다. 따라서 $K_3 < 1$이다.

바로 알기 ㄱ. 산의 세기는 HC>HA>HB이다.

ㄷ. 염기의 세기는 $B^- > A^- > C^-$이다.

05 BOH(*aq*) 50 mL에 1.0 M HCl(*aq*) 50 mL를 가할 때 완전히 중화되었다. 따라서 BOH(*aq*)의 농도를 x M이라 하면 다음과 같은 관계식이 성립한다.

x M×50 mL=1.0 M×50 mL, $x=1.0$

BOH(*aq*)의 농도는 1.0 M이다. 초기 BOH(*aq*)의 pH가 12이므로 pOH는 2이고, $[OH^-]=10^{-2}$ M이다. 따라서 a 점에서 BOH의 이온화도(α)는 10^{-2}이다.

ㄴ. BOH(*aq*)은 다음과 같이 이온화 평형을 이룬다.

	$BOH(aq)$ $\rightleftharpoons$	$B^+(aq)$ +	$OH^-(aq)$
초기(M)	1.0	0	0
이온화(M)	$-\alpha$	$+\alpha$	$+\alpha$
평형(M)	$1.0-\alpha$	α	α

염기의 이온화 상수 $K_b=\dfrac{[B^+][OH^-]}{[BOH]}=\dfrac{\alpha^2}{1-\alpha}$

BOH의 이온화도는 10^{-2}으로 매우 작아 $1.0-\alpha≒1.0$이므로 $K_b=\alpha^2$이다.

$K_b=(10^{-2})^2=10^{-4}$

즉, 염기 BOH의 이온화 상수 $K_b=1\times10^{-4}$이다.

ㄷ. c점에서 pH는 7보다 작으므로 c점에서 수용액의 액성은 산성이다. 따라서 $[H_3O^+]>[OH^-]$이다.

바로 알기 ㄱ. BOH의 이온화도(α)는 10^{-2}이다.

06 HA(*aq*) 100 mL는 0.1 M NaOH(*aq*) 50 mL를 가하였을 때 완전히 중화되므로 HA(*aq*)의 농도를 a M이라 하면 HA(*aq*)의 농도는 다음과 같다.

a M×100 mL=0.1 M×50 mL, a=0.05

HA(*aq*)의 몰 농도는 0.05 M이고, pH는 3이므로 $[H_3O^+]=10^{-3}$ M이다. 따라서 HA의 이온화도(α)는 $\dfrac{10^{-3}}{5\times10^{-2}}=2\times10^{-2}$이다.

HB(*aq*) 100 mL는 0.1 M NaOH(*aq*) 100 mL를 가하였을 때 완전히 중화되므로 HB(*aq*)의 농도를 b M이라 하면 HB(*aq*)의 농도는 다음과 같다.

b M×100 mL=0.1 M ×100 mL, b=0.1

HB(*aq*)의 몰 농도는 0.1 M이고, pH는 3이므로 $[H_3O^+]=10^{-3}$ M이다. 따라서 HB의 이온화도(α)는 $\dfrac{10^{-3}}{10^{-1}}=10^{-2}$이다.

ㄷ. C mol/L 약산의 이온화도(α)와 이온화 상수(K_a)의 관계는 다음과 같다.

$K_a=C\alpha^2$

산 HA(*aq*)와 HB(*aq*)의 이온화 상수는 다음과 같다.

HA(*aq*)의 이온화 상수$=0.05\times(2\times10^{-2})^2=2\times10^{-5}$

HB(*aq*)의 이온화 상수$=0.1\times(10^{-2})^2=1\times10^{-5}$

즉, K_a는 HA가 HB의 2배이다.

바로 알기 ㄱ. [HA]=0.05 M이고, [HB]=0.1 M이므로 2[HA]=[HB]이다.

ㄴ. 0.1 M HB(*aq*) 100 mL에 0.1 M NaOH(*aq*) 50 mL를 가하면 양적 관계는 다음과 같다.

	$HB(aq)$ +	$OH^-(aq)$ $\rightleftharpoons$	$B^-(aq)$ + $H_2O(l)$
초기(mol)	0.1×0.1	0.1×0.05	0
반응(mol)	−0.1×0.05	−0.1×0.05	+0.1×0.05
나중(mol)	5×10^{-3}	0	5×10^{-3}

반응이 끝난 후 HB(*aq*)은 다음과 같이 이온화 평형을 이룬다.

	$HB(aq)$ + $H_2O(l)$ $\rightleftharpoons$	$H_3O^+(aq)$ +	$B^-(aq)$
초기(mol)	5×10^{-3}	0	5×10^{-3}
반응(mol)	$-x$	$+x$	$+x$
나중(mol)	$5\times10^{-3}-x$	$+x$	$5\times10^{-3}+x$

HB는 약산으로 이온화가 매우 적게 되므로 평형 농도는 다음과 같다고 볼 수 있다.

$[HB]=\dfrac{5\times10^{-3}}{0.15}$ M, $[B^-]=\dfrac{5\times10^{-3}}{0.15}$ M

반응 후 HB(*aq*)의 이온화 상수 K_a는 다음과 같다.

$K_a=\dfrac{[H_3O^+][B^-]}{[HB]}$, $[H_3O^+]=K_a\dfrac{[HB]}{[B^-]}$

$pH=-\log[H_3O^+]=-\log K_a-\log\dfrac{[HB]}{[B^-]}=pK_a-\log\dfrac{[HB]}{[B^-]}$

$\dfrac{[HB]}{[B^-]}=1$이므로 $pH=pK_a$이다.

HB(*aq*)의 이온화 상수 $K_a=1\times10^{-5}$이므로

$pH=-\log(1\times10^{-5})=5$이다.

[다른 풀이] HB(*aq*) 100 mL에 NaOH(*aq*) 50 mL를 가한 지점은 중화점의 절반에 해당하므로 $\dfrac{[B^-]}{[HB]}=1$이다. 따라서 헨더슨-하셀바흐 식에 대입하면 다음과 같다.

$pH=pK_a+\log\dfrac{[B^-]}{[HB]}=pK_a=-\log(1\times10^{-5})=5$

03 완충 용액

개념 모아 정리하기 123쪽

❶양이온 ❷음이온 ❸가수 분해 ❹중성
❺산성 ❻염기성 ❼산성 ❽염기성
❾역반응 ❿완충 용액

개념 기본 문제 124~125쪽

01 ㄴ **02** (1) ㄴ, ㄷ (2) ㄹ (3) ㄱ **03** (1) ㄴ, ㄹ, ㅁ (2) ㄷ, ㅇ (3) ㄱ, ㅂ, ㅅ **04** 5 **05** ㄴ, ㄷ, ㄹ **06** ㄱ, ㄴ, ㄹ **07** ㄷ, ㄹ **08** (1) $K_a=1.0\times10^{-5}$, $\alpha=0.01$ (2) 5 **09** ㄴ, ㄷ **10** $CH_3COOH : CH_3COONa=1:10$ **11** (1) × (2) ○ (3) × (4) ○ **12** ㄱ, ㄴ

01 ㄴ. 염은 산과 염기의 중화 반응에 의해 생기는 화합물로, 염기의 양이온과 산의 음이온이 이온 결합을 형성하여 이루어진다.

바로 알기 ㄱ. 산성염은 산의 수소 이온이 일부 남아 있는 염을 말한다. 하지만 산성염을 녹인 수용액의 액성은 산성일 수도 있고, 염기성일 수도 있다.
ㄷ. 강산과 강염기가 반응하여 생성된 염은 물에 녹아 이온화하지만 가수 분해되지는 않는다.
ㄹ. 강산과 약염기가 반응하여 생성된 염은 가수 분해되어 수용액이 산성을 나타낸다.

02 정염은 산의 수소 이온이 완전히 금속 이온으로 치환된 염이고, 산성염은 산의 수소 이온 일부가 남아 있는 염이며, 염기성염은 염기의 수산화 이온 일부가 남아 있는 염이다.
ㄱ. $Ca(OH)Cl \longrightarrow Ca^{2+} + OH^- + Cl^-$
ㄴ. $CH_3COONa \longrightarrow Na^+ + CH_3COO^-$
ㄷ. $(NH_4)_2SO_4 \longrightarrow 2NH_4^+ + SO_4^{2-}$
ㄹ. $NaHCO_3 \longrightarrow Na^+ + H^+ + CO_3^{2-}$

03 강산과 강염기가 반응하여 생성된 염인 $NaCl$(ㄱ), KNO_3(ㅂ)은 수용액에서 중성을 나타내고, 강산과 약염기가 반응하여 생성된 염인 NH_4Cl(ㄴ), $(NH_4)_2SO_4$(ㄹ), $MgCl_2$(ㅁ)은 수용액에서 산성을 나타낸다. 약산과 강염기가 반응하여 생성된 염인 KCN(ㄷ), Na_2CO_3(ㅇ)은 수용액에서 염기성을 나타내고, 약산과 약염기가 반응하여 생성된 염인 CH_3COONH_4(ㅅ)은 수용액에서 중성을 나타낸다.

04 $K_a=\dfrac{K_w}{K_b}=\dfrac{1\times10^{-14}}{1\times10^{-5}}=1\times10^{-9}$이다.
약산에서 $K_a=C\alpha^2$이므로
$\alpha=\sqrt{\dfrac{K_a}{C}}=\sqrt{\dfrac{1\times10^{-9}}{0.1}}=1\times10^{-4}$이다.
$[H_3O^+]=C\alpha=0.1\times1\times10^{-4}=1\times10^{-5}$ M
$pH=-\log[H_3O^+]=-\log(1\times10^{-5})=5$

05 ㄴ. $NaOH(aq)$을 수용액에 넣으면 $H_3O^+ + OH^- \longrightarrow 2H_2O$의 반응에 의해서 H_3O^+의 농도가 감소하므로 르샤틀리에 원리에 의해 H_3O^+이 증가하는 방향으로 반응이 진행된다. 즉, 정반응 쪽으로 평형이 이동하여 아세트산 이온의 개수가 증가한다.
ㄷ. 아세트산(CH_3COOH)을 수용액에 넣으면 CH_3COOH이 감소하는 방향으로 반응이 진행된다. 즉, 정반응 쪽으로 평형이 이동하여 아세트산 이온의 개수가 증가한다.
ㄹ. 아세트산 나트륨(CH_3COONa)을 수용액에 넣으면 이온화($CH_3COONa \longrightarrow CH_3COO^- + Na^+$)에 의해서 CH_3COO^-의 농도가 증가하므로 CH_3COO^-이 감소하는 방향으로 반응이 진행된다. 즉, 역반응 쪽으로 평형이 이동하여 CH_3COO^-이 감소하는 것처럼 보이지만, 넣어 준 CH_3COO^-이 모두 반응하여 소모되는 것이 아니므로 아세트산 이온의 전체 개수는 결과적으로 증가한다.

바로 알기 ㄱ. $HCl(aq)$을 수용액에 넣으면 수용액 속 H_3O^+의 농도가 증가하므로 르샤틀리에 원리에 의해 H_3O^+이 감소하는 방향으로 반응이 진행된다. 즉, 역반응 쪽으로 평형이 이동하여 아세트산 이온의 개수가 감소한다.

06 ㄱ. A는 CH_3COO^-이 가수 분해되어 염기성 용액이 되고, B는 Cu^{2+}이 가수 분해되어 산성 용액이 되며, C는 중성이다. 따라서 pH를 비교하면 A>C>B이다.
ㄴ. 전기 전도도는 이온 농도가 큰 B가 가장 크고, 농도가 가장 작은 A가 가장 작다.
ㄹ. B에서 Cu^{2+}은 가수 분해되므로 SO_4^{2-}보다 농도가 작다.
$Cu^{2+} + 2H_2O \rightleftharpoons Cu(OH)_2 + 2H^+$

바로 알기 ㄷ. A에서 CH_3COO^-은 가수 분해되므로 Na^+보다 농도가 작다.
$CH_3COO^- + H_2O \rightleftharpoons CH_3COOH + OH^-$

07 약산에 그 짝염기를 넣은 용액이나, 약염기에 그 짝산을 넣은 용액은 산이나 염기를 가해도 용액의 pH가 거의 변하지 않는데, 이러한 용액을 완충 용액이라고 한다.

08 (1) C mol/L인 약산 수용액에서 $[H_3O^+]$와 산의 이온화 상수 K_a의 관계는 다음과 같다.

$[H_3O^+]=10^{-pH}$, $[H_3O^+]=\sqrt{K_aC}$에서 $\sqrt{K_aC}=10^{-pH}$

$$K_a=\frac{(10^{-pH})^2}{C}=\frac{(10^{-3})^2}{0.1}=1.0\times10^{-5}$$

약산의 이온화도는 매우 작으므로 $\alpha\approx0$이라 하면 다음과 같은 관계가 성립한다.

$$K_a=\frac{C\alpha^2}{1-\alpha}\fallingdotseq C\alpha^2$$

$$\alpha=\sqrt{\frac{K_a}{C}}=\sqrt{\frac{1\times10^{-5}}{0.1}}=0.01$$

(2) HA(aq)은 다음과 같이 이온화 평형을 이룬다.

$$HA(aq)+H_2O(l)\rightleftharpoons H_3O^+(aq)+A^-(aq)$$

$$K_a=\frac{[A^-][H_3O^+]}{[HA]}$$

$[A^-]=[HA]=\dfrac{0.1\text{ M}\times0.1\text{ L}}{0.2\text{ L}}=0.05$ M이다.

따라서 $[H_3O^+]$는 다음과 같다.

$$[H_3O^+]=K_a\frac{[HA]}{[A^-]}=1.0\times10^{-5}\times\frac{0.05}{0.05}=1.0\times10^{-5}$$

$$pH=-\log[H_3O^+]=-\log10^{-5}=5$$

09 ㄴ. 0.01 M에서 HX 수용액의 pH가 4이므로 $[H_3O^+]=0.01\times\alpha=10^{-4}$이다. 따라서 이온화도($\alpha$)는 0.01이다.

ㄷ. 1 M HY 수용액에서 이온화도가 0.01이므로 HY는 약산이다. 따라서 강염기인 NaOH과 혼합하면 약산 HY의 짝염기인 Y^-이 생성되므로 그 수용액은 완충 용액이 된다.

바로 알기 ㄱ. 같은 농도에서 pH가 작을수록 $[H_3O^+]$가 크고, 이온화도가 크므로 산의 세기는 HX<HY<HZ 순이다.

10 아세트산 수용액은 다음과 같이 이온화 평형을 이룬다.

$$CH_3COOH(aq)+H_2O(l)\rightleftharpoons CH_3COO^-(aq)+H_3O^+(aq)$$

아세트산의 이온화 상수 $K_a=\dfrac{[CH_3COO^-][H_3O^+]}{[CH_3COOH]}$

양변에 $-\log$를 취하면 다음과 같다.

$$-\log K_a=-\log\frac{[CH_3COO^-][H_3O^+]}{[CH_3COOH]}$$

$$pK_a=-\log[H_3O^+]-\log\frac{[CH_3COO^-]}{[CH_3COOH]}$$

$$pK_a=pH-\log\frac{[CH_3COO^-]}{[CH_3COOH]}$$

여기서 $pK_a=4.75$이고, pH=5.75이므로 각각을 대입하면,

$$4.75=5.75-\log\frac{[CH_3COO^-]}{[CH_3COOH]}$$

$\log\dfrac{[CH_3COO^-]}{[CH_3COOH]}=1$이므로 $\dfrac{[CH_3COO^-]}{[CH_3COOH]}=10$이다.

따라서 CH_3COOH : CH_3COONa=1 : 10의 몰비로 섞어 준다.

11 $CH_3COOH(aq)+H_2O(l)\rightleftharpoons CH_3COO^-(aq)+H_3O^+(aq)$

(1) CH_3COOH 0.01몰과 CH_3COONa 0.01몰을 녹여 만든 완충 용액 100 mL에서 $[CH_3COOH]=[CH_3COO^-]$ =0.1 M이고, $K_a=\dfrac{[CH_3COO^-][H_3O^+]}{[CH_3COOH]}$이므로 $[H_3O^+]=2.0\times10^{-5}$ M이다.

$$pH=-\log(2\times10^{-5})=5-\log2=4.7$$

(2) NaOH을 넣어 주면 H_3O^+이 소모되므로 평형이 정반응 쪽으로 이동하고, $[CH_3COO^-]$가 증가한다.

(3) 완충 용량은 넣어 준 물질의 양이 많을수록 커진다. 따라서 완충 용량은 (나) 용액이 (가) 용액보다 크다.

(4) (가) 용액과 (나) 용액에서 $\dfrac{[CH_3COO^-]}{[CH_3COOH]}$의 비가 같으므로 pH는 서로 같다.

12 ㄱ. 운동을 하면 혈액 중의 $CO_2(aq)$가 증가하여 (다)의 평형이 정반응 쪽으로 이동하므로 혈액 내 HCO_3^-의 농도가 증가한다.

ㄴ. 약산인 H_2CO_3과 그 짝염기인 HCO_3^-으로 이루어진 용액은 완충 용액이다.

바로 알기 ㄷ. 혈액에 소량의 염기가 유입되면 (다)에서 H_3O^+이 소모되므로 평형이 정반응 쪽으로 이동한다.

개념 적용 문제
126~127쪽
01 ② 02 ② 03 ⑤ 04 ④

01 0.1 M MOH(aq)에서 pH=13이므로 pOH=14−pH=1이다. 따라서 $[OH^-]=0.1$ M이므로 MOH는 이온화도가 1인 강염기이다.

0.1 M MA(aq)에서 pH=9인 것으로 보아 MA는 약산 HA와 강염기 MOH가 반응하여 생성된 염이다. 따라서 MA는 수용액에서 다음과 같이 이온화한다.

$MA(aq) \rightleftharpoons M^+(aq)+A^-(aq)$

여기서 A^-은 H_2O과 반응하여 이온화 평형을 이루는데, 이때 반응하는 $[A^-]$를 x M이라 하면 다음과 같은 양적 관계가 성립한다.

	$A^-(aq)$ + $H_2O(l)$ $\rightleftharpoons$	$HA(aq)$ +	$OH^-(aq)$
초기(M)	0.1	0	0
반응(M)	$-x$	$+x$	$+x$
평형(M)	$0.1-x$	x	x

염기 A^-의 이온화 상수 $K_b=\dfrac{[HA][OH^-]}{[A^-]}=\dfrac{x^2}{0.1-x}$이다.

평형 상태에서 MA(aq)의 pH=9이므로 pOH=14−pH=5이고, $[OH^-]=10^{-5}$ M이므로 $x=10^{-5}$이다.

x는 0.1에 비해 매우 작으므로 $K_b=\dfrac{x^2}{(0.1-x)}=10x^2$이라고 볼 수 있다. 따라서 $K_b=10\times(10^{-5})^2$이고, 산 HA의 이온화 상수 $K_a=\dfrac{K_w}{K_b}=\dfrac{1.0\times10^{-14}}{10^{-9}}=10^{-5}$이다.

C M의 약산 수용액에서 약산의 이온화도를 α라 할 때, 산의 이온화 상수 K_a는 다음과 같다.

$K_a=C\alpha^2$

0.1 M HA(aq)에서 HA의 이온화도는 다음과 같다.

$10^{-5}=0.1\times\alpha^2$, $\alpha=0.01$

따라서 $[H_3O^+]=C\alpha$이므로 $[H_3O^+]=0.1\times0.01=0.001$이다.

$pH=-\log[H_3O^+]=-\log10^{-3}=3$

0.1 M HA(aq)의 pH=3이다.

02 산의 가수를 n, 몰 농도를 M, 부피를 V mL라 하고, 염기의 가수를 n', 몰 농도를 M', 부피를 V' mL라 할 때 중화 반응이 완결되면 다음과 같은 관계식이 성립한다.

$nMV=n'M'V'$

HA(aq) 50 mL에 0.1 M NaOH(aq) 100 mL를 가할 때 완전히 중화되므로 HA의 몰 농도(x)는 다음과 같다.

$1\times x\times50$ mL$=1\times0.1$ M$\times100$ mL, $x=0.2$ M

0.2 M HA(aq) 50 mL와 0.1 M NaOH(aq) 100 mL가 반응하여 완전히 중화되었을 때 중화점에서의 pH가 7보다 크므로 약산을 강염기로 적정한 것이다.

ㄴ. 완충 용액은 약산에 그 짝염기를 넣은 용액이나, 약염기에 그 짝산을 넣은 용액으로, 산이나 염기를 가해도 pH가 거의 변하지 않는다. b점의 용액에는 NaOH(aq)과 반응하고 남은 약산 HA와 그 짝염기 A^-이 용액에 같은 양이 존재하므로 완충 용액이다.

바로 알기 ㄱ. C M의 약산 수용액에서 약산의 이온화도를 α라 할 때, 산의 이온화 상수 K_a는 다음과 같다.

$K_a=C\alpha^2$

약산 HA(aq)의 이온화 상수 $K_a=5.0\times10^{-6}$이므로 HA의 이온화도(α)는 다음과 같다.

$5.0\times10^{-6}=0.2\times\alpha^2$, $\alpha=5\times10^{-3}$

ㄷ. c점은 중화점으로 HA의 양(mol)과 첨가된 NaOH의 양(mol)이 같으므로 HA와 NaOH에서 이온화된 A^-과 Na^+의 양(mol)이 같을 것 같지만, A^-은 가수 분해되므로 $[Na^+]$가 $[A^-]$보다 크다.

03 ㄱ. 용액 (가)는 0.1 M HA(aq) 100 mL이다.

25 ℃에서 물의 이온화 상수 $K_w=[H_3O^+][OH^-]=1.0\times10^{-14}$이고, $\dfrac{[H_3O^+]}{[OH^-]}=1.0\times10^8$이므로 $[H_3O^+]=10^{-3}$ M, $[OH^-]=10^{-11}$ M이다.

0.1 M HA(aq)에서 $[H_3O^+]=10^{-3}$ M이므로 HA의 이온화도(α)$=\dfrac{10^{-3}}{10^{-1}}=10^{-2}$, 산 HA의 이온화 상수 $K_a=C\alpha^2=0.1\times(10^{-2})^2=10^{-5}$이다.

ㄴ. 용액 (나)는 0.1 M HA(aq) 100 mL와 0.1 M NaOH(aq) 50 mL를 혼합한 용액이다.

0.1 M HA(aq) 100 mL에 0.1 M NaOH(aq) 50 mL를 가하면 HA 0.1 M×0.1 L=0.01몰 중 0.1 M×0.05 L=0.005몰이 NaOH과 반응하고, HA 0.005몰이 남는다. 또, A^-은 반응한 H^+의 양(mol)과 같은 0.005몰이 혼합 용액에 존재한다.

이 혼합 용액의 pH는 남아 있는 HA의 이온화 평형에 의해 결정되며, HA의 이온화 농도를 x라 하면 HA(aq)에서 이온화 평형은 다음과 같다.

	$HA(aq)$ + $H_2O(l)$ $\rightleftharpoons$	$H_3O^+(aq)$ +	$A^-(aq)$
초기(M)	$\dfrac{0.005}{0.15}$	0	$\dfrac{0.005}{0.15}$
반응(M)	$-x$	$+x$	$+x$
평형(M)	$\dfrac{0.005}{0.15}-x$	x	$\dfrac{0.005}{0.15}+x$

산 HA의 이온화 상수 $K_a=\dfrac{[H_3O^+][A^-]}{[HA]}$

산 HA는 약산으로 이온화가 거의 되지 않으므로 각 물질의 평형 농도는 다음과 같다고 볼 수 있다.

$[\mathrm{HA}]=\frac{0.005}{0.15}-x\fallingdotseq\frac{0.005}{0.15}=\frac{1}{30}$

$[\mathrm{H_3O^+}]=x$

$[\mathrm{A^-}]=\frac{0.005}{0.15}+x\fallingdotseq\frac{0.005}{0.15}=\frac{1}{30}$

따라서 $[\mathrm{HA}]=[\mathrm{A^-}]$이므로 $K_a=[\mathrm{H_3O^+}]$, 즉 $[\mathrm{H_3O^+}]=10^{-5}$ M이다.

$\mathrm{pH}=-\log10^{-5}=5$이다.

ㄷ. 수용액의 온도는 일정하므로 이온화 상수는 변하지 않고 일정하다. 혼합 용액 (다)에서 $[\mathrm{A^-}]=C$ M이라고 하면 $[\mathrm{OH^-}]$는 다음과 같다.

$[\mathrm{OH^-}]=\sqrt{K_bC}$

$[\mathrm{H_3O^+}]=\frac{K_w}{[\mathrm{OH^-}]}=\frac{K_a\times K_b}{[\mathrm{OH^-}]}$

$\frac{[\mathrm{H_3O^+}]}{[\mathrm{OH^-}]}=\frac{K_a\times K_b}{[\mathrm{OH^-}]^2}=\frac{K_a}{C}$

$K_a=10^{-5}$이고 $[\mathrm{A^-}]=0.05$ M이므로 $\frac{[\mathrm{H_3O^+}]}{[\mathrm{OH^-}]}=2\times10^{-4}$이다.

04 ㄱ. x M $\mathrm{HA}(aq)$ 40 mL에 0.4 M $\mathrm{NaOH}(aq)$ 100 mL를 가하였을 때 $\frac{[\mathrm{A^-}]}{[\mathrm{HA}]}=1$인 경우는 중화점의 절반에 해당하는 만큼 반응이 진행된 것을 의미한다.

$\mathrm{HA}(aq)$의 초기 농도를 x라 하면, x는 다음과 같다.

$x\times40\times\frac{1}{2}=0.4\times100,\ x=2$

$\mathrm{HA}(aq)$의 농도는 2 M이다.

ㄷ. 완충 용액에 강산이나 강염기를 넣어 주었을 때 pH 변화에 저항하는 정도를 완충 용량이라고 한다. 완충 능력의 척도인 완충 용량은 약산과 그 짝염기의 농도비에 따라 달라지며, 약산과 그 짝염기의 농도가 같을 때 가장 크다. 즉 $\frac{[\mathrm{A^-}]}{[\mathrm{HA}]}=1$인 용액의 완충 용량이 $\frac{[\mathrm{A^-}]}{[\mathrm{HA}]}=0.001$인 용액보다 크다. 따라서 같은 양의 염산을 가하면 완충 용량이 작은 (가) 용액의 pH 변화가 더 크게 나타난다.

바로 알기 ㄴ. 0.2 M $\mathrm{HA}(aq)$ 10 mL에 0.4 M NaOH 5 mL를 가하면 중화점에 도달한다. 중화점에서는 $\mathrm{A^-}$의 가수 분해가 일어나 평형을 이룬다.

$\mathrm{A^-}(aq)+\mathrm{H_2O}(l)\rightleftharpoons\mathrm{HA}(aq)+\mathrm{OH^-}(aq)$

$[\mathrm{A^-}]$를 C M이라 하고 염기 $\mathrm{A^-}$의 이온화도를 α'라고 하면 $\frac{[\mathrm{A^-}]}{[\mathrm{HA}]}\fallingdotseq\frac{C}{C\alpha'}=\frac{1}{\alpha'}$이다.

0.2 M $\mathrm{HA}(aq)$ 10 mL가 중화 반응하여 도달한 중화점에서 $\mathrm{A^-}$은 0.2 M×0.01 L=2×10^{-3} mol이 존재하므로

$[\mathrm{A^-}]=\frac{2\times10^{-3}\ \mathrm{mol}}{15\times10^{-3}\ \mathrm{L}}=\frac{2}{15}$ M이다.

용액 (가)에서는 $\mathrm{HA}(aq)$만 존재하므로, $\frac{[\mathrm{A^-}]}{[\mathrm{HA}]}$은 HA의 이온화도($\alpha$)를 의미한다. 산 HA의 농도는 2 M이므로 산 HA의 이온화 상수 $K_a=C\alpha^2=2\times0.001^2=2\times10^{-6}$이다.

염기 $\mathrm{A^-}$의 이온화 상수 $K_b=\frac{K_w}{K_a}=\frac{10^{-14}}{2\times10^{-6}}=\frac{1}{2}\times10^{-8}$이고, 염기 $\mathrm{A^-}$의 이온화도는 α'이므로 $K_b=\frac{2}{15}\alpha'^2$이고,

$\alpha'=\sqrt{\frac{15}{2}K_b}=\frac{\sqrt{15}}{2}\times10^{-4}$이다.

따라서 $\frac{[\mathrm{A^-}]}{[\mathrm{HA}]}=\frac{1}{\alpha'}=\frac{2}{\sqrt{15}}\times10^{4}$이다.

통합 실전 문제

128~133쪽

01 ①	**02** ④	**03** ②	**04** ②	**05** ①	**06** ③
07 ④	**08** ①	**09** ①	**10** ⑤	**11** ⑤	**12** ④

01 ㄱ. 연소 엔탈피는 물질 1몰이 완전 연소할 때의 반응 엔탈피이다. C(s, 흑연) 1몰이 완전 연소하여 $\mathrm{CO_2}(g)$ 1몰이 생성될 때의 반응 엔탈피가 a kJ이므로 흑연(C)의 연소 엔탈피는 a kJ/mol이다.

바로 알기 ㄴ. $\mathrm{H_2}(g)$ 2몰과 $\mathrm{O_2}(g)$ 1몰이 반응하여 $\mathrm{H_2O}(l)$ 2몰이 생성될 때의 반응 엔탈피는 b kJ이다. 생성 엔탈피는 화합물 1몰이 생성될 때의 반응 엔탈피이므로 $\mathrm{H_2O}(l)$의 생성 엔탈피는 $\frac{b}{2}$ kJ/mol이고, 분해 엔탈피는 화합물 1몰이 가장 안정한 원소로 분해될 때의 반응 엔탈피로 생성 엔탈피와 부호만 반대이다. 따라서 물의 분해 엔탈피는 $-\frac{b}{2}$ kJ/mol이다.

ㄷ. $\mathrm{C_4H_8}(g)$의 표준 생성 엔탈피는 다음 반응에서의 반응 엔탈피이다.

$4\mathrm{C}(s,\ 흑연)+4\mathrm{H_2}(g)\longrightarrow\mathrm{C_4H_8}(g)$

이 반응이 나오도록 식을 정리하면 다음과 같다.

$$\begin{array}{rl} & 4C(s, \text{흑연}) + 4O_2(g) \longrightarrow 4CO_2(g),\ 4\Delta H_1 \\ & 4H_2(g) + 2O_2(g) \longrightarrow 4H_2O(l),\ 2\Delta H_2 \\ +) & 4CO_2(g) + 4H_2O(l) \longrightarrow C_4H_8(g) + 6O_2(g),\ -\Delta H_3 \\ \hline & 4C(s, \text{흑연}) + 4H_2(g) \longrightarrow C_4H_8(g) \\ & \qquad\qquad 4\Delta H_1 + 2\Delta H_2 - \Delta H_3 \end{array}$$

$C_4H_8(g)$의 표준 생성 엔탈피는 $4\Delta H_1+2\Delta H_2-\Delta H_3=(4a+2b-c)$ kJ/mol이다.

02 주어진 그래프의 반응을 정리하면 다음과 같다.

$CO_2(g) \longrightarrow C(s, \text{흑연}) + O_2(g),\ \Delta H_1$

$CaO(s) + CO_2(g) \longrightarrow CaCO_3(s),\ \Delta H_2$

$CaO(s) + C(s, \text{흑연}) + O_2(g) \longrightarrow CaCO_3(s),\ \Delta H_3$

ㄱ. ΔH_3은 $CaO(s) + C(s, \text{흑연}) + O_2(g) \longrightarrow CaCO_3(s)$ 반응의 반응 엔탈피이다. 이 반응이 나오도록 식을 정리하면 다음과 같다.

$$\begin{array}{rl} & C(s, \text{흑연}) + O_2(g) \longrightarrow CO_2(g),\ -\Delta H_1 \\ +) & CaO(s) + CO_2(g) \longrightarrow CaCO_3(s),\ \Delta H_2 \\ \hline & CaO(s) + C(s, \text{흑연}) + O_2(g) \\ & \qquad \longrightarrow CaCO_3(s),\ -\Delta H_1 + \Delta H_2 \end{array}$$

따라서 $\Delta H_3=-\Delta H_1+\Delta H_2=\Delta H_2-\Delta H_1$이다.

ㄷ. $CO_2(g)$의 표준 생성 엔탈피는 25 °C, 1기압에서 $CO_2(g)$를 이루는 가장 안정한 원소로부터 $CO_2(g)$ 1몰이 생성될 때의 반응 엔탈피이다.

$C(s, \text{흑연}) + O_2(g) \longrightarrow CO_2(g),\ -\Delta H_1$

따라서 $CO_2(g)$의 표준 생성 엔탈피는 $-\Delta H_1$이다.

바로 알기 ㄴ. $CaCO_3(s)$의 표준 생성 엔탈피는 25 °C, 1기압에서 $CaCO_3(s)$을 이루는 가장 안정한 원소로부터 $CaCO_3(s)$ 1몰이 생성될 때의 반응 엔탈피이다.

$Ca(s) + C(s, \text{흑연}) + \frac{3}{2}O_2(g) \longrightarrow CaCO_3(s)$

03 물질 A는 $S(s, \text{사방황}) + \frac{3}{2}O_2(g)$의 반응으로 생성되므로 SO_3이다.

ΔH_1, ΔH_2, ΔH_3과 관련된 반응을 정리하면 다음과 같다.

$S(s, \text{사방황}) + O_2(g) \longrightarrow SO_2(g),\ \Delta H_1$

$2SO_2(g) + O_2(g) \longrightarrow 2SO_3(g),\ \Delta H_2$

$2S(s, \text{사방황}) + 3O_2(g) \longrightarrow 2SO_3(g),\ \Delta H_3$

ㄴ. $S(s, \text{사방황})$과 $O_2(g)$의 반응은 $S(s, \text{사방황})$의 연소 반응으로, 발열 반응이다.

바로 알기 ㄱ. $S(s, \text{사방황}) + O_2(g) \longrightarrow SO_2(g)$의 반응이 나오도록 식을 정리하면 다음과 같다.

$$\begin{array}{rl} & 2SO_3(g) \longrightarrow 2SO_2(g) + O_2(g),\ -\Delta H_2 \\ +) & 2S(s, \text{사방황}) + 3O_2(g) \longrightarrow 2SO_3(g),\ \Delta H_3 \\ \hline & 2S(s, \text{사방황}) + 2O_2(g) \longrightarrow 2SO_2(g),\ -\Delta H_2+\Delta H_3 \\ & \therefore S(s, \text{사방황}) + O_2(g) \longrightarrow SO_2(g),\ \frac{-\Delta H_2+\Delta H_3}{2} \end{array}$$

따라서 $\Delta H_1=\frac{-\Delta H_2+\Delta H_3}{2}$이다.

ㄷ. $2SO_2(g) + O_2(g) \longrightarrow 2SO_3(g)$ 반응의 반응 엔탈피는 $\Delta H_2<0$이므로, $SO_2(g) + \frac{1}{2}O_2(g) \longrightarrow SO_3(g)$ 반응의 반응 엔탈피도 $\frac{\Delta H_2}{2}<0$이다. 반응 엔탈피는 반응물의 결합 에너지 합에서 생성물의 결합 에너지 합을 뺀 값이며, $\Delta H<0$인 발열 반응의 경우 생성물의 결합 에너지 합이 반응물의 결합 에너지 합보다 크다.

04 $2A(g) \rightleftharpoons B(g) + C(g)$ 반응의 반응 엔탈피 $\Delta H>0$이므로 흡열 반응이며, 평형 상수 $K=\frac{[B][C]}{[A]^2}=\frac{9}{16}$이다.

실험 Ⅰ에서의 각 물질의 농도와 반응 지수 Q는 다음과 같다.

$[A]=\frac{0.6}{2}$ M, $[B]=\frac{0.6}{2}$ M, $[C]=\frac{0.3}{2}$ M

$$Q=\frac{[B][C]}{[A]^2}=\frac{\left(\frac{0.6}{2}\right)\left(\frac{0.3}{2}\right)}{\left(\frac{0.6}{2}\right)^2}=\frac{1}{2}$$

실험 Ⅱ에서의 각 물질의 농도와 반응 지수 Q는 다음과 같다.

$[A]=\frac{0.5}{2}$ M, $[B]=\frac{0.5}{2}$ M, $[C]=\frac{0.5}{2}$ M

$$Q=\frac{[B][C]}{[A]^2}=\frac{\left(\frac{0.5}{2}\right)\left(\frac{0.5}{2}\right)}{\left(\frac{0.5}{2}\right)^2}=1$$

ㄴ. 실험 Ⅰ에서 반응 지수 $Q=\frac{1}{2}$이고, 평형 상수 $K=\frac{9}{16}$이다. 따라서 $Q<K$이므로 정반응이 우세하게 진행된다.

바로 알기 ㄱ. 실험 Ⅰ에서의 반응 지수(Q)는 $\frac{1}{2}$이고, 실험 Ⅱ에서의 반응 지수(Q)는 1이므로 반응 지수(Q) 실험 Ⅰ < 실험 Ⅱ이다.

ㄷ. $2A(g) \rightleftharpoons B(g) + C(g)$ 반응은 흡열 반응으로 온도를 높이면 정반응 쪽으로 평형이 이동한다. 실험 Ⅱ에서 $T \rightarrow 2T$로 온도를 높이면 생성물이 더 많이 생성되는 쪽으로 평형이 이동하므로 반응물인 A의 몰 분율은 온도를 높이기

전보다 감소한다. 즉, x보다 작다.

05 $2A(g) \rightleftharpoons B(g)$ 반응은 $\Delta H<0$이므로 발열 반응이다. 정반응이 발열 반응인 경우 평형 상태에서 온도를 높이면 흡열 반응이 우세하게 일어나 역반응 쪽으로 평형이 이동하고, 온도를 낮추면 발열 반응이 우세하게 일어나 정반응 쪽으로 평형이 이동한다.

B의 질량 백분율이 클수록 정반응이 많이 진행된 것을 의미한다. 평형 Ⅰ과 평형 Ⅱ를 비교하면 B의 질량 백분율이 평형 Ⅰ에서 더 크므로 평형 Ⅰ에서가 평형 Ⅱ에서보다 정반응이 더 많이 진행되었음을 알 수 있다. 발열 반응의 경우 온도가 낮을수록 정반응이 우세하게 진행되므로 온도는 $T_1<T_2$이다.

ㄴ. 정반응이 발열 반응인 경우 온도가 높을수록 평형 상수가 작아진다. 따라서 $T_1<T_2$이므로 $K_1>K_2$이다.

바로 알기 ㄱ. 온도는 $T_1<T_2$이다.

ㄷ. 평형 Ⅰ에서 질량비는 A : B=5 : 5이고, 평형 Ⅱ에서 질량비는 A : B=8 : 2라고 볼 수 있다. 평형 Ⅰ에서 평형 Ⅱ가 되었을 때 질량 변화비는 A : B=3 : 3으로 같고, $A(g)$와 $B(g)$의 반응 몰비는 A : B=2 : 1이므로 분자량비는 A : B =1 : 2가 된다.

평형 Ⅱ에서의 질량비가 A : B=8 : 2이므로 평형 Ⅱ에서 A와 B의 몰비는 A : B=8 : 1이다. 따라서 평형 Ⅱ에서 A의 몰 분율은 $\frac{8}{9}$이다.

06 $A(g)+B(g) \rightleftharpoons C(g)$ 반응에서는 반응물이 2가지, 생성물이 1가지이다. 주어진 자료에서 평형 (가)에서 온도를 높여 평형 (나)가 되었을 때 2가지 물질의 몰 분율이 $\frac{1}{4}$에서 $\frac{1}{3}$로 변한 것으로 보아 평형 (가)에서 $\frac{1}{4}$의 몰비를 나타내는 물질은 모두 반응물이고, ㉠은 생성물이다.

ㄷ. 이 반응의 평형 상수 K는 다음과 같이 나타낼 수 있다.

$$K=\frac{[C]}{[A][B]}$$

이상 기체 방정식에 따르면 $PV=nRT$이므로 기체의 몰 농도는 $\frac{n}{V}=\frac{P}{RT}$로 나타낼 수 있다. 각 기체의 부분 압력은 전체 압력에 각 물질의 몰 분율을 곱한 값과 같으므로 각 물질의 몰 분율을 x_A, x_B, x_C라 하면 평형 상수는 다음과 같이 나타낼 수 있다.

$$K=\frac{\frac{Px_C}{RT}}{\frac{Px_A}{RT}\frac{Px_B}{RT}}=\frac{x_C}{x_Ax_B}\times\frac{RT}{P}$$

$$K_{(가)}=\frac{\frac{1}{2}}{\frac{1}{4}\times\frac{1}{4}}\times\frac{R}{P}\times300,\ K_{(나)}=\frac{\frac{1}{3}}{\frac{1}{3}\times\frac{1}{3}}\times\frac{R}{P}\times400$$

$\frac{K_{(가)}}{K_{(나)}}=2$이다.

바로 알기 ㄱ. ㉠에 해당하는 물질은 생성물인 $C(g)$이다.

ㄴ. 평형 (가)에서 평형 (나)가 될 때 반응물의 몰비가 증가하고 생성물의 몰비가 감소하는 것으로 보아 온도를 높이면 역반응이 우세하게 진행되는 것을 알 수 있다.

정반응이 발열 반응인 경우 온도를 높이면 역반응이 우세하게 진행되므로 $\Delta H<0$이다.

07 ㄱ. t_0 ℃보다 온도가 낮은 조건에서 액체로 존재하거나 고체와 액체가 함께 존재할 수 있는 온도 t_1 ℃는 3중점에서의 온도인 -57 ℃와 t_0 ℃ 사이의 온도이다. 따라서 P_1기압은 3중점에서의 압력인 P기압보다 크다.

ㄷ. 25 ℃, P_1 기압에서 물질의 안정한 상태는 기체이다. 따라서 $CO_2(l) \longrightarrow CO_2(g)$ 반응은 자발적으로 일어난다.

바로 알기 ㄴ. t_1 ℃, P_1기압에서 액체 상태이고, t_1 ℃, P_2기압에서 액체와 고체가 평형을 이루는 상태이므로 t_1 ℃, P_2기압은 융해 곡선 상의 한 지점에 해당된다. 따라서 $P_1<P_2$이다.

08 그림 (나)는 물질 A의 가열 곡선으로, 가열 곡선의 기울기가 클수록 온도 변화가 크므로 비열이 작다. 따라서 P_1기압에서의 가열 곡선의 기울기가 가장 크므로 P_1기압에서 물질 A는 모두 기체 상태이다. P_2기압에서의 가열 곡선은 3가지의 기울기가 있는데, 기울기가 상대적으로 급한 구간은 고체 상태, 기울기가 0인 구간은 고체와 액체 상태가 평형을 이루고 있는 상태, 기울기가 완만한 구간은 액체 상태를 의미한다.

ㄱ. 그림 (나)를 통해 T_2 K, P_1기압에서 물질 A의 상태는 기체이고, T_2 K, P_2기압에서 물질 A의 상태는 액체임을 알 수 있다. 이를 토대로 그림 (가)의 상평형 그림을 확인하면 T_2 K에서 기체 상태일 때의 압력 P_1기압이 액체 상태일 때의 압력 P_2기압보다 작다는 것을 알 수 있다. 즉, $P_1<P_2$이다.

바로 알기 ㄴ. T_1 K, P_1기압은 모두 3중점 이하의 온도와 압력으로, T_1 K, P_1기압에서 물질 A는 기체 상태이다.

ㄷ. 그림 (나)에서 T_1 K, P_2기압에서 물질 A는 고체와 액체가 평형을 이루는 상태로, T_1 K는 P_2기압에서 물질 A의 녹는점이다.

09 (가)에서 0.1 M HA(aq) 5 mL는 pH 3인 용액으로, $[H_3O^+]=10^{-3}$ M이다. HA의 이온화도(α)는 $\frac{10^{-3}}{10^{-1}}=10^{-2}$이므로 HA는 약산에 해당한다. 약산 HA의 이온화 상수 $K_a=C\alpha^2=0.1\times(10^{-2})^2=10^{-5}$이다.

(가)에서 HA는 수용액에서 다음과 같이 이온화 평형을 이룬다.

$HA(aq)+H_2O(l) \rightleftharpoons H_3O^+(aq)+A^-(aq)$

산 HA의 이온화 상수 $K_a=10^{-5}$이므로 그 짝염기인 염기 A^-의 이온화 상수 $K_b=\frac{K_w}{K_a}=10^{-9}$이다.

ㄱ. HA의 이온화도(α)는 $10^{-2}=0.01$이다.

바로 알기 ㄴ. 약산과 강염기가 반응한 결과 pH 5인 혼합 용액은 중화점에 도달하지 않은 상태로, 혼합 용액에 남아 있는 약산에 의해 pH가 결정된다.

$HA(aq)+H_2O(l) \rightleftharpoons H_3O^+(aq)+A^-(aq)$

이 반응의 평형 상수 $K_a=\frac{[H_3O^+][A^-]}{[HA]}=[H_3O^+]\times\frac{[A^-]}{[HA]}$이다.

(나)에서 혼합 용액의 pH=5이므로 $[H_3O^+]=10^{-5}$이고, $K_a=10^{-5}$이다.

$10^{-5}=10^{-5}\times\frac{[A^-]}{[HA]}$, $\frac{[A^-]}{[HA]}=1$

$[A^-]$와 [HA]가 서로 같다는 것은 HA가 처음 양의 절반 정도 반응했다는 것을 의미한다. 즉, 중화점의 절반에 해당하며, 가한 NaOH(aq)의 부피가 5 mL이므로 NaOH(aq)의 농도는 0.05 M이다.

ㄷ. (나)에서 0.05 M NaOH(aq) 5 mL를 더 가하면 혼합 용액은 중화점에 도달한다. 중화점에서의 pH는 염의 가수 분해에 따라 결정된다. 중화 반응 결과 생성된 염은 NaA로, pH는 A^-의 가수 분해에 영향을 받는다.

$A^-(aq)+H_2O(l) \rightleftharpoons HA(aq)+OH^-(aq)$,

$K_b=\frac{K_w}{K_a}=\frac{1\times10^{-14}}{1\times10^{-5}}=1\times10^{-9}$

혼합 용액에는 A^-이 $0.1\times0.005=5\times10^{-4}$몰이 들어 있으므로 $[A^-]=\frac{5\times10^{-4}}{0.015}=\frac{1}{30}$ M이다.

$[OH^-]=\sqrt{K_bC}$

$-\log[OH^-]=-\frac{1}{2}\log K_bC$

$pOH=-\frac{1}{2}\log K_bC=-\frac{1}{2}\log(1\times10^{-9}\times\frac{1}{30})$

$=5+\frac{\log3}{2}$

$pH=14-pOH=14-\left(5+\frac{\log3}{2}\right)=9-\frac{\log3}{2}$

즉, 혼합 용액의 pH는 9보다 작다.

10 ㄱ. HX(aq)의 몰 농도는 다음과 같다.

HX(aq)의 몰 농도: $\frac{\frac{a}{100a}\text{ mol}}{0.1\text{ L}}=0.1$ M

0.1 M HX(aq) 100 mL에 x M NaOH(aq) 50 mL를 가할 때 완전히 중화되었으므로 NaOH(aq)의 농도 x M는 다음과 같다.

$0.1\times100=x\times50$, $x=0.2$

즉, NaOH(aq)의 농도는 0.2 M이다.

HY(aq) 100 mL에 0.2 M NaOH(aq) 100 mL를 가할 때 완전히 중화되었으므로 HY(aq)의 농도는 0.2 M이다.

HY(aq)의 몰 농도: $\frac{\frac{b}{c}}{0.1}$ M=0.2 M ➡ $c=50b$

ㄴ. 약산 HY의 이온화 상수 $K_a=2\times10^{-5}$이고, HY(aq)의 초기 농도는 0.2 M이므로

이온화도(α)는 $\sqrt{\frac{K_a}{C}}=\sqrt{\frac{2\times10^{-5}}{2\times10^{-1}}}=10^{-2}$이다.

ㄷ. 약산과 강염기가 반응한 경우 중화점에서의 pH는 7보다 크다.

11 같은 몰 농도의 산 수용액에서 $[H_3O^+]$는 이온화도가 클수록 커지고, pH는 작아진다. HA의 이온화도가 0.01이고 HB의 이온화도가 0.001이므로, pH는 HA(aq)이 HB(aq)보다 작다.

HA(aq) 60 mL에 0.2 M NaOH(aq) 30 mL를 가하였을 때 완전히 중화되므로 HA(aq)의 농도는 0.1 M이다.

0.1 M HB(aq) V mL에 0.2 M NaOH(aq) 60 mL를 가하였을 때 완전히 중화되므로 HB(aq)의 부피는 120 mL이다.

ㄴ. HB(aq)의 농도가 0.1 M이고, HB의 이온화도는 0.001이므로 적정 전 $[H_3O^+]$는 1×10^{-4} M이다. 적정 전 HB(aq)의 $pH=-\log[H_3O^+]=-\log(1\times10^{-4})=4$이므로 pH는 4이다.

ㄷ. 0.1 M $HB(aq)$ 120 mL에 0.2 M $NaOH(aq)$ 30 mL를 가하면 $0.2\times0.03=0.006$몰의 H_3O^+과 OH^-이 반응하고 HB $0.1\times0.12-0.2\times0.03=0.006$몰이 용액 속에 존재한다. 따라서 이 혼합 용액의 pH는 HB에 의해 결정된다.

	$HB(aq)$ + $H_2O(l)$	⇌ $H_3O^+(aq)$	+ $B^-(aq)$
초기(M)	$\frac{0.006}{0.150}$	0	$\frac{0.006}{0.150}$
이온화(M)	$-x$	$+x$	$+x$
평형(M)	$\frac{0.006}{0.150}-x$	x	$\frac{0.006}{0.150}+x$

HB는 약산으로, x 값이 매우 작아 무시할 수 있다. 따라서 평형 상태에서의 농도는 $[HB]=\frac{0.006}{0.150}$ M, $[B^-]=\frac{0.006}{0.150}$ M로 볼 수 있으므로 $\frac{[B^-]}{[HM]}=1$이 된다. 즉, 0.1 M $HB(aq)$ 120 mL에 0.2 M $NaOH(aq)$ 30 mL를 가하면 $\frac{[B^-]}{[HB]}=1$인 완충 용액이 형성된다.

바로 알기 ㄱ. $HA(aq)$의 농도는 0.1 M이다.

12 ㄱ. (나)에서 $[HA]=[A^-]$인 경우는 중화 반응에서 중화점의 절반에 해당하는 지점까지 반응이 진행된 것을 의미한다. 따라서 0.1 M $NaOH(aq)$ 10 mL를 가하였을 때 중화점의 절반에 해당하는 지점까지 반응이 진행되었으므로 $HA(aq)$의 농도는 0.1 M이다.

ㄷ. (나)에서 pH는 $HA(aq)$의 이온화 평형에 의해 결정된다.

$HA(aq) + H_2O(l) \rightleftharpoons H_3O^+(aq) + A^-(aq)$

$K_a=\frac{[H_3O^+][A^-]}{[HA]}$

(나)에서 $[HA]=[A^-]$이므로 $\frac{[A^-]}{[HA]}=1$이 되어 $K_a=[H_3O^+]$이다. (나)에서 혼합 용액의 $pH=5$이므로 $[H_3O^+]=10^{-5}$ M이다. 따라서 HA의 $K_a=10^{-5}$이고, A^-의 $K_b=\frac{K_w}{K_a}=10^{-9}$이다.

0.1 M $NaA(aq)$은 A^-의 가수 분해에 의해 pH가 결정된다.

$A^-(aq) + H_2O(l) \rightleftharpoons HA(aq) + OH^-(aq)$, $K_b=10^{-9}$

$K_b=0.1\times\alpha^2=10^{-9}$, $\alpha=10^{-4}$

$[OH^-]=0.1\times10^{-4}=10^{-5}$ M이므로 $pOH=5$이고 $pH=14-pOH=9$이다.

바로 알기 ㄴ. 온도가 일정하면 K_a는 일정하므로 (가)에서도 HA의 $K_a=10^{-5}$이다. 약산 HA의 이온화 상수 $K_a=10^{-5}=C\alpha^2=0.1\times\alpha^2$이므로 이온화도 $\alpha=10^{-2}$이고, $[H_3O^+]=0.1\times10^{-2}=10^{-3}$ M이므로 $pH=3$이다.

사고력 확장 문제

134쪽

01 (1) 주어진 그림의 반응을 화학 반응식으로 나타내면 다음과 같다.

$CH_4 + 2O_2 \longrightarrow CO_2 + 2H_2O$

반응 엔탈피는 반응물의 결합 에너지를 합한 값에서 생성물의 결합 에너지를 합한 값을 빼면 구할 수 있다.

결합 에너지는 기체 상태의 두 원자 사이의 공유 결합 1몰을 끊어서 중성 원자로 만드는 데 필요한 에너지이다.

(2) 반응 엔탈피는 반응하는 물질의 양에 비례하여 변한다.

모범 답안 (1) $CH_4(g) + 2O_2(g) \longrightarrow CO_2(g) + 2H_2O(g)$, $\Delta H=-808$ kJ

$\Delta H=4\times$(C−H 결합 에너지)$+2\times$(O=O 결합 에너지)
$-\{2\times$(C=O 결합 에너지)$+2\times2\times$(O−H 결합 에너지)$\}$
$=\{(4\times414)+(2\times499)\}-\{(2\times805)+(4\times463)\}$
$=-808$ kJ

(2) 80.8 kJ, 메테인(CH_4)의 분자량은 16이므로 CH_4 1.6 g$=\frac{1.6}{16}=$0.1몰이다. CH_4 1몰이 완전 연소하면 808 kJ의 에너지가 주위로 방출되므로 CH_4 0.1몰이 완전 연소하면 80.8 kJ의 에너지가 주위로 방출된다.

	채점 기준	배점(%)
(1)	열화학 반응식을 옳게 쓰고, 풀이 과정을 포함하여 반응 엔탈피를 옳게 구한 경우	50
	열화학 반응식만 옳게 쓰거나, 반응 엔탈피만 옳게 구한 경우	20
(2)	풀이 과정을 포함하여 열량을 옳게 구한 경우	50
	풀이 과정 없이 열량만 옳게 구한 경우	30

02 (1) 정반응이 발열 반응인 경우 온도가 높을수록 역반응 쪽으로 평형이 이동하고, 정반응이 흡열 반응인 경우 온도가 높을수록 정반응 쪽으로 평형이 이동한다.

(2) 압력이 일정할 때 온도가 높을수록 생성물의 양이 증가하고, 온도가 일정할 때 압력이 높을수록 생성물의 양이 감소한다.

모범 답안 (1) 흡열 반응, 일정한 압력 조건에서 온도가 높아질수록 수득률이 증가하기 때문이다.

(2) 일정한 압력에서 온도가 높을수록 수득률이 증가하는 것으로 보아 온도가 높을수록 반응물의 농도는 감소하고 생성물의 농도는 증가한다는 것을 알 수 있다. 따라서 평형 상수는 온도가 높을수록 커진다. 일정한 온도에서 압력이 높을수록 수득률이 감소하는 것으로 보아 압력이 높을수록 반응물의 농도는 증가하고 생성물의 농도는 감소한다는 것을 알 수 있다. 그러나 평형 상수는 압력에 의해 변하지 않는다. 즉, 온도가 높을수록 평형 상수는 커지나, 압력에 의해서 평형 상수는 변하지 않는다.

	채점 기준	배점(%)
(1)	흡열 반응을 옳게 쓰고, 그 이유를 옳게 서술한 경우	50
	흡열 반응만 쓴 경우	30
(2)	온도와 압력에 따른 평형 상수 값의 변화를 모두 옳게 서술한 경우	50
	온도에 따른 평형 상수 값의 변화나 압력에 따른 평형 상수 값의 변화 중 하나만 옳게 서술한 경우	25

03 (1) 화학 반응식에서의 계수비는 반응 몰비와 같다. A 2몰이 반응하여 B 1몰과 C 1몰이 생성된다.

(2) 온도가 일정하면 평형 상수도 일정하다.

모범 답안 (1) $a : b : c = 2 : 1 : 1$

(2) 21기압, $2A(g) \rightleftharpoons B(g) + C(g)$ 반응의 평형 상수 $K = \frac{[B][C]}{[A]^2}$이다. 따라서 평형 상태에서 평형 상수 $K = \frac{1}{4}$이다.

평형을 이룬 상태에서 용기 속에 $A(g)$ 1몰, $B(g)$ 1몰, $C(g)$ 1몰을 넣으면 용기 속에는 $A(g)$ 3몰, $B(g)$ 2몰, $C(g)$ 2몰이 존재하므로 반응 지수 $Q = \frac{4}{9}$이다. 이때 $Q > K$이므로 역반응 쪽으로 반응이 진행된다. 생성된 $A(g)$의 양(mol)을 $2x$라 하면 다음과 같은 양적 관계가 성립한다.

	$2A(g)$	$\rightleftharpoons$ $B(g)$	$+ C(g)$
처음(mol)	3	2	2
반응(mol)	$+2x$	$-x$	$-x$
평형(mol)	$3+2x$	$2-x$	$2-x$

온도는 변하지 않았으므로 평형 상수는 일정하다.

$$K = \frac{(2-x)^2}{(3+2x)^2} = \frac{1}{4}$$

$x = \frac{1}{4}$이다. 따라서 새로운 평형 상태에서는 $A(g)$ $\frac{7}{2}$몰, $B(g)$ $\frac{7}{4}$몰, $C(g)$ $\frac{7}{4}$몰이 용기 속에 존재한다.

이상 기체 방정식에 따르면 $PV = nRT$이므로 용기 속 기체 전체의 압력은 다음과 같다.

$$P = \frac{nRT}{V} = \frac{7\ \text{mol} \times 0.082\ \text{atm}\cdot\text{L/(mol}\cdot\text{K)} \times 300\ \text{K}}{8.2\ \text{L}}$$

$= 21$기압

	채점 기준	배점(%)
(1)	a, b, c의 비를 모두 옳게 구한 경우	40
(2)	전체 압력을 옳게 구하고, 그 과정을 옳게 서술한 경우	60
	전체 압력을 옳게 구한 경우	30

04 평형 상태에 있는 반응계를 압축시켜 압력을 높이면 기체 분자 수가 감소하는 쪽으로 반응이 진행된다.

모범 답안 B>C>A, 실린더에 힘을 가하여 압력을 높이면 정반응 쪽으로 평형이 이동한다. 이때 반응 용기를 압축하는 순간에는 농도가 증가하므로 색깔이 진해진다. 그후 새로운 평형에 도달하면서 평형이 정반응 쪽으로 이동하므로 색깔이 옅어진다. 그러나 압축 직후보다 색깔이 옅어지는 것이지, 압축 전보다 색깔이 옅어지는 것은 아니다.

채점 기준	배점(%)
색깔의 진한 정도를 옳게 비교하고, 그 이유를 옳게 서술한 경우	100
색깔의 진한 정도만 옳게 비교한 경우	40

05 (1) 물의 상평형 그림에서 X는 고체 상태, Y는 액체 상태, Z는 기체 상태이다.

(2) 결합 A는 공유 결합, 결합 B는 수소 결합이다.

모범 답안 (1) 액체, Y

(2) 물의 상태가 변하면 수소 결합의 수는 변하지만 원자 사이의 공유 결합은 그대로 유지된다. 따라서 고체(X)가 액체(Y)로 될 때 수소 결합(B)의 수는 감소하지만 공유 결합(A)의 수는 변하지 않는다. 반대로 액체(Y)가 고체(X)로 될 때 수소 결합(B)의 수는 증가하지만 공유 결합(A)의 수는 변하지 않는다.

	채점 기준	배점(%)
(1)	물질의 상태를 옳게 쓴 경우	20
	X, Y, Z 중 Y를 옳게 고른 경우	20
(2)	결합 A의 수 변화와 그 이유를 옳게 서술한 경우	30
	결합 B의 수 변화와 그 이유를 옳게 서술한 경우	30

06 (1) 다음 반응의 평형 상수는 다음과 같이 구할 수 있다.

$$aA + bB \rightleftharpoons cC + dD$$

평형 상수 $K = \frac{[C]^c[D]^d}{[A]^a[B]^b}$

(2) 온도가 일정하면 평형 상수 값은 일정하다.

모범 답안 (1) $K_{a1} = \frac{[HCO_3^-][H_3O^+]}{[H_2CO_3]}$, $K_{a2} = \frac{[CO_3^{2-}][H_3O^+]}{[HCO_3^-]}$이다.

$H_2CO_3(aq) + 2H_2O(l) \rightleftharpoons 2H_3O^+(aq) + CO_3^{2-}(aq)$ 반응에서 이온화 상수 K_a는 다음과 같다.

$K_a=\frac{[H_3O^+]^2[CO_3^{2-}]}{[H_2CO_3]}$

$K_a=K_{a1}\times K_{a2}=\frac{[HCO_3^-][H_3O^+]}{[H_2CO_3]}\times\frac{[CO_3^{2-}][H_3O^+]}{[HCO_3^-]}$

$=4.4\times10^{-7}\times4.7\times10^{-11}=2.068\times10^{-17}$

(2) K_{a2}는 변하지 않고 일정하다. 평형 상수는 온도에 의해서만 변하기 때문이다.

탄산음료의 pH는 증가한다. 탄산음료의 병뚜껑을 열 때 이산화 탄소 기체가 발생한 것은 이산화 탄소의 용해 반응에서 역반응이 일어난 것을 의미한다. 따라서 탄산음료 속 $H_2CO_3(aq)$의 양이 줄어들므로 이온화 반응에서는 $H_2CO_3(aq)$의 양이 증가하는 방향인 역반응이 진행되어 결과적으로는 H_3O^+의 양이 줄어든다.

	채점 기준	배점(%)
(1)	이온화 상수를 풀이 과정과 함께 옳게 구한 경우	40
	이온화 상수만 옳게 구한 경우	20
(2)	K_{a2}의 크기 변화와 이유를 옳게 서술한 경우	30
	pH의 크기 변화와 이유를 옳게 서술한 경우	30

07 약산 $HA(aq)$을 강염기인 $NaOH(aq)$으로 중화 적정하면 중화점에 이르기 전에 약산 HA의 짝염기인 A^-이 생성되므로 그 수용액은 완충 용액이 된다. 따라서 헨더슨-하셀바흐 식을 이용하여 수용액의 pH를 구한다.

(1) $[H_3O^+]=\sqrt{K_aC}=\sqrt{1.69\times10^{-5}\times0.1}=1.3\times10^{-3}$ M

$pH=-\log[H_3O^+]=-\log(1.3\times10^{-3})=2.89$

(2) 초기 HA의 양(mol)$=0.1\ M\times0.025\ L=2.5\times10^{-3}$ mol

가한 OH^-의 양(mol)$=0.1\ M\times0.01\ L=1.0\times10^{-3}$ mol

	HA	+	OH^-	⇌	A^-	+	H_2O
처음(mol)	2.5×10^{-3}		1.0×10^{-3}		0		
반응(mol)	-1.0×10^{-3}		-1.0×10^{-3}		$+1.0\times10^{-3}$		
반응 후(mol)	1.5×10^{-3}		0		1.0×10^{-3}		

헨더슨-하셀바흐 식에 의해 pH는 다음과 같다.

$pH=pK_a+\log\frac{[A^-]}{[HA]}$

$=-\log(1.69\times10^{-5})+\log\frac{1.0\times10^{-3}}{1.5\times10^{-3}}$

$=4.77+\log\frac{2}{3}=4.77+0.3-0.48=4.59$

(3) 초기 HA의 양(mol)은 다음과 같다.

$0.1\ M\times0.025\ L=2.5\times10^{-3}$ mol

가한 OH^-의 양(mol)은 다음과 같다.

$0.1\ M\times0.0125\ L=1.25\times10^{-3}$ mol

	HA	+	OH^-	⇌	A^-	+	H_2O
처음(mol)	2.5×10^{-3}		1.25×10^{-3}		0		
반응(mol)	-1.25×10^{-3}		-1.25×10^{-3}		$+1.25\times10^{-3}$		
반응 후(mol)	1.25×10^{-3}		0		1.25×10^{-3}		

헨더슨-하셀바흐 식에 의해 pH는 다음과 같다.

$pH=pK_a+\log\frac{[A^-]}{[HA]}=4.77+\log\frac{1.25\times10^{-3}}{1.25\times10^{-3}}=4.77$

(4) 중화점에서 생성된 A^-의 양(mol)$=0.1\ M\times0.025\ L$
$=2.5\times10^{-3}$ mol

중화점에서 혼합 용액의 부피$=$ 50 mL

중화점에서 A^-의 몰 농도$=0.05$ M

A^-은 약산으로부터 생성된 이온이므로 다음과 같이 가수 분해가 일어난다.

	A^-	+	H_2O	⇌	HA	+	OH^-
처음 농도(M)	0.05				0		0
반응 농도(M)	$-x$				$+x$		$+x$
반응 후 농도(M)	$0.05-x$		0		x		x

$K_a\times K_b=K_w$이므로 K_b는 다음 식으로 구할 수 있다.

$K_b=\frac{K_w}{K_a}=\frac{1.0\times10^{-14}}{1.69\times10^{-5}}=5.9\times10^{-10}$

평형 상수식에서 K_b는 다음과 같다.

$K_b=\frac{[HA][OH^-]}{[A^-]}=\frac{x^2}{0.05-x}\fallingdotseq\frac{x^2}{0.05}=5.9\times10^{-10}$

$x^2=29.5\times10^{-12}$

$x=5.4\times10^{-6}=[OH^-]$

$pOH=-\log[OH^-]=-\log(5.4\times10^{-6})=5.27$

$pH=14-pOH=14-5.27=8.73$

(5) 초기 HA의 양(mol)은 다음과 같다.

$0.1\ M\times0.025\ L=2.5\times10^{-3}$ mol

가한 OH^-의 양(mol)은 다음과 같다.

$0.1\ M\times0.026\ L=2.6\times10^{-3}$ mol

혼합 용액의 전체 부피는 다음과 같다.

$25\ mL+26\ mL=51\ mL=5.1\times10^{-2}\ L$

	HA	+	OH^-	⇌	A^-	+	H_2O
처음(mol)	2.5×10^{-3}		2.6×10^{-3}		0		
반응(mol)	-2.5×10^{-3}		-2.5×10^{-3}		$+2.5\times10^{-3}$		
반응 후(mol)	0		1.0×10^{-4}		2.5×10^{-3}		

$[OH^-]=\frac{1.0\times10^{-4}}{5.1\times10^{-2}}=1.96\times10^{-3}$ M

$pOH=-\log[OH^-]=-\log(1.96\times10^{-3})=2.71$

$pH=14-pOH=14-2.71=11.29$

모범 답안 (1) pH 2.89 (2) pH 4.59 (3) pH 4.77 (4) pH 8.73 (5) 11.29

	채점 기준	배점(%)
(1)	0.1 M HA(*aq*)의 pH를 옳게 구한 경우	20
(2)	0.1 M HA(*aq*)에 0.1 M NaOH(*aq*) 10 mL를 가했을 때 혼합 용액의 pH를 옳게 구한 경우	20
(3)	0.1 M HA(*aq*)에 0.1 M NaOH(*aq*) 12.5 mL를 가했을 때 혼합 용액의 pH를 옳게 구한 경우	20
(4)	0.1 M HA(*aq*)에 0.1 M NaOH(*aq*) 25 mL를 가했을 때 혼합 용액의 pH를 옳게 구한 경우	20
(5)	0.1 M HA(*aq*)에 0.1 M NaOH(*aq*) 26 mL를 가했을 때 혼합 용액의 pH를 옳게 구한 경우	20

08 BOH(*aq*)의 몰 농도를 x M이라고 할 때 1.0 M HCl(*aq*) 10 mL를 가하였더니 완전히 중화되었으므로 x는 다음과 같다.

$x\times50=1.0\times10,\ x=0.2$ M

(2) 완충 용액은 약산에 그 짝염기를 넣은 용액이나 약염기에 그 짝산을 넣은 용액으로, 산이나 염기를 가하여도 공통 이온 효과에 의해 용액의 pH가 거의 변하지 않는다.

모범 답안 (1) BOH(*aq*)의 pH가 11이므로 $[H_3O^+]=10^{-11}$ M이고, $[OH^-]=\frac{1.0\times10^{-14}}{10^{-11}}=10^{-3}$ M이다. 따라서 BOH의 양(mol)은 $0.050\ L\times0.2\ M=1\times10^{-2}$몰이고, OH^-의 양(mol)은 $0.050\ L\times10^{-3}\ M=5\times10^{-5}$몰이므로 BOH의 이온화도는 다음과 같다.

BOH의 이온화도(α): $\frac{5\times10^{-5}}{1\times10^{-2}}=5\times10^{-3}$

BOH의 이온화 상수(K_b): $0.2\times(5\times10^{-3})^2=5.0\times10^{-6}$

(2) 완충 용량이란 완충 용액에 강산이나 강염기를 넣었을 때 pH의 변화에 저항하는 정도를 나타내는 것으로, 완충 용량은 약염기와 그 짝산의 농도비에 따라 달라지며 약염기와 그 짝산의 농도가 같은 b점에서 가장 크다. 반면 c점에서는 처음 용액 속에 있던 약염기는 모두 반응하고, 짝산의 가수 분해에 의한 약염기만 소량 존재하므로 pH 변화가 매우 크다.

	채점 기준	배점(%)
(1)	이온화도를 옳게 구한 경우	30
	이온화 상수를 옳게 구한 경우	30
(2)	b에서의 pH 변화가 c에서의 pH 변화보다 작은 이유를 옳게 서술한 경우	40

논구술 대비 문제

Ⅱ 반응 엔탈피와 화학 평형

실전 문제 1 140쪽

예시 답안 프로페인(C_3H_8)이 산소(O_2)와 반응하여 이산화 탄소(CO_2)와 물(H_2O)을 생성하는 반응이 프로페인의 연소이다. 프로페인의 연소를 열화학 반응식으로 나타내면 다음과 같다.

$C_3H_8(g) + 5O_2(g) \longrightarrow 3CO_2(g) + 4H_2O(l),\ \Delta H$

결합 에너지를 이용해서 반응 엔탈피(ΔH)를 구하기 위해서는 모든 화합물의 상태가 기체이어야 하므로 다음 열화학 반응식의 반응 엔탈피(ΔH)를 먼저 구해야 한다.

$C_3H_8(g) + 5O_2(g) \longrightarrow 3CO_2(g) + 4H_2O(g),\ \Delta H_1$

$\Delta H_1 = \sum$반응물의 결합 에너지$- \sum$생성물의 결합 에너지

$=(2C-C+8C-H+5O=O)-(6C=O+8O-H)$

$=(2\times347+8\times414+5\times499)-(6\times805+8\times463)$ kJ

$=-2033$ kJ

물의 기화열은 44 kJ/mol이므로 다음과 같은 열화학 반응식이 성립한다.

$H_2O(g) \longrightarrow H_2O(l),\ \Delta H_2=-44$ kJ

$\Delta H=\Delta H_1+4\Delta H_2=-2033-4\times44=-2209$ kJ

따라서 프로페인이 완전 연소될 때의 열화학 반응식은 다음과 같다.

$C_3H_8(g) + 5O_2(g) \longrightarrow 3CO_2(g) + 4H_2O(l),\ \Delta H=-2209$ kJ

밀폐된 용기에서 프로페인 1몰이 완전 연소한다면 반응 전 전체 기체의 양(mol)은 6몰이고, 반응 후 전체 기체의 양(mol)은 3몰이 된다. 따라서 용기 안의 압력이 감소한다. 또, 전체 기체의 양(mol)이 감소하므로 엔트로피도 감소한다.

실전 문제 2 141쪽

예시 답안 중성 수용액에서는 다음과 같이 알라닌의 카복실기에서 수소 이온이 이온화하여 아미노기로 이동하여 쌍극성 이온이 생성된다.

$$H_3N^+-CH(CH_3)-COO^-$$

여기에 HCl(aq)을 가하면 다음과 같은 평형에서 르샤틀리에 원리에 의해 수소 이온의 농도가 감소하는 방향인 정반응 쪽으로 평형이 이동하여 알라닌은 산성 형태로 존재한다.

$$CH_3-CH(NH_3^+)-COO^- + H^+ \rightleftharpoons CH_3-CH(NH_3^+)-COOH$$

중성 용액 / 산성 용액

화학 | 용어 찾아보기

ㄱ

가역 반응 2권 044
간이 열량계 2권 024
결정성 고체 1권 059
결합 에너지 2권 025
고산병 2권 068
고체 1권 010, 059
공유 결정 1권 060
광촉매 3권 056
균일 혼합물 1권 080
극성 공유 결합 1권 012
금속 결정 1권 061
금속 결합 1권 061
금속의 이온화 경향 3권 080
구리의 정련 3권 110
기준 끓는점 1권 011, 058
기질 3권 054
기질 특이성 3권 054
기체 1권 010
기체 분자 운동론 1권 033
기체 상수 1권 032
기화 1권 053, 2권 080
기화열 1권 053
끓는점 1권 011, 058
끓는점 오름 1권 098
끓음 1권 011, 058

ㄴ

나노 촉매 3권 056
농도와 평형 이동 2권 063
느린 반응 3권 011

ㄷ

다니엘 전지 3권 084
단순 입방 구조 1권 062
단위격자 1권 062
단위 세포 1권 062
대기압 1권 026
돌턴의 부분 압력 법칙 1권 037
동적 평형 상태 1권 057

ㄹ

라디칼 3권 056
라울 법칙 1권 097
르샤틀리에 원리 2권 062
리튬 고분자 전지 3권 090
리튬 공기 전지 3권 092
리튬 이온 전지 3권 090

ㅁ

망가니즈 건전지 3권 088
매질 1권 033
면심 입방 구조 1권 063
명반응 3권 111
메니스커스 1권 056
모세관 현상 1권 056
몰 농도 1권 084
몰랄 내림 상수 1권 098
몰랄 농도 1권 084
몰랄 오름 상수 1권 098
몰 분율 1권 038, 084
무극성 공유 결합 1권 012
무기 촉매 3권 054
물리량 1권 012
물의 광분해 3권 111
밀집 구조 1권 063

ㅂ

반감기 3권 016
반응계 2권 010
반응 속도 3권 013
반응 속도 상수 3권 015
반응 속도식 3권 014
반응 속도 이론 3권 030
반응 엔탈피 2권 012
반응 차수 3권 014
반쪽 반응 3권 083
반쪽 전지 3권 084
반투막 1권 100
반트호프 법칙 1권 100
배위수 1권 062
발열 반응 2권 011
보일 법칙 1권 028, 031, 034
보일·샤를 법칙 1권 031
볼타 전지 3권 083
부분 압력(분압) 1권 037
부분 압력 법칙 1권 037
부착력 1권 056
부촉매 3권 052
부피 퍼센트 농도 1권 083
분극 현상 3권 084
분산력 1권 015
분자 결정 1권 059
분자의 해리 에너지 2권 026
불균일 평형 2권 048
불균일 혼합물 1권 080
비가역 반응 2권 045
비결정성 고체 1권 059
비열 1권 054
비유효 충돌 3권 029
비이상 용액 1권 097
빠른 반응 3권 010

ㅅ

3중점 2권 083
삼투 1권 100
삼투압 1권 100
상태 변화 2권 080
상평형 2권 082
상평형 그림 2권 082
생성 엔탈피 2권 014
샤를 법칙 1권 029, 031, 034
서스펜션 1권 081
석출 1권 081
섭씨온도 1권 029
수득률 2권 066
수상 치환 3권 012
수산화 칼륨 연료 전지 3권 091
수소 결합 1권 017, 052
수소 연료 전지 3권 091
수용액 1권 081
수화 1권 082
순간 반응 속도 3권 014
순물질 1권 080
실제 기체 1권 035
쌍극자 1권 012
쌍극자 모멘트 1권 012
쌍극자·쌍극자 힘 1권 014
쌍극자·유발 쌍극자 힘 1권 015
승화 2권 080
승화가 일어나는 조건 3권 083
승화 곡선 2권 083

ㅇ

아보가드로 법칙 1권 031, 035
알루미늄의 제련 3권 111
압력 1권 026
압력과 평형 이동 2권 064
액체 1권 010
액화 2권 080
어는점 내림 1권 098
X선 회절 1권 062
연성 1권 061
연소 엔탈피 2권 016
열역학 제2법칙 1권 029
열용량 1권 054
열화학 반응식 2권 012
0차 반응 3권 016
오존 구멍 3권 053
온도와 평형 이동 2권 065
원자 결정 1권 060
유발 쌍극자 1권 015
육방 밀집 구조 1권 063
용매 1권 081
용매화 1권 082
용액 1권 081
용질 1권 081
용해 1권 081
용해 엔탈피 2권 016
유기 촉매 3권 056
유효 충돌 3권 029
융털 3권 042
융해 1권 053, 2권 080
융해열 1권 053
융해(용융) 곡선 2권 083
응고 2권 080
응집력 1권 056
응축 1권 057
이산화 타이타늄 3권 056
이상 기체 1권 035
이상 기체 방정식 1권 032
이상 용액 1권 097
이온 결정 1권 060
이합체 1권 018
1차 반응 3권 016
1차 전지 3권 088
2차 전지 3권 088
임계 온도 2권 082
임계 압력 2권 082

ㅈ

자기 방전 3권 090
자유 전자 1권 061
전극 물질 3권 106
전기 도금 3권 110
전기 음성도 1권 013
전기 분해 3권 106
전성 1권 061
전체 압력 1권 037
전해질 용액 1권 097
절대 영도 1권 029
절대 온도 1권 029
정촉매 3권 052
주위 2권 010
중화 엔탈피 2권 016
증기 압력 1권 057, 096
증기 압력 곡선 1권 058, 099, 2권 082
증기 압력 내림 1권 096
증발 1권 011, 057
질량 퍼센트 농도 1권 083

ㅊ

철의 부식 3권 011
체심 입방 구조 1권 062
초기 반응 속도 3권 014
촉매 3권 052
총괄성 1권 101
충돌 이론 3권 030, 040
친수성기 1권 056

ㅋ

콜로이드 1권 081

ㅌ

torr(토르) 1권 027
통열량계 2권 024

ㅍ

퍼센트 농도 1권 083
편극 1권 015
평균 결합 에너지 2권 025
평균 반응 속도 3권 014
폐포 3권 042
표면 장력 1권 054
표준 전극 전위 3권 086
표준 전지 전위 3권 087
표면 촉매 3권 055
표준 엔탈피 2권 012
표준 생성 엔탈피 2권 014
ppm 농도 1권 083
프레온 3권 053

ㅎ

헤스 법칙 2권 028
헤모글로빈 2권 068
hPa(헥토파스칼) 1권 027
혼합물 1권 080
화씨온도 1권 029
화학 평형 상태 2권 046
화학 평형 이동 2권 062
화학 전지 3권 082
화합물 1권 080
확산 1권 033
활성화물 3권 030
활성화물 이론 3권 030
활성화 에너지 3권 029
효소 3권 054
흡열 반응 2권 011

memo

과학 고수들의 필독서